50 CONTOS DE MACHADO DE ASSIS

MACHADO DE ASSIS

50 contos

Seleção, introdução e notas
John Gledson

33ª reimpressão

COMPANHIA DAS LETRAS

Copyright da seleção, introdução e notas © 2007 by John Gledson

Grafia atualizada segundo o Acordo Ortográfico da Língua Portuguesa
de 1990, que entrou em vigor no Brasil em 2009.

Capa
Jeff Fisher

Preparação dos contos
Carlos Alberto Inada

Revisão
Ana Maria Barbosa
Valquíria Della Pozza

Mapa
Sonia Vaz
Fonte: *Atlas da evolução da cidade do Rio de Janeiro*,
Eduardo Canabrava Barreiros. Instituto
Histórico e Geográfico do Rio de Janeiro, 1965.

Dados Internacionais de Catalogação na Publicação (CIP)
(Câmara Brasileira do Livro, SP, Brasil)

Assis, Machado de
    50 contos / Machado de Assis ; seleção, introdução e notas
John Gledson. — São Paulo : Companhia das Letras, 2007.

    ISBN 978-85-359-1039-1

    1. Contos brasileiros I. Gledson, John. II. Título.

07-3802   CDD-869.93

Índice para catálogo sistemático:
1. Contos : Literatura brasileira 869.93

Todos os direitos desta edição reservados à
EDITORA SCHWARCZ S.A.
Rua Bandeira Paulista, 702, cj. 32
04532-002 — São Paulo — SP
Telefone: (11) 3707-3500
www.companhiadasletras.com.br
www.blogdacompanhia.com.br
facebook.com/companhiadasletras
instagram.com/companhiadasletras
twitter.com/cialetras

Sumário

7 *Uma breve introdução aos contos de Machado de Assis* — John Gledson

50 CONTOS

21 O machete
32 Na arca
38 O alienista
82 Teoria do medalhão
91 Uma visita de Alcibíades
99 D. Benedita
119 O segredo do Bonzo
126 O anel de Polícrates
138 O empréstimo
146 A sereníssima república
154 O espelho
163 Verba testamentária
173 A chinela turca
183 A igreja do Diabo
191 Conto alexandrino
200 Cantiga de esponsais

204 Singular ocorrência

212 Último capítulo

220 Galeria póstuma

228 Capítulo dos chapéus

241 Anedota pecuniária

250 Primas de Sapucaia!

258 Uma senhora

265 Fulano

271 A segunda vida

279 Trina e una

289 Noite de almirante

296 A senhora do Galvão

303 As academias de Sião

311 Evolução

318 O enfermeiro

326 Conto de escola

334 D. Paula

342 O diplomático

351 A cartomante

359 Adão e Eva

365 Um apólogo

368 A causa secreta

377 Uns braços

385 Entre santos

393 Trio em lá menor

401 Terpsícore

409 A desejada das gentes

417 Um homem célebre

426 O caso da vara

433 Missa do galo

440 Ideias de canário

445 Uma noite

457 Pílades e Orestes

466 Pai contra mãe

477 *Nota bibliográfica*

483 *Sobre o autor*

487 *Sobre o organizador*

Uma breve introdução aos contos de Machado de Assis

> *Uma grande separação*
> *na pequena área do quarto*
> Carlos Drummond de Andrade

Um homem que tem o estranho prazer de torturar ratos, e termina por encarar a morte da esposa com a mesma satisfação; outro que, abandonado a sós numa fazenda, se olha num espelho e descobre que seu reflexo desapareceu; uma ex-prostituta que ama profundamente um homem, porém o trai com um completo desconhecido quando o amado está fora da cidade; uma pacífica dona de casa que, depois de um arrufo com o marido, faz um alarmante passeio pelo centro da cidade e volta com alívio para o meio familiar; uma mulher tão obcecada em esconder a idade que impede a filha de se casar; um afortunado compositor de melodias populares que deseja desesperadamente escrever música clássica; um rapazinho de quinze anos que se deixa empolgar pela visão dos braços de uma mulher mais velha; um casal empobrecido que adora dançar e termina esbanjando numa festa o prêmio ganho na loteria... Essas são algumas das situações e personagens dos contos deste livro. Algumas o leitor há de reconhecer de imediato, mas, com um pouco de sorte — visto que esta antologia é mais abrangente que de costume e inclui escolhas não usuais —, há de encontrar velhos amigos, mas também conhecerá outros pela primeira vez, e a amplitude e sutileza destes textos, o prazer que se extrai da observação de pequenos detalhes, e da maneira como as histórias são contadas, vão fazê-lo ler, reler e redescobrir o maior escritor brasileiro. Carlos Drummond de Andrade dizia que ler Machado de Assis era uma tentação permanente, quase como se fosse um vício a que tivesse de resistir: não há melhor lugar para se dedicar a tal vício do que este livro.

Machado escreveu cerca de duzentos contos. Os cinquenta que escolhi foram todos escritos depois de 1878, quando ele tinha já quase quarenta anos, e 44 deles foram escritos na década seguinte — "Um homem célebre", certamente candidato ao melhor de quantos escreveu, foi publicado em 1888. Ao todo, Machado publicou, nesses dez anos, oitenta contos, numa espantosa explosão de criatividade, que também rendeu seu primeiro grande romance, *Memórias póstumas de Brás Cubas* (1880).

Como isso aconteceu — por que aconteceu, e por que nesse momento? Nada é mais difícil de explicar do que a explosão de um gênio criador — e não devemos duvidar que é disso que se trata. Contos podem *parecer* fáceis, escritos algo apressadamente como uma espécie de subproduto de um trabalho mais sério e profundo para a realização de um grande romance, ou até como sintomas de uma incapacidade passageira de empreender "obras de maior tomo" (palavras de Dom Casmurro), mas nada está mais longe da verdade. Contos não são romances imperfeitos, ou até poemas em prosa — existem com seus direitos próprios, e, além do mais, por essa época, quando Machado começou a escrever os seus melhores, o gênero estava conquistando uma nova dignidade, uma consciência nova dos seus poderes. Machado é um dos grandes pioneiros deste processo (ao lado de escritores mais jovens como Tchekhov e Maupassant) — o que de modo algum significa dizer que é primitivo. Mozart foi pioneiro em escrever para clarineta — mas seu concerto para clarineta jamais seria considerado "primitivo".

Em 1880, Machado estava com quarenta anos. É mais ou menos familiar a história do jovem mestiço, de origem pobre, criado sob a proteção de uma família aristocrática dos subúrbios do Rio, com a ambição de fazer carreira própria no pequeno mundo literário da época, e que subiu de aprendiz de tipógrafo até se tornar fundador e primeiro presidente da Academia Brasileira de Letras, e o mais respeitado dos escritores brasileiros. Mas qual era a ambição predominante em Machado? Ele foi uma pessoa cuidadosa, para não dizer calculista, e no começo dos anos 1870 já tinha assentado as bases daquilo que iria ser. Casara-se com uma moça acima de sua classe, uma mulher branca e portuguesa, Carolina Xavier de Novaes (é claro que não há motivo para duvidar de que a tenha desposado por amor, mas igualmente não se pode duvidar de que o fato foi uma "boa aliança" para ele); era alguém respeitado no panorama literário carioca, amigo e protegido da grande personalidade desse cenário, José de Alencar; e por último, mas não de menos importância, empenhou-se numa carreira de sucesso no funcionalismo civil do Império — em 1868, embora tivesse sido liberal a vida inteira, sobreviveu a uma mudança de governo, de liberal a conservador, em parte usando seus laços com Alencar, e daí em diante não correu mais riscos de perder o emprego.

Chegara então o momento de utilizar a estabilidade social e financeira para fazer o que *de fato* queria, e foi isso, sua verdadeira ambição, mais que qualquer outra coisa, que tornou Machado a figura extraordinária que é. Os anos setenta são de experimentação, de dúvidas, de hesitação entre várias opções, no romance, no conto, na poesia; principalmente, talvez, de duas ambições que precisava conciliar — o desejo de ser um escritor brasileiro, fiel ao "sentimento íntimo do seu tempo e do seu país", para citar o ensaio famoso, "Instinto de nacionalidade", de 1873, e sua consciência, que sempre o acompanha, de que a grande literatura precisa *também* ser, em algum sentido difícil de definir, universal. Como disse nesse mesmo ensaio, "Shakespeare [que situou sua peça mais famosa em Dinamarca...] é, além de um gênio universal, um poeta essencialmente inglês". A dificuldade de conciliar esses dois imperativos era tanto maior para um escritor de um país periférico em relação à cultura europeia, e jovem, ainda na sua "meninice social", para empregar uma frase de uma crônica do mesmo ano, 1878, em que sua experimentação — sua inquietação — chegou a um auge. Em dezembro de 1877, com a idade prematura de 48 anos, morrera José de Alencar. Parece ter sido o sinal necessário para que Machado, seu inconteste sucessor como "chefe da literatura brasileira", desse o "salto mortal" que o alçaria além dos limites nacionais para conquistar o mundo.

Tendo isso em mente, vamos começar examinando os dois primeiros contos aqui incluídos, "O machete" e "Na arca". O primeiro foi publicado em março de 1878 numa revista, o *Jornal das Famílias*, onde Machado já publicara cerca de setenta histórias. Destas, "O machete" foi o único que incluí nesta antologia (de fato, trata-se de um dos últimos, pois a revista acabou naquele mesmo ano). Em geral, essas histórias, com títulos como "Casa, não casa", "Nem uma nem outra", "Qual dos dois?", não despertam muito interesse hoje, pois são por demais ingênuas, e excessivamente orientadas pelos assuntos limitados da "juventude casadoura" do Rio de Janeiro. Contudo, algo estava acontecendo em 1878, e "O machete" nos mostra um pouco disso. Visivelmente desgostoso com o tipo de histórias que escrevia para o *Jornal*, podemos ver como, em "O machete", Machado encarava seu problema de fora, por assim dizer, e com misterioso discernimento. Inácio, o infeliz violoncelista do conto, cuja mulher foge com um músico popular que toca o "machete" (outro nome do cavaquinho), diz, pouco antes do final da história: "penso em fazer uma coisa inteiramente nova, um concerto para violoncelo e machete". Enlouquece — mas, para Machado, essas "coisas inteiramente novas", que misturavam o sério e o frívolo, nas quais o que era local, brasileiro e cômico (o "machete") se combinava com o que era universal, tradicional, "europeu" e trágico (o violoncelo), são exatamente o que ele desejava escrever — talvez já estivesse escrevendo.

Dez anos depois, em 1888, publicou "Um homem célebre", que guarda paralelos óbvios com "O machete": Pestana, um compositor popular de polcas, deseja escrever música clássica "séria", mas não consegue. Em "O machete", a impotência de Inácio, sua incapacidade para transpor a distância entre o popular e o erudito, é o que o torna louco. Pestana sofre do mesmo dilema, do qual só se liberta pela morte, mas sua conclusão é um tanto mais saudável: faz um gracejo a respeito dos títulos absurdos dados às suas polcas e, comenta o narrador, "Foi a única pilhéria que disse em toda a vida, e era tempo, porque expirou na madrugada seguinte...". Nessa segunda história, escrita no fim dos anos mais férteis do ponto de vista do contista, Machado não somente enxerga o problema, mas vê uma boa parte da solução — pilhérias, humor e, acima de tudo, diria eu, *ironia*. Ironia, "esse movimento ao canto da boca, cheio de mistérios, inventado por algum grego da decadência...", como escreve em "Teoria do medalhão", e que o tornou capaz de escrever uma "nova música" e sobreviver numa maturidade espantosamente criativa.

"O machete" foi publicado em março de 1878. Dois meses depois, em maio do mesmo ano, Machado publicou "Na arca (três capítulos inéditos do *Gênesis*)", agora não no *Jornal das Famílias*, mas em *O Cruzeiro*, um jornal diário em que já publicara algumas curtas e cômicas "fantasias" (como José Galante de Sousa as denomina), extravagantes e caprichosas, tais como "Um cão de lata ao rabo" ou "A sonâmbula (ópera-cômica em sete colunas)". O contraste dificilmente podia ser maior — "O machete" é um melodrama ligeiramente absurdo, ambientado nas classes inferiores do Rio de Janeiro; "Na arca" é situado em alto-mar, na arca de Noé, e representa uma espécie de parábola em estilo bíblico, cuja mensagem não é exatamente moral. Trata-se, sobretudo, de uma *paródia*; o conto inteiro é narrado em linguagem bíblica, com deslizes periódicos, e, claro, totalmente intencionais — "Vai bugiar!", "Vai plantar tâmaras!" — que apenas acentuam o humor. Esse conto divertido tem uma moral bem antibíblica — os homens são incorrigivelmente competitivos, agressivos e, pior ainda, empregarão as desculpas mais triviais para dar vazão à sua agressividade: com o mundo todo para repartir, brigam pela propriedade do rio que há de dividir suas terras. O machete e o violoncelo, o engraçado e o sério, o frívolo e o profundamente depressivo encontraram uma forma de viver juntos. De agora em diante serão inseparáveis — cada história, em sua combinação de estilo e assunto, suscita nova harmonia a partir dessa dupla irônica.

Em 1882, Machado publicou afinal o livro que inclui "Na arca", *Papéis avulsos*. O volume contém algumas de suas histórias mais famosas: "O alienista", "Teoria do medalhão", "O empréstimo", "O espelho"... Incluí na antologia o conjunto total desse livro extraordinário. Aqui podemos aprender algo sobre política e revolução ("O alienista"), loucura e sanidade (também "O alienista"), o modo de obter sucesso no mundo sem esforço excessivo ("Teoria do medalhão"), a maneira como as mulheres mudam de ideia ("Dona Benedita"), a fragilidade da consciência da nossa identidade ("O espelho"), inveja e autodestruição ("Verba testamentária") e assim por diante. O próprio Machado percebia que tais histórias partilhavam uma espécie de afinidade; como disse na Advertência a *Papéis avulsos* — "São pessoas de uma só família, que a obrigação do pai fez sentar à mesma mesa". O que têm elas em comum? O traço mais importante é a ironia, presente literalmente em cada frase de cada história, e com frequência fixada por um estilo, que muitas vezes emprega um tipo, um registro de linguagem — algo como a linguagem bíblica de "Na arca" — a fim de estabelecer, desde a primeira palavra, que nada ali é para ser levado inteiramente a sério, que aquilo não é a fala direta do autor: "As crônicas da Vila de Itaguaí dizem que em tempos remotos..."; "A coisa mais árdua do mundo, depois do ofício de governar, seria dizer a idade exata de Dona Benedita". Machado podia parodiar qualquer tipo de linguagem, da Bíblia à dos jornais (essas, de fato, eram entre as que satirizava com mais frequência). Outras histórias — "Teoria do medalhão", "O anel de Polícrates" —

são diálogos em que ninguém assume um papel fidedigno. Nem mesmo os títulos podem ser levados a sério: "O segredo do bonzo: capítulo inédito de Fernão Mendes Pinto" — o escritor português é frequentemente conhecido como "Fernão: Mentes? Minto". Se o leitor por vezes sente um pequeno enjoo, uma tendência a perder pé, seja bem-vindo à arca de Machado, "a boiar sobre as águas do abismo".

As ambientações geográficas das histórias são uma expressão importante dessa recém-descoberta liberdade de perambular em qualquer parte — "assuntos remotos no tempo e no espaço", para citar novamente "Instinto de nacionalidade". Machado era carioca, e a imensa maioria de sua ficção está situada na cidade que ele amava, Rio de Janeiro. Contudo, em *Papéis avulsos* ele parece fugir da cidade para Itaguaí, para Fucarandono, ou para a roça de "O espelho", onde há "Galos e galinhas tão somente, um par de mulas, que *filosofavam* a vida, sacudindo as moscas, e três bois". Aí, na palavra que grifamos, está a quase incomensurável ironia de Machado — é só isso, a filosofia?, parece estar dizendo. Toda pergunta pode ser feita em qualquer contexto, nem que seja por "um par de mulas". As respostas é que são mais difíceis de encontrar.

É possível dizer que Machado, neste momento, reivindicava seu direito a falar do universo inteiro. Pode parecer estranho que, tendo alcançado tamanha ambição em *Papéis avulsos*, os contos que publicou nos anos imediatamente a seguir regressassem ao Rio, para ambientes acanhados e comédias e tragédias domésticas (e tragicomédias — afinal, ainda estamos no mundo do violoncelo e do machete). Pode-se até pensar que se trata de uma espécie de diminuição, um recuo das grandes ambições e dos temas abrangentes da coletânea de 1882. Nada está mais distante da verdade. Tenho de confessar que muitas, se não a maioria das histórias que mais me agradam, foram escritas entre 1883 e 1888 (de fato, a maior parte antes de 1886); e não estou sozinho, pois muitas estão entre as mais populares de Machado.

A primeira coisa a lembrar é que, no começo dos anos 1880, Machado não só estabelecera seu direito a falar do universo, mas também principiara a fazer o retrato da sociedade brasileira sob uma luz inteiramente nova. Os romances bem-educados dos anos 1870 deram lugar à sátira selvagem de *Memórias póstumas de Brás Cubas*, que mostrava realidades — adultério, prostituição, escravatura, o tratamento dado aos dependentes — com uma nitidez e uma cólera inteiramente impossíveis alguns anos antes. É claro que também aqui a ironia tem uma parte crucial a desempenhar — assim como nas histórias de *Papéis avulsos*, cada palavra no romance está "entre aspas", escrita não por Machado de Assis, mas por um membro típico da alta classe brasileira da primeira metade do século XIX, que é seu pior inimigo, expondo seus próprios defeitos ao público. Claro que *Memórias póstumas* é também um romance episódico — um ou dois de seus episódios, como os dedicados a Eugênia, a flor da moita, quase *poderiam ser* contos de verdade —, e certamente esse é um dos fatores que levaram à explosão de criatividade dos anos seguintes.

Uma coisa é certa: a expansão do material possível de Machado e o tom, o distanciamento irônico que ele adota, são completamente inseparáveis. Digamos assim: se ele não houvesse encontrado modos dos mais variados (irônicos, sarcásticos, mas sempre semiocultos) de se expressar a respeito de coisas sobre as quais não devia falar, ou às quais só podia se referir de soslaio, tais histórias jamais teriam existido; podemos sentir sua satisfação quando se aproxima de outra questão espinhosa e acaba encontrando novas maneiras de falar sobre coisas demasiado embaraçosas para mencionar diretamente. Na minha opinião, isso ajuda a explicar o êxito destes contos — Machado caminhava no fio da navalha, o que lhe deve ter dado, e a seus leitores, uma espécie de excitação; algo que, por incrível que pareça, podemos sentir num mundo bem diverso, o nosso, pois essa sensação está aqui, na linguagem e suas negaças, nos pormenores, nos atos, nas situações e nos personagens. Essa excitação, creio, tem algo a ver com a elaboração de contos de sucesso, que parecem ter sido inventados ou imaginados em sua totalidade, estilo e assunto, antes de escritos.

Curiosamente, ainda estamos num mundo bastante repressivo, onde uma mulher pode ser morta pelo marido por cometer adultério ("A cartomante"), a simples visão de um par de braços despidos pode deslumbrar um rapaz ("Uns braços") e a escravidão está sempre no fundo da cena — vejam as palavras finais de "Dona Paula" —, todavia nada parece estar fora dos limites para o escritor. Junto com sua percepção social desenvolve-se uma visão inteiramente desiludida da moralidade humana — o egoísmo e a vaidade dominam — e até uma consciência (oculta pela ironia por razões óbvias) da importância e do poder do sexo.

(Há um assunto que até certo ponto era um tabu naqueles anos. A escravidão permanece no fundo da cena, até duas das últimas histórias deste livro, "O caso da vara" e "Pai contra mãe", ambas nada contidas em termos da violência, da injustiça e da força destruidora da instituição que evidenciam. Contudo, só foram publicadas após a Abolição, respectivamente em 1891 e 1906. Talvez Machado não pudesse abordar um tópico em que a ironia e o distanciamento eram quase impossíveis — de fato, em "Pai contra mãe", parece sentir a necessidade de distanciar-se, mas agora com um sarcasmo doloroso que trai verdadeiro horror: "Sucedia ocasionalmente apanharem pancada, e nem todos gostavam de apanhar pancada".)

É também um mundo em que tudo faz parte de um todo, cada parte da realidade está delicadamente conectada e explicada, embora às vezes com irônico distanciamento. É culpa de Dona Severina (nos assevera o narrador) que ela exiba os braços que tanto obcecam Inácio, mas, como também diz, "é justo explicar que ela os não trazia assim por faceira, senão porque já gastara todos os vestidos de manga comprida", e que, poderíamos indagar, teria isso a ver com o fato de que vivia "maritalmente" com Borges fazia anos (são casados ou não?), e com este Borges irascível, mas de índole não necessariamente má ("era antes grosseiro que mau", "era realmente um trabalhador de primeira ordem")? No breve espaço que por pouco não impele o jovem de quinze anos para os braços daquela mulher de 27, podemos sentir que se agitam muitas pressões, prazeres e tabus — "uma grande separação / na pequena área do quarto" (palavras de Drummond no poema "Viagem na família"). Com um pouquinho de imaginação, talvez possamos dizer que a arca de Noé, com o abismo a seu redor, foi repousar na "Rua da Lapa, em 1870". Essas histórias não são nenhum recuo, nenhuma obra secundária — estão entre as maiores realizações de Machado.

Uma das mais perfeitas (embora essa categoria pudesse abarcar um número razoável das histórias) é "Singular ocorrência", o primeiro exemplo de êxito verdadeiro das histórias "realistas" dessa "segunda fase" dos contos. Foi editada pela primeira vez em 1883, na *Gazeta de Notícias*, o jornal liberal em que Machado publicou muitos de seus melhores contos e crônicas. Já que ilustra alguns pontos recém-expostos, convém examiná-lo de modo breve, na esperança de que meus comentários proporcionem algumas chaves quanto à maneira como as histórias podem ser lidas com o máximo discernimento e fruição.

Primeiro, esse conto é um diálogo — não existe nenhum narrador, porém os dois homens do lado de fora da Igreja da Cruz, no centro do Rio de Janeiro, discutem uma terceira pessoa, a mulher que acabaram de ver entrando na igreja. Na sua primeira página, a história fornece não somente os fatos básicos — seu nome antigo era Marocas, ela era uma prostituta, o amigo casado de um deles se apaixonou por ela...; mas também caracteriza os interlocutores, embora não talvez com a mesma força com que Brás Cubas é caracterizado, quando inconscientemente se condena. (Em geral, o tom dessas histórias me parece mais divertido, talvez até com um toque de compaixão, do que propriamente raivoso — conquanto até isso também possa ser parte de sua delicada ironia.) Os dois interlocutores do conto não são brutais, porém são homens, e eles enxergam as mulheres com um certo cinismo (natural?): "Não era costureira, nem proprietária, nem mestra de meninas; vá excluindo as profissões e lá chegará". "Está viúva?", indaga um deles, sugerindo que ela é mais livre que a maioria das mulheres para dispor do que é seu, talvez mesmo aquela figura estereotipada do século XIX, no Brasil e em outros lugares, a "viúva alegre".

Em outros termos, eles têm suas limitações — "não os façamos mais santos do que são, nem menos", adaptando algumas palavras tiradas de *Quincas Borba*. Suas palavras estão "entre aspas", é claro, mas não exatamente porque estão falando — também constituem um comentário aos próprios interlocutores e, no mínimo, os põem "em situação", para empregar algumas palavras de Roberto Schwarz; e, por isso mesmo, tal situação é o assunto da história tanto quanto Marocas.

E quanto a Marocas? A "Singular ocorrência" do título é singular em dois sentidos — é estranha, e só aconteceu uma vez. O que a faz escolher um homem — qualquer homem, quanto mais reles melhor, ao que parece — na rua, quando ama sinceramente Andrade e ele a ela? Os dois homens não compreendem — e aqui podemos ver como são importantes as suas limitações —, só conseguem pensar em termos das teorias sobre prostitutas apresentadas no teatro (traduzido do francês) nos anos 1860, principalmente em *A dama das camélias*, que argumenta que as prostitutas podiam ser "regeneradas" pelo amor (ainda que tivessem de morrer no processo). Eu diria que para eles teria sido melhor se tivessem ficado em casa (e no Brasil); mas o que eles dizem nos permite entrever uma mulher em desesperada carência de afeto e apoio, que na noite de São João é abandonada pelo amante porque tem que estar com a família dele — é tão surpreendente assim que saia em busca de consolo emocional, físico... sexual? Por que motivo Andrade lhe compra "uma casinha em Catumbi" lá pelo fim da história — será que ele (ao contrário dos dois homens) foi obrigado a enxergar algo dessa carência, em todos os sentidos, inclusive o sexual e o financeiro, que são os mais embaraçosos? Se for assim (e creio que seja), podemos ver; espero, a profunda compreensão que Machado tinha das mulheres, em todos os níveis, e sua silenciosa rejeição de absurdas teorias da época sobre "conspurcação", "regeneração" ou "a nostalgia da lama". Devemos ter cuidado para não imaginá-lo tolhido ou limitado pela sociedade que retratava. Mas isso também não significa que ele seja (para de novo citar *Quincas Borba*), como o Cruzeiro, alto demais para discernir "os risos e as lágrimas dos homens". Ao contrário, ele enxerga a ambos, e muitas combinações dos dois.

John Gledson, maio de 2007
(Tradução de Fernando Py)

50 CONTOS

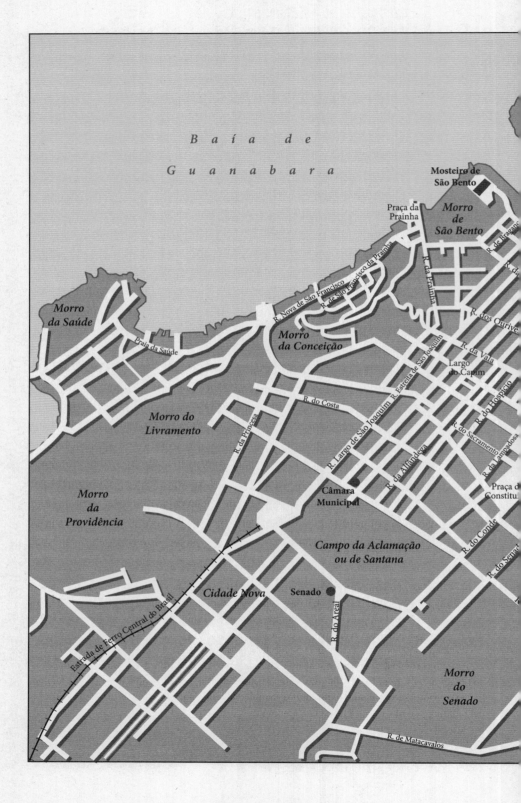

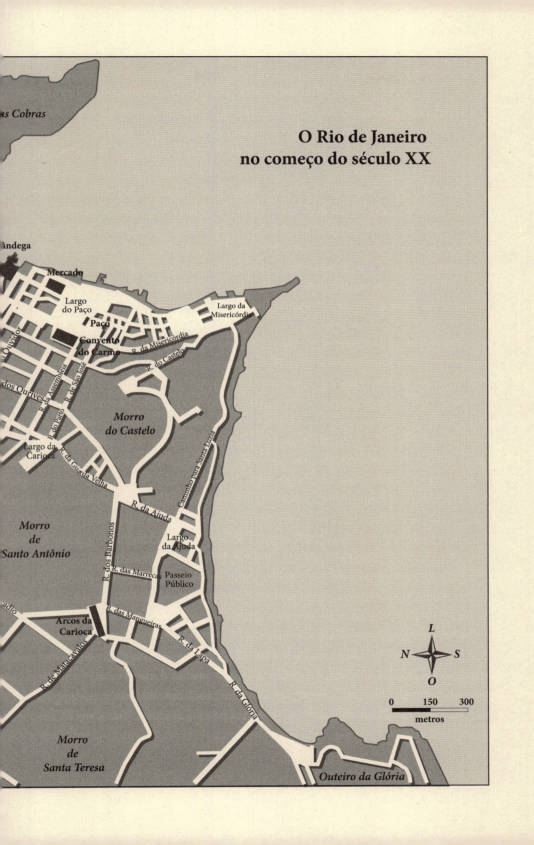

O machete*

Inácio Ramos contava apenas dez anos quando manifestou decidida vocação musical. Seu pai, músico da imperial capela, ensinou-lhe os primeiros rudimentos da sua arte, de envolta com os da gramática, de que pouco sabia. Era um pobre artista cujo único mérito estava na voz de tenor e na arte com que executava a música sacra. Inácio, conseguintemente, aprendeu melhor a música do que a língua, e aos quinze anos sabia mais dos bemóis que dos verbos. Ainda assim sabia quanto bastava para ler a história da música e dos grandes mestres. A leitura seduziu-o ainda mais; atirou-se o rapaz com todas as forças da alma à arte do seu coração, e ficou dentro de pouco tempo um rabequista de primeira categoria.

A rabeca foi o primeiro instrumento escolhido por ele, como o que melhor podia corresponder às sensações de sua alma. Não o satisfazia, entretanto, e ele sonhava alguma coisa melhor. Um dia veio ao Rio de Janeiro um velho alemão, que arrebatou o público tocando violoncelo. Inácio foi ouvi-lo. Seu entusiasmo foi imenso; não somente a alma do artista comunicava com a sua como lhe dera a chave do segredo que ele procurara.

Inácio nascera para o violoncelo.

Daquele dia em diante, o violoncelo foi o sonho do artista fluminense. Apro-

* *Machete*: outro nome do cavaquinho.

veitando a passagem do artista germânico, Inácio recebeu dele algumas lições, que mais tarde aproveitou quando, mediante economias de longo tempo, conseguiu possuir o sonhado instrumento.

Já a esse tempo seu pai era morto. — Restava-lhe sua mãe, boa e santa senhora, cuja alma parecia superior à condição em que nascera, tão elevada tinha a concepção do belo. Inácio contava vinte anos, uma figura artística, uns olhos cheios de vida e de futuro. Vivia de algumas lições que dava e de alguns meios que lhe advinham das circunstâncias, tocando ora num teatro, ora num salão, ora numa igreja. Restavam-lhe algumas horas, que ele empregava ao estudo do violoncelo.

Havia no violoncelo uma poesia austera e pura, uma feição melancólica e severa que casavam com a alma de Inácio Ramos. A rabeca, que ele ainda amava como o primeiro veículo de seus sentimentos de artista, não lhe inspirava mais o entusiasmo antigo. Passara a ser um simples meio de vida; não a tocava com a alma, mas com as mãos; não era a sua arte, mas o seu ofício. O violoncelo sim; para esse guardava Inácio as melhores das suas aspirações íntimas, os sentimentos mais puros, a imaginação, o fervor, o entusiasmo. Tocava a rabeca para os outros, o violoncelo para si, quando muito para sua velha mãe.

Moravam ambos em lugar afastado, em um dos recantos da cidade, alheios à sociedade que os cercava e que os não entendia. Nas horas de lazer, tratava Inácio do querido instrumento e fazia vibrar todas as cordas do coração, derramando as suas harmonias interiores, e fazendo chorar a boa velha de melancolia e gosto, que ambos estes sentimentos lhe inspirava a música do filho. Os serões caseiros quando Inácio não tinha de cumprir nenhuma obrigação fora de casa, eram assim passados; sós os dois, com o instrumento e o céu de permeio.

A boa velha adoeceu e morreu. Inácio sentiu o vácuo que lhe ficava na vida. Quando o caixão, levado por meia dúzia de artistas seus colegas, saiu da casa, Inácio viu ir ali dentro todo o passado, e presente, e não sabia se também todo o futuro. Acreditou que o fosse. A noite do enterro foi pouca para o repouso que o corpo lhe pedia depois do profundo abalo; a seguinte porém foi a data da sua primeira composição musical. Escreveu para o violoncelo uma elegia que não seria sublime como perfeição de arte, mas que o era sem dúvida como inspiração pessoal. Compô-la para si; durante dois anos ninguém a ouviu nem sequer soube dela.

A primeira vez que ele troou aquele suspiro fúnebre foi oito dias depois de casado, um dia em que se achava a sós com a mulher, na mesma casa em que morrera sua mãe, na mesma sala em que ambos costumavam passar algumas horas da noite. Era a primeira vez que a mulher o ouvia tocar violoncelo. Ele quis que a lembrança da mãe se casasse àquela revelação que ele fazia à esposa do seu coração: vinculava de algum modo o passado ao presente.

— Toca um pouco de violoncelo, tinha-lhe dito a mulher duas vezes depois do consórcio; tua mãe me dizia que tocavas tão bem!

— Bem, não sei, respondia Inácio; mas tenho satisfação em tocá-lo.

— Pois sim, desejo ouvir-te!

— Por ora, não, deixa-me contemplar-te primeiro.

Ao cabo de oito dias, Inácio satisfez o desejo de Carlotinha. Era de tarde, — uma tarde fria e deliciosa. O artista travou do instrumento, empunhou o arco e as cordas gemeram ao impulso da mão inspirada. Não via a mulher, nem o lugar, nem o instrumento sequer: via a imagem da mãe e embebia-se todo em um mundo de harmonias celestiais. A execução durou vinte minutos. Quando a última nota expirou nas cordas do violoncelo, o braço do artista tombou, não de fadiga, mas porque todo o corpo cedia ao abalo moral que a recordação e a obra lhe produziam.

— Oh! lindo! lindo! exclamou Carlotinha levantando-se e indo ter com o marido.

Inácio estremeceu e olhou pasmado para a mulher. Aquela exclamação de entusiasmo destoara-lhe, em primeiro lugar porque o trecho que acabava de executar não era lindo, como ela dizia, mas severo e melancólico e depois porque, em vez de um aplauso ruidoso, ele preferia ver outro mais consentâneo com a natureza da obra, — duas lágrimas que fossem, — duas, mas exprimidas do coração, como as que naquele momento lhe sulcavam o rosto.

Seu primeiro movimento foi de despeito, — despeito de artista, que nele dominava tudo. Pegou silencioso no instrumento e foi pô-lo a um canto. A moça viu-lhe então as lágrimas; comoveu-se e estendeu-lhe os braços.

Inácio apertou-a ao coração.

Carlotinha sentou-se então, com ele, ao pé da janela, donde viam surdir, no céu azul, as primeiras estrelas. Era uma mocinha de dezessete anos, parecendo dezenove, mais baixa que alta, rosto amorenado, olhos negros e travessos. Aqueles olhos, expressão fiel da alma de Carlota, contrastavam com o olhar brando e velado do marido. Os movimentos da moça eram vivos e rápidos, a voz argentina, a palavra fácil e correntia, toda ela uma índole, mundana e jovial. Inácio gostava de ouvi-la e vê-la; amava-a muito, e, além disso, como que precisava às vezes daquela expressão de vida exterior para entregar-se todo às especulações do seu espírito.

Carlota era filha de um negociante de pequena escala, homem que trabalhou a vida toda como um mouro para morrer pobre, porque a pouca fazenda que deixou, mal pôde chegar para satisfazer alguns empenhos. Toda a riqueza da filha era a beleza, que a tinha, ainda que sem poesia nem ideal. Inácio, conhecera-a ainda em vida do pai, quando ela ia com este visitar sua velha mãe; mas só a amou deveras, depois que ela ficou órfã e quando a alma lhe pediu um afeto para suprir o que a morte lhe levara.

A moça aceitou com prazer a mão que Inácio lhe oferecia. Casaram-se a aprazimento dos parentes da moça e das pessoas que os conheciam a ambos. O vácuo fora preenchido.

Apesar do episódio acima narrado, os dias, as semanas e os meses correram tecidos de ouro para o esposo artista. Carlotinha era naturalmente faceira e amiga de brilhar; mas contentava-se com pouco, e não se mostrava exigente nem extravagante. As posses de Inácio Ramos eram poucas; ainda assim ele sabia dirigir a vida de modo que nem o necessário lhe faltava nem deixava de satisfazer algum dos desejos mais modestos da moça. A sociedade deles não era certamente dispendiosa nem vivia de ostentação; mas qualquer que seja o centro social há nele exigências a que não podem chegar todas as bolsas. Carlotinha vivera de festas e passatempos; a vida conjugal exigia dela hábitos menos frívolos, e ela soube curvar-se à lei que de coração aceitara.

Demais, que há aí que verdadeiramente resista ao amor? Os dois amavam-se; por maior que fosse o contraste entre a índole de um e outro, ligava-os e irmanava-os o afeto verdadeiro que os aproximara. O primeiro milagre do amor fora a aceitação por parte da moça do famoso violoncelo. Carlotinha não experimentava decerto as sensações que o violoncelo produzia no marido, e estava longe daquela paixão silenciosa e profunda que vinculava Inácio Ramos ao instrumento; mas acostumara-se a ouvi-lo, apreciava-o, e chegara a entendê-lo alguma vez.

A esposa concebeu. No dia em que o marido ouviu esta notícia sentiu um abalo profundo; seu amor cresceu de intensidade.

— Quando o nosso filho nascer, disse ele, eu comporei o meu segundo canto.

— O terceiro será quando eu morrer, não? perguntou a moça com um leve tom de despeito.

— Oh! não digas isso!

Inácio Ramos compreendeu a censura da mulher; recolheu-se durante algumas horas, e trouxe uma composição nova, a segunda que lhe saía da alma, dedicada à esposa. A música entusiasmou Carlotinha, antes por vaidade satisfeita do que porque verdadeiramente a penetrasse. Carlotinha abraçou o marido com todas as forças de que podia dispor, e um beijo foi o prêmio da inspiração. A felicidade de Inácio não podia ser maior; ele tinha tido o que ambicionava: vida de arte, paz e ventura doméstica, e enfim esperanças de paternidade.

— Se for menino, dizia ele à mulher, aprenderá violoncelo; se for menina, aprenderá harpa. São os únicos instrumentos capazes de traduzir as impressões mais sublimes do espírito.

Nasceu um menino. Esta nova criatura deu uma feição nova ao lar doméstico. A felicidade do artista era imensa; sentiu-se com mais força para o trabalho, e ao mesmo tempo como que se lhe apurou a inspiração.

A prometida composição ao nascimento do filho foi realizada e executada, não já entre ele e a mulher, mas em presença de algumas pessoas de amizade. Inácio Ramos recusou a princípio fazê-lo; mas a mulher alcançou dele que repartisse com estranhos aquela nova produção de um talento. Inácio sabia que a sociedade não chegaria talvez a compreendê-lo como ele desejava ser compreendido; todavia cedeu. Se acertara aos seus receios não o soube ele, porque dessa vez, como das outras, não viu ninguém; viu-se e ouviu-se a si próprio, sendo cada nota um eco das harmonias santas e elevadas que a paternidade acordara nele.

A vida correria assim monotonamente bela, e não valeria a pena escrevê-la, a não ser um incidente, ocorrido naquela mesma ocasião.

A casa em que eles moravam era baixa, ainda que assaz larga e airosa. Dois transeuntes, atraídos pelos sons do violoncelo, aproximaram-se das janelas entrefechadas, e ouviram do lado de fora cerca de metade da composição. Um deles, entusiasmado com a composição e a execução, rompeu em aplausos ruidosos quando Inácio acabou, abriu violentamente as portas da janela e curvou-se para dentro gritando:

— Bravo, artista divino!

A exclamação inesperada chamou a atenção dos que estavam na sala; voltaram-se todos os olhos e viram duas figuras de homem, um tranquilo, outro alvoroçado de prazer. A porta foi aberta aos dois estranhos. O mais entusiasmado deles correu a abraçar o artista.

— Oh! alma de anjo! exclamava ele. Como é que um artista destes está aqui escondido dos olhos do mundo?

O outro personagem fez igualmente cumprimentos de louvor ao mestre do violoncelo; mas, como ficou dito, seus aplausos eram menos entusiásticos; e não era difícil achar a explicação da frieza na vulgaridade de expressão do rosto.

Estes dois personagens assim entrados na sala eram dois amigos que o acaso ali conduzira. Eram ambos estudantes de direito, em férias; o entusiasta, todo arte e literatura, tinha a alma cheia de música alemã e poesia romântica, e era nada menos que um exemplar daquela falange acadêmica fervorosa e moça animada de todas as paixões, sonhos, delírios e efusões da geração moderna; o companheiro era apenas um espírito medíocre, avesso a todas essas coisas, não menos que ao direito que aliás forcejava por meter na cabeça.

Aquele chamava-se Amaral, este Barbosa.

Amaral pediu a Inácio Ramos para lá voltar mais vezes. Voltou; o artista de coração gastava o tempo a ouvir o de profissão fazer falar as cordas do instrumento. Eram cinco pessoas; eles, Barbosa, Carlotinha, e a criança, o futuro violoncelista. Um dia, menos de uma semana depois, Amaral descobriu a Inácio que o seu companheiro era músico.

— Também! exclamou o artista.

— É verdade; mas um pouco menos sublime do que o senhor, acrescentou ele sorrindo.

— Que instrumento toca?

— Adivinhe.

— Talvez piano...

— Não.

— Flauta?

— Qual!

— É instrumento de cordas?

— É.

— Não sendo rabeca... disse Inácio olhando como a esperar uma confirmação.

— Não é rabeca; é machete.

Inácio sorriu; e estas últimas palavras chegaram aos ouvidos de Barbosa, que confirmou a notícia do amigo.

— Deixe estar, disse este baixo a Inácio, que eu o hei de fazer tocar um dia. É outro gênero...

— Quando queira.

Era efetivamente outro gênero, como o leitor facilmente compreenderá. Ali postos os quatro, numa noite da seguinte semana, sentou-se Barbosa no centro da sala, afinou o machete e pôs em execução toda a sua perícia. A perícia era, na verdade, grande; o instrumento é que era pequeno. O que ele tocou não era Weber nem Mozart; era uma cantiga do tempo e da rua, obra de ocasião. Barbosa tocou-a, não dizer com alma, mas com nervos. Todo ele acompanhava a gradação e variações das notas; inclinava-se sobre o instrumento, retesava o corpo, pendia a cabeça ora a um lado, ora a outro, alçava a perna, sorria, derretia os olhos ou fechava-os nos lugares que lhe pareciam patéticos. Ouvi-lo tocar era o menos; vê-lo era o mais. Quem somente o ouvisse não poderia compreendê-lo.

Foi um sucesso, — um sucesso de outro gênero, mas perigoso, porque, tão depressa Barbosa ouviu os cumprimentos de Carlotinha e Inácio, começou segunda execução, e iria a terceira, se Amaral não interviesse, dizendo:

— Agora o violoncelo.

O machete de Barbosa não ficou escondido entre as quatro paredes da sala de Inácio Ramos; dentro em pouco era conhecida a forma dele no bairro em que morava o artista, e toda a sociedade deste ansiava por ouvi-lo.

Carlotinha foi a denunciadora; ela achara infinita graça e vida naquela outra música, e não cessava de o elogiar em toda a parte. As famílias do lugar tinham ainda saudades de um célebre machete que ali tocara anos antes o atual subdelegado, cujas funções elevadas não lhe permitiram cultivar a arte. Ouvir o machete de Barbosa era reviver uma página do passado.

— Pois eu farei com que o ouçam, dizia a moça.

Não foi difícil.

Houve dali a pouco reunião em casa de uma família da vizinhança. Barbosa acedeu ao convite que lhe foi feito e lá foi com o seu instrumento. Amaral acompanhou-o.

— Não te lastimes, meu divino artista, dizia ele a Inácio; e ajuda-me no sucesso do machete.

Riam-se os dois, e mais do que eles se ria Barbosa, riso de triunfo e satisfação porque o sucesso não podia ser mais completo.

— Magnífico!

— Bravo!

— Soberbo!

— Bravíssimo!

O machete foi o herói da noite. Carlota repetia às pessoas que a cercavam:

— Não lhes dizia eu? é um portento.

— Realmente, dizia um crítico do lugar, assim nem o Fagundes...

Fagundes era o subdelegado.

Pode-se dizer que Inácio e Amaral foram os únicos alheios ao entusiasmo do machete. Conversavam eles, ao pé de uma janela, dos grandes mestres e das grandes obras da arte.

— Você por que não dá um concerto? perguntou Amaral ao artista.

— Oh! não.

— Por quê?

— Tenho medo...

— Ora, medo!

— Medo de não agradar...

— Há de agradar por força!

— Além disso, o violoncelo está tão ligado aos sucessos mais íntimos da minha vida, que eu o considero antes como a minha arte doméstica...

Amaral combatia estas objeções de Inácio Ramos; e este fazia-se cada vez mais forte nelas. A conversa foi prolongada; repetiu-se daí a dois dias, até que no fim de uma semana, Inácio deixou-se vencer.

— Você verá, dizia-lhe o estudante, e verá como todo o público vai ficar delirante.

Assentou-se que o concerto seria dali a dois meses. Inácio tocaria uma das peças já compostas por ele, e duas de dois mestres que escolheu dentre as muitas.

Barbosa não foi dos menos entusiastas da ideia do concerto. Ele parecia tomar agora mais interesse nos sucessos do artista, ouvia com prazer, ao menos aparente, os serões de violoncelo, que eram duas vezes por semana. Carlotinha propôs que os serões fossem três; mas Inácio nada concedeu além dos dois. Aquelas noites eram passadas somente em família; e o machete acabava muita vez o que o violoncelo começava. Era uma condescendência para com a dona da casa e o artista! — o artista do machete.

Um dia Amaral olhou Inácio preocupado e triste. Não quis perguntar-lhe nada; mas como a preocupação continuasse nos dias subsequentes, não se pôde ter e interrogou-o. Inácio respondeu-lhe com evasivas.

— Não, dizia o estudante; você tem alguma coisa que o incomoda certamente.

— Coisa nenhuma!

E depois de um instante de silêncio:

— O que tenho é que estou arrependido do violoncelo; se eu tivesse estudado o machete!

Amaral ouviu admirado estas palavras; depois sorriu e abanou a cabeça. Seu entusiasmo recebera um grande abalo. A que vinha aquele ciúme por causa do efeito diferente que os dois instrumentos tinham produzido? Que rivalidade era aquela entre a arte e o passatempo?

— Não podias ser perfeito, dizia Amaral consigo; tinhas por força um ponto fraco; infelizmente para ti o ponto é ridículo.

Daí em diante os serões foram menos amiudados. A preocupação de Inácio Ramos continuava; Amaral sentia que o seu entusiasmo ia cada vez a menos, o entusiasmo em relação ao homem, porque bastava ouvi-lo tocar para acordarem-se-lhe as primeiras impressões.

A melancolia de Inácio era cada vez maior. Sua mulher só reparou nela quando absolutamente se lhe meteu pelos olhos.

— Que tens? perguntou-lhe Carlotinha.

— Nada, respondia Inácio.

— Aposto que está pensando em alguma composição nova, disse Barbosa que dessas ocasiões estava presente.

— Talvez, respondeu Inácio; penso em fazer uma coisa inteiramente nova; um concerto para violoncelo e machete.

— Por que não? disse Barbosa com simplicidade. Faça isso, e veremos o efeito que há de ser delicioso.

— Eu creio que sim, murmurou Inácio.

Não houve concerto no teatro, como se havia assentado; porque Inácio Ramos de todo se recusou. Acabaram-se as férias e os dois estudantes voltaram para S. Paulo.

— Virei vê-lo daqui a pouco, disse Amaral. Virei até cá somente para ouvi-lo.

Efetivamente vieram os dois, sendo a viagem anunciada por carta de ambos. Inácio deu a notícia à mulher, que a recebeu com alegria.

— Vêm ficar muitos dias? disse ela.

— Parece que somente três.

— Três!

— É pouco, disse Inácio; mas nas férias que vêm, desejo aprender o machete.

Carlotinha sorriu, mas de um sorriso acanhado, que o marido viu e guardou consigo.

Os dois estudantes foram recebidos como se fossem de casa. Inácio e Carlotinha desfaziam-se em obséquios. Na noite do mesmo dia, houve serão musical; só violoncelo, a instâncias de Amaral, que dizia:

— Não profanemos a arte!

Três dias vinham eles demorar-se, mas não se retiraram no fim deles.

— Vamos daqui a dois dias.

— O melhor é completar a semana, observou Carlotinha.

— Pode ser.

No fim de uma semana, Amaral despediu-se e voltou a S. Paulo; Barbosa não voltou; ficara doente. A doença durou somente dois dias, no fim dos quais ele foi visitar o violoncelista.

— Vai agora? perguntou este.

— Não, disse o acadêmico; recebi uma carta que me obriga a ficar algum tempo.

Carlotinha ouvira alegre a notícia; o rosto de Inácio não tinha nenhuma expressão.

Inácio não quis prosseguir nos serões musicais, apesar de lho pedir algumas vezes Barbosa, e não quis porque, dizia ele, não queria ficar mal com Amaral, do mesmo modo que não quereria ficar mal com Barbosa, se fosse este o ausente.

— Nada impede, porém, concluiu o artista, que ouçamos o seu machete.

Que tempo duraram aqueles serões de machete? Não chegou tal notícia ao conhecimento do escritor destas linhas. O que ele sabe apenas é que o machete deve ser instrumento triste, porque a melancolia de Inácio tornou-se cada vez mais profunda. Seus companheiros nunca o tinham visto imensamente alegre; contudo a diferença entre o que tinha sido e era agora entrava pelos olhos dentro. A mudança manifestava-se até no trajar, que era deleixado, ao contrário do que sempre fora antes. Inácio tinha grandes silêncios, durante os quais era inútil falar-lhe, porque ele a nada respondia, ou respondia sem compreender.

— O violoncelo há de levá-lo ao hospício, dizia um vizinho compadecido e filósofo.

Nas férias seguintes, Amaral foi visitar o seu amigo Inácio, logo no dia seguinte àquele em que desembarcou. Chegou alvoroçado à casa dele; uma preta veio abri-la.

— Onde está ele? Onde está ele? perguntou alegre e em altas vozes o estudante.

A preta desatou a chorar.

Amaral interrogou-a, mas não obtendo resposta, ou obtendo-a intercortada de soluços, correu para o interior da casa com a familiaridade do amigo e a liberdade que lhe dava a ocasião.

Na sala do concerto, que era nos fundos, olhou ele Inácio Ramos, de pé, com o violoncelo nas mãos preparando-se para tocar. Ao pé dele brincava um menino de alguns meses.

Amaral parou sem compreender nada. Inácio não o viu entrar; empunhara o arco e tocou, — tocou como nunca, — uma elegia plangente, que o estudante ouviu com lágrimas nos olhos. A criança, dominada ao que parece pela música, olhava quieta para o instrumento. Durou a cena cerca de vinte minutos.

Quando a música acabou, Amaral correu a Inácio.

— Oh! meu divino artista! exclamou ele.

Inácio apertou-o nos braços; mas logo o deixou e foi sentar-se numa cadeira com os olhos no chão. Amaral nada compreendia; sentia porém que algum abalo moral se dera nele.

— Que tens? disse.

— Nada, respondeu Inácio.

E ergueu-se e tocou de novo o violoncelo. Não acabou porém; no meio de uma arcada, interrompeu a música, e disse a Amaral:

— É bonito, não?

— Sublime! respondeu o outro.

— Não; machete é melhor.

E deixou o violoncelo, e correu a abraçar o filho.

— Sim, meu filho, exclamava ele, hás de aprender machete; machete é muito melhor.

— Mas que há? articulou o estudante.

— Oh! nada, disse Inácio, *ela* foi-se embora, foi-se com o machete. Não quis o violoncelo, que é grave demais. Tem razão; machete é melhor.

A alma do marido chorava mas os olhos estavam secos. Uma hora depois enlouqueceu.

Na arca

Três capítulos inéditos do gênesis

CAPÍTULO A

1. — Então Noé disse a seus filhos Jafé, Sem e Cam: — "Vamos sair da arca, segundo a vontade do Senhor, nós, e nossas mulheres, e todos os animais. A arca tem de parar no cabeço de uma montanha; desceremos a ela.

2. — "Porque o Senhor cumpriu a sua promessa, quando me disse: Resolvi dar cabo de toda a carne; o mal domina a terra, quero fazer perecer os homens. Faze uma arca de madeira; entra nela tu, tua mulher e teus filhos.

3. — "E as mulheres de teus filhos, e um casal de todos os animais.

4. — "Agora, pois, se cumpriu a promessa do Senhor, e todos os homens pereceram, e fecharam-se as cataratas do céu; tornaremos a descer à terra, e a viver no seio da paz e da concórdia."

5. — Isto disse Noé, e os filhos de Noé muito se alegraram de ouvir as palavras de seu pai; e Noé os deixou sós, retirando-se a uma das câmaras da arca.

6. — Então Jafé levantou a voz e disse: — "Aprazível vida vai ser a nossa. A figueira nos dará o fruto, a ovelha a lã, a vaca o leite, o sol a claridade e a noite a tenda.

7. — "Porquanto seremos únicos na terra, e toda a terra será nossa, e nin-

guém perturbará a paz de uma família, poupada do castigo que feriu a todos os homens.

8. — "Para todo o sempre." Então Sem, ouvindo falar o irmão, disse: — "Tenho uma ideia". Ao que Jafé e Cam responderam: — "Vejamos a tua ideia, Sem".

9. — E Sem falou a voz de seu coração, dizendo: — "Meu pai tem a sua família; cada um de nós tem a sua família; a terra é de sobra; podíamos viver em tendas separadas. Cada um de nós fará o que lhe parecer melhor: e plantará, caçará, ou lavrará a madeira, ou fiará o linho".

10. — E respondeu Jafé: — "Acho bem lembrada a ideia de Sem; podemos viver em tendas separadas. A arca vai descer ao cabeço de uma montanha; meu pai e Cam descerão para o lado do nascente; eu e Sem para o lado do poente. Sem ocupará duzentos côvados de terra, eu outros duzentos".

11. — Mas dizendo Sem: — "Acho pouco duzentos côvados" —, retorquiu Jafé: "Pois sejam quinhentos cada um. Entre a minha terra e a tua haverá um rio, que as divida no meio, para se não confundir a propriedade. Eu fico na margem esquerda e tu na margem direita;

12. — "E a minha terra se chamará a terra de Jafé, e a tua se chamará a terra de Sem; e iremos às tendas um do outro, e partiremos o pão da alegria e da concórdia."

13. — E tendo Sem aprovado a divisão, perguntou a Jafé: "Mas o rio? a quem pertencerá a água do rio, a corrente?

14. — "Porque nós possuímos as margens, e não estatuímos nada a respeito da corrente." E respondeu Jafé, que podiam pescar de um e outro lado; mas, divergindo o irmão, propôs dividir o rio em duas partes, fincando um pau no meio. Jafé, porém, disse que a corrente levaria o pau.

15. — E tendo Jafé respondido assim, acudiu o irmão: — "Pois que te não serve o pau, fico eu com o rio, e as duas margens; e para que não haja conflito, podes levantar um muro, dez ou doze côvados, para lá da tua margem antiga.

16. — "E se com isto perdes alguma coisa, nem é grande a diferença, nem deixa de ser acertado, para que nunca jamais se turbe a concórdia entre nós, segundo é a vontade do Senhor."

17. — Jafé porém replicou: — "Vai bugiar! Com que direito me tiras a margem, que é minha, e me roubas um pedaço de terra? Porventura és melhor do que eu,

18. — "Ou mais belo, ou mais querido de meu pai? Que direito tens de violar assim tão escandalosamente a propriedade alheia?

19. — "Pois agora te digo que o rio ficará do meu lado, com ambas as margens, e que se te atreveres a entrar na minha terra, matar-te-ei como Caim matou a seu irmão."

20. — Ouvindo isto, Cam atemorizou-se muito, e começou a aquietar os dois irmãos,

21. — Os quais tinham os olhos do tamanho de figos e cor de brasa, e olhavam-se cheios de cólera e desprezo.

22. — A arca, porém, boiava sobre as águas do abismo.

CAPÍTULO B

1. — Ora, Jafé, tendo curtido a cólera, começou a espumar pela boca, e Cam falou-lhe palavras de brandura,

2. — Dizendo: — "Vejamos um meio de conciliar tudo; vou chamar tua mulher e a mulher de Sem".

3. — Um e outro, porém, recusaram dizendo que o caso era de direito e não de persuasão.

4. — E Sem propôs a Jafé que compensasse os dez côvados perdidos, medindo outros tantos nos fundos da terra dele. Mas Jafé respondeu:

5. — "Por que me não mandas logo para os confins do mundo? Já te não contentas com quinhentos côvados; queres quinhentos e dez, e eu que fique com quatrocentos e noventa.

6. — "Tu não tens sentimentos morais? não sabes o que é justiça? não vês que me esbulhas descaradamente? e não percebes que eu saberei defender o que é meu, ainda com risco de vida?

7. — "E que, se é preciso correr sangue, o sangue há de correr já e já,

8. — "Para te castigar a soberba e lavar a tua iniquidade?"

9. — Então Sem avançou para Jafé; mas Cam interpôs-se, pondo uma das mãos no peito de cada um;

10. — Enquanto o lobo e o cordeiro, que durante os dias do dilúvio, tinham vivido na mais doce concórdia, ouvindo o rumor das vozes, vieram espreitar a briga dos dois irmãos, e começaram a vigiar-se um ao outro.

11. — E disse Cam: — "Ora, pois, tenho uma ideia maravilhosa, que há de acomodar tudo;

12. — "A qual me é inspirada pelo amor, que tenho a meus irmãos. Sacrificarei pois a terra que me couber ao lado de meu pai, e ficarei com o rio e as duas margens, dando-me vós uns vinte côvados cada um."

13. — E Sem e Jafé riram com desprezo e sarcasmo, dizendo: — "Vai plantar tâmaras! Guarda a tua ideia para os dias da velhice". E puxaram as orelhas e o nariz de Cam; e Jafé, metendo dois dedos na boca, imitou o silvo da serpente, em ar de surriada.

14. — Ora, Cam, envergonhado e irritado, espalmou a mão dizendo: — "Deixa estar!" e foi dali ter com o pai e as mulheres dos dois irmãos.

15. — Jafé porém disse a Sem: — "Agora que estamos sós, vamos decidir este grave caso, ou seja de língua ou de punho. Ou tu me cedes as duas margens, ou eu te quebro uma costela".

16. — Dizendo isto, Jafé ameaçou a Sem com os punhos fechados, enquanto Sem, derreando o corpo, disse com voz irada: "Não te cedo nada, gatuno!".

17. — Ao que Jafé retorquiu irado: "Gatuno és tu!".

18. — Isto dito, avançaram um para o outro e atracaram-se. Jafé tinha o braço rijo e adestrado; Sem era forte na resistência. Então Jafé, segurando o irmão pela cinta, apertou-o fortemente, bradando: "De quem é o rio?".

19. — E respondendo Sem: — "É meu!". Jafé fez um gesto para derrubá-lo; mas Sem, que era forte, sacudiu o corpo e atirou o irmão para longe; Jafé, porém, espumando de cólera, tornou a apertar o irmão, e os dois lutaram braço a braço,

20. — Suando e bufando como touros.

21. — Na luta, caíram e rolaram, esmurrando-se um ao outro; o sangue saía dos narizes, dos beiços, das faces; ora vencia Jafé,

22. — Ora vencia Sem; porque a raiva animava-os igualmente, e eles lutavam com as mãos, os pés, os dentes e as unhas; e a arca estremecia como se de novo se houvessem aberto as cataratas do céu.

23. — Então as vozes e brados chegaram aos ouvidos de Noé, ao mesmo tempo que seu filho Cam, que lhe apareceu clamando: "Meu pai, meu pai, se de Caim se tomará vingança sete vezes, e de Lamech* setenta vezes sete, o que será de Jafé e Sem?".

24. — E pedindo Noé que explicasse o dito, Cam referiu a discórdia dos dois irmãos, e a ira que os animava, e disse: — "Correi a aquietá-los". Noé disse: — "Vamos".

* Gênesis, 4: 24.

25. — A arca, porém, boiava sobre as águas do abismo.

CAPÍTULO C

1. — Eis aqui chegou Noé ao lugar onde lutavam os dois filhos,

2. — E achou-os ainda agarrados um ao outro, e Sem debaixo do joelho de Jafé, que com o punho cerrado lhe batia na cara, a qual estava roxa e sangrenta.

3. — Entretanto, Sem, alçando as mãos, conseguiu apertar o pescoço do irmão, e este começou a bradar: "Larga-me, larga-me!".

4. — Ouvindo os brados, as mulheres de Jafé e Sem acudiram também ao lugar da luta, e, vendo-os assim, entraram a soluçar e a dizer: "O que será de nós? A maldição caiu sobre nós e nossos maridos".

5. — Noé, porém, lhes disse: "Calai-vos, mulheres de meus filhos, eu verei de que se trata, e ordenarei o que for justo". E caminhando para os dois combatentes,

6. — Bradou: "Cessai a briga. Eu, Noé, vosso pai, o ordeno e mando". E ouvindo os dois irmãos o pai, detiveram-se subitamente, e ficaram longo tempo atalhados e mudos, não se levantando nenhum deles.

7. — Noé continuou: "Erguei-vos, homens indignos da salvação e merecedores do castigo que feriu os outros homens".

8 — Jafé e Sem ergueram-se. Ambos tinham feridos o rosto, o pescoço e as mãos, e as roupas salpicadas de sangue, porque tinham lutado com unhas e dentes, instigados de ódio mortal.

9. — O chão também estava alagado de sangue, e as sandálias de um e outro, e os cabelos de um e outro,

10. — Como se o pecado os quisera marcar com o selo da iniquidade.

11. — As duas mulheres, porém, chegaram-se a eles, chorando e acariciando-os, e via-se-lhes a dor do coração. Jafé e Sem não atendiam a nada, e estavam com os olhos no chão, medrosos de encarar seu pai.

12. — O qual disse: "Ora, pois, quero saber o motivo da briga".

13. — Esta palavra acendeu o ódio no coração de ambos. Jafé, porém, foi o primeiro que falou e disse:

14. — "Sem invadiu a minha terra, a terra que eu havia escolhido para levantar a minha tenda, quando as águas houverem desaparecido e a arca descer, segundo a promessa do Senhor;

15. — "E eu, que não tolero o esbulho, disse a meu irmão: 'Não te contentas com quinhentos côvados e queres mais dez?'. E ele me respondeu: 'Quero mais dez e as duas margens do rio que há de dividir a minha terra da tua terra'."

16. — Noé, ouvindo o filho, tinha os olhos em Sem; e acabando Jafé, perguntou ao irmão: "Que respondes?".

17. — E Sem disse: — "Jafé mente, porque eu só lhe tomei os dez côvados de terra, depois que ele recusou dividir o rio em duas partes; e propondo-lhe ficar com as duas margens, ainda consenti que ele medisse outros dez côvados nos fundos das terras dele,

18. — "Para compensar o que perdia; mas a iniquidade de Caim falou nele, e ele me feriu a cabeça, a cara e as mãos."

19. — E Jafé interrompeu-o dizendo: "Porventura não me feriste também? Não estou ensanguentado como tu? Olha a minha cara e o meu pescoço; olha as minhas faces, que rasgaste com as tuas unhas de tigre".

20. — Indo Noé falar, notou que os dois filhos de novo pareciam desafiar-se com os olhos. Então disse: "Ouvi!". Mas os dois irmãos, cegos de raiva, outra vez se engalfinharam, bradando: — "De quem é o rio?". — "O rio é meu."

21. — E só a muito custo puderam Noé, Cam e as mulheres de Sem e Jafé, conter os dois combatentes, cujo sangue entrou a jorrar em grande cópia.

22. — Noé, porém, alçando a voz, bradou: — "Maldito seja o que me não obedecer. Ele será maldito, não sete vezes, não setenta vezes sete, mas setecentas vezes setenta.

23. — "Ora, pois, vos digo que, antes de descer a arca, não quero nenhum ajuste a respeito do lugar em que levantareis as tendas."

24. — Depois ficou meditabundo.

25. — E alçando os olhos ao céu, porque a portinhola do teto estava levantada, bradou com tristeza:

26. — "Eles ainda não possuem a terra e já estão brigando por causa dos limites. O que será quando vierem a Turquia e a Rússia?"*

27. — E nenhum dos filhos de Noé pôde entender esta palavra de seu pai.

28. — A arca, porém, continuava a boiar sobre as águas do abismo.

---

* Ao longo do século xix, a luta entre os impérios russo e otomano teve como focos o desejo do primeiro de controlar Constantinopla (assunto da polêmica entre Bentinho e Manduca em *Dom Casmurro*, capítulo xc) e o apoio dado pelos russos aos súditos ortodoxos da Turquia, nos Bálcãs.

O alienista

I. DE COMO ITAGUAÍ GANHOU UMA CASA DE ORATES

As crônicas da vila de Itaguaí dizem que em tempos remotos vivera ali um certo médico, o Dr. Simão Bacamarte, filho da nobreza da terra e o maior dos médicos do Brasil, de Portugal e das Espanhas. Estudara em Coimbra e Pádua. Aos trinta e quatro anos regressou ao Brasil, não podendo el-rei alcançar dele que ficasse em Coimbra, regendo a universidade, ou em Lisboa, expedindo os negócios da monarquia.

— A ciência, disse ele a Sua Majestade, é o meu emprego único; Itaguaí é o meu universo.

Dito isto, meteu-se em Itaguaí, e entregou-se de corpo e alma ao estudo da ciência, alternando as curas com as leituras, e demonstrando os teoremas com cataplasmas. Aos quarenta anos casou com D. Evarista da Costa e Mascarenhas, senhora de vinte e cinco anos, viúva de um juiz de fora, e não bonita nem simpática. Um dos tios dele, caçador de pacas perante o Eterno, e não menos franco, admirou-se de semelhante escolha e disse-lho. Simão Bacamarte explicou-lhe que D. Evarista reunia condições fisiológicas e anatômicas de primeira ordem, digeria com facilidade, dormia regularmente, tinha bom pulso, e excelente vista;

estava assim apta para dar-lhe filhos robustos, sãos e inteligentes. Se além dessas prendas, — únicas dignas da preocupação de um sábio, D. Evarista era mal composta de feições, longe de lastimá-lo, agradecia-o a Deus, porquanto não corria o risco de preterir os interesses da ciência na contemplação exclusiva, miúda e vulgar da consorte.

D. Evarista mentiu às esperanças do Dr. Bacamarte, não lhe deu filhos robustos nem mofinos. A índole natural da ciência é a longanimidade; o nosso médico esperou três anos, depois quatro, depois cinco. Ao cabo desse tempo fez um estudo profundo da matéria, releu todos os escritores árabes e outros, que trouxera para Itaguaí, enviou consultas às universidades italianas e alemãs, e acabou por aconselhar à mulher um regime alimentício especial. A ilustre dama, nutrida exclusivamente com a bela carne de porco de Itaguaí, não atendeu às admoestações do esposo; e à sua resistência, — explicável, mas inqualificável, — devemos a total extinção da dinastia dos Bacamartes.

Mas a ciência tem o inefável dom de curar todas as mágoas; o nosso médico mergulhou inteiramente no estudo e na prática da medicina. Foi então que um dos recantos desta lhe chamou especialmente a atenção, — o recanto psíquico, o exame da patologia cerebral. Não havia na colônia, e ainda no reino, uma só autoridade em semelhante matéria, mal explorada, ou quase inexplorada. Simão Bacamarte compreendeu que a ciência lusitana, e particularmente a brasileira, podia cobrir-se de "louros imarcescíveis", — expressão usada por ele mesmo, mas em um arroubo de intimidade doméstica; exteriormente era modesto, segundo convém aos sabedores.

— A saúde da alma, bradou ele, é a ocupação mais digna do médico.

— Do verdadeiro médico, emendou Crispim Soares, boticário da vila, e um dos seus amigos e comensais.

A vereança de Itaguaí, entre outros pecados de que é arguida pelos cronistas, tinha o de não fazer caso dos dementes. Assim é que cada louco furioso era trancado em uma alcova, na própria casa, e, não curado, mas descurado, até que a morte o vinha defraudar do benefício da vida; os mansos andavam à solta pela rua. Simão Bacamarte entendeu desde logo reformar tão ruim costume; pediu licença à câmara para agasalhar e tratar no edifício que ia construir todos os loucos de Itaguaí e das demais vilas e cidades, mediante um estipêndio, que a câmara lhe daria quando a família do enfermo o não pudesse fazer. A proposta excitou a curiosidade de toda a vila, e encontrou grande resistência, tão certo é que dificilmente se desarraigam hábitos absurdos, ou ainda maus. A ideia de meter os loucos na mesma casa, vivendo em comum, pareceu em si mesma um sintoma de demência, e não faltou quem o insinuasse à própria mulher do médico.

— Olhe, D. Evarista, disse-lhe o padre Lopes, vigário do lugar, veja se seu marido dá um passeio ao Rio de Janeiro. Isso de estudar sempre, sempre, não é bom, vira o juízo.

D. Evarista ficou aterrada, foi ter com o marido, disse-lhe "que estava com desejos", um principalmente, o de vir ao Rio de Janeiro e comer tudo o que a ele lhe parecesse adequado a certo fim. Mas aquele grande homem, com a rara sagacidade que o distinguia, penetrou a intenção da esposa e redarguiu-lhe sorrindo que não tivesse medo. Dali foi à câmara, onde os vereadores debatiam a proposta, e defendeu-a com tanta eloquência, que a maioria resolveu autorizá-lo ao que pedira, votando ao mesmo tempo um imposto destinado a subsidiar o tratamento, alojamento e mantimento dos doidos pobres. A matéria do imposto não foi fácil achá-la; tudo estava tributado em Itaguaí. Depois de longos estudos, assentou-se em permitir o uso de dois penachos nos cavalos dos enterros. Quem quisesse emplumar os cavalos de um coche mortuário pagaria dois tostões à câmara, repetindo-se tantas vezes esta quantia quantas fossem as horas decorridas entre a do falecimento e a da última bênção na sepultura. O escrivão perdeu-se nos cálculos aritméticos do rendimento possível da nova taxa; e um dos vereadores, que não acreditava na empresa do médico, pediu que se relevasse o escrivão de um trabalho inútil.

— Os cálculos não são precisos, disse ele, porque o Dr. Bacamarte não arranja nada. Quem é que viu agora meter todos os doidos dentro da mesma casa?

Enganava-se o digno magistrado; o médico arranjou tudo. Uma vez empossado da licença começou logo a construir a casa. Era na rua Nova, a mais bela rua de Itaguaí naquele tempo, tinha cinquenta janelas por lado, um pátio no centro, e numerosos cubículos para os hóspedes. Como fosse grande arabista, achou no Corão que Maomé declara veneráveis os doidos, pela consideração de que Alá lhes tira o juízo para que não pequem. A ideia pareceu-lhe bonita e profunda, e ele a fez gravar no frontispício da casa; mas, como tinha medo ao vigário, e por tabela ao bispo, atribuiu o pensamento a Benedito VIII,* merecendo com essa frau-

---

* *Benedito VIII*: papa de 1012 a 1024.

de, aliás pia, que o padre Lopes lhe contasse, ao almoço, a vida daquele pontífice eminente.

A Casa Verde foi o nome dado ao asilo, por alusão à cor das janelas, que pela primeira vez apareciam verdes em Itaguaí. Inaugurou-se com imensa pompa; de todas as vilas e povoações próximas, e até remotas, e da própria cidade do Rio de Janeiro, correu gente para assistir às cerimônias, que duraram sete dias. Muitos dementes já estavam recolhidos; e os parentes tiveram ocasião de ver o carinho paternal e a caridade cristã com que eles iam ser tratados. D. Evarista, contentíssima com a glória do marido, vestira-se luxuosamente, cobriu-se de joias, flores e sedas. Ela foi uma verdadeira rainha naqueles dias memoráveis; ninguém deixou de ir visitá-la duas e três vezes, apesar dos costumes caseiros e recatados do século, e não só a cortejavam como a louvavam; porquanto, — e este fato é um documento altamente honroso para a sociedade do tempo, — porquanto viam nela a feliz esposa de um alto espírito, de um varão ilustre, e, se lhe tinham inveja, era a santa e nobre inveja dos admiradores.

Ao cabo de sete dias expiraram as festas públicas; Itaguaí tinha finalmente uma casa de Orates.

II. TORRENTE DE LOUCOS

Três dias depois, numa expansão íntima com o boticário Crispim Soares, desvendou o alienista o mistério do seu coração.

— A caridade, Sr. Soares, entra decerto no meu procedimento, mas entra como tempero, como o sal das coisas, que é assim que interpreto o dito de S. Paulo aos coríntios: "Se eu conhecer quanto se pode saber, e não tiver caridade, não sou nada". O principal nesta minha obra da Casa Verde é estudar profundamente a loucura, os seus diversos graus, classificar-lhe os casos, descobrir enfim a causa do fenômeno e o remédio universal. Este é o mistério do meu coração. Creio que com isto presto um bom serviço à humanidade.

— Um excelente serviço, corrigiu o boticário.

— Sem este asilo, continuou o alienista, pouco poderia fazer; ele dá-me, porém, muito maior campo aos meus estudos.

— Muito maior, acrescentou o outro.

E tinham razão. De todas as vilas e arraiais vizinhos afluíam loucos à Casa

Verde. Eram furiosos, eram mansos, eram monomaníacos, era toda a família dos deserdados do espírito. Ao cabo de quatro meses, a Casa Verde era uma povoação. Não bastaram os primeiros cubículos; mandou-se anexar uma galeria de mais trinta e sete. O padre Lopes confessou que não imaginara a existência de tantos doidos no mundo, e menos ainda o inexplicável de alguns casos. Um, por exemplo, um rapaz bronco e vilão, que todos os dias, depois do almoço, fazia regularmente um discurso acadêmico, ornado de tropos, de antíteses, de apóstrofes, com seus recamos de grego e latim, e suas borlas de Cícero, Apuleio e Tertuliano.* O vigário não queria acabar de crer. Quê! um rapaz que ele vira, três meses antes, jogando peteca na rua!

— Não digo que não, respondia-lhe o alienista; mas a verdade é o que Vossa Reverendíssima está vendo. Isto é todos os dias.

— Quanto a mim, tornou o vigário, só se pode explicar pela confusão das línguas na torre de Babel, segundo nos conta a Escritura; provavelmente, confundidas antigamente as línguas, é fácil trocá-las agora, desde que a razão não trabalhe...

— Essa pode ser, com efeito, a explicação divina do fenômeno, concordou o alienista, depois de refletir um instante, mas não é impossível que haja também alguma razão humana, e puramente científica, e disso trato...

— Vá que seja, e fico ansioso. Realmente!

Os loucos por amor eram três ou quatro, mas só dois espantavam pelo curioso do delírio. O primeiro, um Falcão, rapaz de vinte e cinco anos, supunha-se estrela-d'alva, abria os braços e alargava as pernas, para dar-lhes certa feição de raios, e ficava assim horas esquecidas a perguntar se o sol já tinha saído para ele recolher-se. O outro andava sempre, sempre, sempre, à roda das salas ou do pátio, ao longo dos corredores, à procura do fim do mundo. Era um desgraçado, a quem a mulher deixou por seguir um peralvilho. Mal descobrira a fuga, armou-se de uma garrucha, e saiu-lhes no encalço; achou-os duas horas depois, ao pé de uma lagoa, matou-os a ambos com os maiores requintes de crueldade. O ciúme satisfez-se, mas o vingado estava louco. E então começou aquela ânsia de ir ao fim do mundo à cata dos fugitivos.

A mania das grandezas tinha exemplares notáveis. O mais notável era um pobre-diabo, filho de um algibebe, que narrava às paredes (porque não olhava nunca para nenhuma pessoa) toda a sua genealogia, que era esta:

---

* *Cícero, Apuleio* e *Tertuliano*: autores clássicos conhecidos por seus tratados de retórica.

— Deus engendrou um ovo, o ovo engendrou a espada, a espada engendrou Davi, Davi engendrou a púrpura, a púrpura engendrou o duque, o duque engendrou o marquês, o marquês engendrou o conde, que sou eu.

Dava uma pancada na testa, um estalo com os dedos, e repetia cinco, seis vezes seguidas:

— Deus engendrou um ovo, o ovo, etc.

Outro da mesma espécie era um escrivão, que se vendia por mordomo do rei; outro era um boiadeiro de Minas, cuja mania era distribuir boiadas a toda a gente, dava trezentas cabeças a um, seiscentas a outro, mil e duzentas a outro, e não acabava mais. Não falo dos casos de monomania religiosa; apenas citarei um sujeito que, chamando-se João de Deus, dizia agora ser o deus João, e prometia o reino dos céus a quem o adorasse, e as penas do inferno aos outros; e depois desse, o licenciado Garcia, que não dizia nada, porque imaginava que no dia em que chegasse a proferir uma só palavra, todas as estrelas se despegariam do céu e abrasariam a terra; tal era o poder que recebera de Deus. Assim o escrevia ele no papel que o alienista lhe mandava dar, menos por caridade do que por interesse científico.

Que, na verdade, a paciência do alienista era ainda mais extraordinária do que todas as manias hospedadas na Casa Verde; nada menos que assombrosa. Simão Bacamarte começou por organizar um pessoal de administração; e, aceitando essa ideia ao boticário Crispim Soares, aceitou-lhe também dois sobrinhos, a quem incumbiu da execução de um regimento que lhes deu, aprovado pela câmara, da distribuição da comida e da roupa, e assim também na escrita, etc. Era o melhor que podia fazer, para somente cuidar do seu ofício. — A Casa Verde, disse ele ao vigário, é agora uma espécie de mundo, em que há o governo temporal e o governo *espiritual*. E o padre Lopes ria deste pio trocado, — e acrescentava, — com o único fim de dizer também uma chalaça: — Deixe estar, deixe estar, que hei de mandá-lo denunciar ao papa.

Uma vez desonerado da administração, o alienista procedeu a uma vasta classificação dos seus enfermos. Dividiu-os primeiramente em duas classes principais: os furiosos e os mansos; daí passou às subclasses, monomanias, delírios, alucinações diversas. Isto feito, começou um estudo aturado e contínuo; analisava os hábitos de cada louco, as horas de acesso, as aversões, as simpatias, as palavras, os gestos, as tendências; inquiria da vida dos enfermos, profissão, costumes, circunstâncias da revelação mórbida, acidentes da infância e da mocidade, doenças de outra espécie, antecedentes na família, uma devassa, enfim, como a não faria o mais atilado corregedor. E cada dia notava uma observação nova, uma descoberta interessante, um fenômeno extraordinário. Ao mesmo tempo estudava o melhor regime, as substâncias medicamentosas, os meios curativos e os meios paliativos, não só os que vinham nos seus amados árabes, como os que ele mesmo descobria, à força de sagacidade e paciência. Ora, todo esse trabalho levava-lhe o melhor e o mais do tempo. Mal dormia e mal comia; e, ainda comendo, era como se trabalhasse, porque ora interrogava um texto antigo, ora ruminava uma questão, e ia muitas vezes de um cabo a outro do jantar sem dizer uma só palavra a D. Evarista.

III. DEUS SABE O QUE FAZ!

A ilustre dama, no fim de dois meses, achou-se a mais desgraçada das mulheres; caiu em profunda melancolia, ficou amarela, magra, comia pouco e suspirava a cada canto. Não ousava fazer-lhe nenhuma queixa ou reproche, porque respeitava nele o seu marido e senhor, mas padecia calada, e definhava a olhos vistos. Um dia, ao jantar, como lhe perguntasse o marido o que é que tinha, respondeu tristemente que nada; depois atreveu-se um pouco, e foi ao ponto de dizer que se considerava tão viúva como dantes. E acrescentou:

— Quem diria nunca que meia dúzia de lunáticos...

Não acabou a frase; ou antes, acabou-a levantando os olhos ao teto, — os olhos, que eram a sua feição mais insinuante, — negros, grandes, lavados de uma luz úmida, como os da aurora. Quanto ao gesto, era o mesmo que empregara no dia em que Simão Bacamarte a pediu em casamento. Não dizem as crônicas se D. Evarista brandiu aquela arma com o perverso intuito de degolar de uma vez a ciência, ou, pelo menos, decepar-lhe as mãos; mas a conjetura é verossímil. Em todo caso, o alienista não lhe atribuiu outra intenção. E não se irritou o grande homem, não ficou sequer consternado. O metal de seus olhos não deixou de ser o mesmo metal, duro, liso, eterno, nem a menor prega veio quebrar a superfície da fronte quieta como a água de Botafogo. Talvez um sorriso lhe descerrou os lábios, por entre os quais filtrou esta palavra macia como o óleo do *Cântico*:

— Consinto que vás dar um passeio ao Rio de Janeiro.

D. Evarista sentiu faltar-lhe o chão debaixo dos pés. Nunca dos nuncas vira o Rio de Janeiro, que posto não fosse sequer uma pálida sombra do que hoje é, todavia era alguma coisa mais do que Itaguaí. Ver o Rio de Janeiro, para ela, equivalia ao sonho do hebreu cativo. Agora, principalmente, que o marido assentara de vez naquela povoação interior, agora é que ela perdera as últimas esperanças de respirar os ares da nossa boa cidade; e justamente agora é que ele a convidava a realizar os seus desejos de menina e moça. D. Evarista não pôde dissimular o gosto de semelhante proposta. Simão Bacamarte pegou-lhe na mão e sorriu, — um sorriso tanto ou quanto filosófico, além de conjugal, em que parecia traduzir-se este pensamento: — "Não há remédio certo para as dores da alma; esta senhora definha, porque lhe parece que a não amo; dou-lhe o Rio de Janeiro, e consola-se". E porque era homem estudioso tomou nota da observação.

Mas um dardo atravessou o coração de D. Evarista. Conteve-se, entretanto; limitou-se a dizer ao marido, que, se ele não ia, ela não iria também, porque não havia de meter-se sozinha pelas estradas.

— Irá com sua tia, redarguiu o alienista.

Note-se que D. Evarista tinha pensado nisso mesmo; mas não quisera pedi-lo nem insinuá-lo, em primeiro lugar porque seria impor grandes despesas ao marido, em segundo lugar porque era melhor, mais metódico e racional que a proposta viesse dele.

— Oh! mas o dinheiro que será preciso gastar! suspirou D. Evarista sem convicção.

— Que importa? Temos ganho muito, disse o marido. Ainda ontem o escriturário prestou-me contas. Queres ver?

E levou-a aos livros. D. Evarista ficou deslumbrada. Era uma via láctea de algarismos. E depois levou-a às arcas, onde estava o dinheiro. Deus! eram montes de ouro, eram mil cruzados sobre mil cruzados, dobrões sobre dobrões; era a opulência. Enquanto ela comia o ouro com os seus olhos negros, o alienista fitava-a, e dizia-lhe ao ouvido com a mais pérfida das alusões:

— Quem diria que meia dúzia de lunáticos...

D. Evarista compreendeu, sorriu e respondeu com muita resignação:

— Deus sabe o que faz!

Três meses depois efetuava-se a jornada. D. Evarista, a tia, a mulher do boticário, um sobrinho deste, um padre que o alienista conhecera em Lisboa, e que de aventura achava-se em Itaguaí, cinco ou seis pajens, quatro mucamas, tal foi a comitiva que a população viu dali sair em certa manhã do mês de maio. As despedidas foram tristes para todos, menos para o alienista. Conquanto as lágrimas de D. Evarista fossem abundantes e sinceras, não chegaram a abalá-lo. Homem de ciência, e só de ciência, nada o consternava fora da ciência; e se alguma coisa o preocupava naquela ocasião, se ele deixava correr pela multidão um olhar inquieto e policial, não era outra coisa mais do que a ideia de que algum demente podia achar-se ali misturado com a gente de juízo.

— Adeus! soluçaram enfim as damas e o boticário.

E partiu a comitiva. Crispim Soares, ao tornar a casa, trazia os olhos entre as duas orelhas da besta ruana em que vinha montado; Simão Bacamarte alongava os seus pelo horizonte adiante, deixando ao cavalo a responsabilidade do regresso. Imagem vivaz do gênio e do vulgo! Um fita o presente, com todas as suas lágrimas e saudades, outro devassa o futuro com todas as suas auroras.

IV. UMA TEORIA NOVA

Ao passo que D. Evarista, em lágrimas, vinha buscando o Rio de Janeiro, Simão Bacamarte estudava por todos os lados uma certa ideia arrojada e nova, própria a alargar as bases da psicologia. Todo o tempo que lhe sobrava dos cuidados da Casa Verde, era pouco para andar na rua, ou de casa em casa, conversando as gentes, sobre trinta mil assuntos, e virgulando as falas de um olhar que metia medo aos mais heroicos.

Um dia de manhã, — eram passadas três semanas, — estando Crispim Soares ocupado em temperar um medicamento, vieram dizer-lhe que o alienista o mandava chamar.

— Trata-se de negócio importante, segundo ele me disse, acrescentou o portador.

Crispim empalideceu. Que negócio importante podia ser, se não alguma triste notícia da comitiva, e especialmente da mulher? Porque este tópico deve ficar claramente definido, visto insistirem nele os cronistas: Crispim amava a mulher, e, desde trinta anos, nunca estiveram separados um só dia. Assim se explicam os monólogos que ele fazia agora, e que os fâmulos lhe ouviam muita vez: — "Anda, bem feito, quem te mandou consentir na viagem de Cesária? Bajulador, torpe bajulador! Só para adular ao Dr. Bacamarte. Pois agora aguenta-te; anda, aguen-

46 MACHADO DE ASSIS

ta-te, alma de lacaio, fracalhão, vil, miserável. Dizes *amen* a tudo, não é? aí tens o lucro, biltre!" — E muitos outros nomes feios, que um homem não deve dizer aos outros, quanto mais a si mesmo. Daqui a imaginar o efeito do recado é um nada. Tão depressa ele o recebeu como abriu mão das drogas e voou à Casa Verde.

Simão Bacamarte recebeu-o com a alegria própria de um sábio, uma alegria abotoada de circunspecção até o pescoço.

— Estou muito contente, disse ele.

— Notícias do nosso povo? perguntou o boticário com a voz trêmula.

O alienista fez um gesto magnífico, e respondeu:

— Trata-se de coisa mais alta, trata-se de uma experiência científica. Digo experiência, porque não me atrevo a assegurar desde já a minha ideia; nem a ciência é outra coisa, Sr. Soares, senão uma investigação constante. Trata-se, pois, de uma experiência, mas uma experiência que vai mudar a face da terra. A loucura, objeto dos meus estudos, era até agora uma ilha perdida no oceano da razão; começo a suspeitar que é um continente.

Disse isto, e calou-se, para ruminar o pasmo do boticário. Depois explicou compridamente a sua ideia. No conceito dele a insânia abrangia uma vasta superfície de cérebros; e desenvolveu isto com grande cópia de raciocínios, de textos, de exemplos. Os exemplos achou-os na história e em Itaguaí; mas, como um raro espírito que era, reconheceu o perigo de citar todos os casos de Itaguaí, e refugiou-se na história. Assim, apontou com especialidade alguns personagens célebres. Sócrates, que tinha um demônio familiar, Pascal, que via um abismo à esquerda, Maomé, Caracala, Domiciano, Calígula, etc.,* uma enfiada de casos e pessoas, em que de mistura vinham entidades odiosas, e entidades ridículas. E porque o boticário se admirasse de uma tal promiscuidade, o alienista disse-lhe que era tudo a mesma coisa, e até acrescentou sentenciosamente:

— A ferocidade, Sr. Soares, é o grotesco a sério.

— Gracioso, muito gracioso! exclamou Crispim Soares levantando as mãos ao céu.

Quanto à ideia de ampliar o território da loucura, achou-a o boticário extra-

---

* *Sócrates* (469-399 a. C.) supunha-se acompanhado de um espírito inspirador (*daímon*). *Pascal* (1623-62): filósofo e matemático francês; o trauma de um acidente causava-lhe a impressão de ter sempre, à sua esquerda, um precipício. *Maomé* tinha visões que dizia ser mensagens de Deus; *Caracala, Domiciano* e *Calígula*: imperadores romanos conhecidos por sua loucura e pelos assassinatos que cometeram.

vagante; mas a modéstia, principal adorno de seu espírito, não lhe sofreu confessar outra coisa além de um nobre entusiasmo; declarou-a sublime e verdadeira, e acrescentou que era "caso de matraca". Esta expressão não tem equivalente no estilo moderno. Naquele tempo, Itaguaí, que como as demais vilas, arraiais e povoações da colônia, não dispunha de imprensa, tinha dois modos de divulgar uma notícia: ou por meio de cartazes manuscritos e pregados na porta da câmara e da matriz; — ou por meio de matraca. Eis em que consistia este segundo uso. Contratava-se um homem, por um ou mais dias, para andar as ruas do povoado, com uma matraca na mão. De quando em quando tocava a matraca, reunia-se gente, e ele anunciava o que lhe incumbiam, — um remédio para sezões, umas terras lavradias, um soneto, um donativo eclesiástico, a melhor tesoura da vila, o mais belo discurso do ano, etc. O sistema tinha inconvenientes para a paz pública; mas era conservado pela grande energia de divulgação que possuía. Por exemplo, um dos vereadores, — aquele justamente que mais se opusera à criação da Casa Verde, — desfrutava a reputação de perfeito educador de cobras e macacos, e aliás nunca domesticara um só desses bichos; mas, tinha o cuidado de fazer trabalhar a matraca todos os meses. E dizem as crônicas que algumas pessoas afirmavam ter visto cascavéis dançando no peito do vereador; afirmação perfeitamente falsa, mas só devida à absoluta confiança no sistema. Verdade, verdade; nem todas as instituições do antigo regime, mereciam o desprezo do nosso século.

— Há melhor do que anunciar a minha ideia, é praticá-la, respondeu o alienista à insinuação do boticário.

E o boticário, não divergindo sensivelmente deste modo de ver, disse-lhe que sim, que era melhor começar pela execução.

— Sempre haverá tempo de a dar à matraca, concluiu ele.

Simão Bacamarte refletiu ainda um instante, e disse:

— Supondo o espírito humano uma vasta concha, o meu fim, Sr. Soares, é ver se posso extrair a pérola, que é a razão; por outros termos, demarquemos definitivamente os limites da razão e da loucura. A razão é o perfeito equilíbrio de todas as faculdades; fora daí insânia, insânia, e só insânia.

O vigário Lopes, a quem ele confiou a nova teoria, declarou lisamente que não chegava a entendê-la, que era uma obra absurda, e, se não era absurda, era de tal modo colossal que não merecia princípio de execução.

— Com a definição atual, que é a de todos os tempos, acrescentou, a loucura e a razão estão perfeitamente delimitadas. Sabe-se onde uma acaba e onde a outra começa. Para que transpor a cerca?

Sobre o lábio fino e discreto do alienista roçou a vaga sombra de uma intenção de riso, em que o desdém vinha casado à comiseração; mas nenhuma palavra saiu de suas egrégias entranhas. A ciência contentou-se em estender a mão à teologia, — com tal segurança, que a teologia não soube enfim se devia crer em si ou na outra. Itaguaí e o universo ficavam à beira de uma revolução.

V. O TERROR

Quatro dias depois, a população de Itaguaí ouviu consternada a notícia de que um certo Costa fora recolhido à Casa Verde.

— Impossível!

— Qual impossível! foi recolhido hoje de manhã.

— Mas, na verdade, ele não merecia... Ainda em cima! depois de tanto que ele fez...

Costa era um dos cidadãos mais estimados de Itaguaí. Herdara quatrocentos mil cruzados em boa moeda de el-rei D. João v,* dinheiro cuja renda bastava, segundo lhe declarou o tio no testamento, para viver "até o fim do mundo". Tão depressa recolheu a herança, como entrou a dividi-la em empréstimos, sem usura, mil cruzados a um, dois mil a outro, trezentos a este, oitocentos àquele, a tal ponto que, no fim de cinco anos, estava sem nada. Se a miséria viesse de chofre, o pasmo de Itaguaí seria enorme; mas veio devagar; ele foi passando da opulência à abastança, da abastança à mediania, da mediania à pobreza, da pobreza à miséria, gradualmente. Ao cabo daqueles cinco anos, pessoas que levavam o chapéu ao chão, logo que ele assomava no fim da rua, agora batiam-lhe no ombro, com intimidade, davam-lhe piparotes no nariz, diziam-lhe pulhas. E o Costa sempre lhano, risonho. Nem se lhe dava de ver que os menos corteses eram justamente os que tinham ainda a dívida em aberto; ao contrário, parece que os agasalhava com maior prazer, e mais sublime resignação. Um dia, como um desses incuráveis devedores lhe atirasse uma chalaça grossa, e ele se risse dela, observou um desafeiçoado, com certa perfídia: — "Você suporta esse sujeito para

---

* *D. João V* (1689-1750): rei de Portugal entre 1706 e 1750, durante a febre do ouro, portanto.

ver se ele lhe paga". Costa não se deteve um minuto, foi ao devedor e perdoou--lhe a dívida. — "Não admira, retorquiu o outro; o Costa abriu mão de uma estrela, que está no céu." Costa era perspicaz, entendeu que ele negava todo o merecimento ao ato, atribuindo-lhe a intenção de rejeitar o que não vinham meter--lhe na algibeira. Era também pundonoroso e inventivo; duas horas depois achou um meio de provar que lhe não cabia um tal labéu: pegou de algumas dobras, e mandou-as de empréstimo ao devedor.

— Agora espero que... — pensou ele sem concluir a frase.

Esse último rasgo do Costa persuadiu a crédulos e incrédulos; ninguém mais pôs em dúvida os sentimentos cavalheirescos daquele digno cidadão. As necessidades mais acanhadas saíram à rua, vieram bater-lhe à porta, com os seus chinelos velhos, com as suas capas remendadas. Um verme, entretanto, roía a alma do Costa: era o conceito do desafeto. Mas isso mesmo acabou; três meses depois veio este pedir-lhe uns cento e vinte cruzados com promessa de restituir-lhos daí a dois dias; era o resíduo da grande herança, mas era também uma nobre desforra: Costa emprestou o dinheiro logo, logo, e sem juros. Infelizmente não teve tempo de ser pago; cinco meses depois era recolhido à Casa Verde.

Imagina-se a consternação de Itaguaí, quando soube do caso. Não se falou em outra coisa, dizia-se que o Costa ensandecera, ao almoço, outros que de madrugada; e contavam-se os acessos, que eram furiosos, sombrios, terríveis, — ou mansos, e até engraçados, conforme as versões. Muita gente correu à Casa Verde, e achou o pobre Costa, tranquilo, um pouco espantado, falando com muita clareza, e perguntando por que motivo o tinham levado para ali. Alguns foram ter com o alienista. Bacamarte aprovava esses sentimentos de estima e compaixão, mas acrescentava que a ciência era a ciência, que ele não podia deixar na rua um mentecapto. A última pessoa que intercedeu por ele (porque depois do que vou contar ninguém mais se atreveu a procurar o terrível médico) foi uma pobre senhora, prima do Costa. O alienista disse-lhe confidencialmente que esse digno homem não estava no perfeito equilíbrio das faculdades mentais, à vista do modo como dissipara os cabedais que...

— Isso, não! isso não! interrompeu a boa senhora com energia. Se ele gastou tão depressa o que recebeu, a culpa não é dele.

— Não?

— Não, senhor. Eu lhe digo como o negócio se passou. O defunto meu tio não era mau homem; mas quando estava furioso era capaz de nem tirar o chapéu ao Santíssimo. Ora, um dia, pouco tempo antes de morrer, descobriu que um escravo lhe roubara um boi; imagine como ficou. A cara era um pimentão; todo ele tremia, a boca escumava; lembra-me como se fosse hoje. Então um homem feio, cabeludo, em mangas de camisa, chegou-se a ele e pediu água. Meu tio (Deus lhe fale n'alma!) respondeu que fosse beber ao rio ou ao inferno. O homem olhou para ele, abriu a mão em ar de ameaça, e rogou esta praga: — "Todo o seu dinheiro não há de durar mais de sete anos e um dia, tão certo como isto ser o *sino salamão!*".* E mostrou o *sino salamão* impresso no braço. Foi isto, meu senhor; foi esta praga daquele maldito.

Bacamarte espetara na pobre senhora um par de olhos agudos como punhais. Quando ela acabou, estendeu-lhe a mão polidamente, como se o fizesse à própria esposa do vice-rei, e convidou-a a ir falar ao primo. A mísera acreditou; ele levou-a à Casa Verde e encerrou-a na galeria dos alucinados.

A notícia desta aleivosia do ilustre Bacamarte lançou o terror à alma da população. Ninguém queria acabar de crer, que, sem motivo, sem inimizade, o alienista trancasse na Casa Verde uma senhora perfeitamente ajuizada, que não tinha outro crime senão o de interceder por um infeliz. Comentava-se o caso nas esquinas, nos barbeiros; edificou-se um romance, umas finezas namoradas que o alienista outrora dirigira à prima do Costa, a indignação do Costa e o desprezo da prima. E daí a vingança. Era claro. Mas a austeridade do alienista, a vida de estudos que ele levava, pareciam desmentir uma tal hipótese. Histórias! Tudo isso era naturalmente a capa do velhaco. E um dos mais crédulos chegou a murmurar que sabia de outras coisas, não as dizia, por não ter certeza plena, mas sabia, quase que podia jurar.

— Você, que é íntimo dele, não nos podia dizer o que há, o que houve, que motivo...

Crispim Soares derretia-se todo. Esse interrogar da gente inquieta e curiosa, dos amigos atônitos, era para ele uma consagração pública. Não havia duvidar; toda a povoação sabia enfim que o privado do alienista era ele, Crispim, o boticário, o colaborador do grande homem e das grandes coisas; daí a corrida à botica. Tudo isso dizia o carão jucundo e o riso discreto do boticário, o riso e o silêncio, porque ele não respondia nada; um, dois, três monossílabos, quando muito, sol-

---

* *Sino salamão, sino-salomão* ou *estrela de davi*: talismã formado por dois triângulos entrelaçados em forma de estrela.

tos, secos, encapados no fiel sorriso, constante e miúdo, cheio de mistérios científicos, que ele não podia, sem desdouro nem perigo, desvendar a nenhuma pessoa humana.

— Há coisa, pensavam os mais desconfiados.

Um desses limitou-se a pensá-lo, deu de ombros e foi embora. Tinha negócios pessoais. Acabava de construir uma casa suntuosa. Só a casa bastava para deter e chamar toda a gente; mas havia mais, — a mobília, que ele mandara vir da Hungria e da Holanda, segundo contava, e que se podia ver do lado de fora, porque as janelas viviam abertas, — e o jardim, que era uma obra-prima de arte e de gosto. Esse homem, que enriquecera no fabrico de albardas, tinha tido sempre o sonho de uma casa magnífica, jardim pomposo, mobília rara. Não deixou o negócio das albardas, mas repousava dele na contemplação da casa nova, a primeira de Itaguaí, mais grandiosa do que a Casa Verde, mais nobre do que a da câmara. Entre a gente ilustre da povoação havia choro e ranger de dentes, quando se pensava, ou se falava, ou se louvava a casa do albardeiro, — um simples albardeiro, Deus do céu!

— Lá está ele embasbacado, diziam os transeuntes, de manhã.

De manhã, com efeito, era costume do Mateus estatelar-se, no meio do jardim, com os olhos na casa, namorado, durante uma longa hora, até que vinham chamá-lo para almoçar. Os vizinhos, embora o cumprimentassem com certo respeito, riam-se por trás dele, que era um gosto. Um desses chegou a dizer que o Mateus seria muito mais econômico, e estaria riquíssimo, se fabricasse as albardas para si mesmo; epigrama ininteligível, mas que fazia rir às bandeiras despregadas.

— Agora lá está o Mateus a ser contemplado, diziam à tarde.

A razão deste outro dito era que, de tarde, quando as famílias saíam a passeio (jantavam cedo) usava o Mateus postar-se à janela, bem no centro, vistoso, sobre um fundo escuro, trajado de branco, atitude senhoril, e assim ficava duas e três horas até que anoitecia de todo. Pode crer-se que a intenção do Mateus era ser admirado e invejado, posto que ele não a confessasse a nenhuma pessoa, nem ao boticário, nem ao padre Lopes, seus grandes amigos. E entretanto não foi outra a alegação do boticário, quando o alienista lhe disse que o albardeiro talvez padecesse do amor das pedras, mania que ele Bacamarte descobrira e estudava desde algum tempo. Aquilo de contemplar a casa...

— Não, senhor, acudiu vivamente Crispim Soares.

— Não?

— Há de perdoar-me, mas talvez não saiba que ele de manhã examina a obra, não a admira; de tarde, são os outros que o admiram a ele e à obra. — E contou o uso do albardeiro, todas as tardes, desde cedo até o cair da noite.

Uma volúpia científica alumiou os olhos de Simão Bacamarte. Ou ele não conhecia todos os costumes do albardeiro, ou nada mais quis, interrogando o Crispim, do que confirmar alguma notícia incerta ou suspeita vaga. A explicação satisfê-lo; mas como tinha as alegrias próprias de um sábio, concentradas, nada viu o boticário que fizesse suspeitar uma intenção sinistra. Ao contrário, era de tarde, e o alienista pediu-lhe o braço para irem a passeio. Deus! era a primeira vez que Simão Bacamarte dava ao seu privado tamanha honra; Crispim ficou trêmulo, atarantado, disse que sim, que estava pronto. Chegaram duas ou três pessoas de fora, Crispim mandou-as mentalmente a todos os diabos; não só atrasavam o passeio, como podia acontecer que Bacamarte elegesse alguma delas, para acompanhá-lo, e o dispensasse a ele. Que impaciência! que aflição! Enfim, saíram. O alienista guiou para os lados da casa do albardeiro, viu-o à janela, passou cinco, seis vezes por diante, devagar, parando, examinando as atitudes, a expressão do rosto. O pobre Mateus, apenas notou que era objeto da curiosidade ou admiração do primeiro vulto de Itaguaí, redobrou de expressão, deu outro relevo às atitudes... Triste! triste! não fez mais do que condenar-se; no dia seguinte, foi recolhido à Casa Verde.

— A Casa Verde é um cárcere privado, disse um médico sem clínica.

Nunca uma opinião pegou e grassou tão rapidamente. Cárcere privado: eis o que se repetia de norte a sul e de leste a oeste de Itaguaí, — a medo, é verdade, porque durante a semana que se seguiu à captura do pobre Mateus, vinte e tantas pessoas, — duas ou três de consideração, — foram recolhidas à Casa Verde. O alienista dizia que só eram admitidos os casos patológicos, mas pouca gente lhe dava crédito. Sucediam-se as versões populares. Vingança, cobiça de dinheiro, castigo de Deus, monomania do próprio médico, plano secreto do Rio de Janeiro com o fim de destruir em Itaguaí qualquer gérmen de prosperidade que viesse a brotar, arvorecer, florir, com desdouro e míngua daquela cidade, mil outras explicações, que não explicavam nada, tal era o produto diário da imaginação pública.

Nisto chegou do Rio de Janeiro a esposa do alienista, a tia, a mulher do Crispim Soares, e toda a mais comitiva, — ou quase toda, — que algumas semanas

O ALIENISTA   53

antes partira de Itaguaí. O alienista foi recebê-la, com o boticário, o padre Lopes, os vereadores e vários outros magistrados. O momento em que D. Evarista pôs os olhos na pessoa do marido é considerado pelos cronistas do tempo como um dos mais sublimes da história moral dos homens, e isto pelo contraste das duas naturezas, ambas extremas, ambas egrégias. D. Evarista soltou um grito, balbuciou uma palavra, e atirou-se ao consorte, de um gesto que não se pode melhor definir do que comparando-o a uma mistura de onça e rola. Não assim o ilustre Bacamarte; frio como um diagnóstico, sem desengonçar por um instante a rigidez científica, estendeu os braços à dona, que caiu neles, e desmaiou. Curto incidente; ao cabo de dois minutos, D. Evarista recebia os cumprimentos dos amigos, e o préstito punha-se em marcha.

D. Evarista era a esperança de Itaguaí; contava-se com ela para minorar o flagelo da Casa Verde. Daí as aclamações públicas, a imensa gente que atulhava as ruas, as flâmulas, as flores e damascos às janelas. Com o braço apoiado no do padre Lopes, — porque o eminente Bacamarte confiara a mulher ao vigário, e acompanhava-os a passo meditativo, — D. Evarista voltava a cabeça a um lado e outro, curiosa, inquieta, petulante. O vigário indagava do Rio de Janeiro, que ele não vira desde o vice-reinado anterior; e D. Evarista respondia, entusiasmada, que era a coisa mais bela que podia haver no mundo. O Passeio Público estava acabado, um paraíso, onde ela fora muitas vezes, e a rua das Belas Noites,* o chafariz das Marrecas... Ah! o chafariz das Marrecas! Eram mesmo marrecas, — feitas de metal e despejando água pela boca fora. Uma coisa galantíssima. O vigário dizia que sim, que o Rio de Janeiro devia estar agora muito mais bonito. Se já o era noutro tempo! Não admira, maior do que Itaguaí, e de mais a mais sede do governo... Mas não se pode dizer que Itaguaí fosse feio; tinha belas casas, a casa do Mateus, a Casa Verde...

— A propósito de Casa Verde, disse o padre Lopes escorregando habilmente para o assunto da ocasião, a senhora vem achá-la muito cheia de gente.

— Sim?

— É verdade. Lá está o Mateus...

— O albardeiro?

— O albardeiro; está o Costa, a prima do Costa, e Fulano, e Sicrano, e...

— Tudo isso doido?

---

* *Rua das Belas Noites*: atual rua das Marrecas.

— Ou quase doido, obtemperou o padre.

— Mas então?

O vigário derreou os cantos da boca, à maneira de quem não sabe nada, ou não quer dizer tudo; resposta vaga, que se não pode repetir a outra pessoa, por falta de texto. D. Evarista achou realmente extraordinário que toda aquela gente ensandecesse; um ou outro, vá; mas todos? Entretanto, custava-lhe duvidar; o marido era um sábio, não recolheria ninguém à Casa Verde sem prova evidente de loucura.

— Sem dúvida... sem dúvida... ia pontuando o vigário.

Três horas depois, cerca de cinquenta convivas sentavam-se em volta da mesa de Simão Bacamarte; era o jantar das boas-vindas. D. Evarista foi o assunto obrigado dos brindes, discursos, versos de toda a casta, metáforas, amplificações, apólogos. Ela era a esposa do novo Hipócrates, a musa da ciência, anjo, divina, aurora, caridade, vida, consolação; trazia nos olhos duas estrelas, segundo a versão modesta de Crispim Soares, e dois sóis, no conceito de um vereador. O alienista ouvia essas coisas um tanto enfastiado, mas sem visível impaciência. Quando muito dizia ao ouvido da mulher, que a retórica permitia tais arrojos sem significação. D. Evarista fazia esforços para aderir a esta opinião do marido; mas, ainda descontando três quartas partes das louvaminhas, ficava muito com que enfunar-lhe a alma. Um dos oradores, por exemplo, Martim Brito, rapaz de vinte e cinco anos, pintalegrete acabado, curtido de namoros e aventuras, declamou um discurso em que o nascimento de D. Evarista era explicado pelo mais singular dos reptos. "Deus, disse ele, depois de dar ao universo o homem e a mulher, esse diamante e essa pérola da coroa divina (e o orador arrastava triunfalmente esta frase de uma ponta a outra da mesa), Deus quis vencer a Deus, e criou D. Evarista."

D. Evarista baixou os olhos com exemplar modéstia. Duas senhoras, achando a cortesanice excessiva e audaciosa, interrogaram os olhos do dono da casa; e, na verdade, o gesto do alienista pareceu-lhes nublado de suspeitas, de ameaças, e, provavelmente, de sangue. O atrevimento foi grande, pensaram as duas damas. E uma e outra pediam a Deus que removesse qualquer episódio trágico, — ou que o adiasse, ao menos, para o dia seguinte. Sim, que o adiasse. Uma delas, a mais piedosa, chegou a admitir, consigo mesma, que D. Evarista não merecia nenhuma desconfiança, tão longe estava de ser atraente ou bonita. Uma simples água-morna. Verdade é que, se todos os gostos fossem iguais, o que seria do amarelo? E esta ideia fê-la tremer outra vez, embora menos; menos, porque o alienista sorria agora para o Martim Brito, e, levantados todos, foi ter com ele e falou-lhe do discurso. Não lhe negou que era um improviso brilhante, cheio de rasgos magníficos. Seria dele mesmo a ideia relativa ao nascimento de D. Evarista, ou tê-la-ia encontrado em algum autor que...? Não, senhor; era dele mesmo; achou-a naquela ocasião e parecera-lhe adequada a um arroubo oratório. De resto, suas ideias eram antes arrojadas do que ternas ou jocosas. Dava para o épico. Uma vez, por exemplo, compôs uma ode à queda do marquês de Pombal,* em que dizia que esse ministro era o "dragão aspérrimo do Nada", esmagado pelas "garras vingadoras do Todo"; e assim outras, mais ou menos fora do comum; gostava das ideias sublimes e raras, das imagens grandes e nobres...

— Pobre moço! pensou o alienista. E continuou consigo: — Trata-se de um caso de lesão cerebral; fenômeno sem gravidade, mas digno de estudo...

D. Evarista ficou estupefata quando soube, três dias depois, que o Martim Brito fora alojado na Casa Verde. Um moço que tinha ideias tão bonitas! As duas senhoras atribuíram o ato a ciúmes do alienista. Não podia ser outra coisa; realmente a declaração do moço fora audaciosa demais.

Ciúmes? Mas como explicar que, logo em seguida, fossem recolhidos José Borges do Couto Leme, pessoa estimável, o Chico das Cambraias, folgazão emérito, o escrivão Fabrício, e ainda outros? O terror acentuou-se. Não se sabia já quem estava são, nem quem estava doido. As mulheres, quando os maridos saíam, mandavam acender uma lamparina a Nossa Senhora; e nem todos os maridos eram valorosos, alguns não andavam fora sem um ou dois capangas. Positivamente o terror. Quem podia, emigrava. Um desses fugitivos chegou a ser preso a duzentos passos da vila. Era um rapaz de trinta anos, amável, conversado, polido, tão polido que não cumprimentava alguém sem levar o chapéu ao chão; na rua, acontecia-lhe correr uma distância de dez a vinte braças para ir apertar a mão a um homem grave, a uma senhora, às vezes a um menino, como acontecera ao filho do juiz de fora. Tinha a vocação das cortesias. De resto, devia as boas relações da sociedade, não só aos dotes pessoais, que eram raros, como à nobre tenacidade com que nunca desanimava diante de uma, duas, quatro, seis recusas, caras feias, etc. O que acontecia era que, uma vez entrado numa casa, não a deixava mais, nem os da casa o deixavam a ele, tão gracioso era o Gil Bernardes. Pois

---

* Pombal caiu em 1777.

o Gil Bernardes, apesar de se saber estimado, teve medo quando lhe disseram um dia, que o alienista o trazia de olho; na madrugada seguinte fugiu da vila, mas foi logo apanhado e conduzido à Casa Verde.

— Devemos acabar com isto!

— Não pode continuar!

— Abaixo a tirania!

— Déspota! violento! Golias!

Não eram gritos na rua, eram suspiros em casa, mas não tardava a hora dos gritos. O terror crescia; avizinhava-se a rebelião. A ideia de uma petição ao governo para que Simão Bacamarte fosse capturado e deportado, andou por algumas cabeças, antes que o barbeiro Porfírio a expendesse na loja, com grandes gestos de indignação. Note-se, — e essa é uma das laudas mais puras desta sombria história, — note-se que o Porfírio, desde que a Casa Verde começara a povoar-se tão extraordinariamente, viu crescerem-lhe os lucros pela aplicação assídua de sanguessugas que dali lhe pediam; mas o interesse particular, dizia ele, deve ceder ao interesse público. E acrescentava: — é preciso derrubar o tirano! Note-se mais que ele soltou esse grito justamente no dia em que Simão Bacamarte fizera recolher à Casa Verde um homem que trazia com ele uma demanda, o Coelho.

— Não me dirão em que é que o Coelho é doido? bradou o Porfírio.

E ninguém lhe respondia; todos repetiam que era um homem perfeitamente ajuizado. A mesma demanda que ele trazia com o barbeiro, acerca de uns chãos da vila, era filha da obscuridade de um alvará, e não da cobiça ou ódio. Um excelente caráter o Coelho. Os únicos desafeiçoados que tinha eram alguns sujeitos que, dizendo-se taciturnos, ou alegando andar com pressa, mal o viam de longe dobravam as esquinas, entravam nas lojas, etc. Na verdade, ele amava a boa palestra, a palestra comprida, gostada a sorvos largos, e assim é que nunca estava só, preferindo os que sabiam dizer duas palavras, mas não desdenhando os outros. O padre Lopes, que cultivava o Dante, e era inimigo do Coelho, nunca o via desligar-se de uma pessoa que não declamasse e emendasse este trecho:

> *La bocca sollevò dal fiero pasto*
> *Quel seccatore...**

* "A boca soergueu do fero pasto aquele *maçador*." Trocadilho com as primeiras palavras do canto XXXIII do Inferno, de Dante: "A boca soergueu do fero pasto aquele pecador". Referem-se a Ugolino, o traidor encarcerado que, esfomeado, comeu seus próprios filhos.

mas uns sabiam do ódio do padre, e outros pensavam que isto era uma oração em latim.

VI. A REBELIÃO

Cerca de trinta pessoas ligaram-se ao barbeiro, redigiram e levaram uma representação à câmara. A câmara recusou aceitá-la, declarando que a Casa Verde era uma instituição pública, e que a ciência não podia ser emendada por votação administrativa, menos ainda por movimentos de rua.

— Voltai ao trabalho, concluiu o presidente, é o conselho que vos damos.

A irritação dos agitadores foi enorme. O barbeiro declarou que iam dali levantar a bandeira da rebelião, e destruir a Casa Verde; que Itaguaí não podia continuar a servir de cadáver aos estudos e experiências de um déspota; que muitas pessoas estimáveis, algumas distintas, outras humildes mas dignas de apreço, jaziam nos cubículos da Casa Verde; que o despotismo científico do alienista complicava-se do espírito de ganância, visto que os loucos, ou supostos tais, não eram tratados de graça: as famílias, e em falta delas a câmara, pagavam ao alienista...

— É falso, interrompeu o presidente.

— Falso?

— Há cerca de duas semanas recebemos um ofício do ilustre médico, em que nos declara que, tratando de fazer experiências de alto valor psicológico, desiste do estipêndio votado pela câmara, bem como nada receberá das famílias dos enfermos.

A notícia deste ato tão nobre, tão puro, suspendeu um pouco a alma dos rebeldes. Seguramente o alienista podia estar em erro, mas nenhum interesse alheio à ciência o instigava; e para demonstrar o erro era preciso alguma coisa mais do que arruaças e clamores. Isto disse o presidente, com aplauso de toda a câmara. O barbeiro, depois de alguns instantes de concentração, declarou que estava investido de um mandato público, e não restituiria a paz a Itaguaí antes de ver por terra a Casa Verde, — "essa Bastilha da razão humana", — expressão que ouvira a um poeta local, e que ele repetiu com muita ênfase. Disse, e a um sinal todos saíram com ele.

Imagine-se a situação dos vereadores; urgia obstar ao ajuntamento, à rebelião, à luta, ao sangue. Para acrescentar ao mal, um dos vereadores, que apoiara o presidente, ouvindo agora a denominação dada pelo barbeiro à Casa Verde — "Bastilha da razão humana", — achou-a tão elegante, que mudou de parecer. Disse que entendia de bom aviso decretar alguma medida que reduzisse a Casa Verde; e porque o presidente, indignado, manifestasse em termos enérgicos o seu pasmo, o vereador fez esta reflexão:

— Nada tenho que ver com a ciência; mas se tantos homens em quem supomos juízo são reclusos por dementes, quem nos afirma que o alienado não é o alienista?

Sebastião Freitas, o vereador dissidente, tinha o dom da palavra e falou ainda por algum tempo com prudência, mas com firmeza. Os colegas estavam atônitos; o presidente pediu-lhe que, ao menos, desse o exemplo da ordem e do respeito à lei, não aventasse as suas ideias na rua, para não dar corpo e alma à rebelião, que era por ora um turbilhão de átomos dispersos. Esta figura corrigiu um pouco o efeito da outra: Sebastião Freitas prometeu suspender qualquer ação, reservando-se o direito de pedir pelos meios legais a redução da Casa Verde. E repetia consigo, namorado: — Bastilha da razão humana!

Entretanto, a arruaça crescia. Já não eram trinta, mas trezentas pessoas que acompanhavam o barbeiro, cuja alcunha familiar deve ser mencionada, porque ela deu o nome à revolta; chamavam-lhe o Canjica, — e o movimento ficou célebre com o nome de revolta dos Canjicas. A ação podia ser restrita, — visto que muita gente, ou por medo, ou por hábitos de educação, não descia à rua; mas o sentimento era unânime, ou quase unânime, e os trezentos que caminhavam para a Casa Verde, — dada a diferença de Paris a Itaguaí, — podiam ser comparados aos que tomaram a Bastilha.

D. Evarista teve notícia da rebelião antes que ela chegasse; veio dar-lha uma de suas crias. Ela provava nessa ocasião um vestido de seda, — um dos trinta e sete que trouxera do Rio de Janeiro, — e não quis crer.

— Há de ser alguma patuscada, dizia ela mudando a posição de um alfinete. Benedita, vê se a barra está boa.

— Está, sinhá, respondia a mucama de cócoras no chão, está boa. Sinhá vira um bocadinho. Assim. Está muito boa.

— Não é patuscada, não, senhora; eles estão gritando: — Morra o Dr. Bacamarte! o tirano! dizia o moleque assustado.

— Cala a boca, tolo! Benedita, olha aí do lado esquerdo; não parece que a costura está um pouco enviesada? A risca azul não segue até abaixo; está muito feio assim; é preciso descoser para ficar igualzinho e...

— Morra o Dr. Bacamarte! morra o tirano! uivaram fora trezentas vozes. Era a rebelião que desembocava na rua Nova.

D. Evarista ficou sem pinga de sangue. No primeiro instante não deu um passo, não fez um gesto; o terror petrificou-a. A mucama correu instintivamente para a porta do fundo. Quanto ao moleque, a quem D. Evarista não dera crédito, teve um instante de triunfo, um certo movimento súbito, imperceptível, entranhado, de satisfação moral, ao ver que a realidade vinha jurar por ele.

— Morra o alienista! bradavam as vozes mais perto.

D. Evarista, se não resistia facilmente às comoções de prazer, sabia entestar com os momentos de perigo. Não desmaiou; correu à sala interior onde o marido estudava. Quando ela ali entrou, precipitada, o ilustre médico escrutava um texto de Averróis;* os olhos dele, empanados pela cogitação, subiam do livro ao teto e baixavam do teto ao livro, cegos para a realidade exterior, videntes para os profundos trabalhos mentais. D. Evarista chamou pelo marido duas vezes, sem que ele lhe desse atenção; à terceira, ouviu e perguntou-lhe o que tinha, se estava doente.

— Você não ouve estes gritos? perguntou a digna esposa em lágrimas.

O alienista atendeu então; os gritos aproximavam-se, terríveis, ameaçadores; ele compreendeu tudo. Levantou-se da cadeira de espaldar em que estava sentado, fechou o livro, e, a passo firme e tranquilo, foi depositá-lo na estante. Como a introdução do volume desconcertasse um pouco a linha dos dois tomos contíguos, Simão Bacamarte cuidou de corrigir esse defeito mínimo, e, aliás, interessante. Depois disse à mulher que se recolhesse, que não fizesse nada.

— Não, não, implorava a digna senhora, quero morrer ao lado de você...

Simão Bacamarte teimou que não, que não era caso de morte; e ainda que o fosse, intimava-lhe em nome da vida que ficasse. A infeliz dama curvou a cabeça, obediente e chorosa.

— Abaixo a Casa Verde! bradavam os Canjicas.

O alienista caminhou para a varanda da frente, e chegou ali no momento em que a rebelião também chegava e parava, defronte, com as suas trezentas cabeças rutilantes de civismo e sombrias de desespero. — Morra! morra! bradaram

---

* Averróis (1126-98): filósofo e médico árabe, uma das grandes autoridades médicas da Idade Média e da Renascença.

de todos os lados, apenas o vulto do alienista assomou na varanda. Simão Bacamarte fez um sinal pedindo para falar; os revoltosos cobriram-lhe a voz com brados de indignação. Então, o barbeiro, agitando o chapéu, a fim de impor silêncio à turba, conseguiu aquietar os amigos, e declarou ao alienista que podia falar, mas acrescentou que não abusasse da paciência do povo como fizera até então.

— Direi pouco, ou até não direi nada, se for preciso. Desejo saber primeiro o que pedis.

— Não pedimos nada, replicou fremente o barbeiro; ordenamos que a Casa Verde seja demolida, ou pelo menos despojada dos infelizes que lá estão.

— Não entendo.

— Entendeis bem, tirano; queremos dar liberdade às vítimas do vosso ódio, capricho, ganância...

O alienista sorriu, mas o sorriso desse grande homem não era coisa visível aos olhos da multidão; era uma contração leve de dois ou três músculos, nada mais. Sorriu e respondeu:

— Meus senhores, a ciência é coisa séria, e merece ser tratada com seriedade. Não dou razão dos meus atos de alienista a ninguém, salvo aos mestres e a Deus. Se quereis emendar a administração da Casa Verde, estou pronto a ouvir-vos; mas se exigis que me negue a mim mesmo, não ganhareis nada. Poderia convidar alguns de vós, em comissão dos outros, a vir ver comigo os loucos reclusos; mas não o faço, porque seria dar-vos razão do meu sistema, o que não farei a leigos, nem a rebeldes.

Disse isto o alienista, e a multidão ficou atônita; era claro que não esperava tanta energia e menos ainda tamanha serenidade. Mas o assombro cresceu de ponto quando o alienista, cortejando a multidão com muita gravidade, deu-lhe as costas e retirou-se lentamente para dentro. O barbeiro tornou logo a si, e, agitando o chapéu, convidou os amigos à demolição da Casa Verde; poucas vozes e frouxas lhe responderam. Foi nesse momento decisivo que o barbeiro sentiu despontar em si a ambição do governo; pareceu-lhe então que, demolindo a Casa Verde, e derrocando a influência do alienista, chegaria a apoderar-se da câmara, dominar as demais autoridades e constituir-se senhor de Itaguaí. Desde alguns anos que ele forcejava por ver o seu nome incluído nos pelouros para o sorteio dos vereadores, mas era recusado por não ter uma posição compatível com tão grande cargo. A ocasião era agora ou nunca. Demais, fora tão longe na arruaça, que a derrota seria a prisão, ou talvez a forca, ou o degredo. Infelizmente, a resposta do alienista diminuíra o furor dos sequazes. O barbeiro, logo que o percebeu, sentiu um impulso de indignação, e quis bradar-lhes: — Canalhas! covardes! — mas conteve-se, e rompeu deste modo:

— Meus amigos, lutemos até o fim! A salvação de Itaguaí está nas vossas mãos dignas e heroicas. Destruamos o cárcere de vossos filhos e pais, de vossas mães e irmãs, de vossos parentes e amigos, e de vós mesmos. Ou morrereis a pão e água, talvez a chicote, na masmorra daquele indigno.

A multidão agitou-se, murmurou, bradou, ameaçou, congregou-se toda em derredor do barbeiro. Era a revolta que tornava a si da ligeira síncope, e ameaçava arrasar a Casa Verde.

— Vamos! bradou Porfírio agitando o chapéu.

— Vamos! repetiram todos.

Deteve-os um incidente: era um corpo de dragões que, a marche-marche, entrava na rua Nova.

VII. O INESPERADO

Chegados os dragões em frente aos Canjicas, houve um instante de estupefação: os Canjicas não queriam crer que a força pública fosse mandada contra eles; mas o barbeiro compreendeu tudo e esperou. Os dragões pararam, o capitão intimou à multidão que se dispersasse; mas, conquanto uma parte dela estivesse inclinada a isso, a outra parte apoiou fortemente o barbeiro, cuja resposta consistiu nestes termos alevantados:

— Não nos dispersaremos. Se quereis os nossos cadáveres, podeis tomá-los; mas só os cadáveres; não levareis a nossa honra, o nosso crédito, os nossos direitos, e com eles a salvação de Itaguaí.

Nada mais imprudente do que essa resposta do barbeiro; e nada mais natural. Era a vertigem das grandes crises. Talvez fosse também um excesso de confiança na abstenção das armas por parte dos dragões; confiança que o capitão dissipou logo, mandando carregar sobre os Canjicas. O momento foi indescritível. A multidão urrou furiosa; alguns, trepando às janelas das casas, ou correndo pela rua fora, conseguiram escapar; mas a maioria ficou, bufando de cólera, indignada, animada pela exortação do barbeiro. A derrota dos Canjicas estava iminente, quando um terço dos dragões, — qualquer que fosse o motivo, as crô-

nicas não o declaram, — passou subitamente para o lado da rebelião. Este inesperado reforço deu alma aos Canjicas, ao mesmo tempo que lançou o desânimo às fileiras da legalidade. Os soldados fiéis não tiveram coragem de atacar os
seus próprios camaradas, e, um a um, foram passando para eles, de modo que
ao cabo de alguns minutos, o aspecto das coisas era totalmente outro. O capitão estava de um lado, com alguma gente, contra uma massa compacta que o
ameaçava de morte. Não teve remédio, declarou-se vencido e entregou a espada ao barbeiro.

A revolução triunfante não perdeu um só minuto; recolheu os feridos às casas próximas, e guiou para a câmara. Povo e tropa fraternizavam, davam vivas a
el-rei, ao vice-rei, a Itaguaí, ao "ilustre Porfírio". Este ia na frente, empunhando
tão destramente a espada, como se ela fosse apenas uma navalha um pouco mais
comprida. A vitória cingia-lhe a fronte de um nimbo misterioso. A dignidade de
governo começava a enrijar-lhe os quadris.

Os vereadores, às janelas, vendo a multidão e a tropa, cuidaram que a tropa capturara a multidão, e sem mais exame, entraram e votaram uma petição ao
vice-rei para que mandasse dar um mês de soldo aos dragões, "cujo denodo salvou Itaguaí do abismo a que o tinha lançado uma cáfila de rebeldes". Esta frase
foi proposta por Sebastião Freitas, o vereador dissidente, cuja defesa dos Canjicas tanto escandalizara os colegas. Mas bem depressa a ilusão se desfez. Os vivas
ao barbeiro, os morras aos vereadores e ao alienista vieram dar-lhes notícia da
triste realidade. O presidente não desanimou: — Qualquer que seja a nossa sorte, disse ele, lembremo-nos que estamos ao serviço de Sua Majestade e do povo.
— Sebastião Freitas insinuou que melhor se poderia servir à coroa e à vila saindo pelos fundos e indo conferenciar com o juiz de fora, mas toda a câmara rejeitou esse alvitre.

Daí a nada o barbeiro, acompanhado de alguns de seus tenentes, entrava na
sala da vereança e intimava à câmara a sua queda. A câmara não resistiu, entregou-se, e foi dali para a cadeia. Então os amigos do barbeiro propuseram-lhe que
assumisse o governo da vila, em nome de Sua Majestade. Porfírio aceitou o en-
cargo, embora não desconhecesse (acrescentou) os espinhos que trazia; disse
mais que não podia dispensar o concurso dos amigos presentes; ao que eles prontamente anuíram. O barbeiro veio à janela, e comunicou ao povo essas resoluções, que o povo ratificou, aclamando o barbeiro. Este tomou a denominação de
— "Protetor da vila em nome de Sua Majestade e do povo". — Expediram-se lo-

O ALIENISTA   63

go várias ordens importantes, comunicações oficiais do novo governo, uma exposição minuciosa ao vice-rei, com muitos protestos de obediência às ordens de Sua Majestade; finalmente, uma proclamação ao povo, curta, mas enérgica:

"Itaguaienses!

Uma câmara corrupta e violenta conspirava contra os interesses de Sua Majestade e do povo. A opinião pública tinha-a condenado; um punhado de cidadãos, fortemente apoiados pelos bravos dragões de Sua Majestade, acaba de a dissolver ignominiosamente, e por unânime consenso da vila, foi-me confiado o mando supremo, até que Sua Majestade se sirva ordenar o que parecer melhor ao seu real serviço. Itaguaienses! não vos peço senão que me rodeeis de confiança, que me auxilieis em restaurar a paz e a fazenda pública, tão desbaratada pela câmara que ora findou às vossas mãos. Contai com o meu sacrifício, e ficai certos de que a coroa será por nós.

O Protetor da vila em nome de Sua Majestade e do povo

PORFÍRIO CAETANO DAS NEVES."

Toda a gente advertiu no absoluto silêncio desta proclamação acerca da Casa Verde; e, segundo uns, não podia haver mais vivo indício dos projetos tenebrosos do barbeiro. O perigo era tanto maior quanto que, no meio mesmo desses graves sucessos, o alienista metera na Casa Verde umas sete ou oito pessoas, entre elas duas senhoras, sendo um dos homens aparentado com o Protetor. Não era um repto, um ato intencional; mas todos o interpretaram dessa maneira, e a vila respirou com a esperança de que o alienista dentro de vinte e quatro horas estaria a ferros, e destruído o terrível cárcere.

O dia acabou alegremente. Enquanto o arauto da matraca ia recitando de esquina em esquina a proclamação, o povo espalhava-se nas ruas e jurava morrer em defesa do ilustre Porfírio. Poucos gritos contra a Casa Verde, prova de confiança na ação do governo. O barbeiro fez expedir um ato declarando feriado aquele dia, e entabulou negociações com o vigário para a celebração de um *Te Deum*, tão conveniente era aos olhos dele a conjunção do poder temporal com o espiritual; mas o padre Lopes recusou abertamente o seu concurso.

— Em todo caso, Vossa Reverendíssima não se alistará entre os inimigos do governo? disse-lhe o barbeiro dando à fisionomia um aspecto tenebroso.

Ao que o padre Lopes respondeu, sem responder:

— Como alistar-me, se o novo governo não tem inimigos?

O barbeiro sorriu; era a pura verdade. Salvo o capitão, os vereadores e os principais da vila, toda a gente o aclamava. Os mesmos principais, se o não aclamavam, não tinham saído contra ele. Nenhum dos almotacés deixou de vir receber as suas ordens. No geral, as famílias abençoavam o nome daquele que ia enfim libertar Itaguaí da Casa Verde e do terrível Simão Bacamarte.

VIII. AS ANGÚSTIAS DO BOTICÁRIO

Vinte e quatro horas depois dos sucessos narrados no capítulo anterior, o barbeiro saiu do palácio do governo, — foi a denominação dada à casa da câmara, — com dois ajudantes de ordens, e dirigiu-se à residência de Simão Bacamarte. Não ignorava ele que era mais decoroso ao governo mandá-lo chamar; o receio, porém, de que o alienista não obedecesse, obrigou-o a parecer tolerante e moderado.

Não descrevo o terror do boticário ao ouvir dizer que o barbeiro ia à casa do alienista. — Vai prendê-lo, pensou ele. E redobraram-lhe as angústias. Com efeito, a tortura moral do boticário naqueles dias de revolução excede a toda a descrição possível. Nunca um homem se achou em mais apertado lance: — a privança do alienista chamava-o ao lado deste, a vitória do barbeiro atraía-o ao barbeiro. Já a simples notícia da sublevação tinha-lhe sacudido fortemente a alma, porque ele sabia a unanimidade do ódio ao alienista; mas a vitória final foi também o golpe final. A esposa, senhora máscula, amiga particular de D. Evarista, dizia que o lugar dele era ao lado de Simão Bacamarte; ao passo que o coração lhe bradava que não, que a causa do alienista estava perdida, e que ninguém, por ato próprio, se amarra a um cadáver. Fê-lo Catão, é verdade, *sed victa Catoni*,* pensava ele, relembrando algumas palestras habituais do padre Lopes; mas Catão não se atou a uma causa vencida, ele era a própria causa vencida, a causa da república; o seu ato, portanto, foi de egoísta, de um miserável egoísta; minha situação é outra. Insistindo, porém, a mulher, não achou Crispim Soares outra saída em tal crise senão adoecer; declarou-se doente e meteu-se na cama.

— Lá vai o Porfírio à casa do Dr. Bacamarte, disse-lhe a mulher no dia seguinte à cabeceira da cama; vai acompanhado de gente.

---

* Palavras da *Farsália*, do poeta latino Lucano (39-65): "Victrix causa diis placuit, sed victa Catoni" ("A causa vitoriosa agradou aos deuses, mas a vencida, a Catão"). Catão de Utica, republicano austero, suicidou-se com a própria espada quando Júlio César venceu Pompeu, na batalha de Tapso.

— Vai prendê-lo, pensou o boticário.

Uma ideia traz outra; o boticário imaginou que, uma vez preso o alienista, viriam também buscá-lo a ele, na qualidade de cúmplice. Esta ideia foi o melhor dos vesicatórios. Crispim Soares ergueu-se, disse que estava bom, que ia sair; e apesar de todos os esforços e protestos da consorte, vestiu-se e saiu. Os velhos cronistas são unânimes em dizer que a certeza de que o marido ia colocar-se nobremente ao lado do alienista consolou grandemente a esposa do boticário; e notam, com muita perspicácia, o imenso poder moral de uma ilusão; porquanto, o boticário caminhou resolutamente ao palácio do governo, não à casa do alienista. Ali chegando, mostrou-se admirado de não ver o barbeiro, a quem ia apresentar os seus protestos de adesão, não o tendo feito desde a véspera por enfermo. E tossia com algum custo. Os altos funcionários que lhe ouviam esta declaração, sabedores da intimidade do boticário com o alienista, compreenderam toda a importância da adesão nova, e trataram a Crispim Soares com apurado carinho; afirmaram-lhe que o barbeiro não tardava; Sua Senhoria tinha ido à Casa Verde, a negócio importante, mas não tardava. Deram-lhe cadeira, refrescos, elogios; disseram-lhe que a causa do ilustre Porfírio era a de todos os patriotas; ao que o boticário ia repetindo que sim, que nunca pensara outra coisa, que isso mesmo mandaria declarar a Sua Majestade.

IX. DOIS LINDOS CASOS

Não se demorou o alienista em receber o barbeiro; declarou-lhe que não tinha meios de resistir, e portanto estava prestes a obedecer. Só uma coisa pedia, é que o não constrangesse a assistir pessoalmente à destruição da Casa Verde.

— Engana-se Vossa Senhoria, disse o barbeiro depois de alguma pausa, engana-se em atribuir ao governo intenções vandálicas. Com razão ou sem ela, a opinião crê que a maior parte dos doidos ali metidos estão em seu perfeito juízo, mas o governo reconhece que a questão é puramente científica, e não cogita em resolver com posturas as questões científicas. Demais, a Casa Verde é uma instituição pública; tal a aceitamos das mãos da câmara dissolvida. Há, entretanto, — por força que há de haver um alvitre intermédio que restitua o sossego ao espírito público.

O alienista mal podia dissimular o assombro; confessou que esperava outra coisa, o arrasamento do hospício, a prisão dele, o desterro, tudo, menos...

— O pasmo de Vossa Senhoria, atalhou gravemente o barbeiro, vem de não atender à grave responsabilidade do governo. O povo, tomado de uma cega piedade, que lhe dá em tal caso legítima indignação, pode exigir do governo certa ordem de atos; mas este, com a responsabilidade que lhe incumbe, não os deve praticar, ao menos integralmente, e tal é a nossa situação. A generosa revolução que ontem derrubou uma câmara vilipendiada e corrupta, pediu em altos brados o arrasamento da Casa Verde; mas pode entrar no ânimo do governo eliminar a loucura? Não. E se o governo não a pode eliminar, está ao menos apto para discriminá-la, reconhecê-la? Também não; é matéria de ciência. Logo, em assunto tão melindroso, o governo não pode, não deve, não quer dispensar o concurso de Vossa Senhoria. O que lhe pede é que de certa maneira demos alguma satisfação ao povo. Unamo-nos, e o povo saberá obedecer. Um dos alvitres aceitáveis, se Vossa Senhoria não indicar outro, seria fazer retirar da Casa Verde aqueles enfermos que estiverem quase curados, e bem assim os maníacos de pouca monta, etc. Desse modo, sem grande perigo, mostraremos alguma tolerância e benignidade.

— Quantos mortos e feridos houve ontem no conflito? perguntou Simão Bacamarte, depois de uns três minutos.

O barbeiro ficou espantado da pergunta, mas respondeu logo que onze mortos e vinte e cinco feridos.

— Onze mortos e vinte e cinco feridos! repetiu duas ou três vezes o alienista.

E em seguida declarou que o alvitre lhe não parecia bom, mas que ele ia catar algum outro, e dentro de poucos dias lhe daria resposta. E fez-lhe várias perguntas acerca dos sucessos da véspera, ataque, defesa, adesão dos dragões, resistência da câmara, etc., ao que o barbeiro ia respondendo com grande abundância, insistindo principalmente no descrédito em que a câmara caíra. O barbeiro confessou que o novo governo não tinha ainda por si a confiança dos principais da vila, mas o alienista podia fazer muito nesse ponto. O governo, concluiu o barbeiro, folgaria se pudesse contar, não já com a simpatia, senão com a benevolência do mais alto espírito de Itaguaí, e seguramente do reino. Mas nada disso alterava a nobre e austera fisionomia daquele grande homem, que ouvia calado, sem desvanecimento, nem modéstia, mas impassível como um deus de pedra.

— Onze mortos e vinte e cinco feridos, repetiu o alienista, depois de acompanhar o barbeiro até à porta. Eis aí dois lindos casos de doença cerebral. Os sin-

O ALIENISTA 67

tomas de duplicidade e descaramento deste barbeiro são positivos. Quanto à toleima dos que o aclamaram não é preciso outra prova além dos onze mortos e
vinte e cinco feridos. — Dois lindos casos!

— Viva o ilustre Porfírio! bradaram umas trinta pessoas que aguardavam o
barbeiro à porta.

O alienista espiou pela janela, e ainda ouviu este resto de uma pequena fala do barbeiro às trinta pessoas que o aclamavam:

— ... porque eu velo, podeis estar certos disso, eu velo pela execução das vontades do povo. Confiai em mim; e tudo se fará pela melhor maneira. Só vos re-
comendo ordem. A ordem, meus amigos, é a base do governo...

— Viva o ilustre Porfírio! bradaram as trinta vozes, agitando os chapéus.

— Dois lindos casos! murmurou o alienista.

X. A RESTAURAÇÃO

Dentro de cinco dias, o alienista meteu na Casa Verde cerca de cinquenta
aclamadores do novo governo. O povo indignou-se. O governo, atarantado, não
sabia reagir. João Pina, outro barbeiro, dizia abertamente nas ruas, que o Porfírio estava "vendido ao ouro de Simão Bacamarte", frase que congregou em torno de João Pina a gente mais resoluta da vila. Porfírio, vendo o antigo rival da navalha à testa da insurreição, compreendeu que a sua perda era irremediável, se
não desse um grande golpe; expediu dois decretos, um abolindo a Casa Verde,
outro desterrando o alienista. João Pina mostrou claramente, com grandes frases, que o ato de Porfírio era um simples aparato, um engodo, em que o povo
não devia crer. Duas horas depois caía Porfírio ignominiosamente, e João Pina
assumia a difícil tarefa do governo. Como achasse nas gavetas as minutas da proclamação, da exposição ao vice-rei e de outros atos inaugurais do governo anterior, deu-se pressa em os fazer copiar e expedir; acrescentam os cronistas, e aliás
subentende-se, que ele lhes mudou os nomes, e onde o outro barbeiro falara de
uma câmara corrupta, falou este de "um intruso eivado das más doutrinas francesas, e contrário aos sacrossantos interesses de Sua Majestade, etc.".

Nisto entrou na vila uma força mandada pelo vice-rei, e restabeleceu a ordem. O alienista exigiu desde logo a entrega do barbeiro Porfírio, e bem assim a
de uns cinquenta e tantos indivíduos, que declarou mentecaptos; e não só lhe de-

ram esses, como afiançaram entregar-lhe mais dezenove sequazes do barbeiro, que convalesciam das feridas apanhadas na primeira rebelião.

Este ponto da crise de Itaguaí marca também o grau máximo da influência de Simão Bacamarte. Tudo quanto quis, deu-se-lhe; e uma das mais vivas provas do poder do ilustre médico achamo-la na prontidão com que os vereadores, restituídos a seus lugares, consentiram em que Sebastião Freitas também fosse recolhido ao hospício. O alienista, sabendo da extraordinária inconsistência das opiniões desse vereador, entendeu que era um caso patológico, e pediu-o. A mesma coisa aconteceu ao boticário. O alienista, desde que lhe falaram da momentânea adesão de Crispim Soares à rebelião dos Canjicas, comparou-a à aprovação que sempre recebera dele, ainda na véspera, e mandou capturá-lo. Crispim Soares não negou o fato, mas explicou-o dizendo que cedera a um movimento de terror, ao ver a rebelião triunfante, e deu como prova a ausência de nenhum outro ato seu, acrescentando que voltara logo à cama, doente. Simão Bacamarte não o contrariou; disse, porém, aos circunstantes que o terror também é pai da loucura, e que o caso de Crispim Soares lhe parecia dos mais caracterizados.

Mas a prova mais evidente da influência de Simão Bacamarte foi a docilidade com que a câmara lhe entregou o próprio presidente. Este digno magistrado tinha declarado em plena sessão, que não se contentava, para lavá-lo da afronta dos Canjicas, com menos de trinta almudes de sangue; palavra que chegou aos ouvidos do alienista por boca do secretário da câmara, entusiasmado de tamanha energia. Simão Bacamarte começou por meter o secretário na Casa Verde, e foi dali à câmara, à qual declarou que o presidente estava padecendo da "demência dos touros", um gênero que ele pretendia estudar, com grande vantagem para os povos. A câmara a princípio hesitou, mas acabou cedendo.

Daí em diante foi uma coleta desenfreada. Um homem não podia dar nascença ou curso à mais simples mentira do mundo, ainda daquelas que aproveitam ao inventor ou divulgador, que não fosse logo metido na Casa Verde. Tudo era loucura. Os cultores de enigmas, os fabricantes de charadas, de anagramas, os maldizentes, os curiosos da vida alheia, os que põem todo o seu cuidado na tafularia, um ou outro almotacé enfunado, ninguém escapava aos emissários do alienista. Ele respeitava as namoradas e não poupava as namoradeiras, dizendo que as primeiras cediam a um impulso natural, e as segundas a um vício. Se um homem era avaro ou pródigo ia do mesmo modo para a Casa Verde; daí a alegação de que não havia regra para a completa sanidade mental. Alguns cronistas creem que Simão Bacamarte nem sempre procedia com lisura, e citam em abono da afirmação (que não sei se pode ser aceita) o fato de ter alcançado da câmara uma postura autorizando o uso de um anel de prata no dedo polegar da mão esquerda, a toda a pessoa que, sem outra prova documental ou tradicional, declarasse ter nas veias duas ou três onças de sangue godo. Dizem esses cronistas que o fim secreto da insinuação à câmara foi enriquecer um ourives, amigo e compadre dele; mas, conquanto seja certo que o ourives viu prosperar o negócio depois da nova ordenação municipal, não o é menos que essa postura deu à Casa Verde uma multidão de inquilinos; pelo que, não se pode definir, sem temeridade, o verdadeiro fim do ilustre médico. Quanto à razão determinativa da captura e aposentação na Casa Verde de todos quantos usaram do anel, é um dos pontos mais obscuros da história de Itaguaí; a opinião mais verossímil é que eles foram recolhidos por andarem a gesticular, à toa, nas ruas, em casa, na igreja. Ninguém ignora que os doidos gesticulam muito. Em todo caso é uma simples conjetura; de positivo nada há.

— Onde é que este homem vai parar? diziam os principais da terra. Ah! se nós tivéssemos apoiado os Canjicas...

Um dia de manhã, — dia em que a câmara devia dar um grande baile, — a vila inteira ficou abalada com a notícia de que a própria esposa do alienista fora metida na Casa Verde. Ninguém acreditou; devia ser invenção de algum gaiato. E não era: era a verdade pura. D. Evarista fora recolhida às duas horas da noite. O padre Lopes correu ao alienista e interrogou-o discretamente acerca do fato.

— Já há algum tempo que eu desconfiava, disse gravemente o marido. A modéstia com que ela vivera em ambos os matrimônios não podia conciliar-se com o furor das sedas, veludos, rendas e pedras preciosas que manifestou, logo que voltou do Rio de Janeiro. Desde então comecei a observá-la. Suas conversas eram todas sobre esses objetos; se eu lhe falava das antigas cortes, inquiria logo da forma dos vestidos das damas; se uma senhora a visitava, na minha ausência, antes de me dizer o objeto da visita, descrevia-me o trajo, aprovando umas coisas e censurando outras. Um dia, creio que Vossa Reverendíssima há de lembrar-se, propôs-se a fazer anualmente um vestido para a imagem de Nossa Senhora da matriz. Tudo isto eram sintomas graves; esta noite, porém, declarou-se a total demência. Tinha escolhido, preparado, enfeitado o vestuário que levaria ao baile da câmara municipal; só hesitava entre um colar de granada e outro de safira.

Anteontem perguntou-me qual deles levaria; respondi-lhe que um ou outro lhe ficava bem. Ontem repetiu a pergunta, ao almoço; pouco depois de jantar fui achá-la calada e pensativa. — Que tem? perguntei-lhe. — Queria levar o colar de granada, mas acho o de safira tão bonito! — Pois leve o de safira. — Ah! mas onde fica o de granada? — Enfim, passou a tarde sem novidade. Ceamos, e deitamo-nos. Alta noite, seria hora e meia, acordo e não a vejo; levanto-me, vou ao quarto de vestir, acho-a diante dos dois colares, ensaiando-os ao espelho, ora um, ora outro. Era evidente a demência: recolhi-a logo.

O padre Lopes não se satisfez com a resposta, mas não objetou nada. O alienista, porém, percebeu e explicou-lhe que o caso de D. Evarista era de "mania sumptuária", não incurável, e em todo caso digno de estudo.

— Conto pô-la boa dentro de seis semanas, concluiu ele.

A abnegação do ilustre médico deu-lhe grande realce. Conjeturas, invenções, desconfianças, tudo caiu por terra, desde que ele não duvidou recolher à Casa Verde a própria mulher, a quem amava com todas as forças da alma. Ninguém mais tinha o direito de resistir-lhe, — menos ainda o de atribuir-lhe intuitos alheios à ciência.

Era um grande homem austero, Hipócrates forrado de Catão.

XI. O ASSOMBRO DE ITAGUAÍ

E agora prepare-se o leitor para o mesmo assombro em que ficou a vila, ao saber um dia que os loucos da Casa Verde iam todos ser postos na rua.

— Todos?

— Todos.

— É impossível; alguns, sim, mas todos...

— Todos. Assim o disse ele no ofício que mandou hoje de manhã à câmara.

De fato, o alienista oficiara à câmara expondo: — 1º, que verificara das estatísticas da vila e da Casa Verde, que quatro quintos da população estavam aposentados naquele estabelecimento; 2º, que esta deslocação de população levara-o a examinar os fundamentos da sua teoria das moléstias cerebrais, teoria que excluía do domínio da razão todos os casos em que o equilíbrio das faculdades não fosse perfeito e absoluto; 3º, que desse exame e do fato estatístico resultara para ele a convicção de que a verdadeira doutrina não era aquela, mas a oposta, e portanto que se devia admitir como normal e exemplar o desequilíbrio das faculdades, e como hipóteses patológicas todos os casos em que aquele equilíbrio fosse ininterrupto; 4º, que à vista disso, declarava à câmara que ia dar liberdade aos reclusos da Casa Verde e agasalhar nela as pessoas que se achassem nas condições agora expostas; 5º, que, tratando de descobrir a verdade científica, não se pouparia a esforços de toda a natureza, esperando da câmara igual dedicação; 6º, que restituía à câmara e aos particulares a soma do estipêndio recebido para alojamento dos supostos loucos, descontada a parte efetivamente gasta com a alimentação, roupa, etc.; o que a câmara mandaria verificar nos livros e arcas da Casa Verde.

O assombro de Itaguaí foi grande; não foi menor a alegria dos parentes e amigos dos reclusos. Jantares, danças, luminárias, músicas, tudo houve para celebrar tão fausto acontecimento. Não descrevo as festas por não interessarem ao nosso propósito; mas foram esplêndidas, tocantes e prolongadas.

E vão assim as coisas humanas! No meio do regozijo produzido pelo ofício de Simão Bacamarte, ninguém advertia na frase final do § 4º, uma frase cheia de experiências futuras.

XII. O FINAL DO § 4º

Apagaram-se as luminárias, reconstituíram-se as famílias, tudo parecia reposto nos antigos eixos. Reinava a ordem, a câmara exercia outra vez o governo, sem nenhuma pressão externa; o próprio presidente e o vereador Freitas tornaram aos seus lugares. O barbeiro Porfírio, ensinado pelos acontecimentos, tendo "provado tudo", como o poeta disse de Napoleão, e mais alguma coisa, porque Napoleão não provou a Casa Verde, o barbeiro achou preferível a glória obscura da navalha e da tesoura às calamidades brilhantes do poder; foi, é certo, processado; mas a população da vila implorou a clemência de Sua Majestade; daí o perdão. João Pina foi absolvido, atendendo-se a que ele derrocara um rebelde. Os cronistas pensam que deste fato é que nasceu o nosso adágio: — ladrão que furta a ladrão, tem cem anos de perdão; — adágio imoral, é verdade, mas grandemente útil.

Não só findaram as queixas contra o alienista, mas até nenhum ressentimento ficou dos atos que ele praticara; acrescendo que os reclusos da Casa Verde, desde que ele os declarara plenamente ajuizados, sentiram-se tomados de profundo reconhecimento e férvido entusiasmo. Muitos entenderam que o alienista merecia uma especial manifestação, e deram-lhe um baile, ao qual se seguiram outros bailes e jantares. Dizem as crônicas que D. Evarista a princípio tivera a ideia de separar-se do consorte, mas a dor de perder a companhia de tão grande homem venceu qualquer ressentimento de amor-próprio, e o casal veio a ser ainda mais feliz do que antes.

Não menos íntima ficou a amizade do alienista e do boticário. Este concluiu do ofício de Simão Bacamarte que a prudência é a primeira das virtudes em tempos de revolução, e apreciou muito a magnanimidade do alienista que, ao dar-lhe a liberdade, estendeu-lhe a mão de amigo velho.

— É um grande homem, disse ele à mulher, referindo aquela circunstância.

Não é preciso falar do albardeiro, do Costa, do Coelho, do Martim Brito e outros, especialmente nomeados neste escrito; basta dizer que puderam exercer livremente os seus hábitos anteriores. O próprio Martim Brito, recluso por um discurso em que louvara enfaticamente D. Evarista, fez agora outro em honra do insigne médico — "cujo altíssimo gênio, elevando as asas muito acima do sol, deixou abaixo de si todos os demais espíritos da terra".

— Agradeço as suas palavras, retorquiu-lhe o alienista, e ainda me não arrependo de o haver restituído à liberdade.

Entretanto, a câmara, que respondera ao ofício de Simão Bacamarte, com a ressalva de que oportunamente estatuiria em relação ao final do § 4º, tratou enfim de legislar sobre ele. Foi adotada, sem debate, uma postura autorizando o alienista a agasalhar na Casa Verde as pessoas que se achassem no gozo do perfeito equilíbrio das faculdades mentais. E porque a experiência da câmara tivesse sido dolorosa, estabeleceu ela a cláusula, de que a autorização era provisória, limitada a um ano, para o fim de ser experimentada a nova teoria psicológica, podendo a câmara, antes mesmo daquele prazo, mandar fechar a Casa Verde, se a isso fosse aconselhada por motivos de ordem pública. O vereador Freitas propôs também a declaração de que em nenhum caso fossem os vereadores recolhidos ao asilo dos alienados: cláusula que foi aceita, votada e incluída na postura, apesar das reclamações do vereador Galvão. O argumento principal deste magistrado é que a câmara, legislando sobre uma experiência científica, não podia excluir as pessoas dos seus membros das consequências da lei; a exceção era odiosa e ridícula. Mal proferira estas duras palavras, romperam os vereadores em altos brados contra a audácia e insensatez do colega; este, porém, ouviu-os e limitou-se a dizer que votava contra a exceção.

— A vereança, concluiu ele, não nos dá nenhum poder especial nem nos elimina do espírito humano.

Simão Bacamarte aceitou a postura com todas as restrições. Quanto à exclusão dos vereadores, declarou que teria profundo sentimento se fosse compelido a recolhê-los à Casa Verde; a cláusula, porém, era a melhor prova de que eles não padeciam do perfeito equilíbrio das faculdades mentais. Não acontecia o mesmo ao vereador Galvão, cujo acerto na objeção feita, e cuja moderação na resposta dada às invectivas dos colegas mostravam da parte dele um cérebro bem organizado; pelo que, rogava à câmara que lho entregasse. A câmara, sentindo-se ainda agravada pelo proceder do vereador Galvão, estimou o pedido do alienista, e votou unanimemente a entrega.

Compreende-se que, pela teoria nova, não bastava um fato ou um dito, para recolher alguém à Casa Verde; era preciso um longo exame, um vasto inquérito do passado e do presente. O padre Lopes, por exemplo, só foi capturado trinta dias depois da postura, a mulher do boticário quarenta dias. A reclusão desta senhora encheu o consorte de indignação. Crispim Soares saiu de casa espumando de cólera, e declarando às pessoas a quem encontrava que ia arrancar as orelhas ao tirano. Um sujeito, adversário do alienista, ouvindo na rua essa notícia, esqueceu os motivos de dissidência, e correu à casa de Simão Bacamarte a participar-lhe o perigo que corria. Simão Bacamarte mostrou-se grato ao procedimento do adversário, e poucos minutos lhe bastaram para conhecer a retidão dos seus sentimentos, a boa-fé, o respeito humano, a generosidade; apertou-lhe muito as mãos, e recolheu-o à Casa Verde.

— Um caso destes é raro, disse ele à mulher pasmada. Agora esperemos o nosso Crispim.

Crispim Soares entrou. A dor vencera a raiva, o boticário não arrancou as orelhas ao alienista. Este consolou o seu privado, assegurando-lhe que não era caso perdido; talvez a mulher tivesse alguma lesão cerebral; ia examiná-la com muita atenção; mas antes disso não podia deixá-la na rua. E parecendo-lhe vantajoso reuni-los, porque a astúcia e velhacaria do marido poderiam de certo modo curar a beleza moral que ele descobrira na esposa, disse Simão Bacamarte:

— O senhor trabalhará durante o dia na botica, mas almoçará e jantará com sua mulher, e cá passará as noites, e os domingos e dias santos.

A proposta colocou o pobre boticário na situação do asno de Buridan.* Queria viver com a mulher, mas temia voltar à Casa Verde; e nessa luta esteve algum tempo, até que D. Evarista o tirou da dificuldade, prometendo que se incumbiria de ver a amiga e transmitir os recados de um para outro. Crispim Soares beijou-lhe as mãos agradecido. Este último rasgo de egoísmo pusilânime pareceu sublime ao alienista.

Ao cabo de cinco meses estavam alojadas umas dezoito pessoas; mas Simão Bacamarte não afrouxava; ia de rua em rua, de casa em casa, espreitando, interrogando, estudando; e quando colhia um enfermo, levava-o com a mesma alegria com que outrora os arrebanhava às dúzias. Essa mesma desproporção confirmava a teoria nova; achara-se enfim a verdadeira patologia cerebral. Um dia, conseguiu meter na Casa Verde o juiz de fora; mas procedia com tanto escrúpulo, que o não fez senão depois de estudar minuciosamente todos os seus atos, e interrogar os principais da vila. Mais de uma vez esteve prestes a recolher pessoas perfeitamente desequilibradas; foi o que se deu com um advogado, em quem reconheceu um tal conjunto de qualidades morais e mentais, que era perigoso deixá-lo na rua. Mandou prendê-lo; mas o agente, desconfiado, pediu-lhe para fazer uma experiência; foi ter com um compadre, demandado por um testamento falso, e deu-lhe de conselho que tomasse por advogado o Salustiano; era o nome da pessoa em questão.

— Então parece-lhe...?

— Sem dúvida: vá, confesse tudo, a verdade inteira, seja qual for, e confie-lhe a causa.

O homem foi ter com o advogado, confessou ter falsificado o testamento, e acabou pedindo que lhe tomasse a causa. Não se negou o advogado, estudou os papéis, arrazoou longamente, e provou a todas as luzes que o testamento era mais que verdadeiro. A inocência do réu foi solenemente proclamada pelo juiz, e a herança passou-lhe às mãos. O distinto jurisconsulto deveu a esta experiência a liberdade. Mas nada escapa a um espírito original e penetrante. Simão Bacamarte, que desde algum tempo notava o zelo, a sagacidade, a paciência, a moderação daquele agente, reconheceu a habilidade e o tino com que ele levara a

---

* Célebre argumento filosófico, atribuído ao escolástico francês Jean Buridan (*c.* 1300-66), que utiliza o exemplo de um asno que morre de fome e sede entre a água e a cevada, por não conseguir escolher entre as duas coisas: é uma ilustração do problema do livre-arbítrio.

cabo uma experiência tão melindrosa e complicada, e determinou recolhê-lo imediatamente à Casa Verde; deu-lhe, todavia, um dos melhores cubículos.

Os alienados foram alojados por classes. Fez-se uma galeria de modestos, isto é, os loucos em quem predominava esta perfeição moral; outra de tolerantes, outra de verídicos, outra de símplices, outra de leais, outra de magnânimos, outra de sagazes, outra de sinceros, etc. Naturalmente, as famílias e os amigos dos reclusos bradavam contra a teoria; e alguns tentaram compelir a câmara a cassar a licença. A câmara, porém, não esquecera a linguagem do vereador Galvão, e se cassasse a licença, vê-lo-ia na rua, e restituído ao lugar; pelo que, recusou. Simão Bacamarte oficiou aos vereadores, não agradecendo, mas felicitando-os por esse ato de vingança pessoal.

Desenganados da legalidade, alguns principais da vila recorreram secretamente ao barbeiro Porfírio e afiançaram-lhe todo o apoio de gente, dinheiro e influência na corte, se ele se pusesse à testa de outro movimento contra a câmara e o alienista. O barbeiro respondeu-lhes que não; que a ambição o levara da primeira vez a transgredir as leis, mas que ele se emendara, reconhecendo o erro próprio e a pouca consistência da opinião dos seus mesmos sequazes; que a câmara entendera autorizar a nova experiência do alienista, por um ano: cumpria, ou esperar o fim do prazo, ou requerer ao vice-rei, caso a mesma câmara rejeitasse o pedido. Jamais aconselharia o emprego de um recurso que ele viu falhar em suas mãos, e isso a troco de mortes e ferimentos que seriam o seu eterno remorso.

— O que é que me está dizendo? perguntou o alienista quando um agente secreto lhe contou a conversação do barbeiro com os principais da vila.

Dois dias depois o barbeiro era recolhido à Casa Verde. — Preso por ter cão, preso por não ter cão! exclamou o infeliz.

Chegou o fim do prazo, a câmara autorizou um prazo suplementar de seis meses para ensaio dos meios terapêuticos. O desfecho deste episódio da crônica itaguaiense é de tal ordem, e tão inesperado, que merecia nada menos de dez capítulos de exposição; mas contento-me com um, que será o remate da narrativa, e um dos mais belos exemplos de convicção científica e abnegação humana.

XIII. PLUS ULTRA!

Era a vez da terapêutica. Simão Bacamarte, ativo e sagaz em descobrir enfermos, excedeu-se ainda na diligência e penetração com que principiou a tratá-los. Neste ponto todos os cronistas estão de pleno acordo: o ilustre alienista fez curas pasmosas, que excitaram a mais viva admiração em Itaguaí.

Com efeito, era difícil imaginar mais racional sistema terapêutico. Estando os loucos divididos por classes, segundo a perfeição moral que em cada um deles excedia às outras, Simão Bacamarte cuidou em atacar de frente a qualidade predominante. Suponhamos um modesto. Ele aplicava a medicação que pudesse incutir-lhe o sentimento oposto; e não ia logo às doses máximas, — graduava-as, conforme o estado, a idade, o temperamento, a posição social do enfermo. Às vezes bastava uma casaca, uma fita, uma cabeleira, uma bengala, para restituir a razão ao alienado; em outros casos a moléstia era mais rebelde; recorria então aos anéis de brilhantes, às distinções honoríficas, etc. Houve um doente, poeta, que resistiu a tudo. Simão Bacamarte começava a desesperar da cura, quando teve ideia de mandar correr matraca, para o fim de o apregoar como um rival de Garção e de Píndaro.*

— Foi um santo remédio, contava a mãe do infeliz a uma comadre; foi um santo remédio.

Outro doente, também modesto, opôs a mesma rebeldia à medicação; mas não sendo escritor (mal sabia assinar o nome), não se lhe podia aplicar o remédio da matraca. Simão Bacamarte lembrou-se de pedir para ele o lugar de secretário da Academia dos Encobertos estabelecida em Itaguaí. Os lugares de presidente e secretários eram de nomeação régia, por especial graça do finado rei D. João v, e implicavam o tratamento de Excelência e o uso de uma placa de ouro no chapéu. O governo de Lisboa recusou o diploma; mas representando o alienista que o não pedia como prêmio honorífico ou distinção legítima, e somente como um meio terapêutico para um caso difícil, o governo cedeu excepcionalmente à súplica; e ainda assim não o fez sem extraordinário esforço do ministro de marinha e ultramar, que vinha a ser primo do alienado. Foi outro santo remédio.

* *Pedro Antônio Correia Garção* (1724-72): poeta português do período neoclássico, o mais influente da Arcádia Lusitana, que fundou e presidiu. *Píndaro* (*c.* 518-*c.* 438 a. C.): poeta lírico grego.

— Realmente, é admirável! dizia-se nas ruas, ao ver a expressão sadia e enfunada dos dois ex-dementes.

Tal era o sistema. Imagina-se o resto. Cada beleza moral ou mental era atacada no ponto em que a perfeição parecia mais sólida; e o efeito era certo. Nem sempre era certo. Casos houve em que a qualidade predominante resistia a tudo; então, o alienista atacava outra parte, aplicando à terapêutica o método da estratégia militar, que toma uma fortaleza por um ponto, se por outro o não pode conseguir.

No fim de cinco meses e meio estava vazia a Casa Verde; todos curados! O vereador Galvão, tão cruelmente afligido de moderação e equidade, teve a felicidade de perder um tio; digo felicidade, porque o tio deixou um testamento ambíguo, e ele obteve uma boa interpretação, corrompendo os juízes, e embaçando os outros herdeiros. A sinceridade do alienista manifestou-se nesse lance; confessou ingenuamente que não teve parte na cura: foi a simples *vis medicatrix* * da natureza. Não aconteceu o mesmo com o padre Lopes. Sabendo o alienista que ele ignorava perfeitamente o hebraico e o grego, incumbiu-o de fazer uma análise crítica da versão dos Setenta;** o padre aceitou a incumbência, e em boa hora o fez; ao cabo de dois meses possuía um livro e a liberdade. Quanto à senhora do boticário, não ficou muito tempo na célula que lhe coube, e onde aliás lhe não faltaram carinhos.

— Por que é que o Crispim não vem visitar-me? dizia ela todos os dias.

Respondiam-lhe ora uma coisa, ora outra; afinal disseram-lhe a verdade inteira. A digna matrona não pôde conter a indignação e a vergonha. Nas explosões da cólera escaparam-lhe expressões soltas e vagas, como estas:

— Tratante!... velhaco!... ingrato!... Um patife que tem feito casas à custa de unguentos falsificados e podres... Ah! tratante!...

Simão Bacamarte advertiu que, ainda quando não fosse verdadeira a acusação contida nestas palavras, bastavam elas para mostrar que a excelente senhora estava enfim restituída ao perfeito desequilíbrio das faculdades; e prontamente lhe deu alta.

Agora, se imaginais que o alienista ficou radiante ao ver sair o último hóspede da Casa Verde, mostrais com isso que ainda não conheceis o nosso homem.

---

* *Vis medicatrix*: "força medicinal", em latim.
** *A versão dos Setenta*: a mais antiga tradução do Antigo Testamento do hebreu para o grego (século III a. C.), feita por 72 sábios.

Plus ultra! era a sua divisa. Não lhe bastava ter descoberto a teoria verdadeira da loucura; não o contentava ter estabelecido em Itaguaí o reinado da razão. *Plus ultra!* Não ficou alegre, ficou preocupado, cogitativo; alguma coisa lhe dizia que a teoria nova tinha, em si mesma, outra e novíssima teoria.

— Vejamos, pensava ele; vejamos se chego enfim à última verdade.

Dizia isto, passeando ao longo da vasta sala, onde fulgurava a mais rica biblioteca dos domínios ultramarinos de Sua Majestade. Um amplo chambre de damasco, preso à cintura por um cordão de seda, com borlas de ouro (presente de uma Universidade) envolvia o corpo majestoso e austero do ilustre alienista. A cabeleira cobria-lhe uma extensa e nobre calva adquirida nas cogitações quotidianas da ciência. Os pés, não delgados e femininos, não graúdos e mariolas, mas proporcionados ao vulto, eram resguardados por um par de sapatos cujas fivelas não passavam de simples e modesto latão. Vede a diferença: — só se lhe notava luxo naquilo que era de origem científica; o que propriamente vinha dele trazia a cor da moderação e da singeleza, virtudes tão ajustadas à pessoa de um sábio.

Era assim que ele ia, o grande alienista, de um cabo a outro da vasta biblioteca, metido em si mesmo, estranho a todas as coisas que não fosse o tenebroso problema da patologia cerebral. Súbito, parou. Em pé, diante de uma janela, com o cotovelo esquerdo apoiado na mão direita, aberta, e o queixo na mão esquerda, fechada, perguntou ele a si:

— Mas deveras estariam eles doidos, e foram curados por mim, — ou o que pareceu cura, não foi mais do que a descoberta do perfeito desequilíbrio do cérebro?

E cavando por aí abaixo, eis o resultado a que chegou: os cérebros bem organizados que ele acabava de curar, eram tão desequilibrados como os outros. Sim, dizia ele consigo, eu não posso ter a pretensão de haver-lhes incutido um sentimento ou uma faculdade nova; uma e outra coisa existiam no estado latente, mas existiam.

Chegado a esta conclusão, o ilustre alienista teve duas sensações contrárias, uma de gozo, outra de abatimento. A de gozo foi por ver que, ao cabo de longas e pacientes investigações, constantes trabalhos, luta ingente com o povo, podia afirmar esta verdade: — não havia loucos em Itaguaí; Itaguaí não possuía um só mentecapto. Mas tão depressa esta ideia lhe refrescara a alma, outra apareceu que neutralizou o primeiro efeito; foi a ideia da dúvida. Pois quê! Itaguaí não possuiria um único cérebro concertado? Esta conclusão tão absoluta não seria por isso mesmo errônea, e não vinha, portanto, destruir o largo e majestoso edifício da nova doutrina psicológica?

A aflição do egrégio Simão Bacamarte é definida pelos cronistas itaguaienses como uma das mais medonhas tempestades morais que têm desabado sobre o homem. Mas as tempestades só aterram os fracos; os fortes enrijam-se contra elas e fitam o trovão. Vinte minutos depois alumiou-se a fisionomia do alienista de uma suave claridade.

— Sim, há de ser isso, pensou ele.

Isso é isto. Simão Bacamarte achou em si os característicos do perfeito equilíbrio mental e moral; pareceu-lhe que possuía a sagacidade, a paciência, a perseverança, a tolerância, a veracidade, o vigor moral, a lealdade, todas as qualidades enfim que podem formar um acabado mentecapto. Duvidou logo, é certo, e chegou mesmo a concluir que era ilusão; mas sendo homem prudente, resolveu convocar um conselho de amigos, a quem interrogou com franqueza. A opinião foi afirmativa.

— Nenhum defeito?

— Nenhum, disse em coro a assembleia.

— Nenhum vício?

— Nada.

— Tudo perfeito?

— Tudo.

— Não, impossível, bradou o alienista. Digo que não sinto em mim essa superioridade que acabo de ver definir com tanta magnificência. A simpatia é que vos faz falar. Estudo-me e nada acho que justifique os excessos da vossa bondade.

A assembleia insistiu; o alienista resistiu; finalmente o padre Lopes explicou tudo com este conceito digno de um observador:

— Sabe a razão por que não vê as suas elevadas qualidades, que aliás todos nós admiramos? É porque tem ainda uma qualidade que realça as outras: — a modéstia.

Era decisivo. Simão Bacamarte curvou a cabeça juntamente alegre e triste, e ainda mais alegre do que triste. Ato contínuo, recolheu-se à Casa Verde. Em vão a mulher e os amigos lhe disseram que ficasse, que estava perfeitamente são e equilibrado: nem rogos nem sugestões nem lágrimas o detiveram um só instante.

— A questão é científica, dizia ele; trata-se de uma doutrina nova, cujo primeiro exemplo sou eu. Reúno em mim mesmo a teoria e a prática.

— Simão! Simão! meu amor! dizia-lhe a esposa com o rosto lavado em lágrimas.

Mas o ilustre médico, com os olhos acesos da convicção científica, trancou os ouvidos à saudade da mulher, e brandamente a repeliu. Fechada a porta da Casa Verde, entregou-se ao estudo e à cura de si mesmo. Dizem os cronistas que ele morreu dali a dezessete meses, no mesmo estado em que entrou, sem ter podido alcançar nada. Alguns chegam ao ponto de conjeturar que nunca houve outro louco, além dele, em Itaguaí; mas esta opinião, fundada em um boato que correu desde que o alienista expirou, não tem outra prova, senão o boato; e boato duvidoso, pois é atribuído ao padre Lopes, que com tanto fogo realçara as qualidades do grande homem. Seja como for, efetuou-se o enterro com muita pompa e rara solenidade.

Teoria do medalhão

Diálogo

— Estás com sono?

— Não, senhor.

— Nem eu; conversemos um pouco. Abre a janela. Que horas são?

— Onze.

— Saiu o último conviva do nosso modesto jantar. Com que, meu peralta, chegaste aos teus vinte e um anos. Há vinte e um anos, no dia 5 de agosto de 1854, vinhas tu à luz, um pirralho de nada, e estás homem, longos bigodes, alguns namoros...

— Papai...

— Não te ponhas com denguices, e falemos como dois amigos sérios. Fecha aquela porta; vou dizer-te coisas importantes. Senta-te e conversemos. Vinte e um anos, algumas apólices, um diploma, podes entrar no parlamento, na magistratura, na imprensa, na lavoura, na indústria, no comércio, nas letras ou nas artes. Há infinitas carreiras diante de ti. Vinte e um anos, meu rapaz, formam apenas a primeira sílaba do nosso destino. Os mesmos Pitt* e Napoleão, apesar de precoces, não foram tudo aos vinte e um anos. Mas, qualquer que seja a profissão

---

* *William Pitt, o Jovem* (1759-1806): assumiu o cargo de primeiro-ministro britânico em 1783, com 24 anos.

da tua escolha, o meu desejo é que te faças grande e ilustre, ou pelo menos notável, que te levantes acima da obscuridade comum. A vida, Janjão, é uma enorme loteria; os prêmios são poucos, os malogrados inúmeros, e com os suspiros de uma geração é que se amassam as esperanças de outra. Isto é a vida; não há planger, nem imprecar, mas aceitar as coisas integralmente, com seus ônus e percalços, glórias e desdouros, e ir por diante.

— Sim, senhor.

— Entretanto, assim como é de boa economia guardar um pão para a velhice, assim também é de boa prática social acautelar um ofício para a hipótese de que os outros falhem, ou não indenizem suficientemente o esforço da nossa ambição. É isto o que te aconselho hoje, dia da tua maioridade.

— Creia que lhe agradeço; mas que ofício, não me dirá?

— Nenhum me parece mais útil e cabido que o de medalhão. Ser medalhão foi o sonho da minha mocidade; faltaram-me, porém, as instruções de um pai, e acabo como vês, sem outra consolação e relevo moral, além das esperanças que deposito em ti. Ouve-me bem, meu querido filho, ouve-me e entende. És moço, tens naturalmente o ardor, a exuberância, os improvisos da idade; não os rejeites, mas modera-os de modo que aos quarenta e cinco anos possas entrar francamente no regime do aprumo e do compasso. O sábio que disse: "a gravidade é um mistério do corpo", definiu a compostura do medalhão. Não confundas essa gravidade com aquela outra que, embora resida no aspecto, é um puro reflexo ou emanação do espírito; essa é do corpo, tão somente do corpo, um sinal da natureza ou um jeito da vida. Quanto à idade de quarenta e cinco anos...

— É verdade, por que quarenta e cinco anos?

— Não é, como podes supor, um limite arbitrário, filho do puro capricho; é a data normal do fenômeno. Geralmente, o verdadeiro medalhão começa a manifestar-se entre os quarenta e cinco e cinquenta anos, conquanto alguns exemplos se deem entre os cinquenta e cinco e os sessenta; mas estes são raros. Há-os também de quarenta anos, e outros mais precoces, de trinta e cinco e de trinta; não são, todavia, vulgares. Não falo dos de vinte e cinco anos: esse madrugar é privilégio do gênio.

— Entendo.

— Venhamos ao principal. Uma vez entrado na carreira, deves pôr todo o cuidado nas ideias que houveres de nutrir para uso alheio e próprio. O melhor será não as ter absolutamente; coisa que entenderás bem, imaginando, por exemplo, um ator defraudado do uso de um braço. Ele pode, por um milagre de artifício, dissimular o defeito aos olhos da plateia; mas era muito melhor dispor dos dois. O mesmo se dá com as ideias; pode-se, com violência, abafá-las, escondê-las até à morte; mas nem essa habilidade é comum, nem tão constante esforço conviria ao exercício da vida.

— Mas quem lhe diz que eu...

— Tu, meu filho, se me não engano, pareces dotado da perfeita inópia mental, conveniente ao uso deste nobre ofício. Não me refiro tanto à fidelidade com que repetes numa sala as opiniões ouvidas numa esquina, e vice-versa, porque esse fato, posto indique certa carência de ideias, ainda assim pode não passar de uma traição da memória. Não; refiro-me ao gesto correto e perfilado com que usas expender francamente as tuas simpatias ou antipatias acerca do corte de um colete, das dimensões de um chapéu, do ranger ou calar das botas novas. Eis aí um sintoma eloquente, eis aí uma esperança. No entanto, podendo acontecer que, com a idade, venhas a ser afligido de algumas ideias próprias, urge aparelhar fortemente o espírito. As ideias são de sua natureza espontâneas e súbitas; por mais que as sofreemos, elas irrompem e precipitam-se. Daí a certeza com que o vulgo, cujo faro é extremamente delicado, distingue o medalhão completo do medalhão incompleto.

— Creio que assim seja; mas um tal obstáculo é invencível.

— Não é; há um meio; é lançar mão de um regime debilitante, ler compêndios de retórica, ouvir certos discursos, etc. O voltarete, o dominó e o *whist* são remédios aprovados. O *whist* tem até a rara vantagem de acostumar ao silêncio, que é a forma mais acentuada da circunspecção. Não digo o mesmo da natação, da equitação e da ginástica, embora elas façam repousar o cérebro; mas por isso mesmo que o fazem repousar, restituem-lhe as forças e a atividade perdidas. O bilhar é excelente.

— Como assim, se também é um exercício corporal?

— Não digo que não, mas há coisas em que a observação desmente a teoria. Se te aconselho excepcionalmente o bilhar é porque as estatísticas mais escrupulosas mostram que três quartas partes dos habituados do taco partilham as opiniões do mesmo taco. O passeio nas ruas, mormente nas de recreio e parada, é utilíssimo, com a condição de não andares desacompanhado, porque a solidão é oficina de ideias, e o espírito deixado a si mesmo, embora no meio da multidão, pode adquirir uma tal ou qual atividade.

— Mas se eu não tiver à mão um amigo apto e disposto a ir comigo?

— Não faz mal; tens o valente recurso de mesclar-te aos pasmatórios, em que toda a poeira da solidão se dissipa. As livrarias, ou por causa da atmosfera do lugar, ou por qualquer outra razão que me escapa, não são propícias ao nosso fim; e, não obstante, há grande conveniência em entrar por elas, de quando em quando, não digo às ocultas, mas às escâncaras. Podes resolver a dificuldade de um modo simples: vai ali falar do boato do dia, da anedota da semana, de um contrabando, de uma calúnia, de um cometa, de qualquer coisa, quando não prefiras interrogar diretamente os leitores habituais das belas crônicas de Mazade;* 75 por cento desses estimáveis cavalheiros repetir-te-ão as mesmas opiniões, e uma tal monotonia é grandemente saudável. Com este regime, durante oito, dez, dezoito meses — suponhamos dois anos, — reduzes o intelecto, por mais pródigo que seja, à sobriedade, à disciplina, ao equilíbrio comum. Não trato do vocabulário, porque ele está subentendido no uso das ideias; há de ser naturalmente simples, tíbio, apoucado, sem notas vermelhas, sem cores de clarim...

— Isto é o diabo! Não poder adornar o estilo, de quando em quando...

— Podes; podes empregar umas quantas figuras expressivas, a hidra de Lerna, por exemplo, a cabeça de Medusa, o tonel das Danaides, as asas de Ícaro, e outras, que românticos, clássicos e realistas empregam sem desar, quando precisam delas. Sentenças latinas, ditos históricos, versos célebres, brocardos jurídicos, máximas, é de bom aviso trazê-los contigo para os discursos de sobremesa, de felicitação, ou de agradecimento. *Caveant, consules* é um excelente fecho de artigo político; o mesmo direi do *Si vis pacem para bellum*.** Alguns costumam renovar o sabor de uma citação intercalando-a numa frase nova, original e bela, mas não te aconselho esse artifício; seria desnaturar-lhe as graças vetustas. Melhor do que tudo isso, porém, que afinal não passa de mero adorno, são as frases feitas, as locuções convencionais, as fórmulas consagradas pelos anos, incrustadas na memória individual e pública. Essas fórmulas têm a vantagem de não obrigar os outros

---

* *Charles de Mazade* (1820-93): figura central na *Revue des Deux Mondes*, onde escreveu sua crônica política entre 1852 e 1858, e de 1863 até 1893. A *Revue* era então a revista de cultura geral mais influente e mais lida no mundo inteiro, e tinha um certo prestígio social. Ela aparece na engraçada conversa entre Sofia e d. Fernanda, no capítulo 161 de *Quincas Borba*.

** *Caveant, consules*: "Acautelem-se os cônsules". *Si vis pacem para bellum*: "Se quer paz, prepare-se para a guerra".

a um esforço inútil. Não as relaciono agora, mas fá-lo-ei por escrito. De resto, o mesmo ofício te irá ensinando os elementos dessa arte difícil de pensar o pensado. Quanto à utilidade de um tal sistema, basta figurar uma hipótese. Faz-se uma lei, executa-se, não produz efeito, subsiste o mal. Eis aí uma questão que pode aguçar as curiosidades vadias, dar ensejo a um inquérito pedantesco, a uma coleta fastidiosa de documentos e observações, análise das causas prováveis, causas certas, causas possíveis, um estudo infinito das aptidões do sujeito reformado, da natureza do mal, da manipulação do remédio, das circunstâncias da aplicação; matéria, enfim, para todo um andaime de palavras, conceitos, e desvarios. Tu poupas aos teus semelhantes todo esse imenso arranzel, tu dizes simplesmente: Antes das leis, reformemos os costumes! — E esta frase sintética, transparente, límpida, tirada ao pecúlio comum, resolve mais depressa o problema, entra pelos espíritos como um jorro súbito de sol.

— Vejo por aí que vosmecê condena toda e qualquer aplicação de processos modernos.

— Entendamo-nos. Condeno a aplicação, louvo a denominação. O mesmo direi de toda a recente terminologia científica; deves decorá-la. Conquanto o rasgo peculiar do medalhão seja uma certa atitude de deus Término,* e as ciências sejam obra do movimento humano, como tens de ser medalhão mais tarde, convém tomar as armas do teu tempo. E de duas uma: — ou elas estarão usadas e divulgadas daqui a trinta anos, ou conservar-se-ão novas: no primeiro caso, pertencem-te de foro próprio; no segundo, podes ter a coquetice de as trazer, para mostrar que também és pintor. De oitiva, com o tempo, irás sabendo a que leis, casos e fenômenos responde toda essa terminologia; porque o método de interrogar os próprios mestres e oficiais da ciência, nos seus livros, estudos e memórias, além de tedioso e cansativo, traz o perigo de inocular ideias novas, e é radicalmente falso. Acresce que no dia em que viesses a assenhorear-te do espírito daquelas leis e fórmulas, serias provavelmente levado a empregá-las com um tal ou qual comedimento, como a costureira — esperta e afreguesada, — que, segundo um poeta clássico,

---

* *Término*: na mitologia romana, deus dos limites e das fronteiras. Aqui, porém, parece que Machado usa o nome em estreita relação com a palavra *terminologia*.

Quanto mais pano tem, mais poupa o corte,
Menos monte alardeia de retalhos;

e este fenômeno, tratando-se de um medalhão, é que não seria científico.

— Upa! que a profissão é difícil!

— E ainda não chegamos ao cabo.

— Vamos a ele.

— Não te falei ainda dos benefícios da publicidade. A publicidade é uma dona loureira e senhoril, que tu deves requestar à força de pequenos mimos, confeitos, almofadinhas, coisas miúdas, que antes exprimem a constância do afeto do que o atrevimento e a ambição. Que D. Quixote solicite os favores dela mediante ações heroicas ou custosas é um sestro próprio desse ilustre lunático. O verdadeiro medalhão tem outra política. Longe de inventar um *Tratado científico da criação dos carneiros*, compra um carneiro e dá-o aos amigos sob a forma de um jantar, cuja notícia não pode ser indiferente aos seus concidadãos. Uma notícia traz outra; cinco, dez, vinte vezes põe o teu nome ante os olhos do mundo. Comissões ou deputações para felicitar um agraciado, um benemérito, um forasteiro, têm singulares merecimentos, e assim as irmandades e associações diversas, sejam mitológicas, cinegéticas ou coreográficas. Os sucessos de certa ordem, embora de pouca monta, podem ser trazidos a lume, contanto que ponham em relevo a tua pessoa. Explico-me. Se caíres de um carro, sem outro dano, além do susto, é útil mandá-lo dizer aos quatro ventos, não pelo fato em si, que é insignificante, mas pelo efeito de recordar um nome caro às afeições gerais. Percebeste?

— Percebi.

— Essa é publicidade constante, barata, fácil, de todos os dias; mas há outra. Qualquer que seja a teoria das artes, é fora de dúvida que o sentimento da família, a amizade pessoal e a estima pública instigam à reprodução das feições de um homem amado ou benemérito. Nada obsta a que sejas objeto de uma tal distinção, principalmente se a sagacidade dos amigos não achar em ti repugnância. Em semelhante caso, não só as regras da mais vulgar polidez mandam aceitar o retrato ou o busto, como seria desazado impedir que os amigos o expusessem em qualquer casa pública. Dessa maneira o nome fica ligado à pessoa; os que houverem lido o teu recente discurso (suponhamos) na sessão inaugural da União dos Cabeleireiros, reconhecerão na compostura das feições o autor dessa obra grave, em que a "alavanca do progresso" e o "suor do trabalho" vencem as "fauces hiantes" da miséria. No caso de que uma comissão te leve a casa o retrato, deves agradecer-lhe o obséquio com um discurso cheio de gratidão e um copo d'água: é uso antigo, razoável e honesto. Convidarás então os melhores amigos, os parentes, e, se for possível, uma ou duas pessoas de representação. Mais. Se esse dia é um dia de glória ou regozijo, não vejo que possas, decentemente, recusar um lugar à mesa aos *reporters* dos jornais. Em todo o caso, se as obrigações desses cidadãos os retiverem noutra parte, podes ajudá-los de certa maneira, redigindo tu mesmo a notícia da festa; e, dado que por um tal oụ qual escrúpulo, aliás desculpável, não queiras com a própria mão anexar ao teu nome os qualificativos dignos dele, incumbe a notícia a algum amigo ou parente.

— Digo-lhe que o que vosmecê me ensina não é nada fácil.

— Nem eu te digo outra coisa. É difícil, come tempo, muito tempo, leva anos, paciência, trabalho, e felizes os que chegam a entrar na terra prometida! Os que lá não penetram, engole-os a obscuridade. Mas os que triunfam! E tu triunfarás, crê-me. Verás cair as muralhas de Jericó ao som das trompas sagradas. Só então poderás dizer que estás fixado. Começa nesse dia a tua fase de ornamento indispensável, de figura obrigada, de rótulo. Acabou-se a necessidade de farejar ocasiões, comissões, irmandades; elas virão ter contigo, com o seu ar pesadão e cru de substantivos desadjetivados, e tu serás o adjetivo dessas orações opacas, o *odorífero* das flores, o *anilado* dos céus, o *prestimoso* dos cidadãos, o *noticioso* e *suculento* dos relatórios. E ser isso é o principal, porque o adjetivo é a alma do idioma, a sua porção idealista e metafísica. O substantivo é a realidade nua e crua, é o naturalismo do vocabulário.

— E parece-lhe que todo esse ofício é apenas um sobressalente para os *deficits* da vida?

— Decerto; não fica excluída nenhuma outra atividade.

— Nem política?

— Nem política. Toda a questão é não infringir as regras e obrigações capitais. Podes pertencer a qualquer partido, liberal ou conservador, republicano ou ultramontano, com a cláusula única de não ligar nenhuma ideia especial a esses vocábulos, e reconhecer-lhes somente a utilidade do *scibboleth* bíblico.*

* Esta história encontra-se em Juízes, 12: 5-6: tendo derrotado os efraimitas, os galaaditas distinguiam entre os fugitivos os que eram efraimitas pelo modo como pronunciavam a palavra *scibboleth* (que significa "espiga"), que os galaaditas pronunciavam "chibboleth", e os efraimitas, "sibboleth".

— Se for ao parlamento, posso ocupar a tribuna?

— Podes e deves; é um modo de convocar a atenção pública. Quanto à matéria dos discursos, tens à escolha: — ou os negócios miúdos, ou a metafísica política, mas prefere a metafísica. Os negócios miúdos, força é confessá-lo, não desdizem daquela chateza de bom-tom, própria de um medalhão acabado; mas, se puderes, adota a metafísica; — é mais fácil e mais atraente. Supõe que deseja saber por que motivo a 7ª companhia de infantaria foi transferida de Uruguaiana para Canguçu; serás ouvido tão somente pelo ministro da guerra, que te explicará em dez minutos as razões desse ato. Não assim a metafísica. Um discurso de metafísica política apaixona naturalmente os partidos e o público, chama os apartes e as respostas. E depois não obriga a pensar e descobrir. Nesse ramo dos conhecimentos humanos tudo está achado, formulado, rotulado, encaixotado; é só prover os alforjes da memória. Em todo caso, não transcendas nunca os limites de uma invejável vulgaridade.

— Farei o que puder. Nenhuma imaginação?

— Nenhuma; antes faze correr o boato de que um tal dom é ínfimo.

— Nenhuma filosofia?

— Entendamo-nos: no papel e na língua alguma, na realidade nada. "Filosofia da história", por exemplo, é uma locução que deves empregar com frequência, mas proíbo-te que chegues a outras conclusões que não sejam as já achadas por outros. Foge a tudo que possa cheirar a reflexão, originalidade, etc., etc.

— Também ao riso?

— Como ao riso?

— Ficar sério, muito sério...

— Conforme. Tens um gênio folgazão, prazenteiro, não hás de sofreá-lo nem eliminá-lo; podes brincar e rir alguma vez. Medalhão não quer dizer melancólico. Um grave pode ter seus momentos de expansão alegre. Somente, — e este ponto é melindroso...

— Diga.

— Somente não deves empregar a ironia, esse movimento ao canto da boca, cheio de mistérios, inventado por algum grego da decadência, contraído por Luciano, transmitido a Swift e Voltaire, feição própria dos céticos e desabusados.*

---

* *Luciano de Samósata* (*c.* 125-190 a. C.): sofista e satirista grego, conhecido por seus diálogos satíricos, que exerceram forte influência em escritores posteriores; é um dos preferidos de Machado.

Não. Usa antes a chalaça, a nossa boa chalaça amiga, gorducha, redonda, franca, sem biocos, nem véus, que se mete pela cara dos outros, estala como uma palmada, faz pular o sangue nas veias, e arrebentar de riso os suspensórios. Usa a chalaça. Que é isto?

— Meia-noite.

— Meia-noite? Entras nos teus vinte e dois anos, meu peralta; estás definitivamente maior. Vamos dormir, que é tarde. Rumina bem o que te disse, meu filho. Guardadas as proporções, a conversa desta noite vale o *Príncipe* de Machiavelli. Vamos dormir.

Uma visita de Alcibíades*

Carta do desembargador X...
ao chefe de polícia da corte

Corte, 20 de setembro de 1875.

Desculpe V. Exª o tremido da letra e o desgrenhado do estilo; entendê-los-á daqui a pouco.

Hoje, à tardinha, acabado o jantar, enquanto esperava a hora do Cassino, estirei-me no sofá e abri um tomo de Plutarco.** V. Exª, que foi meu companheiro de estudos, há de lembrar-se que eu, desde rapaz, padeci esta devoção do grego; devoção ou mania, que era o nome que V. Exª lhe dava, e tão intensa que me ia fazendo reprovar em outras disciplinas. Abri o tomo, e sucedeu o que sempre se dá comigo quando leio alguma coisa antiga: transporto-me ao tempo e ao meio da ação ou da obra. Depois de jantar é excelente. Dentro de pouco acha-se a gente numa via romana, ao pé de um pórtico grego ou na loja de um gramático. Desaparecem os tempos modernos, a insurreição da Herzegovina, a guerra dos carlistas,*** a rua do Ouvidor, o circo Chiarini. Quinze ou vinte minutos de vida antiga, e de graça. Uma verdadeira digestão literária.

---

* *Alcibíades* (c. 450-404 a. C.): líder ateniense célebre por sua beleza física, por certa afetação no modo como se vestia, pela coragem no campo de batalha e por sua ambição. Na juventude, foi discípulo de Sócrates. Exilado de Atenas, retornou à cidade, e foi finalmente morto na Frígia, onde tinha se refugiado.

** *Plutarco* (c. 46-c. 125 d. C.): escritor grego, autor de *Vidas paralelas*.

*** Ao longo do século XIX, houve várias insurreições dos eslavos que viviam sob domínio otoma-

Foi o que se deu hoje. A página aberta acertou de ser a vida de Alcibíades. Deixei-me ir ao sabor da loquela ática, daí a nada entrava nos jogos olímpicos, admirava o mais guapo dos atenienses, guiando magnificamente o carro, com a mesma firmeza e donaire com que sabia reger as batalhas, os cidadãos e os próprios sentidos. Imagine V. Exª se vivi! Mas, o moleque entrou e acendeu o gás; não foi preciso mais para fazer voar toda a arqueologia da minha imaginação. Atenas volveu à história, enquanto os olhos me caíam das nuvens, isto é, nas calças de brim branco, no paletó de alpaca e nos sapatos de cordovão. E então refleti comigo:

— Que impressão daria ao ilustre ateniense o nosso vestuário moderno?

Sou espiritista desde alguns meses. Convencido de que todos os sistemas são puras niilidades, resolvi adotar o mais recreativo deles. Tempo virá em que este não seja só recreativo, mas também útil à solução dos problemas históricos; é mais sumário evocar o espírito dos mortos, do que gastar as forças críticas, e gastá-las em pura perda, porque não há raciocínio nem documento que nos explique melhor a intenção de um ato do que o próprio autor do ato. E tal era o meu caso desta noite. Conjeturar qual fosse a impressão de Alcibíades era despender o tempo, sem outra vantagem, além do gosto de admirar a minha própria habilidade. Determinei portanto, evocar o ateniense; pedi-lhe que comparecesse em minha casa, logo, sem demora.

E aqui começa o extraordinário da aventura. Não se demorou Alcibíades em acudir ao chamado; dois minutos depois estava ali, na minha sala, perto da parede; mas não era a sombra impalpável que eu cuidara ter evocado pelos métodos da nossa escola; era o próprio Alcibíades, carne e osso, vero homem, grego autêntico, trajado à antiga, cheio daquela gentileza e desgarre com que usava arengar às grandes assembleias de Atenas, e também, um pouco, aos seus pataus. V. Exª, tão sabedor da história, não ignora que também houve pataus em Atenas; sim, Atenas também os possuiu, e esse precedente é uma desculpa. Juro a V. Exª que não acreditei; por mais fiel que fosse o testemunho dos sentidos, não podia acabar de crer que tivesse ali, em minha casa, não a sombra de Alcibíades, mas o

---

no na Bósnia-Herzegovina. A última delas, em 1875, foi reprimida brutalmente, e levou a intervenções sérvia e russa, e finalmente à entrega da região à administração austríaca, em 1878. *Carlistas* foi o nome dado aos que apoiavam d. Carlos, irmão de Fernando VII, e seus descendentes, em suas pretensões ao trono espanhol. A segunda guerra carlista (1870-6) terminou com a vitória de Alfonso XII.

próprio Alcibíades redivivo. Nutri ainda a esperança de que tudo aquilo não fosse mais do que o efeito de uma digestão mal rematada, um simples eflúvio do quilo, através da luneta de Plutarco; e então esfreguei os olhos, fitei-os, e...

— Que me queres? perguntou ele.

Ao ouvir isto, arrepiaram-se-me as carnes. O vulto falava e falava grego, o mais puro ático. Era ele, não havia duvidar que era ele mesmo, um morto de vinte séculos, restituído à vida, tão cabalmente como se viesse de cortar agora mesmo a famosa cauda do cão.* Era claro que, sem o pensar, acabava eu de dar um grande passo na carreira do espiritismo; mas, ai de mim! não o entendi logo, e deixei-me ficar assombrado. Ele repetiu a pergunta, olhou em volta de si e sentou-se numa poltrona. Como eu estivesse frio e trêmulo (ainda o estou agora) ele que o percebeu, falou-me com muito carinho, e tratou de rir e gracejar para o fim de devolver-me o sossego e a confiança. Hábil como outrora! Que mais direi a V. Exª? No fim de poucos minutos conversávamos os dois, em grego antigo, ele repotreado e natural, eu pedindo a todos os santos do céu a presença de um criado, de uma visita, de uma patrulha, ou, se tanto fosse necessário, — de um incêndio.

Escusado é dizer a V. Exª que abri mão da ideia de o consultar acerca do vestuário moderno; pedira um espectro, não um homem "de verdade", como dizem as crianças. Limitei-me a responder ao que ele queria; pediu-me notícias de Atenas, dei-lhas; disse-lhe que ela era enfim a cabeça de uma só Grécia, narrei-lhe a dominação muçulmana, a independência, Botzaris, lord Byron.** O grande homem tinha os olhos pendurados da minha boca; e, mostrando-me admirado de que os mortos lhe não houvessem contado nada, explicou-me que à porta do outro mundo afrouxavam muito os interesses deste. Não vira Botzaris nem lord Byron, — em primeiro lugar, porque é tanta e tantíssima a multidão de espíritos, que estes se fazem naturalmente desencontrados; em segundo lugar, porque eles lá congregam-se, não por nacionalidades ou outra ordem, senão por categorias de índole, costume e profissão: assim é que ele, Alcibíades, anda no grupo dos políticos

---

* Em suas *Vidas paralelas*, Plutarco conta que Alcibíades tinha um cão, extraordinário pelo tamanho e beleza. Sua cauda era muito bonita, e foi cortada pelo dono. Quando os amigos culpavam Alcibíades por isso, ele ria e dizia que alcançara seu objetivo: queria que os atenienses falassem mal dele por esse ato, e não por coisa pior.

** *Markos Botzaris* (1788-1823): herói da luta pela independência da Grécia contra o império otomano. Lord Byron, poeta romântico inglês, morreu em Missolonghi (1824), nessa mesma luta.

elegantes e namorados, com o duque de Buckingham, o Garrett, o nosso Maciel Monteiro, etc.* Em seguida pediu-me notícias atuais; relatei-lhe o que sabia, em resumo; falei-lhe do parlamento helênico e do método alternativo com que Bulgaris e Comondouros,** estadistas seus patrícios, imitam Disraeli e Gladstone, revezando-se no poder, e, assim como estes, a golpes de discurso. Ele, que foi um magnífico orador, interrompeu-me:

— Bravo, atenienses!

Se entro nestas minúcias é para o fim de nada omitir do que possa dar a V. Exª o conhecimento exato do extraordinário caso que lhe vou narrando. Já disse que Alcibíades escutava-me com avidez; acrescentarei que era esperto e arguto; entendia as coisas sem largo dispêndio de palavras. Era também sarcástico; ao menos assim me pareceu em um ou dois pontos da nossa conversação; mas no geral dela, mostrava-se simples, atento, correto, sensível e digno. E gamenho, note V. Exª, tão gamenho como outrora; olhava de soslaio para o espelho, como fazem as nossas e outras damas deste século, mirava os borzeguins, compunha o manto, não saía de certas atitudes esculturais.

— Vá, continua, dizia-me ele, quando eu parava de lhe dar notícias.

Mas eu não podia mais. Entrado no inextricável, no maravilhoso, achava tudo possível, não atinava por que razão, assim, como ele vinha ter comigo ao tempo, não iria eu ter com ele à eternidade. Esta ideia gelou-me. Para um homem que acabou de digerir o jantar e aguarda a hora do Cassino, a morte é o último dos sarcasmos. Se pudesse fugir... Animei-me: disse-lhe que ia a um baile.

— Um baile? Que coisa é um baile?

Expliquei-lho.

— Ah! ver dançar a pírrica!

---

* Machado provavelmente se refere a George Villiers, segundo duque de Buckingham (1628-87), favorito de Charles II, e, como ele, famoso por seus casos amorosos. *Almeida Garrett* (1799-1854): poeta, romancista e dramaturgo português que, em 1852, foi nomeado ministro de Negócios Estrangeiros. Teve uma vida amorosa variada: a amante mais famosa, que inspirou *Folhas caídas*, foi a viscondessa da Luz. *Tomás Antônio Maciel Monteiro*, barão de Itamaracá (?-1847): pernambucano, um dos chamados "leões do Norte", nas décadas de 1830 e 1840. "Eles possuíam uma tradição de maneiras e um tratamento fidalgo que os diferençava do resto do mundo político, em geral tão abandonado e negligente no tom da vida, como indiferente à galanteria" (Joaquim Nabuco, *Um estadista do Império*).

** *Demetrios Bulgaris* (1801-78): político grego; em 1875, ao final de uma longa carreira, demitiu-se do posto de primeiro-ministro.

— Não, emendei eu, a pírrica já lá vai. Cada século, meu caro Alcibíades, muda de danças como muda de ideias. Nós já não dançamos as mesmas coisas do século passado; provavelmente o século xx não dançará as deste. A pírrica foi-se, como os homens de Plutarco e os numes de Hesíodo.*

— Com os numes?

Repeti-lhe que sim, que o paganismo acabara, que as academias do século passado ainda lhe deram abrigo, mas sem convicção, nem alma, que as mesmas bebedeiras arcádicas,

Evoé! padre Bassaréu

Evoé! etc.

honesto passatempo de alguns desembargadores pacatos, essas mesmas estavam curadas, radicalmente curadas. De longe em longe, acrescentei, um ou outro poeta, um ou outro prosador alude aos restos da teogonia pagã, mas só o faz por gala ou brinco, ao passo que a ciência reduziu todo o Olimpo a uma simbólica. Morto, tudo morto.

— Morto Zeus?

— Morto.

— Dionisos, Afrodita?...

— Tudo morto.

O homem de Plutarco levantou-se, andou um pouco, contendo a indignação, como se dissesse consigo, imitando o outro: — Ah! se lá estou com os meus atenienses! — Zeus, Dionisos, Afrodita... murmurava de quando em quando. Lembrou-me então que ele fora uma vez acusado de desacato aos deuses e perguntei a mim mesmo donde vinha aquela indignação póstuma, e naturalmente postiça. Esquecia-me, — um devoto do grego! — esquecia-me que ele era também um refinado hipócrita, um ilustre dissimulado. E quase não tive tempo de fazer esse reparo, porque Alcibíades, detendo-se repentinamente, declarou-me que iria ao baile comigo.

— Ao baile? repeti atônito.

— Ao baile, vamos ao baile.

Fiquei aterrado, disse-lhe que não, que não era possível, que não o admitiriam, com aquele trajo; pareceria doido, salvo se ele queria ir lá representar algu-

---

* *Hesíodo*: poeta grego (provavelmente do século VIII a. C.), autor de *Os trabalhos e os dias*. Numes são deidades.

ma comédia de Aristófanes, acrescentei rindo, para disfarçar o medo. O que eu queria era deixá-lo, entregar-lhe a casa, e uma vez na rua, não iria ao Cassino, iria ter com V. Exª. Mas o diabo do homem não se movia; escutava-me com os olhos no chão, pensativo, deliberante. Calei-me; cheguei a cuidar que o pesadelo ia acabar, que o vulto ia desfazer-se, e que eu ficava ali com as minhas calças, os meus sapatos e o meu século.

— Quero ir ao baile, repetiu ele. Já agora não vou sem comparar as danças.

— Meu caro Alcibíades, não acho prudente um tal desejo. Eu teria certamente a maior honra, um grande desvanecimento em fazer entrar no Cassino, o mais gentil, o mais feiticeiro dos atenienses; mas os outros homens de hoje, os rapazes, as moças, os velhos... é impossível.

— Por quê?

— Já disse; imaginarão que és um doido ou um comediante, porque essa roupa...

— Que tem? A roupa muda-se. Irei à maneira do século. Não tens alguma roupa que me emprestes?

Ia a dizer que não; mas ocorreu-me logo que o mais urgente era sair, e que uma vez na rua, sobravam-me recursos para escapar-lhe, e então disse-lhe que sim.

— Pois bem, tornou ele levantando-se, irei à maneira do século. Só peço que te vistas primeiro, para eu aprender e imitar-te depois.

Levantei-me também, e pedi-lhe que me acompanhasse. Não se moveu logo; estava assombrado. Vi que só então reparara nas minhas calças brancas; olhava para elas com os olhos arregalados, a boca aberta; enfim, perguntou por que motivo trazia aqueles canudos de pano. Respondi que por maior comodidade; acrescentei que o nosso século, mais recatado e útil do que artista, determinara trajar de um modo compatível com o seu decoro e gravidade. Demais nem todos seriam Alcibíades. Creio que o lisonjeei com isto; ele sorriu e deu de ombros.

— Enfim!

Seguimos para o meu quarto de vestir, e comecei a mudar de roupa, às pressas. Alcibíades sentou-se molemente num divã, não sem elogiá-lo, não sem elogiar o espelho, a palhinha, os quadros. — Eu vestia-me, como digo, às pressas, ansioso por sair à rua, por meter-me no primeiro tílburi que passasse...

— Canudos pretos! exclamou ele.

Eram as calças pretas que eu acabava de vestir. Exclamou e riu, um risinho em que o espanto vinha mesclado de escárnio, o que ofendeu grandemente o meu melindre de homem moderno. Porque, note V. Exª, ainda que o nosso tempo nos pareça digno de crítica, e até de execração, não gostamos de que um antigo venha mofar dele às nossas barbas. Não respondi ao ateniense; franzi um pouco o sobrolho e continuei a abotoar os suspensórios. Ele perguntou-me então por que motivo usava uma cor tão feia...

— Feia, mas séria, disse-lhe. Olha, entretanto, a graça do corte, vê como cai sobre o sapato, que é de verniz, embora preto, e trabalhado com muita perfeição.

E vendo que ele abanava a cabeça:

— Meu caro, disse-lhe, tu podes certamente exigir que o Júpiter Olímpico seja o emblema eterno da majestade: é o domínio da arte ideal, desinteressada, superior aos tempos que passam e aos homens que os acompanham. Mas a arte de vestir é outra coisa. Isto que parece absurdo ou desgracioso é perfeitamente racional e belo, — belo à nossa maneira, que não andamos a ouvir na rua os rapsodas recitando os seus versos, nem os oradores os seus discursos, nem os filósofos as suas filosofias. Tu mesmo, se te acostumares a ver-nos, acabarás por gostar de nós, porque...

— Desgraçado! bradou ele atirando-se a mim.

Antes de entender a causa do grito e do gesto, fiquei sem pinga de sangue. A causa era uma ilusão. Como eu passasse a gravata à volta do pescoço e tratasse de dar o laço, Alcibíades supôs que ia enforcar-me, segundo confessou depois. E, na verdade, estava pálido, trêmulo, em suores frios. Agora quem se riu fui eu. Ri-me, e expliquei-lhe o uso da gravata, e notei que era branca, não preta, posto usássemos também gravatas pretas. Só depois de tudo isso explicado é que ele consentiu em restituir-ma. Atei-a enfim, depois vesti o colete.

— Por Afrodita! exclamou ele. És a coisa mais singular que jamais vi na vida e na morte. Estás todo cor da noite — uma noite com três estrelas apenas — continuou apontando para os botões do peito. O mundo deve andar imensamente melancólico, se escolheu para uso uma cor tão morta e tão triste. Nós éramos mais alegres; vivíamos...

Não pôde concluir a frase; eu acabava de enfiar a casaca, e a consternação do ateniense foi indescritível. Caíram-lhe os braços, ficou sufocado, não podia articular nada, tinha os olhos cravados em mim, grandes, abertos. Creia V. Exª que fiquei com medo, e tratei de apressar ainda mais a saída.

— Estás completo? perguntou-me ele.

— Não: falta o chapéu.

— Oh! venha alguma coisa que possa corrigir o resto! tornou Alcibíades com voz suplicante. Venha, venha. Assim pois, toda a elegância que vos legamos está reduzida a um par de canudos fechados e outro par de canudos abertos (e dizia isto levantando-me as abas da casaca), e tudo dessa cor enfadonha e negativa? Não, não posso crê-lo! Venha alguma coisa que corrija isso. O que é que falta, dizes tu?

— O chapéu.

— Põe o que te falta, meu caro, põe o que te falta.

Obedeci; fui dali ao cabide, despendurei o chapéu, e pu-lo na cabeça. Alcibíades olhou para mim, cambaleou e caiu. Corri ao ilustre ateniense, para levantá-lo, mas (com dor o digo) era tarde; estava morto, morto pela segunda vez. Rogo a V. Exª se digne de expedir suas respeitáveis ordens para que o cadáver seja transportado ao necrotério, e se proceda ao corpo de delito, relevando-me de não ir pessoalmente à casa de V. Exª agora mesmo (dez da noite) em atenção ao profundo abalo por que acabo de passar, o que aliás farei amanhã de manhã, antes das oito.

D. Benedita

Um retrato

I

A coisa mais árdua do mundo, depois do ofício de governar, seria dizer a idade exata de D. Benedita. Uns davam-lhe quarenta anos, outros quarenta e cinco, alguns trinta e seis. Um corretor de fundos descia aos vinte e nove; mas esta opinião, eivada de intenções ocultas, carecia daquele cunho de sinceridade que todos gostamos de achar nos conceitos humanos. Nem eu a cito, senão para dizer, desde logo, que D. Benedita foi sempre um padrão de bons costumes. A astúcia do corretor não fez mais do que indigná-la, embora momentaneamente; digo momentaneamente. Quanto às outras conjeturas, oscilando entre os trinta e seis e os quarenta e cinco, não desdiziam das feições de D. Benedita, que eram maduramente graves e juvenilmente graciosas. Mas, se alguma coisa admira é que houvesse suposições neste negócio, quando bastava interrogá-la para saber a verdade verdadeira.

D. Benedita fez quarenta e dois anos no domingo dezenove de setembro de 1869. São seis horas da tarde; a mesa da família está ladeada de parentes e amigos, em número de vinte ou vinte e cinco pessoas. Muitas dessas estiveram no jantar de 1868, no de 1867 e no de 1866, e ouviram sempre aludir francamente à idade da dona da casa. Além disso, veem-se ali, à mesa, uma moça e um rapaz, seus filhos; este é, decerto, no tamanho e nas maneiras, um tanto menino; mas a moça, Eulália, contando dezoito anos, parece ter vinte e um, tal é a severidade dos modos e das feições.

A alegria dos convivas, a excelência do jantar, certas negociações matrimoniais incumbidas ao cônego Roxo, aqui presente, e das quais se falará mais abaixo, as boas qualidades da dona da casa, tudo isso dá à festa um caráter íntimo e feliz. O cônego levanta-se para trinchar o peru. D. Benedita acatava esse uso nacional das casas modestas de confiar o peru a um dos convivas, em vez de o fazer retalhar fora da mesa por mãos servis, e o cônego era o pianista daquelas ocasiões solenes. Ninguém conhecia melhor a anatomia do animal, nem sabia operar com mais presteza. Talvez, — e este fenômeno fica para os entendidos, — talvez a circunstância do canonicato aumentasse ao trinchante, no espírito dos convivas, uma certa soma de prestígio, que ele não teria, por exemplo, se fosse um simples estudante de matemáticas, ou um amanuense de secretaria. Mas, por outro lado, um estudante ou um amanuense, sem a lição do longo uso, poderia dispor da arte consumada do cônego? É outra questão importante.

Venhamos, porém, aos demais convivas, que estão parados, conversando; reina o burburinho próprio dos estômagos meio regalados, o riso da natureza que caminha para a repleção; é um instante de repouso.

D. Benedita fala, como as suas visitas, mas não fala para todas, senão para uma, que está sentada ao pé dela. Essa é uma senhora gorda, simpática, muito risonha, mãe de um bacharel de vinte e dois anos, o Leandrinho, que está sentado defronte delas. D. Benedita não se contenta de falar à senhora gorda, tem uma das mãos desta entre as suas; e não se contenta de lhe ter presa a mão, fita-lhe uns olhos namorados, vivamente namorados. Não os fita, note-se bem, de um modo persistente e longo, mas inquieto, miúdo, repetido, instantâneo. Em todo caso, há muita ternura naquele gesto; e, dado que não a houvesse, não se perderia nada, porque D. Benedita repete com a boca a D. Maria dos Anjos tudo o que com os olhos lhe tem dito: — que está encantada, que considera uma fortuna conhecê-la, que é muito simpática, muito digna, que traz o coração nos olhos, etc., etc., etc. Uma de suas amigas diz-lhe, rindo, que está com ciúmes.

— Que arrebente! responde ela, rindo também.

E voltando-se para a outra:

— Não acha? ninguém deve meter-se com a nossa vida.

E aí tornavam as finezas, os encarecimentos, os risos, as ofertas, mais isto, mais aquilo, — um projeto de passeio, outro de teatro, e promessas de muitas visitas, tudo com tamanha expansão e calor, que a outra palpitava de alegria e reconhecimento.

O peru está comido. D. Maria dos Anjos faz um sinal ao filho; este levanta-se e pede que o acompanhem em um brinde:

— Meus senhores, é preciso desmentir esta máxima dos franceses: — *les absents ont tort*.* Bebamos a alguém que está longe, muito longe, no espaço, mas perto, muito perto, no coração de sua digna esposa: — bebamos ao ilustre desembargador Proença.

A assembleia não correspondeu vivamente ao brinde; e para compreendê-lo basta ver o rosto triste da dona da casa. Os parentes e os mais íntimos disseram baixinho entre si que o Leandrinho fora estouvado; enfim, bebeu-se, mas sem estrépito; ao que parece, para não avivar a dor de D. Benedita. Vã precaução! D. Benedita, não podendo conter-se, deixou rebentarem-lhe as lágrimas, levantou-se da mesa, retirou-se da sala. D. Maria dos Anjos acompanhou-a. Sucedeu um silêncio mortal entre os convivas. Eulália pediu a todos que continuassem, que a mãe voltava já.

— Mamãe é muito sensível, disse ela, e a ideia de que papai está longe de nós...

O Leandrinho, consternado, pediu desculpa a Eulália. Um sujeito, ao lado dele, explicou-lhe que D. Benedita não podia ouvir falar do marido sem receber um golpe no coração — e chorar logo; ao que o Leandrinho acudiu dizendo que sabia da tristeza dela, mas estava longe de supor que o seu brinde tivesse tão mau efeito.

— Pois era a coisa mais natural, explicou o sujeito, porque ela morre pelo marido.

— O cônego, acudiu Leandrinho, disse-me que ele foi para o Pará há uns dois anos...

— Dois anos e meio; foi nomeado desembargador pelo ministério Zacarias.** Ele queria a relação de S. Paulo, ou da Bahia; mas não pôde ser e aceitou a do Pará.

— Não voltou mais?

---

* *Les absents ont tort*: "Os ausentes não têm razão", frase de *L'obstacle imprévu*, do dramaturgo francês Philippe Néricault Destouches (1680-1754).
** *Zacarias de Góis e Vasconcelos* (1815-77): político conservador até 1862, quando atacou o governo do conservador Caxias e foi chamado a formar o primeiro dos três gabinetes que chefiou, na década de 1860. Foi substituído pelo visconde de Itaboraí.

— Não voltou.

— D. Benedita naturalmente tem medo de embarcar...

— Creio que não. Já foi uma vez à Europa. Se bem me lembro, ela ficou para arranjar alguns negócios de família; mas foi ficando, ficando, e agora...

— Mas era muito melhor ter ido em vez de padecer assim... Conhece o marido?

— Conheço; um homem muito distinto, e ainda moço, forte; não terá mais de quarenta e cinco anos. Alto, barbado, bonito. Aqui há tempos disse-se que ele não teimava com a mulher, porque estava lá de amores com uma viúva.

— Ah!

— E houve até quem viesse contá-lo a ela mesma. Imagine como a pobre senhora ficou! Chorou uma noite inteira, no dia seguinte não quis almoçar, e deu todas as ordens para seguir no primeiro vapor.

— Mas não foi?

— Não foi; desfez a viagem daí a três dias.

D. Benedita voltou nesse momento, pelo braço de D. Maria dos Anjos. Trazia um sorriso envergonhado; pediu desculpa da interrupção, e sentou-se com a recente amiga ao lado, agradecendo os cuidados que lhe deu, pegando-lhe outra vez na mão:

— Vejo que me quer bem, disse ela.

— A senhora merece, disse D. Maria dos Anjos.

— Mereço? inquiriu ela entre desvanecida e modesta.

E declarou que não, que a outra é que era boa, um anjo, um verdadeiro anjo; palavra que ela sublinhou com o mesmo olhar namorado, não persistente e longo, mas inquieto e repetido. O cônego, pela sua parte, com o fim de apagar a lembrança do incidente, procurou generalizar a conversa, dando-lhe por assunto a eleição do melhor doce. Os pareceres divergiram muito. Uns acharam que era o de coco, outros o de caju, alguns o de laranja, etc. Um dos convivas, o Leandrinho, autor do brinde, dizia com os olhos, — não com a boca, — e dizia-o de um modo astucioso, que o melhor doce eram as faces de Eulália, um doce moreno, corado; dito que a mãe dele interiormente aprovava, e que a mãe dela não podia ver, tão entregue estava à contemplação da recente amiga. Um anjo, um verdadeiro anjo!

II

D. Benedita levantou-se, no dia seguinte, com a ideia de escrever uma carta ao marido, uma longa carta em que lhe narrasse a festa da véspera, nomeasse os convivas e os pratos, descrevesse a recepção noturna, e, principalmente, desse notícia das novas relações com D. Maria dos Anjos. A mala fechava-se às duas horas da tarde, D. Benedita acordara às nove, e, não morando longe (morava no campo da Aclamação), um escravo levaria a carta ao correio muito a tempo. Demais, chovia; D. Benedita arredou a cortina da janela, deu com os vidros molhados; era uma chuvinha teimosa, o céu estava todo brochado de uma cor pardo-escura, malhada de grossas nuvens negras. Ao longe, viu flutuar e voar o pano que cobria o balaio que uma preta levava à cabeça: concluiu que ventava. Magnífico dia para não sair, e, portanto, escrever uma carta, duas cartas, todas as cartas de uma esposa ao marido ausente. Ninguém viria tentá-la.

Enquanto ela compõe os babadinhos e rendas do roupão branco, um roupão de cambraia que o desembargador lhe dera em 1862, no mesmo dia aniversário, 19 de setembro, convido a leitora a observar-lhe as feições. Vê que não lhe dou Vênus; também não lhe dou Medusa. Ao contrário de Medusa, nota-se-lhe o alisado simples do cabelo, preso sobre a nuca. Os olhos são vulgares, mas têm uma expressão bonachã. A boca é daquelas que, ainda não sorrindo, são risonhas, e tem esta outra particularidade, que é uma boca sem remorsos nem saudades: podia dizer sem desejos, mas eu só digo o que quero, e só quero falar das saudades e dos remorsos. Toda essa cabeça, que não entusiasma, nem repele, assenta sobre um corpo antes alto do que baixo, e não magro nem gordo, mas fornido na proporção da estatura. Para que falar-lhe das mãos? Há de admirá-las logo, ao travar da pena e do papel, com os dedos afilados e vadios, dois deles ornados de cinco ou seis anéis.

Creio que é bastante ver o modo por que ela compõe as rendas e os babadinhos do roupão para compreender que é uma senhora pichosa, amiga do arranjo das coisas e de si mesma. Noto que rasgou agora o babadinho do punho esquerdo, mas é porque, sendo também impaciente, não podia mais "com a vida deste diabo". Essa foi a sua expressão, acompanhada logo de um "Deus me perdoe!" que inteiramente lhe extraiu o veneno. Não digo que ela bateu com o pé, mas adivinha-se, por ser um gesto natural de algumas senhoras irritadas. Em todo caso, a cólera durou pouco mais de meio minuto. D. Benedita foi à caixinha de costura para dar um ponto no rasgão, e contentou-se com um alfinete. O alfinete caiu no chão, ela abaixou-se a apanhá-lo. Tinha outros, é verdade, muitos outros, mas não achava prudente deixar alfinetes no chão. Abaixando-se, aconteceu-lhe ver a ponta da chinela, na qual pareceu-lhe descobrir um sinal branco; sentou-se na cadeira que tinha perto, tirou a chinela, e viu o que era: era um roidinho de barata. Outra raiva de D. Benedita, porque a chinela era muito galante, e fora-lhe dada por uma amiga do ano passado. Um anjo, um verdadeiro anjo! D. Benedita fitou os olhos irritados no sinal branco; felizmente a expressão bonachã deles não era tão bonachã que se deixasse eliminar de todo por outras expressões menos passivas, e retomou o seu lugar. D. Benedita entrou a virar e revirar a chinela, e a passá-la de uma para outra mão, a princípio com amor, logo depois maquinalmente, até que as mãos pararam de todo, a chinela caiu no regaço, e D. Benedita ficou a olhar para o ar, parada, fixa. Nisto o relógio da sala de jantar começou a bater horas. D. Benedita logo às primeiras duas, estremeceu:

— Jesus! Dez horas!

E, rápida, calçou a chinela, consertou depressa o punho do roupão, e dirigiu-se à escrivaninha, para começar a carta. Escreveu, com efeito, a data, e um: — "Meu ingrato marido"; enfim, mal traçara estas linhas: — "Você lembrou-se ontem de mim? Eu...", quando Eulália lhe bateu à porta, bradando:

— Mamãe, mamãe, são horas de almoçar.

D. Benedita abriu a porta, Eulália beijou-lhe a mão, depois levantou as suas ao céu:

— Meu Deus! que dorminhoca!

— O almoço está pronto?

— Há que séculos!

— Mas eu tinha dito que hoje o almoço era mais tarde... Estava escrevendo a teu pai.

Olhou alguns instantes para a filha, como desejosa de lhe dizer alguma coisa grave, ao menos difícil, tal era a expressão indecisa e séria dos olhos. Mas não chegou a dizer nada; a filha repetiu que o almoço estava na mesa, pegou-lhe do braço e levou-a.

Deixemo-las almoçar à vontade; descansemos nessa outra sala, a de visitas, sem aliás inventariar os móveis dela, como o não fizemos em nenhuma outra sala ou quarto. Não é que eles não prestem, ou sejam de mau gosto; ao contrário, são bons. Mas a impressão geral que se recebe é esquisita, como se ao trastejar daquela casa houvesse presidido um plano truncado, ou uma sucessão de planos truncados. Mãe, filha e filho almoçaram. Deixemos o filho, que nos não importa, um pirralho de doze anos, que parece ter oito, tão mofino é ele. Eulália interessa-nos, não só pelo que vimos de relance no capítulo passado, como porque, ouvindo a mãe falar em D. Maria dos Anjos e no Leandrinho, ficou muito séria e, talvez, um pouco amuada. D. Benedita percebeu que o assunto não era aprazível à filha, e recuou da conversa, como alguém que desanda uma rua para evitar um importuno; recuou e ergueu-se; a filha veio com ela para a sala de visitas.

Eram onze horas menos um quarto. D. Benedita conversou com a filha até depois do meio-dia, para ter tempo de descansar o almoço e escrever a carta. Sabem que a mala fecha às duas horas. De fato, alguns minutos, poucos, depois do meio-dia, D. Benedita disse à filha que fosse estudar piano, porque ela ia acabar a carta. Saiu da sala; Eulália foi à janela, relanceou a vista pelo Campo, e, se lhes disser que com uma pontazinha de tristeza nos olhos, podem crer que é a pura verdade. Não era, todavia, a tristeza dos débeis ou dos indecisos; era a tristeza dos resolutos, a quem dói de antemão um ato pela mortificação que há de trazer a outros, e que, não obstante, juram a si mesmos praticá-lo, e praticam. Convenho que nem todas essas particularidades podiam estar nos olhos de Eulália, mas por isso mesmo é que as histórias são contadas por alguém, que se incumbe de preencher as lacunas e divulgar o escondido. Que era uma tristeza máscula, era; — e que daí a pouco os olhos sorriam de um sinal de esperança, também não é mentira.

— Isto acaba, murmurou ela, vindo para dentro.

Justamente nessa ocasião parava um carro à porta, apeava-se uma senhora, ouvia-se a campainha da escada, descia um moleque a abrir a cancela, e subia as escadas D. Maria dos Anjos. D. Benedita, quando lhe disseram quem era, largou a pena, alvoroçada; vestiu-se à pressa, calçou-se, e foi à sala.

— Com este tempo! exclamou. Ah! isto é que é querer bem à gente!

— Vim sem esperar pela sua visita, só para mostrar que não gosto de cerimônias, e que entre nós deve haver a maior liberdade.

Vieram os cumprimentos de estilo, as palavrinhas doces, os afagos da véspera. D. Benedita não se fartava de dizer que a visita naquele dia era uma grande fineza, uma prova de verdadeira amizade; mas queria outra, acrescentou daí a um instante, que D. Maria dos Anjos ficasse para jantar. Esta desculpou-se alegando que tinha de ir a outras partes; demais, essa era a prova que lhe pedia, — a de ir jantar à casa dela primeiro. D. Benedita não hesitou, prometeu que sim, naquela mesma semana.

— Estava agora mesmo escrevendo o seu nome, continuou.

— Sim?

— Estou escrevendo a meu marido, e falo da senhora. Não lhe repito o que escrevi, mas imagine que falei muito mal da senhora, que era antipática, insuportável, maçante, aborrecida... Imagine!

— Imagino, imagino. Pode acrescentar que, apesar de ser tudo isso, e mais alguma coisa, apresento-lhe os meus respeitos.

— Como ela tem graça para dizer as coisas! comentou D. Benedita olhando para a filha.

Eulália sorriu sem convicção. Sentada na cadeira fronteira à mãe, ao pé da outra ponta do sofá em que estava D. Maria dos Anjos, — Eulália dava à conversação das duas a soma de atenção que a cortesia lhe impunha, e nada mais. Chegava a parecer aborrecida; cada sorriso que lhe abria a boca era de um amarelo pálido, um sorriso de favor. Uma das tranças, — era de manhã, trazia o cabelo em duas tranças caídas pelas costas abaixo, — uma delas servia-lhe de pretexto a alhear-se de quando em quando, porque puxava-a para a frente e contava-lhe os fios do cabelo, — ou parecia contá-los. Assim o creu D. Maria dos Anjos, quando lhe lançou uma ou duas vezes os olhos, curiosa, desconfiada. D. Benedita é que não via nada; via a amiga, a feiticeira, como lhe chamou duas ou três vezes, — "feiticeira como ela só".

— Já!

D. Maria dos Anjos explicou que tinha de ir a outras visitas; mas foi obrigada a ficar ainda alguns minutos, a pedido da amiga. Como trouxesse um mantelete de renda preta, muito elegante, D. Benedita disse que tinha um igual e mandou buscá-lo. Tudo demoras. Mas a mãe do Leandrinho estava tão contente! D. Benedita enchia-lhe o coração; achava nela todas as qualidades que melhor se ajustavam à sua alma e aos seus costumes, ternura, confiança, entusiasmo, simplicidade, uma familiaridade cordial e pronta. Veio o mantelete; vieram oferecimentos de alguma coisa, um doce, um licor, um refresco; D. Maria dos Anjos não aceitou nada mais do que um beijo e a promessa de que iriam jantar com ela naquela semana.

— Quinta-feira, disse D. Benedita.

— Palavra?

— Palavra.

— Que quer que lhe faça se não for? Há de ser um castigo bem forte.

— Bem forte? Não me fale mais.

D. Maria dos Anjos beijou com muita ternura a amiga; depois abraçou e beijou também a Eulália, mas a efusão era muito menor de parte a parte. Uma e outra mediam-se, estudavam-se, começavam a compreender-se. D. Benedita levou a amiga até o patamar da escada, depois foi à janela para vê-la entrar no carro; a amiga, depois de entrar no carro, pôs a cabeça de fora, olhou para cima, e disse-lhe adeus, com a mão.

— Não falte, ouviu?

— Quinta-feira.

Eulália já não estava na sala; D. Benedita correu a acabar a carta. Era tarde; não relatara o jantar da véspera, nem já agora podia fazê-lo. Resumiu tudo; encareceu muito as novas relações; enfim, escreveu estas palavras:

"O cônego Roxo falou-me em casar Eulália com o filho de D. Maria dos Anjos; é um moço formado em direito este ano; é conservador, e espera uma promotoria, agora, se o Itaboraí não deixar o ministério.* Eu acho que o casamento é o melhor possível. O Dr. Leandrinho (é o nome dele) é muito bem-educado; fez um brinde a você, cheio de palavras tão bonitas, que eu chorei. Eu não sei se Eulália quererá ou não; desconfio de outro sujeito que outro dia esteve conosco nas Laranjeiras. Mas você que pensa? Devo limitar-me a aconselhá-la, ou impor-lhe a nossa vontade? Eu acho que devo usar um pouco da minha autoridade; mas não quero fazer nada sem que você me diga. O melhor seria se você viesse cá."

Acabou e fechou a carta; Eulália entrou nessa ocasião, ela deu-lha para mandar, sem demora, ao correio; e a filha saiu com a carta sem saber que tratava dela e do seu futuro. D. Benedita deixou-se cair no sofá, cansada, exausta. A carta era muito comprida apesar de não dizer tudo; e era-lhe tão enfadonho escrever cartas compridas!

---

* *Joaquim José Rodrigues Torres*, visconde de Itaboraí (1802-72): um dos primeiros líderes do Partido Conservador (a alcunha do partido, Saquarema, teve origem no nome de uma de suas fazendas). Foi feito presidente do Conselho em 16 de junho de 1868, durante a Guerra do Paraguai, no que veio a ser chamado de golpe de Estado: um governo conservador foi imposto a uma câmara liberal, o que levou à fundação do Partido Republicano. Em 1870, um outro conservador o sucedeu, o visconde de São Vicente.

III

Era-lhe tão enfadonho escrever cartas compridas! Esta palavra, fecho do capítulo passado, explica a longa prostração de D. Benedita. Meia hora depois de cair no sofá, ergueu-se um pouco, e percorreu o gabinete com os olhos, como procurando alguma coisa. Essa coisa era um livro. Achou o livro, e podia dizer achou os livros, pois nada menos de três estavam ali, dois abertos, um marcado em certa página, todos em cadeiras. Eram três romances que D. Benedita lia ao mesmo tempo. Um deles, note-se, custou-lhe não pouco trabalho. Deram-lhe notícia na rua, perto de casa, com muitos elogios; chegara da Europa na véspera. D. Benedita ficou tão entusiasmada, que apesar de ser longe e tarde, arrepiou caminho e foi ela mesmo comprá-lo, correndo nada menos de três livrarias. Voltou ansiosa, namorada do livro, tão namorada que abriu as folhas, jantando, e leu os cinco primeiros capítulos naquela mesma noite. Sendo preciso dormir, dormiu; no dia seguinte não pôde continuar, depois esqueceu-o. Agora, porém, passados oito dias, querendo ler alguma coisa, aconteceu-lhe justamente achá-lo à mão.

— Ah!

E ei-la que torna ao sofá, que abre o livro com amor, que mergulha o espírito, os olhos e o coração na leitura tão desastradamente interrompida. D. Benedita ama os romances, é natural; e adora os romances bonitos, é naturalíssimo. Não admira que esqueça tudo para ler este; tudo, até a lição de piano da filha, cujo professor chegou e saiu, sem que ela fosse à sala. Eulália despediu-se do professor; depois foi ao gabinete, abriu a porta, caminhou pé ante pé até o sofá, e acordou a mãe com um beijo.

— Dorminhoca!

— Ainda chove?

— Não, senhora; agora parou.

— A carta foi?

— Foi; mandei o José a toda a pressa. Aposto que mamãe esqueceu-se de dar lembranças a papai? Pois olhe, eu não me esqueço nunca.

D. Benedita bocejou. Já não pensava na carta; pensava no colete que encomendara à Charavel, um colete de barbatanas mais moles do que o último. Não gostava de barbatanas duras; tinha o corpo mui sensível. Eulália falou ainda algum tempo do pai, mas calou-se logo, e vendo no chão o livro aberto, o famoso romance, apanhou-o, fechou-o, pô-lo em cima da mesa. Nesse momento vieram trazer uma carta a D. Benedita; era do cônego Roxo, que mandava perguntar se estavam em casa naquele dia, porque iria ao enterro dos ossos.

— Pois não! bradou D. Benedita; estamos em casa, venha, pode vir.

Eulália escreveu o bilhetinho de resposta. Daí a três quartos de hora fazia o cônego a sua entrada na sala de D. Benedita. Era um bom homem o cônego, velho amigo daquela casa, na qual, além de trinchar o peru nos dias solenes, como vimos, exercia o papel de conselheiro, e exercia-o com lealdade e amor. Eulália, principalmente, merecia-lhe muito; vira-a pequena, galante, travessa, amiga dele, e criou-lhe uma afeição paternal, tão paternal que tomara a peito casá-la bem, e nenhum noivo melhor do que o Leandrinho, pensava o cônego. Naquele dia, a ideia de ir jantar com elas era antes um pretexto; o cônego queria tratar o negócio diretamente com a filha do desembargador. Eulália, ou porque adivinhasse isso mesmo, ou porque a pessoa do cônego lhe lembrasse o Leandrinho, ficou logo preocupada, aborrecida.

Mas, preocupada ou aborrecida, não quer dizer triste ou desconsolada. Era resoluta, tinha têmpera, podia resistir, e resistiu, declarando ao cônego, quando ele naquela noite lhe falou do Leandrinho, que absolutamente não queria casar.

— Palavra de moça bonita?

— Palavra de moça feia.

— Mas, por quê?

— Porque não quero.

— E se mamãe quiser?

— Não quero eu.

— Mau! isso não é bonito, Eulália.

Eulália deixou-se estar. O cônego ainda tornou ao assunto, louvou as qualidades do candidato, as esperanças da família, as vantagens do casamento; ela ouvia tudo, sem contestar nada. Mas quando o cônego formulava de um modo direto a questão, a resposta invariável era esta:

— Já disse tudo.

— Não quer?

— Não.

O desconsolo do bom cônego era profundo e sincero. Queria casá-la bem, e não achava melhor noivo. Chegou a interrogá-la discretamente, sobre se tinha alguma preferência em outra parte. Mas Eulália, não menos discretamente, respondia que não, que não tinha nada; não queria nada; não queria casar. Ele creu que era assim, mas receou também que não fosse assim; faltava-lhe o trato suficiente das mulheres para ler através de uma negativa. Quando referiu tudo a D. Benedita, esta ficou assombrada com os termos da recusa; mas tornou logo a si, e declarou ao padre que a filha não tinha vontade, faria o que ela quisesse, e ela queria o casamento.

— Já agora nem espero resposta do pai, concluiu; declaro-lhe que ela há de casar. Quinta-feira vou jantar com D. Maria dos Anjos, e combinaremos as coisas.

— Devo dizer-lhe, ponderou o cônego, que D. Maria dos Anjos não deseja que se faça nada à força.

— Qual força! Não é preciso força.

O cônego refletiu um instante.

— Em todo caso, não violentaremos qualquer outra afeição que ela possa ter, disse ele.

D. Benedita não respondeu nada; mas consigo, no mais fundo de si mesma, jurou que, houvesse o que houvesse, acontecesse o que acontecesse, a filha seria nora de D. Maria dos Anjos. E ainda consigo, depois de sair o cônego: — Tinha que ver! um tico de gente, com fumaças de governar a casa!

A quinta-feira raiou. Eulália, — o tico de gente, — levantou-se fresca, lépida, loquaz, com todas as janelas da alma abertas ao sopro azul da manhã. A mãe acordou ouvindo um trecho italiano, cheio de melodia; era ela que cantava, alegre, sem afetação, com a indiferença das aves que cantam para si ou para os seus, e não para o poeta, que as ouve e traduz na língua imortal dos homens. D. Benedita afagara muito a ideia de a ver abatida, carrancuda, e gastara uma certa soma de imaginação em compor os seus modos, delinear os seus atos, ostentar energia e força. E nada! Em vez de uma filha rebelde, uma criatura gárrula e submissa. Era começar mal o dia; era sair aparelhada para destruir uma fortaleza, e dar com uma cidade aberta, pacífica, hospedeira, que lhe pedia o favor de entrar e partir o pão da alegria e da concórdia. Era começar o dia muito mal.

A segunda causa do tédio de D. Benedita foi um ameaço de enxaqueca, às três horas da tarde; um ameaço, ou uma suspeita de possibilidade de ameaço. Chegou a transferir a visita, mas a filha ponderou que talvez a visita lhe fizesse bem, e em todo caso, era tarde para deixar de ir. D. Benedita não teve remédio, aceitou o reparo. Ao espelho, penteando-se, esteve quase a dizer que definitivamente ficava; chegou a insinuá-lo à filha.

— Mamãe veja que D. Maria dos Anjos conta com a senhora, disse-lhe Eulália.

— Pois sim, redarguiu a mãe, mas não prometi ir doente.

Enfim, vestiu-se, calçou as luvas, deu as últimas ordens; e devia doer-lhe muito a cabeça, porque os modos eram arrebatados, uns modos de pessoa constrangida ao que não quer. A filha animava-a muito, lembrava-lhe o vidrinho dos sais, instava que saíssem, descrevia a ansiedade de D. Maria dos Anjos, consultava de dois em dois minutos o pequenino relógio, que trazia na cintura, etc. Uma amofinação, realmente.

— O que tu estás é me amofinando, disse-lhe a mãe.

E saiu, saiu exasperada, com uma grande vontade de esganar a filha, dizendo consigo que a pior coisa do mundo era ter filhas. Os filhos ainda vá: criam-se, fazem carreira por si; mas as filhas!

Felizmente, o jantar de D. Maria dos Anjos aquietou-a; e não digo que a enchesse de grande satisfação, porque não foi assim. Os modos de D. Benedita não eram os do costume; eram frios, secos, ou quase secos; ela, porém, explicou de si mesma a diferença, noticiando o ameaço da enxaqueca, notícia mais triste do que alegre, e que, aliás, alegrou a alma de D. Maria dos Anjos, por esta razão fina e profunda: antes a frieza da amiga fosse originada na doença do que na quebra do afeto. Demais, a doença não era grave. E que fosse grave! Não houve naquele dia mãos presas, olhos nos olhos, manjares comidos entre carícias mútuas; não houve nada do jantar de domingo. Um jantar apenas conversado; não alegre, conversado; foi o mais que alcançou o cônego. Amável cônego! As disposições de Eulália, naquele dia, cumularam-no de esperanças; o riso que brincava nela, a maneira expansiva da conversa, a docilidade com que se prestava a tudo, a tocar, a cantar, e o rosto afável, meigo, com que ouvia e falava ao Leandrinho, tudo isso foi para a alma do cônego uma renovação de esperanças. Logo hoje é que D. Benedita estava doente! Realmente, era caiporismo.

D. Benedita reanimou-se um pouco, à noite, depois do jantar. Conversou mais, discutiu um projeto de passeio ao Jardim Botânico, chegou mesmo a propor que fosse logo no dia seguinte; mas Eulália advertiu que era prudente esperar um ou dois dias até que os efeitos da enxaqueca desaparecessem de todo; e o olhar que mereceu à mãe, em troca do conselho, tinha a ponta aguda de um punhal. Mas a filha não tinha medo dos olhos maternos. De noite, ao despentear-se, recapitulando o dia, Eulália repetiu consigo a palavra que lhe ouvimos, dias antes, à janela:

— Isto acaba.

E, satisfeita de si, antes de dormir, puxou uma certa gaveta, tirou uma caixinha, abriu-a, aventou um cartão de alguns centímetros de altura, — um retrato. Não era retrato de mulher, não só por ter bigodes, como por estar fardado; era, quando muito, um oficial de marinha. Se bonito ou feio, é matéria de opinião. Eulália achava-o bonito; a prova é que o beijou, não digo uma vez, mas três. Depois mirou-o, com saudade, tornou a fechá-lo e guardá-lo.

Que fazias tu, mãe cautelosa e ríspida, que não vinhas arrancar às mãos e à boca da filha um veneno tão sutil e mortal? D. Benedita, à janela, olhava a noite, entre as estrelas e os lampiões de gás, com a imaginação vagabunda, inquieta, roída de saudades e desejos. O dia tinha-lhe saído mal, desde manhã. D. Benedita confessava, naquela doce intimidade da alma consigo mesma, que o jantar de D. Maria dos Anjos não prestara para nada, e que a própria amiga não estava provavelmente nos seus dias de costume. Tinha saudades, não sabia bem de que, e desejos, que ignorava. De quando em quando, bocejava ao modo preguiçoso e arrastado dos que caem de sono; mas se alguma coisa tinha era fastio, — fastio, impaciência, curiosidade. D. Benedita cogitou seriamente em ir ter com o marido; e tão depressa a ideia do marido lhe penetrou no cérebro, como se lhe apertou o coração de saudades e remorsos, e o sangue pulou-lhe num tal ímpeto de ir ver o desembargador que, se o paquete do Norte estivesse na esquina da rua e as malas prontas, ela embarcaria logo e logo. Não importa; o paquete devia estar prestes a sair, oito ou dez dias; era o tempo de arranjar as malas. Iria por três meses somente, não era preciso levar muita coisa. Ei-la que se consola da grande cidade fluminense, da similitude dos dias, da escassez das coisas, da persistência das caras, da mesma fixidez das modas, que era um dos seus árduos problemas: — por que é que as modas hão de durar mais de quinze dias?

— Vou, não há que ver, vou ao Pará, disse ela a meia voz.

Com efeito, no dia seguinte, logo de manhã, comunicou a resolução à filha, que a recebeu sem abalo. Mandou ver as malas que tinha, achou que era preciso mais uma, calculou o tamanho, e determinou comprá-la. Eulália, por uma inspiração súbita:

— Mas, mamãe, nós não vamos por três meses?

— Três... ou dois.

— Pois, então, não vale a pena. As duas malas chegam.

— Não chegam.

— Bem; se não chegarem, pode-se comprar na véspera. E mamãe mesmo escolhe; é melhor do que mandar esta gente que não sabe nada.

D. Benedita achou a reflexão judiciosa, e guardou o dinheiro. A filha sorriu para dentro. Talvez repetisse consigo a famosa palavra da janela: — Isto acaba. A mãe foi cuidar dos arranjos, escolha de roupa, lista das coisas que precisava comprar, um presente para o marido, etc. Ah! que alegria que ele ia ter! Depois do meio-dia saíram para fazer encomendas, visitas, comprar as passagens, quatro passagens; levavam uma escrava consigo. Eulália ainda tentou arredá-la da ideia, propondo a transferência da viagem; mas D. Benedita declarou peremptoriamente que não. No escritório da Companhia de Paquetes disseram-lhe que o do Norte saía na sexta-feira da outra semana. Ela pediu as quatro passagens; abriu a carteirinha, tirou uma nota, depois duas, refletiu um instante.

— Basta vir na véspera, não?

— Basta, mas pode não achar mais.

— Bem; o senhor guarde os bilhetes: eu mando buscar.

— O seu nome?

— O nome? O melhor é não tomar o nome; nós viremos três dias antes de sair o vapor. Naturalmente ainda haverá bilhetes.

— Pode ser.

— Há de haver.

Na rua, Eulália observou que era melhor ter comprado logo os bilhetes; e, sabendo-se que ela não desejava ir para o Norte nem para o Sul, salvo na fragata em que embarcasse o original do retrato da véspera, há de supor-se que a reflexão da moça era profundamente maquiavélica. Não digo que não. D. Benedita, entretanto, noticiou a viagem aos amigos e conhecidos, nenhum dos quais a ouviu espantado. Um chegou a perguntar-lhe se, enfim, daquela vez era certo. D. Maria dos Anjos, que sabia da viagem pelo cônego, se alguma coisa a assombrou, quando a amiga se despediu dela, foram as atitudes geladas, o olhar fixo no chão, o silêncio, a indiferença. Uma visita de dez minutos apenas, durante os quais D. Benedita disse quatro palavras no princípio: — Vamos para o Norte. E duas no fim: — Passe bem. E os beijos? Dois tristes beijos de pessoa morta.

IV

A viagem não se fez por um motivo supersticioso. D. Benedita, no domingo à noite, advertiu que o paquete seguia na sexta-feira, e achou que o dia era mau. Iriam no outro paquete. Não foram no outro; mas desta vez os motivos escapam inteiramente ao alcance do olhar humano, e o melhor alvitre em tais casos é não teimar com o impenetrável. A verdade é que D. Benedita não foi, mas iria no terceiro paquete, a não ser um incidente que lhe trocou os planos.

Tinha a filha inventado uma festa e uma amizade nova. A nova amizade era uma família do Andaraí; a festa não se sabe a que propósito foi, mas deve ter sido esplêndida, porque D. Benedita ainda falava dela três dias depois. Três dias! Realmente, era demais. Quanto à família, era impossível ser mais amável; ao menos, a impressão que deixou na alma de D. Benedita foi intensíssima. Uso este superlativo, porque ela mesma o empregou: é um documento humano.

— Aquela gente? Oh! deixou-me uma impressão intensíssima.

E toca a andar para Andaraí, namorada de D. Petronilha, esposa do conselheiro Beltrão, e de uma irmã dela, D. Maricota, que ia casar com um oficial de marinha, irmão de outro oficial de marinha, cujos bigodes, olhos, cara, porte, cabelos, são os mesmos do retrato que o leitor entreviu há tempos na gavetinha de Eulália. A irmã casada tinha trinta e dois anos, e uma seriedade, umas maneiras tão bonitas, que deixaram encantada a esposa do desembargador. Quanto à irmã solteira era uma flor, uma flor de cera, outra expressão de D. Benedita, que não altero com receio de entibiar a verdade.

Um dos pontos mais obscuros desta curiosa história é a pressa com que as relações se travaram, e os acontecimentos se sucederam. Por exemplo, uma das pessoas que estiveram em Andaraí, com D. Benedita, foi o oficial de marinha retratado no cartão particular de Eulália, primeiro-tenente Mascarenhas, que o conselheiro Beltrão proclamou futuro almirante. Vede, porém, a perfídia do oficial: vinha fardado; e D. Benedita, que amava os espetáculos novos, achou-o tão distinto, tão bonito, entre os outros moços à paisana, que o preferiu a todos, e lho disse. O oficial agradeceu comovido. Ela ofereceu-lhe a casa; ele pediu-lhe licença para fazer uma visita.

— Uma visita? Vá jantar conosco.

Mascarenhas fez uma cortesia de aquiescência.

— Olhe, disse D. Benedita, vá amanhã.

Mascarenhas foi, e foi mais cedo. D. Benedita falou-lhe da vida do mar; ele pediu-lhe a filha em casamento. D. Benedita ficou sem voz, pasmada. Lembrou-se, é verdade, que desconfiara dele, um dia, nas Laranjeiras; mas a suspeita acabara. Agora não os vira conversar nem olhar uma só vez. Em casamento! Mas seria mesmo em casamento? Não podia ser outra coisa; a atitude séria, respeitosa, implorativa do rapaz dizia bem que se tratava de um casamento. Que sonho! Convidar um amigo, e abrir a porta a um genro: era o cúmulo do inesperado. Mas o sonho era bonito; o oficial de marinha era um galhardo rapaz, forte, elegante, simpático, metia toda a gente no coração, e principalmente parecia adorá-la, a ela, D. Benedita. Que magnífico sonho! D. Benedita voltou do pasmo, e respondeu que sim, que Eulália era sua. Mascarenhas pegou-lhe na mão e beijou-a filialmente.

— Mas o desembargador? disse ele.

— O desembargador concordará comigo.

Tudo andou assim depressa. Certidões passadas, banhos corridos, marcou-se o dia do casamento; seria vinte e quatro horas depois de recebida a resposta do desembargador. Que alegria a da boa mãe! que atividade no preparo do enxoval, no plano e nas encomendas da festa, na escolha dos convidados, etc.! Ela ia de um lado para outro, ora a pé, ora de carro, fizesse chuva ou sol. Não se detinha no mesmo objeto muito tempo; a semana do enxoval não era a do preparo da festa, nem a das visitas; alternava as coisas, voltava atrás, com certa confusão, é verdade. Mas aí estava a filha para suprir as faltas, corrigir os defeitos, cercear as demasias, tudo com a sua habilidade natural. Ao contrário de todos os noivos, este não as importunava; não jantava todos os dias com elas, segundo lhe pedia a dona da casa; jantava aos domingos, e visitava-as uma vez por semana. Matava as saudades por meio de cartas, que eram contínuas, longas e secretas, como no tempo do namoro. D. Benedita não podia explicar uma tal esquivança, quando ela morria por ele; e então vingava-se da esquisitice, morrendo ainda mais, e dizendo dele por toda a parte as mais belas coisas do mundo.

— Uma pérola! uma pérola!

— E um bonito rapaz, acrescentavam.

— Não é? De truz.

A mesma coisa repetia ao marido nas cartas que lhe mandava, antes e depois de receber a resposta da primeira. A resposta veio; o desembargador deu o seu consentimento, acrescentando que lhe doía muito não poder vir assistir às bodas, por achar-se um tanto adoentado; mas abençoava de longe os filhos, e pedia o retrato do genro.

Cumpriu-se o acordo à risca. Vinte e quatro horas depois de recebida a resposta do Pará efetuou-se o casamento, que foi uma festa admirável, esplêndida, no dizer de D. Benedita, quando a contou a algumas amigas. Oficiou o cônego Roxo, e claro é que D. Maria dos Anjos não esteve presente, e menos ainda o filho. Ela esperou, note-se, até à última hora um bilhete de participação, um convite, uma visita, embora se abstivesse de comparecer; mas não recebeu nada. Estava atônita, revolvia a memória a ver se descobria alguma inadvertência sua que pudesse explicar a frieza das relações; não achando nada, supôs alguma intriga. E supôs mal, pois foi um simples esquecimento. D. Benedita, no dia do consórcio, de manhã, teve ideia de que D. Maria dos Anjos não recebera participação.

— Eulália, parece que não mandamos participação a D. Maria dos Anjos? disse ela à filha, almoçando.

— Não sei; mamãe é quem se incumbiu dos convites.

— Parece que não, confirmou D. Benedita. João, dá cá mais açúcar.

O copeiro deu-lhe o açúcar; ela, mexendo o chá, lembrou-se do carro que iria buscar o cônego e reiterou uma ordem da véspera.

Mas a fortuna é caprichosa. Quinze dias depois do casamento, chegou a notícia do óbito do desembargador. Não descrevo a dor de D. Benedita; foi dilacerante e sincera. Os noivos, que devaneavam na Tijuca, vieram ter com ela; D. Benedita chorou todas as lágrimas de uma esposa austera e fidelíssima. Depois da missa do sétimo dia, consultou a filha e o genro acerca da ideia de ir ao Pará, erigir um túmulo ao marido, e beijar a terra em que ele repousava. Mascarenhas trocou um olhar com a mulher; depois disse à sogra que era melhor irem juntos, porque ele devia seguir para o Norte daí a três meses em comissão do governo. D. Benedita recalcitrou um pouco, mas aceitou o prazo, dando desde logo todas as ordens necessárias à construção do túmulo. O túmulo fez-se; mas a comissão não veio, e D. Benedita não pôde ir.

Cinco meses depois, deu-se um pequeno incidente na família. D. Benedita mandara construir uma casa no caminho da Tijuca, e o genro, com o pretexto de uma interrupção na obra, propôs acabá-la. D. Benedita consentiu, e o ato era tanto mais honroso para ela, quanto que o genro começava a parecer-lhe insuportável com a sua excessiva disciplina, com as suas teimas, impertinências, etc.

Verdadeiramente, não havia teimas; nesse particular, o genro de D. Benedita contava tanto com a sinceridade da sogra que nunca teimava; deixava que ela própria se desmentisse dias depois. Mas pode ser que isto mesmo a mortificasse. Felizmente, o governo lembrou-se de o mandar ao Sul; Eulália, grávida, ficou com a mãe.

Foi por esse tempo que um negociante, viúvo, teve ideia de cortejar D. Benedita. O primeiro ano da viuvez estava passado. D. Benedita acolheu a ideia com muita simpatia, embora sem alvoroço. Defendia-se consigo; alegava a idade e os estudos do filho, que em breve estaria a caminho de São Paulo, deixando-a só, sozinha no mundo. O casamento seria uma consolação, uma companhia. E consigo, na rua ou em casa, nas horas disponíveis, aprimorava o plano com todos os floreios da imaginação vivaz e súbita; era uma vida nova, pois desde muito, antes mesmo da morte do marido, pode-se dizer que era viúva. O negociante gozava do melhor conceito: a escolha era excelente.

Não casou. O genro tornou do Sul, a filha deu à luz um menino robusto e lindo, que foi a paixão da avó durante os primeiros meses. Depois, o genro, a filha e o neto foram para o Norte. D. Benedita achou-se só e triste; o filho não bastava aos seus afetos. A ideia de viajar tornou a rutilar-lhe na mente, mas como um fósforo, que se apaga logo. Viajar sozinha era cansar e aborrecer-se ao mesmo tempo; achou melhor ficar.

Uma companhia lírica, adventícia, sacudiu-lhe o torpor, e restituiu-a à sociedade. A sociedade incutiu-lhe outra vez a ideia do casamento, e apontou-lhe logo um pretendente, desta vez um advogado, também viúvo.

— Casarei? não casarei?

Uma noite, volvendo D. Benedita este problema, à janela da casa de Botafogo, para onde se mudara desde alguns meses, viu um singular espetáculo. Primeiramente uma claridade opaca, espécie de luz coada por um vidro fosco, vestia o espaço da enseada, fronteiro à janela. Nesse quadro apareceu-lhe uma figura vaga e transparente, trajada de névoas, toucada de reflexos, sem contornos definidos, porque morriam todos no ar. A figura veio até ao peitoril da janela de D. Benedita; e de um gesto sonolento, com uma voz de criança, disse-lhe estas palavras sem sentido:

— Casa... não casarás... se casas... casarás... não casarás... e casas... casando...

D. Benedita ficou aterrada, sem poder mexer-se; mas ainda teve a força de perguntar à figura quem era. A figura achou um princípio de riso, mas perdeu-

-o logo; depois respondeu que era a fada que presidira ao nascimento de D. Benedita: Meu nome é Veleidade, concluiu; e, como um suspiro, dispersou-se na noite e no silêncio.

O segredo do Bonzo

Capítulo inédito de Fernão Mendes Pinto[*]

Atrás deixei narrado o que se passou nesta cidade Fuchéu, capital do reino de Bungo, com o padre-mestre Francisco, e de como el-rei se houve com o Fucarandono e outros bonzos, que tiveram por acertado disputar ao padre as primazias da nossa santa religião. Agora direi de uma doutrina não menos curiosa que saudável ao espírito, e digna de ser divulgada a todas as repúblicas da cristandade.

Um dia, andando a passeio com Diogo Meireles, nesta mesma cidade Fuchéu, naquele ano de 1552, sucedeu deparar-se-nos um ajuntamento de povo, à esquina de uma rua, em torno a um homem da terra, que discorria com grande abundância de gestos e vozes. O povo, segundo o esmo mais baixo, seria passan-

---

[*] Numa nota publicada na primeira edição de *Papéis avulsos*, Machado diz que este conto foi escrito "com o fim de supor o capítulo intercalado nas *Peregrinações*, entre os caps. CCXIII e CCXIV". A *Peregrinação* (1614), de Fernão Mendes Pinto (*c.* 1510-83), um dos livros mais célebres da época dos descobrimentos, também é conhecido por ser só parcialmente confiável: daí o famoso trocadilho com o nome do autor: "Fernão: Mentes? Minto". No capítulo CCXIII, termina a história da contenda entre são Francisco Xavier e os bonzos — sacerdotes budistas —, diante do rei de Bungo, no Japão, sobre as verdades da religião cristã. O bonzo Fucarandono, entre outras coisas, afirma a crença na transmigração das almas, dizendo que 1500 anos atrás o santo tinha-lhe comprado "cem picos de seda".

te de cem pessoas, varões somente, e todos embasbacados. Diogo Meireles, que melhor conhecia a língua da terra, pois ali estivera muitos meses, quando andou com bandeira de veniaga (agora ocupava-se no exercício da medicina, que estudara convenientemente, e em que era exímio) ia-me repetindo pelo nosso idioma o que ouvia ao orador, e que em resumo, era o seguinte: — Que ele não queria outra coisa mais do que afirmar a origem dos grilos, os quais procediam do ar e das folhas de coqueiro, na conjunção da lua nova; que este descobrimento, impossível a quem não fosse, como ele, matemático, físico e filósofo, era fruto de dilatados anos de aplicação, experiência e estudo, trabalhos e até perigos de vida; mas enfim, estava feito, e todo redundava em glória do reino de Bungo, e especialmente da cidade Fuchéu, cujo filho era; e, se por ter aventado tão sublime verdade, fosse necessário aceitar a morte, ele a aceitaria ali mesmo, tão certo era que a ciência valia mais do que a vida e seus deleites.

A multidão, tanto que ele acabou, levantou um tumulto de aclamações, que esteve a ponto de ensurdecer-nos, e alçou nos braços o homem, bradando: Patimau, Patimau, viva Patimau que descobriu a origem dos grilos! E todos se foram com ele ao alpendre de um mercador, onde lhe deram refrescos e lhe fizeram muitas saudações e reverências, à maneira deste gentio, que é em extremo obsequioso e cortesão.

Desandando o caminho, vínhamos nós, Diogo Meireles e eu, falando do singular achado da origem dos grilos, quando, a pouca distância daquele alpendre, obra de seis credos, não mais, achamos outra multidão de gente, em outra esquina, escutando a outro homem. Ficamos espantados com a semelhança do caso, e Diogo Meireles, visto que também este falava apressado, repetiu-me da mesma maneira o teor da oração. E dizia este outro, com grande admiração e aplauso da gente que o cercava, que enfim descobrira o princípio da vida futura, quando a terra houvesse de ser inteiramente destruída, e era nada menos que uma certa gota de sangue de vaca; daí provinha a excelência da vaca para habitação das almas humanas, e o ardor com que esse distinto animal era procurado por muitos homens à hora de morrer; descobrimento que ele podia afirmar com fé e verdade, por ser obra de experiências repetidas e profunda cogitação, não desejando nem pedindo outro galardão mais que dar glória ao reino de Bungo e receber dele a estimação que os bons filhos merecem. O povo, que escutara esta fala com muita veneração, fez o mesmo alarido e levou o homem ao dito alpendre, com a diferença que o trepou a uma charola; ali chegando, foi regalado com obséquios iguais aos que faziam a Patimau, não havendo nenhuma distinção entre eles, nem outra competência nos banqueteadores, que não fosse a de dar graças a ambos os banqueteados.

Ficamos sem saber nada daquilo, porque nem nos parecia casual a semelhança exata dos dois encontros, nem racional ou crível a origem dos grilos, dada por Patimau, ou o princípio da vida futura, descoberto por Languru, que assim se chamava o outro. Sucedeu, porém, costearmos a casa de um certo Titané, alparqueiro, o qual correu a falar a Diogo Meireles, de quem era amigo. E, feitos os cumprimentos, em que o alparqueiro chamou as mais galantes coisas a Diogo Meireles, tais como — ouro da verdade e sol do pensamento, — contou-lhe este o que víramos e ouvíramos pouco antes. Ao que Titané acudiu com grande alvoroço: — Pode ser que eles andem cumprindo uma nova doutrina, dizem que inventada por um bonzo de muito saber, morador em umas casas pegadas ao monte Coral. E porque ficássemos cobiçosos de ter alguma notícia da doutrina, consentiu Titané em ir conosco no dia seguinte às casas do bonzo, e acrescentou: — Dizem que ele não a confia a nenhuma pessoa, senão às que de coração se quiserem filiar a ela; e, sendo assim, podemos simular que o queremos unicamente com o fim de a ouvir; e se for boa, chegaremos a praticá-la à nossa vontade.

No dia seguinte, ao modo concertado, fomos às casas do dito bonzo, por nome Pomada, um ancião de cento e oito anos, muito lido e sabido nas letras divinas e humanas, e grandemente aceito a toda aquela gentilidade, e por isso mesmo malvisto de outros bonzos, que se finavam de puro ciúme. E tendo ouvido o dito bonzo a Titané quem éramos e o que queríamos, iniciou-nos primeiro com várias cerimônias e bugiarias necessárias à recepção da doutrina, e só depois dela é que alçou a voz para confiá-la e explicá-la.

— Haveis de entender, começou ele, que a virtude e o saber têm duas existências paralelas, uma no sujeito que as possui, outra no espírito dos que o ouvem ou contemplam. Se puserdes as mais sublimes virtudes e os mais profundos conhecimentos em um sujeito solitário, remoto de todo contato com outros homens, é como se eles não existissem. Os frutos de uma laranjeira, se ninguém os gostar, valem tanto como as urzes e plantas bravias, e, se ninguém os vir, não valem nada; ou, por outras palavras mais enérgicas, não há espetáculo sem espectador. Um dia, estando a cuidar nestas coisas, considerei que, para o fim de alumiar um pouco o entendimento, tinha consumido os meus longos anos, e, aliás, nada chegaria a valer sem a existência de outros homens que me vissem e hon-

O SEGREDO DO BONZO 121

rassem; então cogitei se não haveria um modo de obter o mesmo efeito, poupando tais trabalhos, e esse dia posso agora dizer que foi o da regeneração dos homens, pois me deu a doutrina salvadora.

Neste ponto, afiamos os ouvidos e ficamos pendurados da boca do bonzo, o qual, como lhe dissesse Diogo Meireles que a língua da terra me não era familiar, ia falando com grande pausa, porque eu nada perdesse. E continuou dizendo: — Mal podeis adivinhar o que me deu ideia da nova doutrina; foi nada menos que a pedra da lua, essa insigne pedra tão luminosa que, posta no cabeço de uma montanha ou no píncaro de uma torre, dá claridade a uma campina inteira, ainda a mais dilatada. Uma tal pedra, com tais quilates de luz, não existiu nunca, e ninguém jamais a viu; mas muita gente crê que existe e mais de um dirá que a viu com os seus próprios olhos. Considerei o caso, e entendi que, se uma coisa pode existir na opinião, sem existir na realidade, e existir na realidade, sem existir na opinião, a conclusão é que das duas existências paralelas a única necessária é a da opinião, não a da realidade, que é apenas conveniente. Tão depressa fiz este achado especulativo, como dei graças a Deus do favor especial, e determinei-me a verificá-lo por experiências; o que alcancei, em mais de um caso, que não relato, por vos não tomar o tempo. Para compreender a eficácia do meu sistema, basta advertir que os grilos não podem nascer do ar e das folhas de coqueiro, na conjunção da lua nova, e por outro lado, o princípio da vida futura não está em uma certa gota de sangue de vaca; mas Patimau e Languru, varões astutos, com tal arte souberam meter estas duas ideias no ânimo da multidão, que hoje desfrutam a nomeada de grandes físicos e maiores filósofos, e têm consigo pessoas capazes de dar a vida por eles.

Não sabíamos em que maneira déssemos ao bonzo as mostras do nosso vivo contentamento e admiração. Ele interrogou-nos ainda algum tempo, compridamente, acerca da doutrina e dos fundamentos dela, e depois de reconhecer que a entendíamos, incitou-nos a praticá-la, a divulgá-la cautelosamente, não porque houvesse nada contrário às leis divinas ou humanas, mas porque a má compreensão dela podia daná-la e perdê-la em seus primeiros passos; enfim, despediu-se de nós com a certeza (são palavras suas) de que abalávamos dali com a verdadeira alma de pomadistas; denominação esta que, por se derivar do nome dele, lhe era em extremo agradável.

Com efeito, antes de cair a tarde, tínhamos os três combinado em pôr por obra uma ideia tão judiciosa quão lucrativa, pois não é só lucro o que se pode ha-

122   MACHADO DE ASSIS

ver em moeda, senão também o que traz consideração e louvor, que é outra e melhor espécie de moeda, conquanto não dê para comprar damascos ou chaparias de ouro. Combinamos, pois, à guisa de experiência, meter cada um de nós, no ânimo da cidade Fuchéu, uma certa convicção, mediante a qual houvéssemos os mesmos benefícios que desfrutavam Patimau e Languru; mas, tão certo é que o homem não olvida o seu interesse, entendeu Titané que lhe cumpria lucrar de duas maneiras, cobrando da experiência ambas as moedas, isto é, vendendo também as suas alparcas: ao que nos não opusemos, por nos parecer que nada tinha isso com o essencial da doutrina.

Consistiu a experiência de Titané em uma coisa que não sei como diga para que a entendam. Usam neste reino de Bungo, e em outros destas remotas partes, um papel feito de casca de canela moída e goma, obra mui prima, que eles talham depois em pedaços de dois palmos de comprimento, e meio de largura, nos quais desenham com vivas e variadas cores, e pela língua do país, as notícias da semana, políticas, religiosas, mercantis e outras, as novas leis do reino, os nomes das fustas, lancharas, balões e toda a casta de barcos que navegam estes mares, ou em guerra, que a há frequente, ou de veniaga. E digo as notícias da semana, porque as ditas folhas são feitas de oito em oito dias, em grande cópia, e distribuídas ao gentio da terra, a troco de uma espórtula, que cada um dá de bom grado para ter as notícias primeiro que os demais moradores. Ora, o nosso Titané não quis melhor esquina que este papel, chamado pela nossa língua *Vida e claridade das coisas mundanas e celestes*, título expressivo, ainda que um tanto derramado. E, pois, fez inserir no dito papel que acabavam de chegar notícias frescas de toda a costa de Malabar e da China, conforme as quais não havia outro cuidado que não fossem as famosas alparcas dele Titané; que estas alparcas eram chamadas as primeiras do mundo, por serem mui sólidas e graciosas; que nada menos de vinte e dois mandarins iam requerer ao imperador para que, em vista do esplendor das famosas alparcas de Titané, as primeiras do universo, fosse criado o título honorífico de "alparca do Estado", para recompensa dos que se distinguissem em qualquer disciplina do entendimento; que eram grossíssimas as encomendas feitas de todas as partes, às quais ele Titané ia acudir, menos por amor ao lucro do que pela glória que dali provinha à nação; não recuando, todavia, do propósito em que estava e ficava de dar de graça aos pobres do reino umas cinquenta corjas das ditas alparcas, conforme já fizera declarar a el-rei e o repetia agora; enfim, que apesar da primazia no fabrico das alparcas assim reconhecida

O SEGREDO DO BONZO   123

em toda a terra, ele sabia os deveres da moderação, e nunca se julgaria mais do que um obreiro diligente e amigo da glória do reino de Bungo.

A leitura desta notícia comoveu naturalmente a toda a cidade Fuchéu, não se falando em outra coisa durante toda aquela semana. As alparcas de Titané, apenas estimadas, começaram de ser buscadas com muita curiosidade e ardor, e ainda mais nas semanas seguintes, pois não deixou ele de entreter a cidade, durante algum tempo, com muitas e extraordinárias anedotas acerca da sua mercadoria. E dizia-nos com muita graça: — Vede que obedeço ao principal da nossa doutrina, pois não estou persuadido da superioridade das tais alparcas, antes as tenho por obra vulgar, mas fi-lo crer ao povo, que as vem comprar agora, pelo preço que lhes taxo. — Não me parece, atalhei, que tenhais cumprido a doutrina em seu rigor e substância, pois não nos cabe inculcar aos outros uma opinião que não temos, e sim a opinião de uma qualidade que não possuímos; este é, ao certo, o essencial dela.

Dito isto, assentaram os dois que era a minha vez de tentar a experiência, o que imediatamente fiz; mas deixo de a relatar em todas as suas partes, por não demorar a narração da experiência de Diogo Meireles, que foi a mais decisiva das três, e a melhor prova desta deliciosa invenção do bonzo. Direi somente que, por algumas luzes que tinha de música e charamela, em que aliás era mediano, lembrou-me congregar os principais de Fuchéu para que me ouvissem tanger o instrumento; os quais vieram, escutaram e foram-se repetindo que nunca antes tinham ouvido coisa tão extraordinária. E confesso que alcancei um tal resultado com o só recurso dos ademanes, da graça em arquear os braços para tomar a charamela, que me foi trazida em uma bandeja de prata, da rigidez do busto, da unção com que alcei os olhos ao ar, e do desdém e ufania com que os baixei à mesma assembleia, a qual neste ponto rompeu em um tal concerto de vozes e exclamações de entusiasmo, que quase me persuadiu do meu merecimento.

Mas, como digo, a mais engenhosa de todas as nossas experiências, foi a de Diogo Meireles. Lavrava então na cidade uma singular doença, que consistia em fazer inchar os narizes, tanto e tanto, que tomavam metade e mais da cara ao paciente, e não só a punham horrenda, senão que era molesto carregar tamanho peso. Conquanto os físicos da terra propusessem extrair os narizes inchados, para alívio e melhoria dos enfermos, nenhum destes consentia em prestar-se ao curativo, preferindo o excesso à lacuna, e tendo por mais aborrecível que nenhuma outra coisa a ausência daquele órgão. Neste apertado lance, mais de um recorria

124   MACHADO DE ASSIS

à morte voluntária, como um remédio, e a tristeza era muita em toda a cidade Fuchéu. Diogo Meireles, que desde algum tempo praticava a medicina, segundo ficou dito atrás, estudou a moléstia e reconheceu que não havia perigo em desnarigar os doentes, antes era vantajoso por lhes levar o mal, sem trazer fealdade, pois tanto valia um nariz disforme e pesado como nenhum; não alcançou, todavia, persuadir os infelizes ao sacrifício. Então ocorreu-lhe uma graciosa invenção. Assim foi que, reunindo muitos físicos, filósofos, bonzos, autoridades e povo, comunicou-lhes que tinha um segredo para eliminar o órgão; e esse segredo era nada menos que substituir o nariz achacado por um nariz são, mas de pura natureza metafísica, isto é, inacessível aos sentidos humanos, e contudo tão verdadeiro ou ainda mais do que o cortado; cura esta praticada por ele em várias partes, e muito aceita aos físicos de Malabar. O assombro da assembleia foi imenso, e não menor a incredulidade de alguns, não digo de todos, sendo que a maioria não sabia que acreditasse, pois se lhe repugnava a metafísica do nariz, cedia entretanto à energia das palavras de Diogo Meireles, ao tom alto e convencido com que ele expôs e definiu o seu remédio. Foi então que alguns filósofos, ali presentes, um tanto envergonhados do saber de Diogo Meireles, não quiseram ficar-lhe atrás, e declararam que havia bons fundamentos para uma tal invenção, visto não ser o homem todo outra coisa mais do que um produto da idealidade transcendental; donde resultava que podia trazer, com toda a verossimilhança, um nariz metafísico, e juravam ao povo que o efeito era o mesmo.

A assembleia aclamou a Diogo Meireles; e os doentes começaram de buscá-lo, em tanta cópia, que ele não tinha mãos a medir. Diogo Meireles desnarigava-os com muitíssima arte; depois estendia delicadamente os dedos a uma caixa, onde fingia ter os narizes substitutos, colhia um e aplicava-o ao lugar vazio. Os enfermos, assim curados e supridos, olhavam uns para os outros, e não viam nada no lugar do órgão cortado; mas, certos e certíssimos de que ali estava o órgão substituto, e que este era inacessível aos sentidos humanos, não se davam por defraudados, e tornavam aos seus ofícios. Nenhuma outra prova quero da eficácia da doutrina e do fruto dessa experiência, senão o fato de que todos os desnarigados de Diogo Meireles continuaram a prover-se dos mesmos lenços de assoar. O que tudo deixo relatado para glória do bonzo e benefício do mundo.

O anel de Polícrates

A

Lá vai o Xavier.

Z

Conhece o Xavier?

A

Há que anos! Era um nababo, rico, podre de rico, mas pródigo...

Z

Que rico? que pródigo?

A

Rico e pródigo, digo-lhe eu. Bebia pérolas diluídas em néctar. Comia línguas de rouxinol. Nunca usou papel mata-borrão, por achá-lo vulgar e mercantil; empregava areia nas cartas, mas uma certa areia feita de pó de diamante. E mulheres! Nem toda a pompa de Salomão pode dar ideia do que era o Xavier nesse particular. Tinha um serralho: a linha grega, a tez romana, a exuberância turca, todas as perfeições de uma raça, todas as prendas de um clima, tudo era admitido no harém do Xavier. Um dia enamorou-se loucamente de uma senhora de alto coturno, e enviou-lhe de mimo três estrelas do Cruzeiro, que então contava sete, e não pense que o portador foi aí qualquer pé-rapado. Não, senhor. O portador foi um dos arcanjos de Milton, que o Xavier chamou na ocasião em que ele cortava o azul para levar a admiração dos homens ao seu velho pai inglês. Era assim o Xavier. Capeava os cigarros com um papel de cristal, obra finíssima, e, para acendê-los, trazia consigo uma caixinha de raios do sol. As colchas da cama eram nuvens purpúreas, e assim também a esteira que forrava o sofá de repouso, a poltrona da secretária e a rede. Sabe quem lhe fazia o café, de manhã? A Aurora, com aqueles mesmos dedos cor-de-rosa, que Homero lhe pôs. Pobre Xavier! Tudo o que o capricho e a riqueza podem dar, o raro, o esquisito, o maravilhoso, o indescritível, o inimaginável, tudo teve e devia ter, porque era um galhardo rapaz, e um bom coração. Ah! fortuna, fortuna! Onde estão agora as pérolas, os diamantes, as estrelas, as nuvens purpúreas? Tudo perdeu, tudo deixou ir por água abaixo; o néctar virou zurrapa, os coxins são a pedra dura da rua, não manda estrelas às senhoras, nem tem arcanjos às suas ordens...

Z

Você está enganado. O Xavier? Esse Xavier há de ser outro. O Xavier nababo! Mas o Xavier que ali vai nunca teve mais de duzentos mil-réis mensais; é um homem poupado, sóbrio, deita-se com as galinhas, acorda com os galos, e não escreve cartas a namoradas, porque não as tem. Se alguma expede aos amigos é pelo correio. Não é mendigo, nunca foi nababo.

A

Creio; esse é o Xavier exterior. Mas nem só de pão vive o homem. Você fala de Marta, eu falo-lhe de Maria; falo do Xavier especulativo...

Z

Ah! — Mas ainda assim, não acho explicação; não me consta nada dele. Que livro, que poema, que quadro...

A

Desde quando o conhece?

Z

Há uns quinze anos.

A

Upa! Conheço-o há muito mais tempo, desde que ele estreou na rua do Ouvidor, em pleno marquês de Paraná.* Era um endiabrado, um derramado, planeava todas as coisas possíveis, e até contrárias, um livro, um discurso, um medicamento, um jornal, um poema, um romance, uma história, um libelo político, uma viagem à Europa, outra ao sertão de Minas, outra à lua, em certo balão que inventara, uma candidatura política, e arqueologia, e filosofia, e teatro, etc., etc., etc. Era um saco de espantos. Quem conversava com ele sentia vertigens. Imagine uma cachoeira de ideias e imagens, qual mais original, qual mais bela, às vezes extravagante, às vezes sublime. Note que ele tinha a convicção dos seus mesmos inventos. Um dia, por exemplo, acordou com o plano de arrasar o morro do Castelo, a troco das riquezas que os jesuítas ali deixaram, segundo o povo crê. Calculou-as logo em mil contos, inventariou-as com muito cuidado, separou o que era moeda, mil contos, do que eram obras de arte e pedrarias; descreveu minuciosamente os objetos, deu-me dois tocheiros de ouro...

---

* Ou seja, durante o ministério da "Conciliação" (1853-6), de Honório Hermeto Carneiro Leão, marquês de Paraná. Esse período, de *boom* econômico, foi frequentemente associado ao nome do marquês.

Z

Realmente...

A

Ah! impagável. Quer saber de outra? Tinha lido as cartas do cônego Benigno,* e resolveu ir logo ao sertão da Bahia, procurar a cidade misteriosa. Expôs-me o plano, descreveu-me a arquitetura provável da cidade, os templos, os palácios, gênero etrusco, os ritos, os vasos, as roupas, os costumes...

Z

Era então doido?

A

Originalão apenas. Odeio os carneiros de Panúrgio, dizia ele, citando Rabelais: *Comme vous sçavez estre du mouton le naturel, tousjours suivre le premier, quelque part qu'il aille.*** Comparava a trivialidade a uma mesa redonda de hospedaria, e jurava que antes comer um mau bife em mesa separada.

---

* O cônego Benigno José de Carvalho e Cunha (1789-?), português miguelista que se radicou na Bahia e no Rio de Janeiro, é autor, entre outras obras, de uma "Memória sobre a situação da antiga cidade abandonada, que se diz descoberta nos sertões do Brasil por certos aventureiros em 1753, na conformidade da relação por eles escrita", publicada na *Revista do Instituto Histórico e Geográfico Brasileiro*, vol. III (1839), pp. 197-203. É bem provável que Machado a tenha lido nessa fonte.

** Citação do capítulo 8 do livro 4 de *Pantagruel*, de François Rabelais (*c.* 1494-1553). No episódio dos carneiros de Panúrgio, este tem uma discussão com um negociante. Para vingar-se de um agravo, compra um de seus carneiros e lança-o ao mar. Atraído pelos balidos do carneiro, o rebanho inteiro o segue. A citação significa: "Como sabeis, é natural ao carneiro sempre seguir o primeiro, aonde quer que vá".

Z

Entretanto, gostava da sociedade.

A

Gostava da sociedade, mas não amava os sócios. Um amigo nosso, o Pires, fez-lhe um dia esse reparo; e sabe o que é que ele respondeu? Respondeu com um apólogo, em que cada sócio figurava ser uma cuia d'água, e a sociedade uma banheira. — Ora, eu não posso lavar-me em cuias d'água, foi a sua conclusão.

Z

Nada modesto. Que lhe disse o Pires?

A

O Pires achou o apólogo tão bonito que o meteu numa comédia, daí a tempos. Engraçado é que o Xavier ouviu o apólogo no teatro e aplaudiu-o muito, com entusiasmo; esquecera-se da paternidade; mas a voz do sangue... Isto leva-me à explicação da atual miséria do Xavier.

Z

É verdade, não sei como se possa explicar que um nababo...

A

Explica-se facilmente. Ele espalhava ideias à direita e à esquerda, como o céu chove, por uma necessidade física, e ainda por duas razões. A primeira é que era impaciente, não sofria a gestação indispensável à obra escrita. A segunda é que varria com os olhos uma linha tão vasta de coisas, que mal poderia fixar-se em qualquer delas. Se não tivesse o verbo fluente, morreria de congestão mental; a palavra era um derivativo. As páginas que então falava, os capítulos que lhe borbotavam da boca, só precisavam de uma arte de os imprimir no ar, e depois no papel, para serem páginas e capítulos excelentes, alguns admiráveis. Nem tudo era límpido; mas a porção límpida superava a porção turva, como a vigília de Homero paga os seus cochilos. Espalhava tudo, ao acaso, às mãos cheias, sem ver onde as sementes iam cair; algumas pegavam logo...

Z

Como a das cuias.

A

Como a das cuias. Mas, o semeador tinha a paixão das coisas belas, e, uma vez que a árvore fosse pomposa e verde, não lhe perguntava nunca pela semente sua mãe. Viveu assim longos anos, despendendo à toa, sem cálculo, sem fruto, de noite e de dia, na rua e em casa, um verdadeiro pródigo. Com tal regime, que era a ausência de regime, não admira que ficasse pobre e miserável. Meu amigo, a imaginação e o espírito têm limites; a não ser a famosa botelha dos saltimbancos e a credulidade dos homens, nada conheço inesgotável debaixo do sol. O Xavier não só perdeu as ideias que tinha, mas até exauriu a faculdade de as criar; ficou o que sabemos. Que moeda rara se lhe vê hoje nas mãos? que sestércio de Horácio? que dracma de Péricles? Nada. Gasta o seu lugar-comum, rafado das mãos dos outros, come à mesa redonda, fez-se trivial, chocho...

Z

Cuia, enfim.

A

Justamente: cuia.

Z

Pois muito me conta. Não sabia nada disso. Fico inteirado; adeus.

O ANEL DE POLÍCRATES 131

A

Vai a negócio?

Z

Vou a um negócio.

A

Dá-me dez minutos?

Z

Dou-lhe quinze.

A

Quero referir-lhe a passagem mais interessante da vida do Xavier. Aceite o meu braço, e vamos andando. Vai para a praça? Vamos juntos. Um caso interessantíssimo. Foi ali por 1869 ou 70, não me recordo; ele mesmo é que me contou. Tinha perdido tudo; trazia o cérebro gasto, chupado, estéril, sem a sombra de um conceito, de uma imagem, nada. Basta dizer que um dia chamou rosa a uma senhora, — "uma bonita rosa"; falava do luar saudoso, do sacerdócio da imprensa, dos jantares opíparos, sem acrescentar ao menos um relevo qualquer a toda essa chaparia de algibebe. Começara a ficar hipocondríaco; e, um dia, estando à janela, triste, desabusado das coisas, vendo-se chegado a nada, aconteceu passar na rua um taful a cavalo. De repente, o cavalo corcoveou, e o taful veio quase ao chão; mas sustentou-se, e meteu as esporas e o chicote no animal; este empina-se, ele teima; muita gente parada na rua e nas portas; no fim de dez minutos de luta, o cavalo cedeu e continuou a marcha. Os espectadores não se fartaram de admirar o garbo, a coragem, o sangue-frio, a arte do cavaleiro. Então o Xavier, consigo, imaginou que talvez o cavaleiro não tivesse ânimo nenhum; não quis cair diante de gente, e isso lhe deu a força de domar o cavalo. E daí veio uma ideia: comparou a vida a um cavalo xucro ou manhoso; e acrescentou sentenciosamente: Quem não for cavaleiro, que o pareça. Realmente, não era uma ideia extraordinária; mas a penúria do Xavier tocara a tal extremo, que esse cristal pareceu-lhe um diamante. Ele repetiu-a dez ou doze vezes, formulou-a de vários modos, ora na ordem natural, pondo primeiro a definição, depois o complemento; ora dando-lhe a marcha inversa, trocando palavras, medindo-as, etc.; e tão alegre, tão alegre como casa de pobre em dia de peru. De noite, sonhou que efetivamente montava um cavalo manhoso, que este pinoteava com ele e o sacudia a um brejo. Acordou triste; a manhã, que era de domingo e chuvosa, ainda mais o entristeceu; meteu-se a ler e a cismar. Então lembrou-se... Conhece o caso do anel de Polícrates?

Z

Francamente, não.

A

Nem eu; mas aqui vai o que me disse o Xavier. Polícrates governava a ilha de Samos. Era o rei mais feliz da terra; tão feliz, que começou a recear alguma viravolta da Fortuna, e, para aplacá-la antecipadamente, determinou fazer um grande sacrifício: deitar ao mar o anel precioso que, segundo alguns, lhe servia de sinete. Assim fez; mas a Fortuna andava tão apostada em cumulá-lo de obséquios, que o anel foi engolido por um peixe, o peixe pescado e mandado para a cozinha do rei, que assim voltou à posse do anel. Não afirmo nada a respeito desta anedota; foi ele quem me contou, citando Plínio, citando...*

Z

Não ponha mais na carta. O Xavier naturalmente comparou a vida, não a um cavalo, mas...

* A história do anel de Polícrates está contada, entre outros lugares, em Plínio, o Velho (*História natural*, XXXIII, capítulo 6).

A

Nada disso. Não é capaz de adivinhar o plano estrambótico do pobre-diabo. Experimentemos a fortuna, disse ele; vejamos se a minha ideia, lançada ao mar, pode tornar ao meu poder, como o anel de Polícrates, no bucho de algum peixe, ou se o meu caiporismo será tal, que nunca mais lhe ponha a mão.

Z

Ora essa!

A

Não é estrambótico? Polícrates experimentara a felicidade; o Xavier quis tentar o caiporismo; intenções diversas, ação idêntica. Saiu de casa, encontrou um amigo, travou conversa, escolheu assunto, e acabou dizendo o que era a vida, um cavalo xucro ou manhoso, e quem não for cavaleiro que o pareça. Dita assim, esta frase era talvez fria; por isso o Xavier teve o cuidado de descrever primeiro a sua tristeza, o desconsolo dos anos, o malogro dos esforços, ou antes os efeitos da imprevidência, e quando o peixe ficou de boca aberta, digo, quando a comoção do amigo chegou ao cume, foi que ele lhe atirou o anel, e fugiu a meter-se em casa. Isto que lhe conto é natural, crê-se, não é impossível; mas agora começa a juntar-se à realidade uma alta dose de imaginação. Seja o que for, repito o que ele me disse. Cerca de três semanas depois, o Xavier jantava pacificamente no *Leão de Ouro* ou no *Globo*, não me lembro bem, e ouviu de outra mesa a mesma frase sua, talvez com a troca de um adjetivo. "Meu pobre anel, disse ele, eis-te enfim no peixe de Polícrates." Mas a ideia bateu as asas e voou, sem que ele pudesse guardá-la na memória. Resignou-se. Dias depois, foi convidado a um baile: era um antigo companheiro dos tempos de rapaz, que celebrava a sua recente distinção nobiliária. O Xavier aceitou o convite, e foi ao baile, e ainda bem que foi, porque entre o sorvete e o chá ouviu de um grupo de pessoas que louvavam a carreira do barão, a sua vida próspera, rígida, modelo, ouviu comparar o barão a um cavaleiro emérito. Pasmo dos ouvintes, porque o barão não montava a cavalo. Mas o panegirista explicou que a vida não é mais do que um cavalo xucro ou manhoso, sobre o qual ou se há de ser cavaleiro ou parecê-lo, e o barão era-o excelente. "— Entra, meu querido anel, disse o Xavier, entra no dedo de Polícrates." Mas de novo a ideia bateu as asas, sem querer ouvi-lo. Dias depois...

Z

Adivinho o resto: uma série de encontros e fugas do mesmo gênero.

A

Justo.

Z

Mas, enfim, apanhou-o um dia.

A

Um dia só, e foi então que me contou o caso digno de memória. Tão contente que ele estava nesse dia! Jurou-me que ia escrever, a propósito disto, um conto fantástico, à maneira de Edgar Poe, uma página fulgurante, pontuada de mistérios, — são as suas próprias expressões; — e pediu-me que o fosse ver no dia seguinte. Fui; o anel fugira-lhe outra vez. "Meu caro A, disse-me ele, com um sorriso fino e sarcástico, tens em mim o Polícrates do caiporismo, nomeio-te meu ministro honorário e gratuito." Daí em diante foi sempre a mesma coisa. Quando ele supunha pôr a mão em cima da ideia, ela batia as asas, plás, plás, plás, e perdia-se no ar, como as figuras de um sonho. Outro peixe a engolia e trazia, e sempre o mesmo desenlace. Mas dos casos que ele me contou naquele dia, quero dizer-lhe três...

Z

Não posso; lá se vão os quinze minutos.

A

Conto-lhe só três. Um dia, o Xavier chegou a crer que podia enfim agarrar a fugitiva, e fincá-la perpetuamente no cérebro. Abriu um jornal de oposição, e leu estupefato estas palavras: "O ministério parece ignorar que a política é, como a vida, um cavalo xucro ou manhoso, e, não podendo ser bom cavaleiro, porque nunca o foi, devia ao menos parecer que o é". — "Ah! enfim! exclamou o Xavier, cá estás engastado no bucho do peixe; já me não podes fugir." Mas, em vão! a ideia fugia-lhe, sem deixar outro vestígio mais do que uma confusa reminiscência. Sombrio, desesperado, começou a andar, a andar, até que a noite caiu; passando por um teatro, entrou; muita gente, muitas luzes, muita alegria; o coração aquietou-se-lhe. Cúmulo de benefícios; era uma comédia do Pires, uma comédia nova. Sentou-se ao pé do autor, aplaudiu a obra com entusiasmo, com sincero amor de artista e de irmão. No segundo ato, cena VIII, estremeceu. "D. Eugênia, diz o galã a uma senhora, o cavalo pode ser comparado à vida, que é também um cavalo xucro ou manhoso; quem não for bom cavaleiro, deve cuidar de parecer que o é." O autor, com o olhar tímido, espiava no rosto do Xavier o efeito daquela reflexão, enquanto o Xavier repetia a mesma súplica das outras vezes: — "Meu querido anel..."

Z

Et nunc et semper...* Venha o último encontro, que são horas.

A

O último foi o primeiro. Já lhe disse que o Xavier transmitira a ideia a um amigo. Uma semana depois da comédia cai o amigo doente, com tal gravidade que em quatro dias estava à morte. O Xavier corre a vê-lo; e o infeliz ainda o pôde conhecer, estender-lhe a mão fria e trêmula, cravar-lhe um longo olhar baço da última hora, e, com a voz sumida, eco do sepulcro, soluçar-lhe: "Cá vou, meu Caro Xavier, o cavalo xucro ou manhoso da vida deitou-me ao chão: se fui mau cavaleiro, não sei; mas forcejei por parecê-lo bom". Não se ria; ele contou-me

---

* *Et nunc et semper:* "e agora e sempre" (Mateus, 5:9).

isto com lágrimas. Contou-me também que a ideia ainda esvoaçou alguns minutos sobre o cadáver, faiscando as belas asas de cristal, que ele cria ser diamante; depois estalou um risinho de escárnio, ingrato e parricida, e fugiu como das outras vezes, metendo-se no cérebro de alguns sujeitos, amigos da casa, que ali estavam, transidos de dor, e recolheram com saudade esse pio legado do defunto. Adeus.

O empréstimo

Vou divulgar uma anedota, mas uma anedota no genuíno sentido do vocábulo, que o vulgo ampliou às historietas de pura invenção. Esta é verdadeira; podia citar algumas pessoas que a sabem tão bem como eu. Nem ela andou recôndita, senão por falta de um espírito repousado, que lhe achasse a filosofia. Como deveis saber, há em todas as coisas um sentido filosófico. Carlyle descobriu o dos coletes, ou, mais propriamente, o do vestuário;* e ninguém ignora que os números, muito antes da loteria do Ipiranga, formavam o sistema de Pitágoras. Pela minha parte creio ter decifrado este caso de empréstimo; ides ver se me engano.

E, para começar, emendemos Sêneca.** Cada dia, ao parecer daquele moralista, é, em si mesmo, uma vida singular; por outros termos, uma vida dentro da vida. Não digo que não; mas por que não acrescentou ele, que muitas vezes uma só hora é a representação de uma vida inteira? Vede este rapaz: entra no mundo com uma grande ambição, uma pasta de ministro, um banco, uma coroa de

---

* *Thomas Carlyle* (1795-1881): historiador e ensaísta escocês muito lido no século passado, autor de *Sartor Resartus* (1836), obra autobiográfica sob a forma de uma satírica "filosofia da roupa", supostamente de autoria de um alemão, Herr Teufelsdröckh.

** *Sêneca* (c. 4 a. C.-65 d. C.): filósofo estoico romano, autor de várias obras moralizantes.

visconde, um báculo pastoral. Aos cinquenta anos, vamos achá-lo simples apontador de alfândega, ou sacristão da roça. Tudo isso que se passou em trinta anos, pode algum Balzac metê-lo em trezentas páginas; por que não há de a vida, que foi a mestra de Balzac, apertá-lo em trinta ou sessenta minutos?

Tinham batido quatro horas no cartório do tabelião Vaz Nunes, à rua do Rosário. Os escreventes deram ainda as últimas penadas: depois limparam as penas de ganso na ponta de seda preta que pendia da gaveta ao lado; fecharam as gavetas, concertaram os papéis, arrumaram os autos e os livros, lavaram as mãos; alguns que mudavam de paletó à entrada, despiram o do trabalho e enfiaram o da rua; todos saíram. Vaz Nunes ficou só.

Este honesto tabelião era um dos homens mais perspicazes do século. Está morto: podemos elogiá-lo à vontade. Tinha um olhar de lanceta, cortante e agudo. Ele adivinhava o caráter das pessoas que o buscavam para escriturar os seus acordos e resoluções; conhecia a alma de um testador muito antes de acabar o testamento; farejava as manhas secretas e os pensamentos reservados. Usava óculos, como todos os tabeliães de teatro; mas, não sendo míope, olhava por cima deles, quando queria ver, e através deles, se pretendia não ser visto. Finório como ele só, diziam os escreventes. Em todo o caso, circunspecto. Tinha cinquenta anos, era viúvo, sem filhos, e, para falar como alguns outros serventuários, roía muito caladinho os seus duzentos contos de réis.

— Quem é? perguntou ele de repente, olhando para a porta da rua.

Estava à porta, parado na soleira, um homem que ele não conheceu logo, e mal pôde reconhecer daí a pouco. Vaz Nunes pediu-lhe o favor de entrar; ele obedeceu, cumprimentou-o, estendeu-lhe a mão, e sentou-se na cadeira ao pé da mesa. Não trazia o acanho natural a um pedinte; ao contrário, parecia que não vinha ali senão para dar ao tabelião alguma coisa preciosíssima e rara. E, não obstante, Vaz Nunes estremeceu e esperou.

— Não se lembra de mim?

— Não me lembro...

— Estivemos juntos uma noite, há alguns meses, na Tijuca... Não se lembra? Em casa do Teodorico, aquela grande ceia de Natal; por sinal que lhe fiz uma saúde...Veja se se lembra do Custódio.

— Ah!

Custódio endireitou o busto, que até então inclinara um pouco. Era um homem de quarenta anos. Vestia pobremente, mas escovado, apertado, correto. Usava unhas longas, curadas com esmero, e tinha as mãos muito bem talhadas, macias, ao contrário da pele do rosto, que era agreste. Notícias mínimas, e aliás necessárias ao complemento de um certo ar duplo que distinguia este homem, um ar de pedinte e general. Na rua, andando, sem almoço e sem vintém, parecia levar após si um exército. A causa não era outra mais do que o contraste entre a natureza e a situação, entre a alma e a vida. Esse Custódio nascera com a vocação da riqueza, sem a vocação do trabalho. Tinha o instinto das elegâncias, o amor do supérfluo, da boa chira, das belas damas, dos tapetes finos, dos móveis raros, um voluptuoso, e, até certo ponto, um artista, capaz de reger a vila Torloni ou a galeria Hamilton.* Mas não tinha dinheiro; nem dinheiro, nem aptidão ou pachorra de o ganhar; por outro lado, precisava viver. *Il faut bien que je vive*, dizia um pretendente ao ministro Talleyrand. *Je n'en vois pas la nécessité*, redarguiu friamente o ministro.** Ninguém dava essa resposta ao Custódio; davam-lhe dinheiro, um dez, outro cinco, outro vinte mil-réis, e de tais espórtulas é que ele principalmente tirava o albergue e a comida.

Digo que principalmente vivia delas, porque o Custódio não recusava meter-se em alguns negócios, com a condição de os escolher, e escolhia sempre os que não prestavam para nada. Tinha o faro das catástrofes. Entre vinte empresas, adivinhava logo a insensata, e metia ombros a ela, com resolução. O caiporismo, que o perseguia, fazia com que as dezenove prosperassem, e a vigésima lhe estourasse nas mãos. Não importa; aparelhava-se para outra.

Agora, por exemplo, leu um anúncio de alguém que pedia um sócio, com cinco contos de réis, para entrar em certo negócio, que prometia dar, nos primeiros seis meses, oitenta a cem contos de lucro. Custódio foi ter com o anunciante. Era uma grande ideia, uma fábrica de agulhas, indústria nova, de imenso futuro. E os planos, os desenhos da fábrica, os relatórios de Birmingham, os mapas de importação, as respostas dos alfaiates, dos donos de armarinho, etc.,

---

* A vila Torloni parece ser a vila Albani, que abrigava uma famosa coleção de arte antiga, e que pertencia à família Torlonia, de ricos banqueiros italianos. A Galeria Hamilton foi uma ala do Palácio Hamilton, construída por Alexander Hamilton (1767-1852) para mostrar sua prestigiosíssima coleção de obras de arte. Esta foi vendida em junho e julho de 1882 (pouco antes da publicação do conto, portanto), em Londres, por uma quantia recorde.

** *Charles Maurice de Talleyrand-Périgord* (1754-1838): prelado e diplomata francês célebre por sua capacidade de se adaptar a regimes políticos opostos. Estas palavras significam: "Contudo, é necessário que eu viva [ou, que tenha do que viver]". "Não vejo a necessidade disso."

todos os documentos de um longo inquérito passavam diante dos olhos de Custódio, estrelados de algarismos, que ele não entendia, e que por isso mesmo lhe pareciam dogmáticos. Vinte e quatro horas; não pedia mais de vinte e quatro horas para trazer os cinco contos. E saiu dali, cortejado, amimado pelo anunciante, que, ainda à porta, o afogou numa torrente de saldos. Mas os cinco contos, menos dóceis ou menos vagabundos que os cinco mil-réis, sacudiam incredulamente a cabeça, e deixavam-se estar nas arcas, tolhidos de medo e de sono. Nada. Oito ou dez amigos, a quem falou, disseram-lhe que nem dispunham agora da soma pedida, nem acreditavam na fábrica. Tinha perdido as esperanças, quando aconteceu subir a rua do Rosário e ler no portal de um cartório o nome de Vaz Nunes. Estremeceu de alegria; recordou a Tijuca, as maneiras do tabelião, as frases com que ele lhe respondeu ao brinde, e disse consigo, que este era o salvador da situação.

— Venho pedir-lhe uma escritura...

Vaz Nunes, armado para outro começo, não respondeu; espiou por cima dos óculos e esperou.

— Uma escritura de gratidão, explicou o Custódio; venho pedir-lhe um grande favor, um favor indispensável, e conto que o meu amigo...

— Se estiver nas minhas mãos...

— O negócio é excelente, note-se bem; um negócio magnífico. Nem eu me metia a incomodar os outros sem certeza do resultado. A coisa está pronta; foram já encomendas para a Inglaterra; e é provável que dentro de dois meses esteja tudo montado, é uma indústria nova. Somos três sócios; a minha parte são cinco contos. Venho pedir-lhe esta quantia, a seis meses, — ou a três, com juro módico...

— Cinco contos?

— Sim, senhor.

— Mas, Sr. Custódio, não posso, não disponho de tão grande quantia. Os negócios andam mal; e ainda que andassem muito bem, não poderia dispor de tanto. Quem é que pode esperar cinco contos de um modesto tabelião de notas?

— Ora, se o senhor quisesse...

— Quero, decerto; digo-lhe que se se tratasse de uma quantia pequena, acomodada aos meus recursos, não teria dúvida em adiantá-la. Mas cinco contos! Creia que é impossível.

A alma do Custódio caiu de bruços. Subira pela escada de Jacó até o céu; mas em vez de descer como os anjos no sonho bíblico, rolou abaixo e caiu de bruços. Era a última esperança; e justamente por ter sido inesperada, é que ele supôs que fosse certa, pois, como todos os corações que se entregam ao regime do eventual, o do Custódio era supersticioso. O pobre-diabo sentiu enterrarem-se-lhe no corpo os milhões de agulhas que a fábrica teria de produzir no primeiro semestre. Calado, com os olhos no chão, esperou que o tabelião continuasse, que se compadecesse, que lhe desse alguma aberta; mas o tabelião, que lia isso mesmo na alma do Custódio, estava também calado, girando entre os dedos a boceta de rapé, respirando grosso, com um certo chiado nasal e implicante. Custódio ensaiou todas as atitudes; ora pedinte, ora general. O tabelião não se mexia. Custódio ergueu-se.

— Bem, disse ele, com uma pontazinha de despeito, há de perdoar o incômodo...

— Não há que perdoar; eu é que lhe peço desculpa de não poder servi-lo, como desejava. Repito: se fosse alguma quantia menos avultada, muito menos, não teria dúvida; mas...

Estendeu a mão ao Custódio, que com a esquerda pegara maquinalmente no chapéu. O olhar empanado do Custódio exprimia a absorção da alma dele, apenas convalescida da queda, que lhe tirara as últimas energias. Nenhuma escada misteriosa, nenhum céu; tudo voara a um piparote do tabelião. Adeus, agulhas! A realidade veio tomá-lo outra vez com as suas unhas de bronze. Tinha de voltar ao precário, ao adventício, às velhas contas, com os grandes zeros arregalados e os cifrões retorcidos à laia de orelhas, que continuariam a fitá-lo e a ouvi-lo, a ouvi-lo e a fitá-lo, alongando para ele os algarismos implacáveis de fome. Que queda! e que abismo! Desenganado, olhou para o tabelião com um gesto de despedida; mas, uma ideia súbita clareou-lhe a noite do cérebro. Se a quantia fosse menor, Vaz Nunes poderia servi-lo, e com prazer; por que não seria uma quantia menor? Já agora abria mão da empresa; mas não podia fazer o mesmo a uns aluguéis atrasados, a dois ou três credores, etc., e uma soma razoável, quinhentos mil-réis, por exemplo, uma vez que o tabelião tinha a boa vontade de emprestar-lhos, vinham a ponto. A alma do Custódio empertigou-se; vivia do presente, nada queria saber do passado, nem saudades, nem temores, nem remorsos. O presente era tudo. O presente eram os quinhentos mil-réis, que ele ia ver surdir da algibeira do tabelião, como um alvará de liberdade.

— Pois bem, disse ele, veja o que me pode dar, e eu irei ter com outros amigos... Quanto?

— Não posso dizer nada a este respeito, porque realmente só uma coisa muito modesta.

— Quinhentos mil-réis?

— Não; não posso.

— Nem quinhentos mil-réis?

— Nem isso, replicou firme o tabelião. De que se admira? Não lhe nego que tenho algumas propriedades; mas, meu amigo, não ando com elas no bolso; e tenho certas obrigações particulares... Diga-me, não está empregado?

— Não, senhor.

— Olhe; dou-lhe coisa melhor do que quinhentos mil-réis; falarei ao ministro da justiça, tenho relações com ele, e...

Custódio interrompeu-o, batendo uma palmada no joelho. Se foi um movimento natural, ou uma diversão astuciosa para não conversar do emprego, é o que totalmente ignoro; nem parece que seja essencial ao caso. O essencial é que ele teimou na súplica. Não podia dar quinhentos mil-réis? Aceitava duzentos; bastavam-lhe duzentos, não para a empresa, pois adotava o conselho dos amigos: ia recusá-la. Os duzentos mil-réis, visto que o tabelião estava disposto a ajudá-lo, eram para uma necessidade urgente, — "tapar um buraco". E então relatou tudo, respondeu à franqueza com franqueza: era a regra da sua vida. Confessou que, ao tratar da grande empresa, tivera em mente acudir também a um credor pertinaz, um diabo, um judeu, que rigorosamente ainda lhe devia, mas tivera a aleivosia de trocar de posição. Eram duzentos e poucos mil-réis; e dez, parece, mas aceitava duzentos...

— Realmente, custa-me repetir-lhe o que disse; mas, enfim, nem os duzentos mil-réis posso dar. Cem mesmo, se o senhor os pedisse, estão acima das minhas forças nesta ocasião. Noutra pode ser, e não tenho dúvida, mas agora...

— Não imagina os apuros em que estou!

— Nem cem, repito. Tenho tido muitas dificuldades nestes últimos tempos. Sociedades, subscrições, maçonaria... Custa-lhe crer, não é? Naturalmente: um proprietário. Mas, meu amigo, é muito bom ter casas: o senhor é que não conta os estragos, os consertos, as penas-d'água, as décimas, o seguro, os calotes, etc. São os buracos do pote, por onde vai a maior parte da água...

— Tivesse eu um pote! suspirou Custódio.

— Não digo que não. O que digo é que não basta ter casas para não ter cuidados, despesas, e até credores... Creia o senhor que também eu tenho credores.

— Nem cem mil-réis!

— Nem cem mil-réis, pesa-me dizê-lo, mas é a verdade. Nem cem mil-réis. Que horas são?

Levantou-se, e veio ao meio da sala. Custódio veio também, arrastado, desesperado. Não podia acabar de crer que o tabelião não tivesse ao menos cem mil-réis. Quem é que não tem cem mil-réis consigo? Cogitou uma cena patética, mas o cartório abria para a rua; seria ridículo. Olhou para fora. Na loja fronteira, um sujeito apreçava uma sobrecasaca, à porta, porque entardecia depressa, e o interior era escuro. O caixeiro segurava a obra no ar; o freguês examinava o pano com a vista e com os dedos, depois as costuras, o forro... Este incidente rasgou-lhe um horizonte novo, embora modesto; era tempo de aposentar o paletó que trazia. Mas nem cinquenta mil-réis podia dar-lhe o tabelião. Custódio sorriu; — não de desdém, não de raiva, mas de amargura e dúvida; era impossível que ele não tivesse cinquenta mil-réis. Vinte, ao menos? Nem vinte. Nem vinte! Não; falso tudo; tudo mentira.

Custódio tirou o lenço, alisou o chapéu devagarinho; depois guardou o lenço, concertou a gravata, com um ar misto de esperança e despeito. Viera cerceando as asas à ambição, pluma a pluma; restava ainda uma penugem curta e fina, que lhe metia umas veleidades de voar. Mas o outro, nada. Vaz Nunes cotejava o relógio da parede com o do bolso, chegava este ao ouvido, limpava o mostrador, calado, transpirando por todos os poros impaciência e fastio. Estavam a pingar as cinco; deram, enfim, e o tabelião, que as esperava, desengatilhou a despedida. Era tarde; morava longe. Dizendo isto, despiu o paletó de alpaca, e vestiu o de casimira, mudou de um para outro a boceta de rapé, o lenço, a carteira... Oh! a carteira! Custódio viu esse utensílio problemático, apalpou-o com os olhos, invejou a alpaca, invejou a casimira, quis ser algibeira, quis ser o couro, a matéria mesma do precioso receptáculo. Lá vai ela; mergulhou de todo no bolso do peito esquerdo; o tabelião abotoou-se. Nem vinte mil-réis! Era impossível que não levasse ali vinte mil-réis, pensava ele; não diria duzentos, mas vinte, dez que fossem...

— Pronto! disse-lhe Vaz Nunes, com o chapéu na cabeça.

Era o fatal instante. Nenhuma palavra do tabelião, um convite ao menos, para jantar; nada; findara tudo. Mas os momentos supremos pedem energias supremas. Custódio sentiu toda a força deste lugar-comum, e, súbito, como um tiro, perguntou ao tabelião se não lhe podia dar ao menos dez mil-réis.

— Quer ver?

— E o tabelião desabotoou o paletó, tirou a carteira, abriu-a, e mostrou-lhe duas notas de cinco mil-réis.

— Não tenho mais, disse ele; o que posso fazer é reparti-los com o senhor; dou-lhe uma de cinco, e fico com a outra; serve-lhe?

Custódio aceitou os cinco mil-réis, não triste, ou de má cara, mas risonho, palpitante, como se viesse de conquistar a Ásia Menor. Era o jantar certo. Estendeu a mão ao outro, agradeceu-lhe o obséquio, despediu-se até breve, — um *até breve* cheio de afirmações implícitas. Depois saiu; o pedinte esvaiu-se à porta do cartório; o general é que foi por ali abaixo, pisando rijo, encarando fraternalmente os ingleses do comércio que subiam a rua para se transportarem aos arrabaldes. Nunca o céu lhe pareceu tão azul, nem a tarde tão límpida; todos os homens traziam na retina a alma da hospitalidade. Com a mão esquerda no bolso das calças, ele apertava amorosamente os cinco mil-réis, resíduo de uma grande ambição, que ainda há pouco saíra contra o sol, num ímpeto de águia, e ora batia modestamente as asas de frango rasteiro.

A sereníssima república*
(Conferência do Cônego Vargas)

Meus senhores,
Antes de comunicar-vos uma descoberta, que reputo de algum lustre para o nosso país, deixai que vos agradeça a prontidão com que acudistes ao meu chamado. Sei que um interesse superior vos trouxe aqui; mas não ignoro também, — e fora ingratidão ignorá-lo, — que um pouco de simpatia pessoal se mistura à vossa legítima curiosidade científica. Oxalá possa eu corresponder a ambas.

Minha descoberta não é recente; data do fim do ano de 1876. Não a divulguei então, — e, a não ser o *Globo*, interessante diário desta capital, não a divulgaria ainda agora, — por uma razão que achará fácil entrada no vosso espírito.** Esta obra de que venho falar-vos, carece de retoques últimos, de verificações e

---

* Em nota publicada em *Papéis avulsos*, Machado diz que este é o único conto do livro "em que há um sentido restrito: — as nossas alternativas eleitorais". Em 9 de janeiro de 1881, havia sido aprovada a Lei Saraiva, que, numa tentativa de sanear o sistema representativo do Império, ao mesmo tempo estabelecia eleições diretas e restringia o eleitorado a 1,5 por cento da população.

** *O Globo* foi um jornal de claras tendências republicana e cientificista, que na época publicava, por exemplo, a *Introdução à história da literatura brasileira*, de Sílvio Romero. Não encontrei o artigo que Machado menciona, e é bem provável que seja uma empulhação; porém, ele sem dúvida está satirizando o jornal. Em 7 de julho de 1882, num de seus muitos comentários ao processo eleitoral, e às brigas causadas pela Lei Saraiva, diz o seguinte: "Onde quer que vivam em comunida-

experiências complementares. Mas o *Globo* noticiou que um sábio inglês descobriu a linguagem fônica dos insetos, e cita o estudo feito com as moscas. Escrevi logo para a Europa e aguardo as respostas com ansiedade. Sendo certo, porém, que pela navegação aérea, invento do padre Bartolomeu,* é glorificado o nome estrangeiro, enquanto o do nosso patrício mal se pode dizer lembrado dos seus naturais, determinei evitar a sorte do insigne Voador, vindo a esta tribuna, proclamar alto e bom som, à face do universo, que muito antes daquele sábio, e fora das ilhas britânicas, um modesto naturalista descobriu coisa idêntica, e fez com ela obra superior.

Senhores, vou assombrar-vos, como teria assombrado a Aristóteles, se lhe perguntasse: Credes que se possa dar um regime social às aranhas? Aristóteles responderia negativamente, como vós todos, porque é impossível crer que jamais se chegasse a organizar socialmente esse articulado arisco, solitário, apenas disposto ao trabalho, e dificilmente ao amor. Pois bem, esse impossível fi-lo eu.

Ouço um riso, no meio do sussurro de curiosidade. Senhores, cumpre vencer os preconceitos. A aranha parece-vos inferior, justamente porque não a conheceis. Amais o cão, prezais o gato e a galinha, e não advertis que a aranha não pula nem ladra como o cão, não mia como o gato, não cacareja como a galinha, não zune nem morde como o mosquito, não nos leva o sangue e o sono como a pulga. Todos esses bichos são o modelo acabado da vadiação e do parasitismo. A mesma formiga, tão gabada por certas qualidades boas, dá no nosso açúcar e nas nossas plantações, e funda a sua propriedade roubando a alheia. A aranha, senhores, não nos aflige nem defrauda; apanha as moscas, nossas inimigas, fia, tece, trabalha e morre. Que melhor exemplo de paciência, de ordem, de previsão, de respeito e de humanidade? Quanto aos seus talentos, não há duas opiniões. Desde Plínio até Darwin, os naturalistas do mundo inteiro formam um só coro de ad-

---

de social muitos seres, é indispensável o regime da maioria, pelo qual prevaleceu a deliberação do maior número, que implicitamente obriga a todos que se acham reunidos em sociedade./ É tão elementar este princípio de sociabilidade que o vemos respeitado *até entre os animais que vivem em comum*, os quais obedecem evidentemente a uma direção, confiada no consenso da maioria./ Nos tempos modernos, as sociedades humanas não se dirigem por outro princípio" (grifo meu).

* *Padre Bartolomeu de Gusmão* (1685-1724): inventor da "passarola", um "instrumento de voar" que conseguiu subir até uma altura de quatro metros.

miração em torno desse bichinho, cuja maravilhosa teia a vassoura inconsciente do vosso criado destrói em menos de um minuto. Eu repetiria agora esses juízos, se me sobrasse tempo; a matéria, porém, excede o prazo, sou constrangido a abreviá-la. Tenho-os aqui, não todos, mas quase todos; tenho, entre eles, esta excelente monografia de Büchner, que com tanta sutileza estudou a vida psíquica dos animais.* Citando Darwin e Büchner, é claro que me restrinjo à homenagem cabida a dois sábios de primeira ordem, sem de nenhum modo absolver (e as minhas vestes o proclamam) as teorias gratuitas e errôneas do materialismo.

Sim, senhores, descobri uma espécie araneida que dispõe do uso da fala; coligi alguns, depois muitos dos novos articulados, e organizei-os socialmente. O primeiro exemplar dessa aranha maravilhosa apareceu-me no dia 15 de dezembro de 1876. Era tão vasta, tão colorida, dorso rubro, com listras azuis, transversais, tão rápida nos movimentos, e às vezes tão alegre, que de todo me cativou a atenção. No dia seguinte vieram mais três, e as quatro tomaram posse de um recanto de minha chácara. Estudei-as longamente; achei-as admiráveis. Nada, porém, se pode comparar ao pasmo que me causou a descoberta do idioma araneida, uma língua, senhores, nada menos que uma língua rica e variada, com a sua estrutura sintáxica, os seus verbos, conjugações, declinações, casos latinos e formas onomatopaicas, uma língua que estou gramaticando para uso das academias, como o fiz sumariamente para meu próprio uso. E fi-lo, notai bem, vencendo dificuldades aspérrimas com uma paciência extraordinária. Vinte vezes desanimei; mas o amor da ciência dava-me forças para arremeter a um trabalho que, hoje declaro, não chegaria a ser feito duas vezes na vida do mesmo homem.

Guardo para outro recinto a descrição técnica do meu arácnide, e a análise da língua. O objeto desta conferência é, como disse, ressalvar os direitos da ciência brasileira, por meio de um protesto em tempo; e, isto feito, dizer-vos a parte em que reputo a minha obra superior à do sábio de Inglaterra. Devo demonstrá-lo, e para este ponto chamo a vossa atenção.

---

* *Ludwig Büchner* (1824-99): filósofo e cientista, cujas teorias materialistas, expostas, por exemplo, em *Kraft und Stoff* [Força e matéria] (1855), causaram escândalo. Foi um materialista determinista, que negava a existência de Deus e do livre-arbítrio. Esse livro, traduzido para o francês (*La vie psychique des bêtes*, 1881), fazia parte da biblioteca de Machado. A *Grande encyclopédie* descreve-o como "um trabalho de vulgarização, uma obra da ciência ao serviço das tendências filosóficas do autor".

Dentro de um mês tinha comigo vinte aranhas; no mês seguinte cinquenta e cinco; em março de 1877 contava quatrocentas e noventa. Duas forças serviram principalmente à empresa de as congregar: — o emprego da língua delas, desde que pude discerni-la um pouco, e o sentimento de terror que lhes infundi. A minha estatura, as vestes talares, o uso do mesmo idioma, fizeram-lhes crer que era eu o deus das aranhas, e desde então adoraram-me. E vede o benefício desta ilusão. Como as acompanhasse com muita atenção e miudeza, lançando em um livro as observações que fazia, cuidaram que o livro era o registro dos seus pecados, e fortaleceram-se ainda mais na prática das virtudes. A flauta também foi um grande auxiliar. Como sabeis, ou deveis saber, elas são doidas por música.

Não bastava associá-las; era preciso dar-lhes um governo idôneo. Hesitei na escolha; muitos dos atuais pareciam-me bons, alguns excelentes, mas todos tinham contra si o existirem. Explico-me. Uma forma vigente de governo ficava exposta a comparações que poderiam amesquinhá-la. Era-me preciso, ou achar uma forma nova, ou restaurar alguma outra abandonada. Naturalmente adotei o segundo alvitre, e nada me pareceu mais acertado do que uma república, à maneira de Veneza, o mesmo molde, e até o mesmo epíteto. Obsoleto, sem nenhuma analogia, em suas feições gerais, com qualquer outro governo vivo, cabia-lhe ainda a vantagem de um mecanismo complicado, — o que era meter à prova as aptidões políticas da jovem sociedade.

Outro motivo determinou a minha escolha. Entre os diferentes modos eleitorais da antiga Veneza, figurava o do saco e bolas, iniciação dos filhos da nobreza no serviço do Estado. Metiam-se as bolas com os nomes dos candidatos no saco, e extraía-se anualmente um certo número, ficando os eleitos desde logo aptos para as carreiras públicas. Este sistema fará rir aos doutores do sufrágio; a mim não. Ele exclui os desvarios da paixão, os desazos da inépcia, o congresso da corrupção e da cobiça. Mas não foi só por isso que o aceitei; tratando-se de um povo tão exímio na fiação de suas teias, o uso do saco eleitoral era de fácil adaptação, quase uma planta indígena.

A proposta foi aceita. Sereníssima República pareceu-lhes um título magnífico, roçagante, expansivo, próprio a engrandecer a obra popular.

Não direi, senhores, que a obra chegou à perfeição, nem que lá chegue tão cedo. Os meus pupilos não são os solários de Campanella ou os utopistas de

Morus;* formam um povo recente, que não pode trepar de um salto ao cume das nações seculares. Nem o tempo é operário que ceda a outro a lima ou o alvião; ele fará mais e melhor do que as teorias do papel, válidas no papel e mancas na prática. O que posso afirmar-vos é que, não obstante as incertezas da idade, eles caminham, dispondo de algumas virtudes, que presumo essenciais à duração de um Estado. Uma delas, como já disse, é a perseverança, uma longa paciência de Penélope, segundo vou mostrar-vos.

Com efeito, desde que compreenderam que no ato eleitoral estava a base da vida pública, trataram de o exercer com a maior atenção. O fabrico do saco foi uma obra nacional. Era um saco de cinco polegadas de altura e três de largura, tecido com os melhores fios, obra sólida e espessa. Para compô-lo foram aclamadas dez damas principais, que receberam o título de mães da república, além de outros privilégios e foros. Uma obra-prima, podeis crê-lo. O processo eleitoral é simples. As bolas recebem os nomes dos candidatos, que provarem certas condições, e são escritas por um oficial público, denominado "das inscrições". No dia da eleição, as bolas são metidas no saco e tiradas pelo oficial das extrações, até perfazer o número dos elegendos. Isto que era um simples processo inicial na antiga Veneza, serve aqui ao provimento de todos os cargos.

A eleição fez-se a princípio com muita regularidade; mas, logo depois, um dos legisladores declarou que ela fora viciada, por terem entrado no saco duas bolas com o nome do mesmo candidato. A assembleia verificou a exatidão da denúncia, e decretou que o saco, até ali de três polegadas de largura, tivesse agora duas; limitando-se a capacidade do saco, restringia-se o espaço à fraude, era o mesmo que suprimi-la. Aconteceu, porém, que na eleição seguinte, um candidato deixou de ser inscrito na competente bola, não se sabe se por descuido ou intenção do oficial público. Este declarou que não se lembrava de ter visto o ilustre candidato, mas acrescentou nobremente que não era impossível que ele lhe tivesse dado o nome; neste caso não houve exclusão, mas distração. A assembleia, diante de um fenômeno psicológico inelutável, como é a distração, não pôde casti-

---

* *Tommaso Campanella* (1568-1639): pensador italiano, que, perseguido pela Inquisição, viveu seus últimos dias no exílio. Escreveu *La città del sole* [A cidade do sol] (1623), em que imagina uma comunidade governada por homens esclarecidos, na qual a propriedade é coletiva e os extremos de riqueza e pobreza são desconhecidos. *Thomas More* (1478-1535): humanista e político inglês, executado por Henrique VIII por recusar-se a aceitar o divórcio entre ele e a primeira rainha, Catarina de Aragão. Autor de *Utopia* (1516), em que propõe um sistema ideal de governo.

gar o oficial; mas, considerando que a estreiteza do saco podia dar lugar a exclusões odiosas, revogou a lei anterior e restaurou as três polegadas.

Nesse ínterim, senhores, faleceu o primeiro magistrado, e três cidadãos apresentaram-se candidatos ao posto, mas só dois importantes, Hazeroth e Magog, os próprios chefes do partido retilíneo e do partido curvilíneo. Devo explicar-vos estas denominações. Como eles são principalmente geômetras, é a geometria que os divide em política. Uns entendem que a aranha deve fazer as teias com fios retos, é o partido retilíneo; — outros pensam, ao contrário, que as teias devem ser trabalhadas com fios curvos, — é o partido curvilíneo. Há ainda um terceiro partido, misto e central, com este postulado: as teias devem ser urdidas de fios retos e fios curvos; é o partido retocurvilíneo; e finalmente, uma quarta divisão política, o partido antirretocurvilíneo, que fez tábua rasa de todos os princípios litigantes, e propõe o uso de umas teias urdidas de ar, obra transparente e leve, em que não há linhas de espécie alguma. Como a geometria apenas poderia dividi-los, sem chegar a apaixoná-los, adotaram uma simbólica. Para uns, a linha reta exprime os bons sentimentos, a justiça, a probidade, a inteireza, a constância, etc., ao passo que os sentimentos ruins ou inferiores, como a bajulação, a fraude, a deslealdade, a perfídia, são perfeitamente curvos. Os adversários respondem que não, que a linha curva é a da virtude e do saber, porque é a expressão da modéstia e da humildade; ao contrário, a ignorância, a presunção, a toleima, a parlapatice, são retas, duramente retas. O terceiro partido, menos anguloso, menos exclusivista, desbastou a exageração de uns e outros, combinou os contrastes, e proclamou a simultaneidade das linhas como a exata cópia do mundo físico e moral. O quarto limita-se a negar tudo.

Nem Hazeroth nem Magog foram eleitos. As suas bolas saíram do saco, é verdade, mas foram inutilizadas, a do primeiro por faltar a primeira letra do nome, a do segundo por lhe faltar a última. O nome restante e triunfante era o de um argentário ambicioso, político obscuro, que subiu logo à poltrona ducal, com espanto geral da república. Mas os vencidos não se contentaram de dormir sobre os louros do vencedor; requereram uma devassa. A devassa mostrou que o oficial das inscrições intencionalmente viciara a ortografia de seus nomes. O oficial confessou o defeito e a intenção; mas explicou-os dizendo que se tratava de uma simples elipse; delito, se o era, puramente literário. Não sendo possível perseguir ninguém por defeitos de ortografia ou figuras de retórica, pareceu acertado rever a lei. Nesse mesmo dia ficou decretado que o saco seria feito

A SERENÍSSIMA REPÚBLICA 151

de um tecido de malhas, através das quais as bolas pudessem ser lidas pelo público, e, *ipso facto*, pelos mesmos candidatos, que assim teriam tempo de corrigir as inscrições.

Infelizmente, senhores, o comentário da lei é a eterna malícia. A mesma porta aberta à lealdade serviu à astúcia de um certo Nabiga, que se conchavou com o oficial das extrações, para haver um lugar na assembleia. A vaga era uma, os candidatos três; o oficial extraiu as bolas com os olhos no cúmplice, que só deixou de abanar negativamente a cabeça, quando a bola pegada foi a sua. Não era preciso mais para condenar a ideia das malhas. A assembleia, com exemplar paciência, restaurou o tecido espesso do regime anterior; mas, para evitar outras elipses, decretou a validação das bolas cuja isenção estivesse incorreta, uma vez que cinco pessoas jurassem ser o nome inscrito o próprio nome do candidato.

Este novo estatuto deu lugar a um caso novo e imprevisto, como ides ver. Tratou-se de eleger um coletor de espórtulas, funcionário encarregado de cobrar as rendas públicas, sob a forma de espórtulas voluntárias. Eram candidatos, entre outros, um certo Caneca e um certo Nebraska. A bola extraída foi a de Nebraska. Estava errada, é certo, por lhe faltar a última letra; mas, cinco testemunhas juraram, nos termos da lei, que o eleito era o próprio e único Nebraska da república. Tudo parecia findo, quando o candidato Caneca requereu provar que a bola extraída não trazia o nome de Nebraska, mas o dele. O juiz de paz deferiu ao peticionário. Veio então um grande filólogo, — talvez o primeiro da república, além de bom metafísico, e não vulgar matemático, — o qual provou a coisa nestes termos:

— Em primeiro lugar, disse ele, deveis notar que não é fortuita a ausência da última letra do nome Nebraska. Por que motivo foi ele inscrito incompletamente? Não se pode dizer que por fadiga ou amor da brevidade, pois só falta a última letra, um simples *a*. Carência de espaço? Também não; vede; há ainda espaço para duas ou três sílabas. Logo, a falta é intencional, e a intenção não pode ser outra senão chamar a atenção do leitor para a letra *k*, última escrita, desamparada, solteira, sem sentido. Ora, por um efeito mental, que nenhuma lei destruiu, a letra reproduz-se no cérebro de dois modos, a forma gráfica, e a forma sônica: *k* e *ca*. O defeito, pois, no nome escrito, chamando os olhos para a letra final, incrusta desde logo no cérebro esta primeira sílaba: *Ca*. Isto posto, o movimento natural do espírito é ler o nome todo; volta-se ao princípio, à inicial *ne*, do nome *Nebrask*. — *Cané*. — Resta a sílaba do meio, *bras*, cuja redução a esta outra sílaba *ca*, última do nome Caneca, é a coisa mais demonstrável do mundo. E, todavia, não a demonstrarei, visto faltar-vos o preparo necessário ao entendimento da significação espiritual ou filosófica da sílaba, suas origens e efeitos, fases, modificações, consequências lógicas e sintáxicas, dedutivas ou indutivas, simbólicas e outras. Mas, suposta a demonstração, aí fica a última prova, evidente, clara, da minha afirmação primeira pela anexação da sílaba *ca* às duas *Cane*, dando este nome Caneca.

A lei emendou-se, senhores, ficando abolida a faculdade da prova testemunhal e interpretativa dos textos, e introduzindo-se uma inovação, o corte simultâneo de meia polegada na altura e outra meia na largura do saco. Esta emenda não evitou um pequeno abuso na eleição dos alcaides, e o saco foi restituído às dimensões primitivas, dando-se-lhe, todavia, a forma triangular. Compreendeis que esta forma trazia consigo uma consequência: ficavam muitas bolas no fundo. Daí a mudança para a forma cilíndrica; mais tarde deu-se-lhe o aspecto de uma ampulheta, cujo inconveniente se reconheceu ser igual ao triângulo, e então adotou-se a forma de um crescente, etc. Muitos abusos, descuidos e lacunas tendem a desaparecer, e o restante terá igual destino, não inteiramente, decerto, pois a perfeição não é deste mundo, mas na medida e nos termos do conselho de um dos mais circunspectos cidadãos da minha república, Erasmus, cujo último discurso sinto não poder dar-vos integralmente. Encarregado de notificar a última resolução legislativa às dez damas, incumbidas de urdir o saco eleitoral, Erasmus contou-lhes a fábula de Penélope, que fazia e desfazia a famosa teia, à espera do esposo Ulisses.

— Vós sois a Penélope da nossa república, disse ele ao terminar; tendes a mesma castidade, paciência e talentos. Refazei o saco, amigas minhas, refazei o saco, até que Ulisses, cansado de dar às pernas, venha tomar entre nós o lugar que lhe cabe. Ulisses é a Sapiência.

O espelho

Esboço de uma nova teoria da alma humana

Quatro ou cinco cavalheiros debatiam, uma noite, várias questões de alta transcendência, sem que a disparidade dos votos trouxesse a menor alteração aos espíritos. A casa ficava no morro de Santa Teresa, a sala era pequena, alumiada a velas, cuja luz fundia-se misteriosamente com o luar que vinha de fora. Entre a cidade, com as suas agitações e aventuras, e o céu, em que as estrelas pestanejavam, através de uma atmosfera límpida e sossegada, estavam os nossos quatro ou cinco investigadores de coisas metafísicas, resolvendo amigavelmente os mais árduos problemas do universo.

Por que quatro ou cinco? Rigorosamente eram quatro os que falavam; mas, além deles, havia na sala um quinto personagem, calado, pensando, cochilando, cuja espórtula no debate não passava de um ou outro resmungo de aprovação. Esse homem tinha a mesma idade dos companheiros, entre quarenta e cinquenta anos, era provinciano, capitalista, inteligente, não sem instrução, e, ao que parece, astuto e cáustico. Não discutia nunca; e defendia-se da abstenção com um paradoxo, dizendo que a discussão era a forma polida do instinto batalhador, que jaz no homem, como uma herança bestial; e acrescentava que os serafins e os querubins não controvertiam nada, e, aliás, eram a perfeição espiritual e eterna. Como desse esta mesma resposta naquela noite, contestou-lha um dos presen-

154 MACHADO DE ASSIS

tes, e desafiou-o a demonstrar o que dizia, se era capaz. Jacobina (assim se chamava ele) refletiu um instante, e respondeu:

— Pensando bem, talvez o senhor tenha razão.

Vai senão quando, no meio da noite, sucedeu que este casmurro usou da palavra, e não dois ou três minutos, mas trinta ou quarenta. A conversa, em seus meandros, veio a cair na natureza da alma, ponto que dividiu radicalmente os quatro amigos. Cada cabeça, cada sentença; não só o acordo, mas a mesma discussão, tornou-se difícil, senão impossível, pela multiplicidade de questões que se deduziram do tronco principal, e um pouco, talvez, pela inconsistência dos pareceres. Um dos argumentadores pediu ao Jacobina alguma opinião, — uma conjetura, ao menos.

— Nem conjetura, nem opinião, redarguiu ele; uma ou outra pode dar lugar a dissentimento, e, como sabem, eu não discuto. Mas, se querem ouvir-me calados, posso contar-lhes um caso de minha vida, em que ressalta a mais clara demonstração acerca da matéria de que se trata. Em primeiro lugar, não há uma só alma, há duas...

— Duas?

— Nada menos de duas almas. Cada criatura humana traz duas almas consigo: uma que olha de dentro para fora, outra que olha de fora para dentro... Espantem-se à vontade; podem ficar de boca aberta, dar de ombros, tudo; não admito réplica. Se me replicarem, acabo o charuto e vou dormir. A alma exterior pode ser um espírito, um fluido, um homem, muitos homens, um objeto, uma operação. Há casos, por exemplo, em que um simples botão de camisa é a alma exterior de uma pessoa; — e assim também a polca, o voltarete, um livro, uma máquina, um par de botas, uma cavatina, um tambor, etc. Está claro que o ofício dessa segunda alma é transmitir a vida, como a primeira; as duas completam o homem, que é, metafisicamente falando, uma laranja. Quem perde uma das metades, perde naturalmente metade da existência; e casos há, não raros, em que a perda da alma exterior implica a da existência inteira. Shylock, por exemplo. A alma exterior daquele judeu eram os seus ducados; perdê-los equivalia a morrer. "Nunca mais verei o meu ouro, diz ele a Tubal; *é um punhal que me enterras no coração*."* Vejam bem esta frase; a perda dos ducados, alma exterior, era a morte para ele. Agora, é preciso saber que a alma exterior não é sempre a mesma...

---

* *Shylock*: o judeu avarento e vingativo do *Mercador de Veneza*, de Shakespeare. Esta citação ("Thou stick'st a dagger in me: I shall never see my gold again") é do ato III, cena 1.

— Não?

— Não, senhor; muda de natureza e de estado. Não aludo a certas almas absorventes, como a pátria, com a qual disse o Camões que morria, e o poder, que foi a alma exterior de César e de Cromwell. São almas enérgicas e exclusivas; mas há outras, embora enérgicas, de natureza mudável. Há cavalheiros, por exemplo, cuja alma exterior, nos primeiros anos, foi um chocalho ou um cavalinho de pau, e mais tarde uma provedoria de irmandade, suponhamos. Pela minha parte, conheço uma senhora, — na verdade, gentilíssima, — que muda de alma exterior cinco, seis vezes por ano. Durante a estação lírica é a ópera; cessando a estação, a alma exterior substitui-se por outra: um concerto, um baile do Cassino, a rua do Ouvidor, Petrópolis...

— Perdão; essa senhora quem é?

— Essa senhora é parenta do diabo, e tem o mesmo nome: chama-se Legião... E assim outros muitos casos. Eu mesmo tenho experimentado dessas trocas. Não as relato, porque iria longe; restrinjo-me ao episódio de que lhes falei. Um episódio dos meus vinte e cinco anos...

Os quatro companheiros, ansiosos de ouvir o caso prometido, esqueceram a controvérsia. Santa curiosidade! tu não és só a ama da civilização, és também o pomo da concórdia, fruta divina, de outro sabor que não aquele pomo da mitologia. A sala, até há pouco ruidosa de física e metafísica, é agora um mar morto; todos os olhos estão no Jacobina, que concerta a ponta do charuto, recolhendo as memórias. Eis aqui como ele começou a narração:

— Tinha vinte e cinco anos, era pobre, e acabava de ser nomeado alferes da guarda nacional.* Não imaginam o acontecimento que isto foi em nossa casa. Minha mãe ficou tão orgulhosa! tão contente! Chamava-me o seu alferes. Primos e tios, foi tudo uma alegria sincera e pura. Na vila, note-se bem, houve alguns despeitados; choro e ranger de dentes, como na Escritura; e o motivo não foi outro senão que o posto tinha muitos candidatos e que estes perderam. Suponho também que uma parte do desgosto foi inteiramente gratuita: nasceu da simples distinção. Lembra-me de alguns rapazes, que se davam comigo, e passaram a olhar-me de revés, durante algum tempo. Em compensação, tive mui-

---

* A Guarda Nacional, milícia estabelecida em 1831 pela oligarquia escravocrata para se opor à influência do exército, tinha sobretudo um papel de controle social (por exemplo, nas eleições), e era altamente hierarquizada. Seus uniformes eram particularmente vistosos e imponentes.

tas pessoas que ficaram satisfeitas com a nomeação; e a prova é que todo o fardamento me foi dado por amigos... Vai então uma das minhas tias, D. Marcolina, viúva do capitão Peçanha, que morava a muitas léguas da vila, num sítio escuso e solitário, desejou ver-me, e pediu que fosse ter com ela e levasse a farda. Fui, acompanhado de um pajem, que daí a dias tornou à vila, porque a tia Marcolina, apenas me pilhou no sítio, escreveu a minha mãe dizendo que não me soltava antes de um mês, pelo menos. E abraçava-me! Chamava-me também o seu alferes. Achava-me um rapagão bonito. Como era um tanto patusca, chegou a confessar que tinha inveja da moça que houvesse de ser minha mulher. Jurava que em toda a província não havia outro que me pusesse o pé adiante. E sempre alferes; era alferes para cá, alferes para lá, alferes a toda a hora. Eu pedia-lhe que me chamasse Joãozinho, como dantes; e ela abanava a cabeça, bradando que não, que era o "senhor alferes". Um cunhado dela, irmão do finado Peçanha, que ali morava, não me chamava de outra maneira. Era o "senhor alferes", não por gracejo, mas a sério, e à vista dos escravos, que naturalmente foram pelo mesmo caminho. Na mesa tinha eu o melhor lugar, e era o primeiro servido. Não imaginam. Se lhes disser que o entusiasmo da tia Marcolina chegou ao ponto de mandar pôr no meu quarto um grande espelho, obra rica e magnífica, que destoava do resto da casa, cuja mobília era modesta e simples... Era um espelho que lhe dera a madrinha, e que esta herdara da mãe, que o comprara a uma das fidalgas vindas em 1808 com a corte de D. João vi. Não sei o que havia nisso de verdade; era a tradição. O espelho estava naturalmente muito velho; mas via-se-lhe ainda o ouro, comido em parte pelo tempo, uns delfins esculpidos nos ângulos superiores da moldura, uns enfeites de madrepérola e outros caprichos do artista. Tudo velho, mas bom...

— Espelho grande?

— Grande. E foi, como digo, uma enorme fineza, porque o espelho estava na sala; era a melhor peça da casa. Mas não houve forças que a demovessem do propósito; respondia que não fazia falta, que era só por algumas semanas, e finalmente que o "senhor alferes" merecia muito mais. O certo é que todas essas coisas, carinhos, atenções, obséquios, fizeram em mim uma transformação, que o natural sentimento da mocidade ajudou e completou. Imaginam, creio eu?

— Não.

— O alferes eliminou o homem. Durante alguns dias as duas naturezas equilibraram-se; mas não tardou que a primitiva cedesse à outra; ficou-me uma parte mínima de humanidade. Aconteceu então que a alma exterior, que era dantes o sol, o ar, o campo, os olhos das moças, mudou de natureza, e passou a ser a cortesia e os rapapés da casa, tudo o que me falava do posto, nada do que me falava do homem. A única parte do cidadão que ficou comigo foi aquela que entendia com o exercício da patente; a outra dispersou-se no ar e no passado. Custa-lhes acreditar, não?

— Custa-me até entender, respondeu um dos ouvintes.

— Vai entender. Os fatos explicarão melhor os sentimentos; os fatos são tudo. A melhor definição do amor não vale um beijo de moça namorada; e, se bem me lembro, um filósofo antigo demonstrou o movimento andando. Vamos aos fatos. Vamos ver como, ao tempo em que a consciência do homem se obliterava, a do alferes tornava-se viva e intensa. As dores humanas, as alegrias humanas, se eram só isso, mal obtinham de mim uma compaixão apática ou um sorriso de favor. No fim de três semanas, era outro, totalmente outro. Era exclusivamente alferes. Ora, um dia recebeu a tia Marcolina uma notícia grave; uma de suas filhas, casada com um lavrador residente dali a cinco léguas, estava mal e à morte. Adeus, sobrinho! adeus, alferes! Era mãe extremosa, armou logo uma viagem, pediu ao cunhado que fosse com ela, e a mim que tomasse conta do sítio. Creio que, se não fosse a aflição, disporia o contrário; deixaria o cunhado, e iria comigo. Mas o certo é que fiquei só, com os poucos escravos da casa. Confesso-lhes que desde logo senti uma grande opressão, alguma coisa semelhante ao efeito de quatro paredes de um cárcere, subitamente levantadas em torno de mim. Era a alma exterior que se reduzia; estava agora limitada a alguns espíritos boçais. O alferes continuava a dominar em mim, embora a vida fosse menos intensa, e a consciência mais débil. Os escravos punham uma nota de humildade nas suas cortesias, que de certa maneira compensava a afeição dos parentes e a intimidade doméstica interrompida. Notei mesmo, naquela noite, que eles redobravam de respeito, de alegria, de protestos. Nhô alferes de minuto a minuto. Nhô alferes é muito bonito; nhô alferes há de ser coronel; nhô alferes há de casar com moça bonita, filha de general; um concerto de louvores e profecias, que me deixou extático. Ah! pérfidos! mal podia eu suspeitar a intenção secreta dos malvados.

— Matá-lo?

— Antes assim fosse.

— Coisa pior?

— Ouçam-me. Na manhã seguinte achei-me só. Os velhacos, seduzidos por outros, ou de movimento próprio, tinham resolvido fugir durante a noite; e assim fizeram. Achei-me só, sem mais ninguém, entre quatro paredes, diante do terreiro deserto e da roça abandonada. Nenhum fôlego humano. Corri a casa toda, a senzala, tudo, nada, ninguém, um molequinho que fosse. Galos e galinhas tão somente, um par de mulas, que filosofavam a vida, sacudindo as moscas, e três bois. Os mesmos cães foram levados pelos escravos. Nenhum ente humano. Parece-lhes que isto era melhor do que ter morrido? era pior. Não por medo; juro-lhes que não tinha medo; era um pouco atrevidinho, tanto que não senti nada, durante as primeiras horas. Fiquei triste por causa do dano causado à tia Marcolina; fiquei também um pouco perplexo, não sabendo se devia ir ter com ela, para lhe dar a triste notícia, ou ficar tomando conta da casa. Adotei o segundo alvitre, para não desamparar a casa, e porque, se a minha prima enferma estava mal, eu ia somente aumentar a dor da mãe, sem remédio nenhum; finalmente, esperei que o irmão do tio Peçanha voltasse naquele dia ou no outro, visto que tinham saído havia já trinta e seis horas. Mas a manhã passou sem vestígio dele; e à tarde comecei a sentir uma sensação como de pessoa que houvesse perdido toda a ação nervosa, e não tivesse consciência da ação muscular. O irmão do tio Peçanha não voltou nesse dia, nem no outro, nem em toda aquela semana. Minha solidão tomou proporções enormes. Nunca os dias foram mais compridos, nunca o sol abrasou a terra com uma obstinação mais cansativa. As horas batiam de século a século, no velho relógio da sala, cuja pêndula, *tic-tac tic-tac*, feria-me a alma interior, como um piparote contínuo da eternidade. Quando, muitos anos depois, li uma poesia americana, creio que de Longfellow, e topei com este famoso estribilho: *Never, for ever! — For ever, never!* * confesso-lhes que tive um calafrio: recordei-me daqueles dias medonhos. Era justamente assim que fazia o relógio da tia Marcolina: — *Never, for ever! — For ever, never!* Não eram golpes de pêndula, era um diálogo do abismo, um cochicho do nada. E então de noite! Não que a noite fosse mais silenciosa. O silêncio era o mesmo que de dia. Mas a noite era a sombra, era a solidão ainda mais estreita ou mais larga. *Tic-tac, tic-tac.* Ninguém nas salas, na varanda, nos corredores, no terreiro, ninguém em parte nenhuma... Riem-se?

* *Henry Wadsworth Longfellow* (1807-82): um dos poetas americanos mais populares da época. Os versos citados são da balada "The old clock on the stair" (1845).

— Sim, parece que tinha um pouco de medo.

— Oh! fora bom se eu pudesse ter medo! Viveria. Mas o característico daquela situação é que eu nem sequer podia ter medo, isto é, o medo vulgarmente entendido. Tinha uma sensação inexplicável. Era como um defunto andando, um sonâmbulo, um boneco mecânico. Dormindo, era outra coisa. O sono dava-me alívio, não pela razão comum de ser irmão da morte, mas por outra. Acho que posso explicar assim esse fenômeno: — o sono, eliminando a necessidade de uma alma exterior, deixava atuar a alma interior. Nos sonhos, fardava-me, orgulhosamente, no meio da família e dos amigos, que me elogiavam o garbo, que me chamavam alferes; vinha um amigo de nossa casa, e prometia-me o posto de tenente, outro o de capitão ou major; e tudo isso fazia-me viver. Mas quando acordava, dia claro, esvaía-se com o sono, a consciência do meu ser novo e único, — porque a alma interior perdia a ação exclusiva, e ficava dependente da outra, que teimava em não tornar... Não tornava. Eu saía fora, a um lado e outro, a ver se descobria algum sinal de regresso. *Sœur Anne, sœur Anne, ne vois-tu rien venir?* * Nada, coisa nenhuma; tal qual como na lenda francesa. Nada mais do que a poeira da estrada e o capinzal dos morros. Voltava para casa, nervoso, desesperado, estirava-me no canapé da sala. *Tic-tac, tic-tac.* Levantava-me, passeava, tamborilava nos vidros das janelas, assobiava. Em certa ocasião lembrei-me de escrever alguma coisa, um artigo político, um romance, uma ode; não escolhi nada definitivamente; sentei-me e tracei no papel algumas palavras e frases soltas, para intercalar no estilo. Mas o estilo, como a tia Marcolina, deixava-se estar. *Sœur Anne, sœur Anne...* Coisa nenhuma. Quando muito via negrejar a tinta e alvejar o papel.

— Mas não comia?

— Comia mal, frutas, farinha, conservas, algumas raízes tostadas ao fogo, mas suportaria tudo alegremente, se não fora a terrível situação moral em que me achava. Recitava versos, discursos, trechos latinos, liras de Gonzaga, oitavas de Camões, décimas, uma antologia em trinta volumes. Às vezes fazia ginástica; outras dava beliscões nas pernas; mas o efeito era só uma sensação física de dor ou de cansaço, e mais nada. Tudo silêncio, um silêncio vasto, enorme, infinito, apenas sublinhado pelo eterno *tic-tac* da pêndula. *Tic-tac, tic-tac...*

---

* Frase de "La Barbe Bleue", de Charles Perrault (1628-1703), autor dos contos de fadas reunidos em *Contes de ma mère l'oie* (1697). Ameaçada de morte por Barba-Azul, seu marido, a heroína pergunta repetidamente a sua irmã se seus irmãos vêm salvá-la.

— Na verdade, era de enlouquecer.

— Vão ouvir coisa pior. Convém dizer-lhes que, desde que ficara só, não olhara uma só vez para o espelho. Não era abstenção deliberada, não tinha motivo; era um impulso inconsciente, um receio de achar-me um e dois, ao mesmo tempo, naquela casa solitária; e se tal explicação é verdadeira, nada prova melhor a contradição humana, porque no fim de oito dias, deu-me na veneta olhar para o espelho com o fim justamente de achar-me dois. Olhei e recuei. O próprio vidro parecia conjurado com o resto do universo; não me estampou a figura nítida e inteira, mas vaga, esfumada, difusa, sombra de sombra. A realidade das leis físicas não permite negar que o espelho reproduziu-me textualmente, com os mesmos contornos e feições; assim devia ter sido. Mas tal não foi a minha sensação. Então tive medo; atribuí o fenômeno à excitação nervosa em que andava; receei ficar mais tempo, e enlouquecer. — Vou-me embora, disse comigo. E levantei o braço com gesto de mau humor, e ao mesmo tempo de decisão, olhando para o vidro; o gesto lá estava, mas disperso, esgaçado, mutilado... Entrei a vestir-me, murmurando comigo, tossindo sem tosse, sacudindo a roupa com estrépito, afligindo-me a frio com os botões, para dizer alguma coisa. De quando em quando, olhava furtivamente para o espelho; a imagem era a mesma difusão de linhas, a mesma decomposição de contornos... Continuei a vestir-me. Subitamente por uma inspiração inexplicável, por um impulso sem cálculo, lembrou-me... Se forem capazes de adivinhar qual foi a minha ideia...

— Diga.

— Estava a olhar para o vidro, com uma persistência de desesperado, contemplando as próprias feições derramadas e inacabadas, uma nuvem de linhas soltas, informes, quando tive o pensamento... Não, não são capazes de adivinhar.

— Mas, diga, diga.

— Lembrou-me vestir a farda de alferes. Vesti-a, aprontei-me de todo; e, como estava defronte do espelho, levantei os olhos, e... não lhes digo nada; o vidro reproduziu então a figura integral; nenhuma linha de menos, nenhum contorno diverso; era eu mesmo, o alferes, que achava, enfim, a alma exterior. Essa alma ausente com a dona do sítio, dispersa e fugida com os escravos, ei-la recolhida no espelho. Imaginai um homem que, pouco a pouco, emerge de um letargo, abre os olhos sem ver, depois começa a ver, distingue as pessoas dos objetos, mas não conhece individualmente uns nem outros; enfim, sabe que este é Fulano, aquele é Sicrano; aqui está uma cadeira, ali um sofá. Tudo volta ao que era antes do sono. Assim foi comigo. Olhava para o espelho, ia de um lado para outro, recuava, gesticulava, sorria, e o vidro exprimia tudo. Não era mais um autômato, era um ente animado. Daí em diante, fui outro. Cada dia, a uma certa hora, vestia-me de alferes, e sentava-me diante do espelho, lendo, olhando, meditando; no fim de duas, três horas, despia-me outra vez. Com este regime pude atravessar mais seis dias de solidão, sem os sentir...

Quando os outros voltaram a si, o narrador tinha descido as escadas.

Verba testamentária

"... Item, é minha última vontade que o caixão em que o meu corpo houver de ser enterrado, seja fabricado em casa de Joaquim Soares, à rua da Alfândega. Desejo que ele tenha conhecimento desta disposição, que também será pública. Joaquim Soares não me conhece; mas é digno da distinção, por ser dos nossos melhores artistas, e um dos homens mais honrados da nossa terra..."

Cumpriu-se à risca esta verba testamentária. Joaquim Soares fez o caixão em que foi metido o corpo do pobre Nicolau B. de C.; fabricou-o ele mesmo, *con amore*; e, no fim, por um movimento cordial, pediu licença para não receber nenhuma remuneração. Estava pago; o favor do defunto era em si mesmo um prêmio insigne. Só desejava uma coisa: a cópia autêntica da verba. Deram-lha; ele mandou-a encaixilhar e pendurar de um prego, na loja. Os outros fabricantes de caixões, passado o assombro, clamaram que o testamento era um despropósito. Felizmente, — e esta é uma das vantagens do estado social, — felizmente, todas as demais classes acharam que aquela mão, saindo do abismo para abençoar a obra de um operário modesto, praticara uma ação rara e magnânima. Era em 1855; a população estava mais conchegada; não se falou de outra coisa. O nome do Nicolau reboou por muitos dias na imprensa da corte, donde passou à das províncias. Mas a vida universal é tão variada, os sucessos acumulam-se em tanta multidão, e com tal presteza, e, finalmente, a memória dos homens é tão frágil, que um dia chegou em que a ação de Nicolau mergulhou de todo no olvido.

Não venho restaurá-la. Esquecer é uma necessidade. A vida é uma lousa, em que o destino, para escrever um novo caso, precisa apagar o caso escrito. Obra de lápis e esponja. Não, não venho restaurá-la. Há milhares de ações tão bonitas, ou ainda mais bonitas do que a do Nicolau, e comidas do esquecimento. Venho dizer que a verba testamentária não é um efeito sem causa; venho mostrar uma das maiores curiosidades mórbidas deste século.

Sim, leitor amado, vamos entrar em plena patologia. Esse menino que aí vês, nos fins do século passado (em 1855, quando morreu, tinha o Nicolau sessenta e oito anos), esse menino não é um produto são, não é um organismo perfeito. Ao contrário, desde os mais tenros anos, manifestou por atos reiterados que há nele algum vício interior, alguma falha orgânica. Não se pode explicar de outro modo a obstinação com que ele corre a destruir os brinquedos dos outros meninos, não digo os que são iguais aos dele, ou ainda inferiores, mas os que são melhores ou mais ricos. Menos ainda se compreende que, nos casos em que o brinquedo é único, ou somente raro, o jovem Nicolau console a vítima com dois ou três pontapés; nunca menos de um. Tudo isso é obscuro. Culpa do pai não pode ser. O pai era um honrado negociante ou comissário (a maior parte das pessoas a que aqui se dá o nome de comerciantes, dizia o marquês de Lavradio, nada mais são que uns simples comissários),* que viveu com certo luzimento, no último quartel do século, homem ríspido, austero, que admoestava o filho, e, sendo necessário, castigava-o. Mas nem admoestações, nem castigos, valiam nada. O impulso interior do Nicolau era mais eficaz do que todos os bastões paternos; e, uma ou duas vezes por semana, o pequeno reincidia no mesmo delito. Os desgostos da família eram profundos. Deu-se mesmo um caso, que, por suas gravíssimas consequências, merece ser contado.

O vice-rei, que era então o conde de Resende, andava preocupado com a necessidade de construir um cais na praia de D. Manuel. Isto, que seria hoje um simples episódio municipal, era naquele tempo, atentas as proporções escassas da cidade, uma empresa importante. Mas o vice-rei não tinha recursos; o cofre

---

* *Luís de Almeida Soares Portugal de Alarcão Eça e Melo*, marquês de Lavradio (1729-90): vice-rei do Brasil entre 1769 e 1779. Autor de um relatório sobre seu vice-reinado, publicado como apêndice à *História do Brasil (1808-1831)*, de John Armitage. É provável que Machado esteja citando essa fonte.

público mal podia acudir às urgências ordinárias. Homem de estado, e provavelmente filósofo, engendrou um expediente não menos suave que proficuo: distribuir, a troco de donativos pecuniários, postos de capitão, tenente e alferes. Divulgada a resolução, entendeu o pai do Nicolau que era ocasião de figurar, sem perigo, na galeria militar do século, ao mesmo tempo que desmentia uma doutrina bramânica. Com efeito, está nas leis de Manu, que dos braços de Brama nasceram os guerreiros, e do ventre os agricultores e comerciantes; o pai do Nicolau, adquirindo o despacho de capitão, corrigia esse ponto da anatomia gentílica.* Outro comerciante, que com ele competia em tudo, embora familiares e amigos, apenas teve notícia do despacho, foi também levar a sua pedra ao cais. Desgraçadamente, o despeito de ter ficado atrás alguns dias, sugeriu-lhe um arbítrio de mau gosto e, no nosso caso, funesto; foi assim que ele pediu ao vice-rei outro posto de oficial do cais (tal era o nome dado aos agraciados por aquele motivo) para um filho de sete anos. O vice-rei hesitou; mas o pretendente, além de duplicar o donativo, meteu grandes empenhos, e o menino saiu nomeado alferes. Tudo correu em segredo; o pai de Nicolau só teve notícia do caso no domingo próximo, na igreja do Carmo, ao ver os dois, pai e filho, vindo o menino com uma fardinha, que, por galanteria, lhe meteram no corpo. Nicolau, que também ali estava, fez-se lívido; depois, num ímpeto, atirou-se sobre o jovem alferes e rasgou-lhe a farda, antes que os pais pudessem acudir. Um escândalo. O rebuliço do povo, a indignação dos devotos, as queixas do agredido, interromperam por alguns instantes as cerimônias eclesiásticas. Os pais trocaram algumas palavras acerbas, fora, no adro, e ficaram brigados para todo o sempre.

— Este rapaz há de ser a nossa desgraça! bradava o pai de Nicolau, em casa, depois do episódio.

Nicolau apanhou então muita pancada, curtiu muita dor, chorou, soluçou; mas de emenda coisa nenhuma. Os brinquedos dos outros meninos não ficaram menos expostos. O mesmo passou a acontecer às roupas. Os meninos mais ricos do bairro não saíam fora senão com as mais modestas vestimentas caseiras, único modo de escapar às unhas de Nicolau. Com o andar do tempo, estendeu ele a aversão às próprias caras, quando eram bonitas, ou tidas como tais. A rua em

---

* As leis de Manu são a mais importante coletânea de leis da época clássica hindu, redigida entre o século II a. C. e o século II d. C. Nela se estuda a relação entre nossas ações neste mundo e a vida futura, com base na doutrina da transmigração das almas.

que ele residia, contava um sem-número de caras quebradas, arranhadas, conspurcadas. As coisas chegaram a tal ponto, que o pai resolveu trancá-lo em casa durante uns três ou quatro meses. Foi um paliativo, e, como tal, excelente. Enquanto durou a reclusão, Nicolau mostrou-se nada menos que angélico; fora daquele sestro mórbido, era meigo, dócil, obediente, amigo da família, pontual nas rezas. No fim dos quatro meses, o pai soltou-o; era tempo de o meter com um professor de leitura e gramática.

— Deixe-o comigo, disse o professor; deixe-o comigo, e com esta (apontava para a palmatória)... Com esta, é duvidoso que ele tenha vontade de maltratar os companheiros.

Frívolo! três vezes frívolo professor! Sim, não há dúvida, que ele conseguiu poupar os meninos bonitos e as roupas vistosas, castigando as primeiras investidas do pobre Nicolau; mas em que é que este sarou da moléstia? Ao contrário, obrigado a conter-se, a engolir o impulso, padecia dobrado, fazia-se mais lívido, com reflexos de verde bronze; em certos casos, era compelido a voltar os olhos ou fechá-los, para não arrebentar, dizia ele. Por outro lado, se deixou de perseguir os mais graciosos ou melhor adornados, não perdoou aos que se mostravam mais adiantados no estudo; espancava-os, tirava-lhes os livros, e lançava-os fora, nas praias ou no mangue. Rixas, sangue, ódios, tais eram os frutos da vida, para ele, além das dores cruéis que padecia, e que a família teimava em não entender. Se acrescentarmos que ele não pôde estudar nada seguidamente, mas a trancos, e mal, como os vagabundos comem, nada fixo, nada metódico, teremos visto algumas das dolorosas consequências do fato mórbido, oculto e desconhecido. O pai, que sonhava para o filho a Universidade, vendo-se obrigado a estrangular mais essa ilusão, esteve prestes a amaldiçoá-lo; foi a mãe que o salvou.

Saiu um século, entrou outro, sem desaparecer a lesão do Nicolau. Morreu-lhe o pai em 1807 e a mãe em 1809; a irmã casou com um médico holandês, treze meses depois. Nicolau passou a viver só. Tinha vinte e três anos; era um dos petimetres da cidade, mas um singular petimetre, que não podia encarar nenhum outro, ou fosse mais gentil de feições, ou portador de algum colete especial, sem padecer uma dor violenta, tão violenta, que o obrigava às vezes a trincar o beiço até deitar sangue. Tinha ocasiões de cambalear; outras de escorrer-lhe pelo canto da boca um fio quase imperceptível de espuma. E o resto não era menos cruel. Nicolau ficava então ríspido; em casa achava tudo mau, tudo incômo-

166   MACHADO DE ASSIS

do, tudo nauseabundo; feria a cabeça aos escravos com os pratos, que iam partir-se também, e perseguia os cães, a pontapés; não sossegava dez minutos, não comia, ou comia mal. Enfim dormia; e ainda bem que dormia. O sono reparava tudo. Acordava lhano e meigo, alma de patriarca, beijando os cães entre as orelhas, deixando-se lamber por eles, dando-lhes do melhor que tinha, chamando aos escravos as coisas mais familiares e ternas. E tudo, cães e escravos, esqueciam as pancadas da véspera, e acudiam às vozes dele obedientes, namorados, como se este fosse o verdadeiro senhor, e não o outro.

Um dia, estando ele em casa da irmã, perguntou-lhe esta por que motivo não adotava uma carreira qualquer, alguma coisa em que se ocupasse, e...

— Tens razão, vou ver, disse ele.

Interveio o cunhado e opinou por um emprego na diplomacia. O cunhado principiava a desconfiar de alguma doença e supunha que a mudança de clima bastava a restabelecê-lo. Nicolau arranjou uma carta de apresentação, e foi ter com o ministro de estrangeiros. Achou-o rodeado de alguns oficiais da secretaria, prestes a ir ao paço, levar a notícia da segunda queda de Napoleão, notícia que chegara alguns minutos antes. A figura do ministro, as circunstâncias do momento, as reverências dos oficiais, tudo isso deu um tal rebate ao coração de Nicolau, que ele não pôde encarar o ministro. Teimou, seis ou oito vezes, em levantar os olhos, e da única em que o conseguiu, fizeram-se-lhe tão vesgos, que não via ninguém, ou só uma sombra, um vulto, que lhe doía nas pupilas, ao mesmo tempo que a face ia ficando verde. Nicolau recuou, estendeu a mão trêmula ao reposteiro, e fugiu.

— Não quero ser nada! disse ele à irmã, chegando a casa; fico com vocês e os meus amigos.

Os amigos eram os rapazes mais antipáticos da cidade, vulgares e ínfimos. Nicolau escolhera-os de propósito. Viver segregado dos principais era para ele um grande sacrifício; mas, como teria de padecer muito mais vivendo com eles, tragava a situação. Isto prova que ele tinha um certo conhecimento empírico do mal e do paliativo. A verdade é que, com esses companheiros, desapareciam todas as perturbações fisiológicas do Nicolau. Ele fitava-os sem lividez, sem olhos vesgos, sem cambalear, sem nada. Além disso, não só eles lhe poupavam a natural irritabilidade, como porfiavam em tornar-lhe a vida, se não deliciosa, tranquila; e para isso, diziam-lhe as maiores finezas do mundo, em atitudes cativas, ou com uma certa familiaridade inferior. Nicolau amava em geral as naturezas subalternas, como os doentes amam a droga que lhes restitui a saúde; acariciava-as paternalmente, dava-lhes o louvor abundante e cordial, emprestava-lhes dinheiro, distribuía-lhes mimos, abria-lhes a alma...

Veio o grito do Ipiranga; Nicolau meteu-se na política. Em 1823 vamos achá-lo na Constituinte. Não há que dizer ao modo por que ele cumpriu os deveres do cargo. Íntegro, desinteressado, patriota, não exercia de graça essas virtudes públicas, mas à custa de muita tempestade moral. Pode-se dizer, metaforicamente, que a frequência da câmara custava-lhe sangue precioso. Não era só porque os debates lhe pareciam insuportáveis, mas também porque lhe era difícil encarar certos homens, especialmente em certos dias. Montezuma, por exemplo, parecia-lhe balofo, Vergueiro, maçudo, os Andradas, execráveis.* Cada discurso, não só dos principais oradores, mas dos secundários, era para o Nicolau verdadeiro suplício. E, não obstante, firme, pontual. Nunca a votação o achou ausente; nunca o nome dele soou sem eco pela augusta sala. Qualquer que fosse o seu desespero, sabia conter-se e pôr a ideia da pátria acima do alívio próprio. Talvez aplaudisse *in petto* o decreto da dissolução. Não afirmo; mas há bons fundamentos para crer que o Nicolau, apesar das mostras exteriores, gostou de ver dissolvida a assembleia. E se essa conjetura é verdadeira, não menos o será esta outra: — que a deportação de alguns dos chefes constituintes, declarados inimigos públicos, veio aguar-lhe aquele prazer. Nicolau, que padecera com os discursos deles, não menos padeceu com o exílio, posto lhes desse um certo relevo. Se ele também fosse exilado!

— Você podia casar, mano, disse-lhe a irmã.

— Não tenho noiva.

— Arranjo-lhe uma. Valeu?

Era um plano do marido. Na opinião deste, a moléstia do Nicolau estava descoberta; era um verme do baço, que se nutria da dor do paciente, isto é, de uma secreção especial, produzida pela vista de alguns fatos, situações ou pessoas. A questão era matar o verme; mas, não conhecendo nenhuma substância química

---

* Algumas das figuras de maior destaque na Assembleia Constituinte de 1823. *Francisco Jê Acaiaba de Montezuma*, visconde de Jequitinhonha (1794-1870): liberal exaltado, foi deportado para a Europa depois da dissolução da Constituinte. *Nicolau Pereira de Campos Vergueiro* (1778-1859) foi encarcerado nessa mesma ocasião; mais tarde, foi deputado e senador por São Paulo. Os irmãos Andrada, *José Bonifácio*, *Antônio Carlos* e *Martim Francisco*, também foram exilados nessa mesma data.

própria a destruí-lo, restava o recurso de obstar à secreção, cuja ausência daria igual resultado. Portanto, urgia casar o Nicolau, com alguma moça bonita e prendada, separá-lo do povoado, metê-lo em alguma fazenda, para onde levaria a melhor baixela, os melhores trastes, os mais reles amigos, etc.

— Todas as manhãs, continuou ele, receberá o Nicolau um jornal que vou mandar imprimir com o único fim de lhe dizer as coisas mais agradáveis do mundo, e dizê-las nominalmente, recordando os seus modestos, mas profícuos trabalhos da Constituinte, e atribuindo-lhe muitas aventuras namoradas, agudezas de espírito, rasgos de coragem. Já falei ao almirante holandês para consentir que, de quando em quando, vá ter com o Nicolau algum dos nossos oficiais dizer-lhe que não podia voltar para a Haia sem a honra de contemplar um cidadão tão eminente e simpático, em quem se reúnem qualidades raras, e, de ordinário, dispersas. Você, se puder alcançar de alguma modista, a Gudin, por exemplo, que ponha o nome de Nicolau em um chapéu ou mantelete, ajudará muito a cura de seu mano. Cartas amorosas anônimas, enviadas pelo correio, são um recurso eficaz... Mas comecemos pelo princípio, que é casá-lo.

Nunca um plano foi mais conscienciosamente executado. A noiva escolhida era a mais esbelta, ou uma das mais esbeltas da capital. Casou-os o próprio bispo. Recolhido à fazenda, foram com ele somente alguns de seus mais triviais amigos; fez-se o jornal, mandaram-se as cartas, peitaram-se as visitas. Durante três meses tudo caminhou às mil maravilhas. Mas a natureza, apostada em lograr o homem, mostrou ainda desta vez que ela possui segredos inopináveis. Um dos meios de agradar ao Nicolau era elogiar a beleza, a elegância e as virtudes da mulher; mas a moléstia caminhara, e o que parecia remédio excelente foi simples agravação do mal. Nicolau, ao fim de certo tempo, achava ociosos e excessivos tantos elogios à mulher, e bastava isto a impacientá-lo, e a impaciência a produzir-lhe a fatal secreção. Parece mesmo que chegou ao ponto de não poder encará-la muito tempo, e a encará-la mal; vieram algumas rixas, que seriam o princípio de uma separação, se ela não morresse daí a pouco. A dor do Nicolau foi profunda e verdadeira; mas a cura interrompeu-se logo, porque ele desceu ao Rio de Janeiro, onde o vamos achar, tempos depois, entre os revolucionários de 1831.

Conquanto pareça temerário dizer as causas que levaram o Nicolau para o campo da Aclamação, na noite de 6 para 7 de abril, penso que não estará longe da verdade quem supuser que — foi o raciocínio de um ateniense célebre e anônimo.* Tanto os que diziam bem, como os que diziam mal do imperador, tinham enchido as medidas ao Nicolau. Esse homem, que inspirava entusiasmos e ódios, cujo nome era repetido onde quer que o Nicolau estivesse, na rua, no teatro, nas casas alheias, tornou-se uma verdadeira perseguição mórbida, daí o fervor com que ele meteu a mão no movimento de 1831. A abdicação foi um alívio. Verdade é que a Regência o achou dentro de pouco tempo entre os seus adversários; e há quem afirme que ele se filiou ao partido caramuru ou restaurador, posto não ficasse prova do ato. O que é certo é que a vida pública do Nicolau cessou com a Maioridade.

A doença apoderara-se definitivamente do organismo. Nicolau ia, a pouco e pouco, recuando na solidão. Não podia fazer certas visitas, frequentar certas casas. O teatro mal chegava a distraí-lo. Era tão melindroso o estado dos seus órgãos auditivos, que o ruído dos aplausos causava-lhe dores atrozes. O entusiasmo da população fluminense para com a famosa Candiani e a Meréa,** mas a Candiani principalmente, cujo carro puxaram alguns braços humanos, obséquio tanto mais insigne quanto que o não fariam ao próprio Platão, esse entusiasmo foi uma das maiores mortificações do Nicolau. Ele chegou ao ponto de não ir mais ao teatro, de achar a Candiani insuportável, e preferir a *Norma* dos realejos à da prima-dona. Não era por exageração de patriota que ele gostava de ouvir o João

---

* Esta frase não faz sentido, e dá a nítida impressão de que algo foi omitido. Verifiquei o conto em sua primeira edição (na *Gazeta de Notícias*, de 8 de outubro de 1882), e a frase é idêntica. Creio que um comentário de Adriano da Gama Kury, no prefácio a uma edição de *Papéis avulsos* que não chegou a ser publicada, pode nos oferecer uma explicação. Ele diz, referindo-se à rapidez com que foram lançados *Papéis avulsos*, cuja "Advertência" é desse mesmo mês de outubro de 1882: "Essa exiguidade de tempo explica também o terem persistido no volume vários dos erros já existentes nos periódicos [...]", principalmente neste que é o último dos contos incluídos no volume. Como o livro não foi republicado em vida por Machado, ele também não teve a oportunidade de preencher o vácuo.

** A soprano Augusta Candiani é uma lembrança frequente da juventude de Machado. Diz, por exemplo, na crônica de 8 de julho de 1894: "[...] sei que a ópera lírica, propriamente dita, começou a luzir de 1840 a 1850, com outro soprano, desta vez mulher, a célebre Candiani. Quem não a haverá citado? [...] Já é alguma coisa viver durante meio século na memória de uma cidade, não tendo feito outra coisa mais que cantar o melancólico Bellini". A ópera mais famosa de Vincenzo Bellini (1801-35) é, justamente, *Norma* (1831).

Caetano, nos primeiros tempos;* mas afinal deixou-o também, e quase que inteiramente os teatros.

— Está perdido! pensou o cunhado. Se pudéssemos dar-lhe um baço novo...

Como pensar em semelhante absurdo? Estava naturalmente perdido. Já não bastavam os recreios domésticos. As tarefas literárias a que se deu, versos de família, glosas a prêmio e odes políticas, não duraram muito tempo, e pode ser até que lhe dobrassem o mal. De fato, um dia, pareceu-lhe que essa ocupação era a coisa mais ridícula do mundo, e os aplausos ao Gonçalves Dias, por exemplo, deram-lhe ideia de um povo trivial e de mau gosto. Esse sentimento literário, fruto de uma lesão orgânica, reagiu sobre a mesma lesão, ao ponto de produzir graves crises, que o tiveram algum tempo na cama. O cunhado aproveitou o momento para desterrar-lhe da casa todos os livros de certo porte.

Explica-se menos o desalinho com que daí a meses começou a vestir-se. Educado com hábitos de elegância, era antigo freguês de um dos principais alfaiates da corte, o Plum, não passando um só dia em que não fosse pentear-se ao Desmarais e Gérard, *coiffeurs de la cour*, à rua do Ouvidor. Parece que achou enfatuada esta denominação de cabeleireiros do paço, e castigou-os indo pentear-se a um barbeiro ínfimo. Quanto ao motivo que o levou a trocar de traje, repito que é inteiramente obscuro, e a não haver sugestão da idade, é inexplicável. A despedida do cozinheiro é outro enigma. Nicolau, por insinuação do cunhado, que o queria distrair, dava dois jantares por semana; e os convivas eram unânimes em achar que o cozinheiro dele primava sobre todos os da capital. Realmente os pratos eram bons, alguns ótimos, mas o elogio era um tanto enfático, excessivo, para o fim justamente de ser agradável ao Nicolau, e assim aconteceu algum tempo. Como entender, porém, que um domingo, acabado o jantar, que fora magnífico, despedisse ele um varão tão insigne, causa indireta de alguns dos seus mais deleitosos momentos na terra? Mistério impenetrável.

— Era um ladrão! foi a resposta que ele deu ao cunhado.

Nem os esforços deste nem os da irmã e dos amigos, nem os bens, nada melhorou o nosso triste Nicolau. A secreção do baço tornou-se perene, e o verme reproduziu-se aos milhões, teoria que não sei se é verdadeira, mas enfim era a do cunhado. Os últimos anos foram crudelíssimos. Quase se pode jurar que ele vi-

---

* *João dos Santos Caetano* (1808-63): ator e empresário teatral mais famoso da época, lutou para estabelecer um teatro brasileiro.

veu então continuamente verde, irritado, olhos vesgos, padecendo consigo ainda muito mais do que fazia padecer aos outros. A menor ou maior coisa triturava-lhe os nervos: um bom discurso, um artista hábil, uma sege, uma gravata, um soneto, um dito, um sonho interessante, tudo dava de si uma crise.

Quis ele deixar-se morrer? Assim se poderia supor, ao ver a impassibilidade com que rejeitou os remédios dos principais médicos da corte; foi necessário recorrer à simulação, e dá-los, enfim, como receitados por um ignorantão do tempo. Mas era tarde. A morte levou-o ao cabo de duas semanas.

— Joaquim Soares? bradou atônito o cunhado, ao saber da verba testamentária do defunto, ordenando que o caixão fosse fabricado por aquele industrial. Mas os caixões desse sujeito não prestam para nada, e...

— Paciência! interrompeu a mulher; a vontade do mano há de cumprir-se.

A chinela turca

Vede o bacharel Duarte. Acaba de compor o mais teso e correto laço de gravata que apareceu naquele ano de 1850, e anunciam-lhe a visita do major Lopo Alves. Notai que é de noite, e passa de nove horas. Duarte estremeceu e tinha duas razões para isso. A primeira era ser o major, em qualquer ocasião, um dos mais enfadonhos sujeitos do tempo. A segunda é que ele preparava-se justamente para ir ver, em um baile, os mais finos cabelos louros e os mais pensativos olhos azuis, que este nosso clima, tão avaro deles, produzira. Datava de uma semana aquele namoro. Seu coração, deixando-se prender entre duas valsas, confiou aos olhos, que eram castanhos, uma declaração em regra, que eles pontualmente transmitiram à moça, dez minutos antes da ceia, recebendo favorável resposta logo depois do chocolate. Três dias depois, estava a caminho a primeira carta, e pelo jeito que levavam as coisas não era de admirar que, antes do fim do ano, estivessem ambos a caminho da igreja. Nestas circunstâncias, a chegada de Lopo Alves era uma verdadeira calamidade. Velho amigo da família, companheiro de seu finado pai no exército, tinha jus o major a todos os respeitos. Impossível despedi-lo ou tratá-lo com frieza. Havia felizmente uma circunstância atenuante; o major era aparentado com Cecília, a moça dos olhos azuis; em caso de necessidade, era um voto seguro.

Duarte enfiou um chambre e dirigiu-se para a sala, onde Lopo Alves, com um rolo debaixo do braço e os olhos fitos no ar, parecia totalmente alheio à chegada do bacharel.

— Que bom vento o trouxe a Catumbi a semelhante hora? perguntou Duarte, dando à voz uma expressão de prazer, aconselhada não menos pelo interesse que pelo bom-tom.

— Não sei se o vento que me trouxe é bom ou mau, respondeu o major sorrindo por baixo do espesso bigode grisalho; sei que foi um vento rijo. Vai sair?

— Vou ao Rio Comprido.

— Já sei; vai à casa da viúva Meneses. Minha mulher e as pequenas já lá devem estar: eu irei mais tarde, se puder. Creio que é cedo, não?

Lopo Alves tirou o relógio e viu que eram nove horas e meia. Passou a mão pelo bigode, levantou-se, deu alguns passos na sala, tornou a sentar-se e disse:

— Dou-lhe uma notícia, que certamente não espera. Saiba que fiz... fiz um drama.

— Um drama! exclamou o bacharel.

— Que quer? Desde criança padeci destes achaques literários. O serviço militar não foi remédio que me curasse, foi um paliativo. A doença regressou com a força dos primeiros tempos. Já agora não há remédio senão deixá-la, e ir simplesmente ajudando a natureza.

Duarte recordou-se de que efetivamente o major falava noutro tempo de alguns discursos inaugurais, duas ou três nênias e boa soma de artigos que escrevera acerca das campanhas do Rio da Prata.* Havia porém muitos anos que Lopo Alves deixara em paz os generais platinos e os defuntos; nada fazia supor que a moléstia volvesse, sobretudo caracterizada por um drama. Esta circunstância explicá-la-ia o bacharel, se soubesse que Lopo Alves, algumas semanas antes, assistira à representação de uma peça do gênero ultrarromântico, obra que lhe agradou muito e lhe sugeriu a ideia de afrontar as luzes do tablado. Não entrou o major nestas minuciosidades necessárias, e o bacharel ficou sem conhecer o motivo da explosão dramática do militar. Nem o soube, nem curou disso. Encareceu muito as faculdades mentais do major, manifestou calorosamente a ambição que nu-

---

* Como a história se passa em 1850, estas seriam as campanhas de 1825-8, que, durante o reinado de d. Pedro I, terminaram com a independência da Banda Oriental, atual Uruguai. Machado tende a associar pessoas maçantes com as campanhas militares do Sul, como, por exemplo, o major Siqueiros, em *Quincas Borba*.

tria de o ver sair triunfante naquela estreia, prometeu que o recomendaria a alguns amigos que tinha no *Correio Mercantil*, e só estacou e empalideceu quando viu o major, trêmulo de bem-aventurança, abrir o rolo que trazia consigo.

— Agradeço-lhe as suas boas intenções, disse Lopo Alves, e aceito o obséquio que me promete; antes dele, porém, desejo outro. Sei que é inteligente e lido; há de me dizer francamente o que pensa deste trabalho. Não lhe peço elogios, exijo franqueza e franqueza rude. Se achar que não é bom, diga-o sem rebuço.

Duarte procurou desviar aquele cálix de amargura; mas era difícil pedi-lo, e impossível alcançá-lo. Consultou melancolicamente o relógio, que marcava nove horas e cinquenta e cinco minutos, enquanto o major folheava paternalmente as cento e oitenta folhas do manuscrito.

— Isto vai depressa, disse Lopo Alves; eu sei o que são rapazes e o que são bailes. Descanse que ainda hoje dançará duas ou três valsas com *ela*, se a tem, ou com elas. Não acha melhor irmos para o seu gabinete?

Era indiferente, para o bacharel, o lugar do suplício; acedeu ao desejo do hóspede. Este, com a liberdade que lhe davam as relações, disse ao moleque que não deixasse entrar ninguém. O algoz não queria testemunhas. A porta do gabinete fechou-se; Lopo Alves tomou lugar ao pé da mesa, tendo em frente o bacharel, que mergulhou o corpo e o desespero numa vasta poltrona de marroquim, resoluto a não dizer palavra para ir mais depressa ao termo.

O drama dividia-se em sete quadros. Esta indicação produziu um calafrio no ouvinte. Nada havia de novo naquelas cento e oitenta páginas, senão a letra do autor. O mais eram os lances, os caracteres, as *ficelles** e até o estilo dos mais acabados tipos do romantismo desgrenhado. Lopo Alves cuidava pôr por obra uma invenção, quando não fazia mais do que alinhavar as suas reminiscências. Noutra ocasião, a obra seria um bom passatempo. Havia logo no primeiro quadro, espécie de prólogo, uma criança roubada à família, um envenenamento, dois embuçados, a ponta de um punhal e quantidade de adjetivos não menos afiados que o punhal. No segundo quadro dava-se conta da morte de um dos embuçados, que devia ressuscitar no terceiro, para ser preso no quinto, e matar o tirano no sétimo. Além da morte aparente do embuçado, havia no segundo quadro o

---

* *Ficelle*: "fita", "corda". É o momento de uma narrativa que, lançando mão do suspense, deve prender a atenção do leitor, para que leia o episódio seguinte.

rapto da menina, já então moça de dezessete anos, um monólogo que parecia durar igual prazo, e o roubo de um testamento.

Eram quase onze horas quando acabou a leitura deste segundo quadro. Duarte mal podia conter a cólera; era já impossível ir ao Rio Comprido. Não é fora de propósito conjeturar que, se o major expirasse naquele momento, Duarte agradecia a morte como um benefício da Providência. Os sentimentos do bacharel não faziam crer tamanha ferocidade; mas a leitura de um mau livro é capaz de produzir fenômenos ainda mais espantosos. Acresce que, enquanto aos olhos carnais do bacharel aparecia em toda a sua espessura a grenha de Lopo Alves, fulgiam-lhe ao espírito os fios de ouro que ornavam a formosa cabeça de Cecília; via-a com os olhos azuis, a tez branca e rosada, o gesto delicado e gracioso, dominando todas as demais damas que deviam estar no salão da viúva Meneses. Via aquilo, e ouvia mentalmente a música, a palestra, o soar dos passos, e o ruge-ruge das sedas; enquanto a voz rouquenha e sensaborona de Lopo Alves ia desfiando os quadros e os diálogos, com a impassibilidade de uma grande convicção.

Voava o tempo, e o ouvinte já não sabia a conta dos quadros. Meia-noite soara desde muito; o baile estava perdido. De repente, viu Duarte que o major enrolava outra vez o manuscrito, erguia-se, empertigava-se, cravava nele uns olhos odientos e maus, e saía arrebatadamente do gabinete. Duarte quis chamá-lo, mas o pasmo tolhera-lhe a voz e os movimentos. Quando pôde dominar-se, ouviu o bater do tacão rijo e colérico do dramaturgo na pedra da calçada.

Foi à janela; nada viu nem ouviu; autor e drama tinham desaparecido.

— Por que não fez ele isso há mais tempo? disse o rapaz suspirando.

O suspiro mal teve tempo de abrir as asas e sair pela janela fora, em demanda do Rio Comprido, quando o moleque do bacharel veio anunciar-lhe a visita de um homem baixo e gordo.

— A esta hora! exclamou Duarte.

— A esta hora, repetiu o homem baixo e gordo, entrando na sala. A esta ou a qualquer hora, pode a polícia entrar na casa do cidadão, uma vez que se trata de um delito grave.

— Um delito!

— Creio que me conhece...

— Não tenho essa honra.

— Sou empregado na polícia.

— Mas que tenho eu com o senhor? De que delito se trata?

— Pouca coisa: um furto. O senhor é acusado de haver subtraído uma chinela turca. Aparentemente não vale nada ou vale pouco a tal chinela. Mas há chinela e chinela. Tudo depende das circunstâncias.

O homem disse isto com um riso sarcástico, e cravando no bacharel uns olhos de inquisidor. Duarte não sabia sequer da existência do objeto roubado. Concluiu que havia equívoco de nome, e não se zangou com a injúria irrogada à sua pessoa, e de algum modo à sua classe, atribuindo-se-lhe a ratonice. Isto mesmo disse ao empregado da polícia, acrescentando que não era motivo, em todo caso, para incomodá-lo a semelhante hora.

— Há de perdoar-me, disse o representante da autoridade. A chinela de que se trata vale algumas dezenas de contos de réis; é ornada de finíssimos diamantes, que a tornam singularmente preciosa. Não é turca só pela forma, mas também pela origem. A dona, que é uma de nossas patrícias mais viageiras, esteve, há cerca de três anos, no Egito, onde a comprou a um judeu. A história, que este aluno de Moisés referiu acerca daquele produto da indústria muçulmana, é verdadeiramente miraculosa, e, no meu sentir, perfeitamente mentirosa. Mas não vem ao caso dizê-lo. O que importa saber é que ela foi roubada e que a polícia tem denúncia contra o senhor.

Neste ponto do discurso, chegara-se o homem à janela; Duarte suspeitou que fosse um doido ou um ladrão. Não teve tempo de examinar a suspeita, porque, dentro de alguns segundos, viu entrar cinco homens armados, que lhe lançaram as mãos e o levaram, escada abaixo, sem embargo dos gritos que soltava e dos movimentos desesperados que fazia. Na rua havia um carro, onde o meteram à força. Já lá estava o homem baixo e gordo, e mais um sujeito alto e magro, que o receberam e fizeram sentar no fundo do carro. Ouviu-se estalar o chicote do cocheiro e o carro partiu à desfilada.

— Ah! ah! disse o homem gordo. Com que então pensava que podia impunemente furtar chinelas turcas, namorar moças louras, casar talvez com elas... e rir ainda por cima do gênero humano.

Ouvindo aquela alusão à dama dos seus pensamentos, Duarte teve um calafrio. Tratava-se, ao que parecia, de algum desforço de rival suplantado. Ou a alusão seria casual e estranha à aventura? Duarte perdeu-se num cipoal de conjeturas, enquanto o carro ia sempre andando a todo galope. No fim de algum tempo, arriscou uma observação.

A CHINELA TURCA 177

— Quaisquer que sejam os meus crimes, suponho que a polícia...

— Nós não somos da polícia, interrompeu friamente o homem magro.

— Ah!

— Este cavalheiro e eu fazemos um par. Ele, o senhor e eu faremos um terno. Ora, terno não é melhor que par; não é, não pode ser. Um casal é o ideal. Provavelmente não me entendeu?

— Não, senhor.

— Há de entender logo mais.

Duarte resignou-se à espera, enfronhou-se no silêncio, derreou o corpo, e deixou correr o carro e a aventura. Obra de cinco minutos depois estacavam os cavalos.

— Chegamos, disse o homem gordo.

Dizendo isto, tirou um lenço da algibeira e ofereceu-o ao bacharel para que tapasse os olhos. Duarte recusou, mas o homem magro observou-lhe que era mais prudente obedecer que resistir. Não resistiu o bacharel; atou o lenço e apeou-se. Ouviu, daí a pouco, ranger uma porta; duas pessoas, — provavelmente as mesmas que o acompanharam no carro, — seguraram-lhe as mãos e o conduziram por uma infinidade de corredores e escadas. Andando, ouvia o bacharel algumas vozes desconhecidas, palavras soltas, frases truncadas. Afinal pararam; disseram-lhe que se sentasse e destapasse os olhos. Duarte obedeceu; mas ao desvendar-se, não viu ninguém mais.

Era uma sala vasta, assaz iluminada, trastejada com elegância e opulência. Era talvez sobreposse a variedade dos adornos; contudo, a pessoa que os escolhera devia ter gosto apurado. Os bronzes, charões, tapetes, espelhos, — a cópia infinita de objetos que enchiam a sala, era tudo da melhor fábrica. A vista daquilo restituiu a serenidade de ânimo ao bacharel; não era provável que ali morassem ladrões.

Reclinou-se o moço indolentemente na otomana... Na otomana! Esta circunstância trouxe à memória do rapaz o princípio da aventura e o roubo da chinela. Alguns minutos de reflexão bastaram para ver que a tal chinela era já agora mais que problemática. Cavando mais fundo no terreno das conjeturas, pareceu-lhe achar uma explicação nova e definitiva. A chinela vinha a ser pura metáfora; tratava-se do coração de Cecília, que ele roubara, delito de que o queria punir o já imaginado rival. A isto deviam ligar-se naturalmente as palavras misteriosas do homem magro: o par é melhor que o terno; um casal é o ideal.

— Há de ser isso, concluiu Duarte; mas quem será esse pretendente derrotado?

Neste momento abriu-se uma porta do fundo da sala e negrejou a batina de um padre alvo e calvo. Duarte levantou-se, como por efeito de uma mola. O padre atravessou lentamente a sala, ao passar por ele deitou-lhe a bênção, e foi sair por outra porta rasgada na parede fronteira. O bacharel ficou sem movimento, a olhar para a porta, a olhar sem ver, estúpido de todos os sentidos. O inesperado daquela aparição baralhou totalmente as ideias anteriores a respeito da aventura. Não teve tempo, entretanto, de cogitar alguma nova explicação, porque a primeira porta foi de novo aberta e entrou por ela outra figura, desta vez o homem magro, que foi direito a ele e o convidou a segui-lo. Duarte não opôs resistência. Saíram por uma terceira porta, e, atravessados alguns corredores mais ou menos alumiados, foram dar a outra sala, que só o era por duas velas postas em castiçais de prata. Os castiçais estavam sobre uma mesa larga. Na cabeceira desta havia um homem velho que representava ter cinquenta e cinco anos; era uma figura atlética, farta de cabelos na cabeça e na cara.

— Conhece-me? perguntou o velho, logo que Duarte entrou na sala.

— Não, senhor.

— Nem é preciso. O que vamos fazer exclui absolutamente a necessidade de qualquer apresentação. Saberá em primeiro lugar que o roubo da chinela foi um simples pretexto...

— Oh! decerto! interrompeu Duarte.

— Um simples pretexto, continuou o velho, para trazê-lo a esta nossa casa. A chinela não foi roubada; nunca saiu das mãos da dona. João Rufino, vá buscar a chinela.

O homem magro saiu, e o velho declarou ao bacharel que a famosa chinela não tinha nenhum diamante, nem fora comprada a nenhum judeu do Egito; era, porém, turca, segundo se lhe disse, e um milagre de pequenez. Duarte ouviu as explicações, e, reunindo todas as forças, perguntou resolutamente:

— Mas, senhor, não me dirá de uma vez o que querem de mim e o que estou fazendo nesta casa?

— Vai sabê-lo, respondeu tranquilamente o velho.

A porta abriu-se e apareceu o homem magro com a chinela na mão. Duarte, convidado a aproximar-se da luz, teve ocasião de verificar que a pequenez era realmente miraculosa. A chinela era de marroquim finíssimo; no assento do pé, estufado e forrado de seda cor azul, rutilavam duas letras bordadas a ouro.

A CHINELA TURCA 179

— Chinela de criança, não lhe parece? disse o velho.

— Suponho que sim.

— Pois supõe mal; é chinela de moça.

— Será; nada tenho com isso.

— Perdão! tem muito, porque vai casar com a dona.

— Casar! exclamou Duarte.

— Nada menos. João Rufino, vá buscar a dona da chinela.

Saiu o homem magro, e voltou logo depois. Assomando à porta, levantou o reposteiro e deu entrada a uma mulher, que caminhou para o centro da sala. Não era mulher, era uma sílfide, uma visão de poeta, uma criatura divina. Era loura; tinha os olhos azuis, como os de Cecília, extáticos, uns olhos que buscavam o céu ou pareciam viver dele. Os cabelos, deleixadamente penteados, faziam-lhe em volta da cabeça, um como resplendor de santa; santa somente, não mártir, porque o sorriso que lhe desabrochava os lábios, era um sorriso de bem-aventurança, como raras vezes há de ter tido a terra.

Um vestido branco, de finíssima cambraia, envolvia-lhe castamente o corpo, cujas formas aliás desenhava, pouco para os olhos, mas muito para a imaginação.

Um rapaz, como o bacharel, não perde o sentimento da elegância, ainda em lances daqueles. Duarte, ao ver a moça, compôs o chambre, apalpou a gravata e fez uma cerimoniosa cortesia, a que ela correspondeu com tamanha gentileza e graça, que a aventura começou a parecer muito menos aterradora.

— Meu caro doutor, esta é a noiva.

A moça abaixou os olhos; Duarte respondeu que não tinha vontade de casar.

— Três coisas vai o senhor fazer agora mesmo, continuou impassivelmente o velho: a primeira, é casar; a segunda, escrever o seu testamento; a terceira engolir certa droga do Levante...

— Veneno! interrompeu Duarte.

— Vulgarmente é esse o nome; eu dou-lhe outro: passaporte do céu.

Duarte estava pálido e frio. Quis falar, não pôde; um gemido, sequer, não lhe saiu do peito. Rolaria ao chão, se não houvesse ali perto uma cadeira em que se deixou cair.

— O senhor, continuou o velho, tem uma fortunazinha de cento e cinquenta contos. Esta pérola será a sua herdeira universal. João Rufino, vá buscar o padre.

O padre entrou, o mesmo padre calvo que abençoara o bacharel pouco antes; entrou e foi direito ao moço, engrolando sonolentamente um trecho de Neemias ou qualquer outro profeta menor; travou-lhe da mão e disse:

— Levante-se!

— Não! não quero! não me casarei!

— E isto? disse da mesa o velho, apontando-lhe uma pistola.

— Mas então é um assassinato?

— É; a diferença está no gênero de morte: ou violenta com isto, ou suave com a droga. Escolha!

Duarte suava e tremia. Quis levantar-se e não pôde. Os joelhos batiam um contra o outro. O padre chegou-se-lhe ao ouvido, e disse baixinho:

— Quer fugir?

— Oh! sim! exclamou, não com os lábios, que podia ser ouvido, mas com os olhos em que pôs toda a vida que lhe restava.

— Vê aquela janela? Está aberta; embaixo fica um jardim. Atire-se dali sem medo.

— Oh! padre! disse baixinho o bacharel.

— Não sou padre, sou tenente do exército. Não diga nada.

A janela estava apenas cerrada; via-se pela fresta uma nesga do céu, já meio claro. Duarte não hesitou, coligiu todas as forças, deu um pulo do lugar onde estava e atirou-se a Deus misericórdia por ali abaixo. Não era grande altura, a queda foi pequena; ergueu-se o moço rapidamente, mas o homem gordo, que estava no jardim, tomou-lhe o passo.

— Que é isso? perguntou ele rindo.

Duarte não respondeu, fechou os punhos, bateu com eles violentamente nos peitos do homem e deitou a correr pelo jardim fora. O homem não caiu; sentiu apenas um grande abalo; e, uma vez passada a impressão, seguiu no encalço do fugitivo. Começou então uma carreira vertiginosa. Duarte ia saltando cercas e muros, calcando canteiros, esbarrando árvores, que uma ou outra vez se lhe erguiam na frente. Escorria-lhe o suor em bica, alteava-se-lhe o peito, as forças iam a perder-se pouco a pouco; tinha uma das mãos ferida, a camisa salpicada do orvalho das folhas, duas vezes esteve a ponto de ser apanhado, o chambre pegara-se-lhe em uma cerca de espinhos. Enfim, cansado, ferido, ofegante, caiu nos degraus de pedra de uma casa, que havia no meio do último jardim que atravessara.

Olhou para trás; não viu ninguém; o perseguidor não o acompanhara até ali. Podia vir, entretanto; Duarte ergueu-se a custo, subiu os quatro degraus que lhe faltavam, e entrou na casa, cuja porta, aberta, dava para uma sala pequena e baixa.

Um homem que ali estava, lendo um número do *Jornal do Comércio*, pareceu não o ter visto entrar. Duarte caiu numa cadeira. Fitou os olhos no homem. Era o major Lopo Alves. O major, empunhando a folha, cujas dimensões iam-se tornando extremamente exíguas, exclamou repentinamente:

— Anjo do céu, estás vingado! Fim do último quadro.

Duarte olhou para ele, para a mesa, para as paredes, esfregou os olhos, respirou à larga.

— Então! Que tal lhe pareceu?

— Ah! excelente! respondeu o bacharel, levantando-se.

— Paixões fortes, não?

— Fortíssimas. Que horas são?

— Deram duas agora mesmo.

Duarte acompanhou o major até a porta, respirou ainda uma vez, apalpou-se, foi até à janela. Ignora-se o que pensou durante os primeiros minutos; mas, ao cabo de um quarto de hora, eis o que ele dizia consigo: — Ninfa, doce amiga, fantasia inquieta e fértil, tu me salvaste de uma ruim peça com um sonho original, substituíste-me o tédio por um pesadelo: foi um bom negócio. Um bom negócio e uma grave lição: provaste-me ainda uma vez que o melhor drama está no espectador e não no palco.

A igreja do Diabo

CAPÍTULO I

DE UMA IDEIA MIRÍFICA

Conta um velho manuscrito beneditino que o Diabo, em certo dia, teve a ideia de fundar uma igreja. Embora os seus lucros fossem contínuos e grandes, sentia-se humilhado com o papel avulso que exercia desde séculos, sem organização, sem regras, sem cânones, sem ritual, sem nada. Vivia, por assim dizer, dos remanescentes divinos, dos descuidos e obséquios humanos. Nada fixo, nada regular. Por que não teria ele a sua igreja? Uma igreja do Diabo era o meio eficaz de combater as outras religiões, e destruí-las de uma vez.

— Vá, pois, uma igreja, concluiu ele. Escritura contra Escritura, breviário contra breviário. Terei a minha missa, com vinho e pão à farta, as minhas prédicas, bulas, novenas e todo o demais aparelho eclesiástico. O meu credo será o núcleo universal dos espíritos, a minha igreja uma tenda de Abraão. E depois, enquanto as outras religiões se combatem e se dividem, a minha igreja será única; não acharei diante de mim, nem Maomé, nem Lutero. Há muitos modos de afirmar; há só um de negar tudo.

Dizendo isto, o Diabo sacudiu a cabeça e estendeu os braços, com um gesto magnífico e varonil. Em seguida, lembrou-se de ir ter com Deus para comunicar-lhe a ideia, e desafiá-lo; levantou os olhos, acesos de ódio, ásperos de vingança, e disse consigo: — Vamos, é tempo. E rápido, batendo as asas, com tal estrondo que abalou todas as províncias do abismo, arrancou da sombra para o infinito azul.

CAPÍTULO II
ENTRE DEUS E O DIABO

Deus recolhia um ancião, quando o Diabo chegou ao céu. Os serafins que engrinaldavam o recém-chegado, detiveram-se logo, e o Diabo deixou-se estar à entrada com os olhos no Senhor.

— Que me queres tu? perguntou este.

— Não venho pelo vosso servo Fausto, respondeu o Diabo rindo, mas por todos os Faustos do século e dos séculos.

— Explica-te.

— Senhor, a explicação é fácil; mas permiti que vos diga: recolhei primeiro esse bom velho; dai-lhe o melhor lugar, mandai que as mais afinadas cítaras e alaúdes o recebam com os mais divinos coros...

— Sabes o que ele fez? perguntou o Senhor, com os olhos cheios de doçura.

— Não, mas provavelmente é dos últimos que virão ter convosco. Não tarda muito que o céu fique semelhante a uma casa vazia, por causa do preço, que é alto. Vou edificar uma hospedaria barata; em duas palavras, vou fundar uma igreja. Estou cansado da minha desorganização, do meu reinado casual e adventício. É tempo de obter a vitória final e completa. E então vim dizer-vos isto, com lealdade, para que me não acuseis de dissimulação... Boa ideia, não vos parece?

— Vieste dizê-la, não legitimá-la, advertiu o Senhor.

— Tendes razão, acudiu o Diabo; mas o amor-próprio gosta de ouvir o aplauso dos mestres. Verdade é que neste caso seria o aplauso de um mestre vencido, e uma tal exigência... Senhor, desço à terra; vou lançar a minha pedra fundamental.

— Vai.

— Quereis que venha anunciar-vos o remate da obra?

— Não é preciso; basta que me digas desde já por que motivo, cansado há tanto da tua desorganização, só agora pensaste em fundar uma igreja?

O Diabo sorriu com certo ar de escárnio e triunfo. Tinha alguma ideia cruel no espírito, algum reparo picante no alforje da memória, qualquer coisa que, nesse breve instante da eternidade, o fazia crer superior ao próprio Deus. Mas recolheu o riso, e disse:

— Só agora concluí uma observação, começada desde alguns séculos, e é que as virtudes, filhas do céu, são em grande número comparáveis a rainhas, cujo manto de veludo rematasse em franjas de algodão. Ora, eu proponho-me a puxá-las por essa franja, e trazê-las todas para minha igreja; atrás delas virão as de seda pura...

— Velho retórico! murmurou o Senhor.

— Olhai bem. Muitos corpos que ajoelham aos vossos pés, nos templos do mundo, trazem as anquinhas da sala e da rua, os rostos tingem-se do mesmo pó, os lenços cheiram aos mesmos cheiros, as pupilas centelham de curiosidade e devoção entre o livro santo e o bigode do pecado. Vede o ardor, — a indiferença, ao menos, — com que esse cavalheiro põe em letras públicas os benefícios que liberalmente espalha, — ou sejam roupas ou botas, ou moedas, ou quaisquer dessas matérias necessárias à vida... Mas não quero parecer que me detenho em coisas miúdas; não falo, por exemplo, da placidez com que este juiz de irmandade, nas procissões, carrega piedosamente ao peito o vosso amor e uma comenda... Vou a negócios mais altos...

Nisto os serafins agitaram as asas pesadas de fastio e sono. Miguel e Gabriel fitaram no Senhor um olhar de súplica. Deus interrompeu o Diabo.

— Tu és vulgar, que é o pior que pode acontecer a um espírito da tua espécie, replicou-lhe o Senhor. Tudo o que dizes ou digas está dito e redito pelos moralistas do mundo. É assunto gasto; e se não tens força, nem originalidade para renovar um assunto gasto, melhor é que te cales e te retires. Olha; todas as minhas legiões mostram no rosto os sinais vivos do tédio que lhes dás. Esse mesmo ancião parece enjoado; e sabes tu o que ele fez?

— Já vos disse que não.

— Depois de uma vida honesta, teve uma morte sublime. Colhido em um naufrágio, ia salvar-se numa tábua; mas viu um casal de noivos, na flor da vida, que se debatiam já com a morte; deu-lhes a tábua de salvação e mergulhou na eternidade. Nenhum público: a água e o céu por cima. Onde achas aí a franja de algodão?

— Senhor, eu sou, como sabeis, o espírito que nega.

A IGREJA DO DIABO 185

— Negas esta morte?

— Nego tudo. A misantropia pode tomar aspecto de caridade; deixar a vida aos outros, para um misantropo, é realmente aborrecê-los...

— Retórico e sutil! exclamou o Senhor. Vai; vai, funda a tua igreja; chama todas as virtudes, recolhe todas as franjas, convoca todos os homens... Mas, vai! vai!

Debalde o Diabo tentou proferir alguma coisa mais. Deus impusera-lhe silêncio; os serafins, a um sinal divino, encheram o céu com as harmonias de seus cânticos. O Diabo sentiu, de repente, que se achava no ar; dobrou as asas, e, como um raio, caiu na terra.

CAPÍTULO III
A BOA NOVA AOS HOMENS

Uma vez na terra, o Diabo não perdeu um minuto. Deu-se pressa em enfiar a cogula beneditina, como hábito de boa fama, e entrou a espalhar uma doutrina nova e extraordinária, com uma voz que reboava nas entranhas do século. Ele prometia aos seus discípulos e fiéis as delícias da terra, todas as glórias, os deleites mais íntimos. Confessava que era o Diabo; mas confessava-o para retificar a noção que os homens tinham dele e desmentir as histórias que a seu respeito contavam as velhas beatas.

— Sim, sou o Diabo, repetia ele; não o Diabo das noites sulfúreas, dos contos soníferos, terror das crianças, mas o Diabo verdadeiro e único, o próprio gênio da natureza, a que se deu aquele nome para arredá-lo do coração dos homens. Vede-me gentil e airoso. Sou o vosso verdadeiro pai. Vamos lá: tomai daquele nome, inventado para meu desdouro, fazei dele um troféu e um lábaro, e eu vos darei tudo, tudo, tudo, tudo, tudo, tudo...

Era assim que falava, a princípio, para excitar o entusiasmo, espertar os indiferentes, congregar, em suma, as multidões ao pé de si. E elas vieram; e logo que vieram, o Diabo passou a definir a doutrina. A doutrina era a que podia ser na boca de um espírito de negação. Isso quanto à substância, porque, acerca da forma, era umas vezes sutil, outras cínica e deslavada.

Clamava ele que as virtudes aceitas deviam ser substituídas por outras, que eram as naturais e legítimas. A soberba, a luxúria, a preguiça foram reabilitadas,

186 MACHADO DE ASSIS

e assim também a avareza, que declarou não ser mais do que a mãe da economia, com a diferença que a mãe era robusta, e a filha uma esgalgada. A ira tinha a melhor defesa na existência de Homero; sem o furor de Aquiles, não haveria a *Ilíada*: "Musa, canta a cólera de Aquiles, filho de Peleu"... O mesmo disse da gula, que produziu as melhores páginas de Rabelais, e muitos bons versos do *Hissope*; virtude tão superior, que ninguém se lembra das batalhas de Luculo, mas das suas ceias;* foi a gula que realmente o fez imortal. Mas, ainda pondo de lado essas razões de ordem literária ou histórica, para só mostrar o valor intrínseco daquela virtude, quem negaria que era muito melhor sentir na boca e no ventre os bons manjares, em grande cópia, do que os maus bocados, ou a saliva do jejum? Pela sua parte o Diabo prometia substituir a vinha do Senhor, expressão metafórica, pela vinha do Diabo, locução direta e verdadeira, pois não faltaria nunca aos seus com o fruto das mais belas cepas do mundo. Quanto à inveja, pregou friamente que era a virtude principal, origem de prosperidades infinitas; virtude preciosa, que chegava a suprir todas as outras, e ao próprio talento.

As turbas corriam atrás dele entusiasmadas. O Diabo incutia-lhes, a grandes golpes de eloquência, toda a nova ordem de coisas, trocando a noção delas, fazendo amar as perversas e detestar as sãs.

Nada mais curioso, por exemplo, do que a definição que ele dava da fraude. Chamava-lhe o braço esquerdo do homem; o braço direito era a força; e concluía: Muitos homens são canhotos, eis tudo. Ora, ele não exigia que todos fossem canhotos; não era exclusivista. Que uns fossem canhotos, outros destros; aceitava a todos, menos os que não fossem nada. A demonstração, porém, mais rigorosa e profunda, foi a da venalidade. Um casuísta do tempo chegou a confessar que era um monumento de lógica. A venalidade, disse o Diabo, era o exercício de um direito superior a todos os direitos. Se tu podes vender a tua casa, o teu boi, o teu sapato, o teu chapéu, coisas que são tuas por uma razão jurídica e legal, mas que, em todo caso, estão fora de ti, como é que não podes vender a tua opinião, o teu voto, a tua palavra, a tua fé, coisas que são mais do que tuas, porque são a tua própria consciência, isto é, tu mesmo? Negá-lo é cair no absurdo e no contraditório. Pois não há mulheres que vendem os cabelos? não pode um ho-

---

* "Musa, canta a cólera de Aquiles [...]" é o primeiro verso da *Ilíada*. Rabelais (c. 1494-1533): autor de *Gargântua e Pantagruel*; este último é a personificação da glutonaria. *O hissope* (1802): poema herói-cômico, de sátira contra o clero, do poeta neoclássico português Antônio Dinis da Cruz e Silva (1731-99). *Luculo*: general romano, é outro símbolo da gulodice.

mem vender uma parte do seu sangue para transfundi-lo a outro homem anêmico? e o sangue e os cabelos, partes físicas, terão um privilégio que se nega ao caráter, à porção moral do homem? Demonstrando assim o princípio, o Diabo não se demorou em expor as vantagens de ordem temporal ou pecuniária; depois, mostrou ainda que, à vista do preconceito social, conviria dissimular o exercício de um direito tão legítimo, o que era exercer ao mesmo tempo a venalidade e a hipocrisia, isto é, merecer duplicadamente.

E descia, e subia, examinava tudo, retificava tudo. Está claro que combateu o perdão das injúrias e outras máximas de brandura e cordialidade. Não proibiu formalmente a calúnia gratuita, mas induziu a exercê-la mediante retribuição, ou pecuniária, ou de outra espécie; nos casos, porém, em que ela fosse uma expansão imperiosa da força imaginativa, e nada mais, proibia receber nenhum salário, pois equivalia a fazer pagar a transpiração. Todas as formas de respeito foram condenadas por ele, como elementos possíveis de um certo decoro social e pessoal; salva, todavia, a única exceção do interesse. Mas essa mesma exceção foi logo eliminada, pela consideração de que o interesse, convertendo o respeito em simples adulação, era este o sentimento aplicado e não aquele.

Para rematar a obra, entendeu o Diabo que lhe cumpria cortar por toda a solidariedade humana. Com efeito, o amor do próximo era um obstáculo grave à nova instituição. Ele mostrou que essa regra era uma simples invenção de parasitas e negociantes insolváveis; não se devia dar ao próximo senão indiferença; em alguns casos, ódio ou desprezo. Chegou mesmo à demonstração de que a noção de próximo era errada, e citava esta frase de um padre de Nápoles, aquele fino e letrado Galiani, que escrevia a uma das marquesas do antigo regime: "Leve a breca o próximo! Não há próximo!"* A única hipótese em que ele permitia amar ao próximo era quando se tratasse de amar as damas alheias, porque essa espécie de amor tinha a particularidade de não ser outra coisa mais do que o amor do indivíduo a si mesmo. E como alguns discípulos achassem que uma tal explicação, por metafísica, escapava à compreensão das turbas, o Diabo recorreu a um apólogo: — Cem pessoas tomam ações de um banco, para as operações comuns; mas cada acionista não cuida realmente senão nos seus dividendos: é o que acontece aos adúlteros. Este apólogo foi incluído no livro da sabedoria.

---

* *Galiani* (1728-87): abade e economista italiano, famoso *homme d'esprit*. É provável que esta citação provenha de uma de suas muitas cartas a madame D'Épinay, marquesa francesa.

CAPÍTULO IV
FRANJAS E FRANJAS

A previsão do Diabo verificou-se. Todas as virtudes cuja capa de veludo acabava em franja de algodão, uma vez puxadas pela franja, deitavam a capa às urtigas e vinham alistar-se na igreja nova. Atrás foram chegando as outras, e o tempo abençoou a instituição. A igreja fundara-se; a doutrina propagava-se; não havia uma região do globo que não a conhecesse, uma língua que não a traduzisse, uma raça que não a amasse. O Diabo alçou brados de triunfo.

Um dia, porém, longos anos depois notou o Diabo que muitos dos seus fiéis, às escondidas, praticavam as antigas virtudes. Não as praticavam todas, nem integralmente, mas algumas, por partes, e, como digo, às ocultas. Certos glutões recolhiam-se a comer frugalmente três ou quatro vezes por ano, justamente em dias de preceito católico; muitos avaros davam esmolas, à noite, ou nas ruas mal povoadas; vários dilapidadores do erário restituíam-lhe pequenas quantias; os fraudulentos falavam, uma ou outra vez, com o coração nas mãos, mas com o mesmo rosto dissimulado, para fazer crer que estavam embaçando os outros.

A descoberta assombrou o Diabo. Meteu-se a conhecer mais diretamente o mal, e viu que lavrava muito. Alguns casos eram até incompreensíveis, como o de um droguista do Levante, que envenenara longamente uma geração inteira, e, com o produto das drogas, socorria os filhos das vítimas. No Cairo achou um perfeito ladrão de camelos, que tapava a cara para ir às mesquitas. O Diabo deu com ele à entrada de uma, lançou-lhe em rosto o procedimento; ele negou, dizendo que ia ali roubar o camelo de um *drogman*;* roubou-o, com efeito, à vista do Diabo e foi dá-lo de presente a um muezim, que rezou por ele a Alá. O manuscrito beneditino cita muitas outras descobertas extraordinárias, entre elas esta, que desorientou completamente o Diabo. Um dos seus melhores apóstolos era um calabrês, varão de cinquenta anos, insigne falsificador de documentos, que possuía uma bela casa na campanha romana, telas, estátuas, biblioteca, etc. Era a fraude em pessoa; chegava a meter-se na cama para não confessar que estava são. Pois esse homem, não só não furtava ao jogo, como ainda dava gratificações aos criados. Tendo angariado a amizade de um cônego, ia todas as semanas confessar-se com ele, numa capela solitária; e, conquanto não lhe desvendasse

* *Drogman*: intérprete ou guia, nos países do Oriente Médio.

nenhuma das suas ações secretas, benzia-se duas vezes, ao ajoelhar-se, e ao levantar-se. O Diabo mal pôde crer tamanha aleivosia. Mas não havia duvidar; o caso era verdadeiro.

Não se deteve um instante. O pasmo não lhe deu tempo de refletir, comparar e concluir do espetáculo presente alguma coisa análoga ao passado. Voou de novo ao céu, trêmulo de raiva, ansioso de conhecer a causa secreta de tão singular fenômeno. Deus ouviu-o com infinita complacência; não o interrompeu, não o repreendeu, não triunfou, sequer, daquela agonia satânica. Pôs os olhos nele, e disse-lhe:

— Que queres tu, meu pobre Diabo? As capas de algodão têm agora franjas de seda, como as de veludo tiveram franjas de algodão. Que queres tu? é a eterna contradição humana.

Conto alexandrino

CAPÍTULO I

NO MAR

— O quê, meu caro Stroibus! Não, impossível. Nunca jamais ninguém acreditará que o sangue de rato, dado a beber a um homem, possa fazer do homem um ratoneiro.

— Em primeiro lugar, Pítias, tu omites uma condição: — é que o rato deve expirar debaixo do escalpelo, para que o sangue traga o seu princípio. Essa condição é essencial. Em segundo lugar, uma vez que me apontas o exemplo do rato, fica sabendo que já fiz com ele uma experiência, e cheguei a produzir um ladrão...

— Ladrão autêntico?

— Levou-me o manto, ao cabo de trinta dias, mas deixou-me a maior alegria do mundo: — a realidade da minha doutrina. Que perdi eu? um pouco de tecido grosso; e que lucrou o universo? a verdade imortal. Sim, meu caro Pítias; esta é a eterna verdade. Os elementos constitutivos do ratoneiro estão no sangue do rato, os do paciente no boi, os do arrojado na águia...

— Os do sábio na coruja, interrompeu Pítias sorrindo.

— Não; a coruja é apenas um emblema; mas a aranha, se pudéssemos transferi-la a um homem, daria a esse homem os rudimentos da geometria e o sentimento musical. Com um bando de cegonhas, andorinhas ou grous, faço-te de um caseiro um viageiro. O princípio da fidelidade conjugal está no sangue da rola, o da enfatuação no dos pavões... Em suma, os deuses puseram nos bichos da terra, da água e do ar a essência de todos os sentimentos e capacidades humanas. Os animais são as letras soltas do alfabeto; o homem é a sintaxe. Esta é a minha filosofia recente; esta é a que vou divulgar na corte do grande Ptolomeu.*

Pítias sacudiu a cabeça, e fixou os olhos no mar. O navio singrava, em direitura a Alexandria, com essa carga preciosa de dois filósofos, que iam levar àquele regaço do saber os frutos da razão esclarecida. Eram amigos, viúvos e quinquagenários. Cultivavam especialmente a metafísica, mas conheciam a física, a química, a medicina e a música; um deles, Stroibus, chegara a ser excelente anatomista, tendo lido muitas vezes os tratados do mestre Herófilo.** Chipre era a pátria de ambos; mas, tão certo é que ninguém é profeta em sua terra, Chipre não dava o merecido respeito aos dois filósofos. Ao contrário, desdenhava-os; os garotos tocavam ao extremo de rir deles. Não foi esse, entretanto, o motivo que os levou a deixar a pátria. Um dia, Pítias, voltando de uma viagem, propôs ao amigo irem para Alexandria, onde as artes e as ciências eram grandemente honradas. Stroibus aderiu, e embarcaram. Só agora, depois de embarcados, é que o inventor da nova doutrina expô-la ao amigo, com todas as suas recentes cogitações e experiências.

— Está feito, disse Pítias, levantando a cabeça, não afirmo nem nego nada. Vou estudar a doutrina, e se a achar verdadeira, proponho-me a desenvolvê-la e divulgá-la.

— Viva Hélios!*** exclamou Stroibus. Posso contar que és meu discípulo.

* A dinastia dos Ptolomeu reinou no Egito após Alexandre, o Grande, de 323 a 30 a. C.
** *Herófilo* (c. 335 a. C.-c. 280 a. C.): primeiro anatomista grego a fazer autópsias, conhecido como o pai da anatomia.
*** *Hélios* (ou *Hélio*): na mitologia grega, deus do sol e da luz.

CAPÍTULO II
EXPERIÊNCIA

Os garotos alexandrinos não trataram os dois sábios com o escárnio dos garotos cipriotas. A terra era grave como a íbis pousada numa só pata, pensativa como a esfinge, circunspecta como as múmias, dura como as pirâmides; não tinha tempo nem maneira de rir. Cidade e corte, que desde muito tinham notícias dos nossos dois amigos, fizeram-lhes um recebimento régio, mostraram conhecer seus escritos, discutiram as suas ideias, mandaram-lhes muitos presentes, papiros, crocodilos, zebras, púrpuras. Eles, porém, recusaram tudo, com simplicidade, dizendo que a filosofia bastava ao filósofo, e que o supérfluo era um dissolvente. Tão nobre resposta encheu de admiração tanto aos sábios como aos principais e à mesma plebe. E aliás, diziam os mais sagazes, que outra coisa se podia esperar de dois homens tão sublimes, que em seus magníficos tratados...

— Temos coisa melhor do que esses tratados, interrompia Stroibus. Trago uma doutrina, que, em pouco, vai dominar o universo; cuido nada menos que em reconstituir os homens e os Estados, distribuindo os talentos e as virtudes.

— Não é esse o ofício dos deuses? objetava um.

— Eu violei o segredo dos deuses, acudia Stroibus. O homem é a sintaxe da natureza, eu descobri as leis da gramática divina...

— Explica-te.

— Mais tarde; deixa-me experimentar primeiro. Quando a minha doutrina estiver completa, divulgá-la-ei como a maior riqueza que os homens jamais poderão receber de um homem.

Imaginem a expectação pública e a curiosidade dos outros filósofos, embora incrédulos de que a verdade recente viesse aposentar as que eles mesmos possuíam. Entretanto, esperavam todos. Os dois hóspedes eram apontados na rua até pelas crianças. Um filho meditava trocar a avareza do pai, um pai a prodigalidade do filho, uma dama a frieza de um varão, um varão os desvarios de uma dama, porque o Egito, desde os Faraós até aos Lágides,* era a terra de Putifar, da mulher de Putifar, da capa de José, e do resto.** Stroibus tornou-se a esperança da cidade e do mundo.

---

* Quer dizer, desde o início dos tempos até a época em que transcorre o conto. Lágides é outra denominação dos Ptolomeu.
** Ver Gênesis, 37 e 39.

Pítias, tendo estudado a doutrina, foi ter com Stroibus, e disse-lhe:

— Metafisicamente, a tua doutrina é um despropósito; mas estou pronto a admitir uma experiência, contanto que seja decisiva. Para isto, meu caro Stroibus, há só um meio. Tu e eu, tanto pelo cultivo da razão como pela rigidez do caráter, somos o que há mais oposto ao vício do furto. Pois bem, se conseguires incutir-nos esse vício, não será preciso mais; se não conseguires nada (e podes crê--lo, porque é um absurdo) recuarás de semelhante doutrina, e tornarás às nossas velhas meditações.

Stroibus aceitou a proposta.

— O meu sacrifício é o mais penoso, disse ele, pois estou certo do resultado; mas que não merece a verdade? A verdade é imortal; o homem é um breve momento...

Os ratos egípcios, se pudessem saber de um tal acordo, teriam imitado os primitivos hebreus, aceitando a fuga para o deserto, antes do que a nova filosofia. E podemos crer que seria um desastre. A ciência, como a guerra, tem necessidades imperiosas; e desde que a ignorância dos ratos, a sua fraqueza, a superioridade mental e física dos dois filósofos eram outras tantas vantagens na experiência que ia começar, cumpria não perder tão boa ocasião de saber se efetivamente o princípio das paixões e das virtudes humanas estava distribuído pelas várias espécies de animais, e se era possível transmiti-lo.

Stroibus engaiolava os ratos; depois, um a um, ia-os sujeitando ao ferro. Primeiro, atava uma tira de pano ao focinho do paciente; em seguida, os pés; finalmente, cingia com um cordel as pernas e o pescoço do animal à tábua da operação. Isto feito, dava o primeiro talho no peito, com vagar, e com vagar ia enterrando o ferro até tocar o coração, porque era opinião dele que a morte instantânea corrompia o sangue e retirava-lhe o princípio. Hábil anatomista, operava com uma firmeza digna do propósito científico. Outro, menos destro, interromperia muita vez a tarefa, porque as contorções de dor e de agonia tornavam difícil o meneio do escalpelo; mas essa era justamente a superioridade de Stroibus: tinha o pulso magistral e prático.

Ao lado dele, Pítias aparava o sangue e ajudava a obra, já contendo os movimentos convulsivos do paciente, já espiando-lhe nos olhos o progresso da agonia. As observações que ambos faziam eram notadas em folhas de papiro; e assim ganhava a ciência de duas maneiras. Às vezes, por divergência de apreciação, eram obrigados a escalpelar maior número de ratos do que o necessário; mas não perdiam com isso, porque o sangue dos excedentes era conservado e ingerido depois. Um só desses casos mostrará a consciência com que eles procediam. Pítias observara que a retina do rato agonizante mudava de cor até chegar ao azul-claro, ao passo que a observação de Stroibus dava a cor de canela como o tom final da morte. Estavam na última operação do dia; mas o ponto valia a pena, e, não obstante o cansaço, fizeram sucessivamente dezenove experiências sem resultado definitivo; Pítias insistia pela cor azul, e Stroibus pela cor de canela. O vigésimo rato esteve prestes a pô-los de acordo, mas Stroibus advertiu, com muita sagacidade, que a sua posição era agora diferente, retificou-a e escalpelaram mais vinte e cinco. Destes, o primeiro ainda os deixou em dúvida; mas os outros vinte e quatro provaram-lhes que a cor final não era canela nem azul, mas um lírio roxo, tirando a claro.

A descrição exagerada das experimentações deu rebate à porção sentimental da cidade, e excitou a loquela de alguns sofistas; mas o grave Stroibus (com brandura, para não agravar uma disposição própria da alma humana) respondeu que a verdade valia todos os ratos do universo, e não só os ratos, como os pavões, as cabras, os cães, os rouxinóis, etc.; que, em relação aos ratos, além de ganhar a ciência, ganhava a cidade, vendo diminuída a praga de um animal tão daninho; e, se a mesma consideração não se dava com outros animais, como, por exemplo, as rolas e os cães, que eles iam escalpelar daí a tempos, nem por isso os direitos da verdade eram menos imprescritíveis. A natureza não há de ser só a mesa de jantar, concluía em forma de aforismo, mas também a mesa da ciência.

E continuavam a extrair o sangue e a bebê-lo. Não o bebiam puro, mas diluído em um cozimento de cinamomo, suco de acácia e bálsamo, que lhe tirava todo o sabor primitivo. As doses eram diárias e diminutas; tinham, portanto, de aguardar um longo prazo antes de produzido o efeito. Pítias, impaciente e incrédulo, mofava do amigo.

— Então? nada?

— Espera, dizia o outro, espera. Não se incute um vício como se cose um par de sandálias.

CAPÍTULO III
VITÓRIA

Enfim, venceu Stroibus! A experiência provou a doutrina. E Pítias foi o primeiro que deu mostras da realidade do efeito, atribuindo-se umas três ideias ouvidas ao próprio Stroibus; este, em compensação, furtou-lhe quatro comparações e uma teoria dos ventos. Nada mais científico do que essas estreias. As ideias alheias, por isso mesmo que não foram compradas na esquina, trazem um certo ar comum; e é muito natural começar por elas antes de passar aos livros emprestados, às galinhas, aos papéis falsos, às províncias, etc. A própria denominação de plágio é um indício de que os homens compreendem a dificuldade de confundir esse embrião da ladroeira com a ladroeira formal.

Duro é dizê-lo; mas a verdade é que eles deitaram ao Nilo a bagagem metafísica, e dentro de pouco estavam larápios acabados. Concertavam-se de véspera, e iam aos mantos, aos bronzes, às ânforas de vinho, às mercadorias do porto, às boas dracmas. Como furtassem sem estrépito, ninguém dava por eles; mas, ainda mesmo que os suspeitassem, como fazê-lo crer aos outros? Já então Ptolomeu coligira na biblioteca muitas riquezas e raridades; e, porque conviesse ordená-las, designou para isso cinco gramáticos e cinco filósofos, entre estes os nossos dois amigos. Estes últimos trabalharam com singular ardor, sendo os primeiros que entravam e os últimos que saíam, e ficando ali muitas noites, ao clarão da lâmpada, decifrando, coligindo, classificando. Ptolomeu, entusiasmado, meditava para eles os mais altos destinos.

Ao cabo de algum tempo, começaram a notar-se faltas graves: — um exemplar de Homero, três rolos de manuscritos persas, dois de samaritanos, uma soberba coleção de cartas originais de Alexandre, cópias de leis atenienses, o 2º e o 3º livro da *República* de Platão, etc., etc. A autoridade pôs-se à espreita; mas a esperteza do rato, transferida a um organismo superior, era naturalmente maior, e os dois ilustres gatunos zombavam de espias e guardas. Chegaram ao ponto de estabelecer este preceito filosófico de não sair dali com as mãos vazias; traziam sempre alguma coisa, uma fábula, quando menos. Enfim, estando a sair um navio para Chipre, pediram licença a Ptolomeu, com promessa de voltar, coseram os livros dentro de couros de hipopótamo, puseram-lhes rótulos falsos, e trataram de fugir. Mas a inveja de outros filósofos não dormia; deu rebate às suspeitas dos magistrados, e descobriu-se o roubo. Stroibus e Pítias foram tidos por aventureiros, mascarados com os nomes daqueles dois varões ilustres; Ptolomeu entregou-os à justiça com ordem de os passar logo ao carrasco. Foi então que interveio Herófilo, inventor da anatomia.

CAPÍTULO IV
PLUS ULTRA!

— Senhor, disse ele a Ptolomeu, tenho-me limitado até agora a escalpelar cadáveres. Mas o cadáver dá-me a estrutura, não me dá a vida; dá-me os órgãos, não me dá as funções. Eu preciso das funções e da vida.

— Que me dizes? redarguiu Ptolomeu. Queres estripar os ratos de Stroibus?

— Não, senhor; não quero estripar os ratos.

— Os cães? os gansos? as lebres?

— Nada; peço alguns homens vivos.

— Vivos? não é possível...

— Vou demonstrar que não só é possível, mas até legítimo e necessário. As prisões egípcias estão cheias de criminosos, e os criminosos ocupam, na escala humana, um grau muito inferior. Já não são cidadãos, nem mesmo se podem dizer homens, porque a razão e a virtude, que são os dois principais característicos humanos, eles os perderam, infringindo a lei e a moral. Além disso, uma vez que têm de expiar com a morte os seus crimes, não é justo que prestem algum serviço à verdade e à ciência? A verdade é imortal; ela vale não só todos os ratos, como todos os delinquentes do universo.

Ptolomeu achou o raciocínio exato, e ordenou que os criminosos fossem entregues a Herófilo e seus discípulos. O grande anatomista agradeceu tão insigne obséquio, e começou a escalpelar os réus. Grande foi o assombro do povo; mas, salvo alguns pedidos verbais, não houve nenhuma manifestação contra a medida. Herófilo repetia o que dissera a Ptolomeu, acrescentando que a sujeição dos réus à experiência anatômica era até um modo indireto de servir à moral, visto que o terror do escalpelo impediria a prática de muitos crimes.

Nenhum dos criminosos, ao deixar a prisão, suspeitava o destino científico que o esperava. Saíam um por um; às vezes dois a dois, ou três a três. Muitos deles, estendidos e atados à mesa da operação, não chegavam a desconfiar nada; imaginavam que era um novo gênero de execução sumária. Só quando os anatomistas definiam o objeto do estudo do dia, alçavam os ferros e davam os primeiros talhos, é que os desgraçados adquiriam a consciência da situação. Os que se lembravam de ter visto as experiências dos ratos, padeciam em dobro, porque a imaginação juntava à dor presente o espetáculo passado.

Para conciliar os interesses da ciência com os impulsos da piedade, os réus não eram escalpelados à vista uns dos outros, mas sucessivamente. Quando vinham aos dois ou aos três, não ficavam em lugar donde os que esperavam pudessem ouvir os gritos do paciente, embora os gritos fossem muitas vezes abafados por meio de aparelhos; mas se eram abafados, não eram suprimidos, e em certos casos, o próprio objeto da experiência exigia que a emissão da voz fosse franca. Às vezes as operações eram simultâneas; mas então faziam-se em lugares distanciados.

Tinham sido escalpelados cerca de cinquenta réus, quando chegou a vez de Stroibus e Pítias. Vieram buscá-los; eles supuseram que era para a morte judiciária, e encomendaram-se aos deuses. De caminho, furtaram uns figos, e explicaram o caso alegando que era um impulso da fome; adiante, porém, subtraíram uma flauta, e essa outra ação não a puderam explicar satisfatoriamente. Todavia, a astúcia do larápio é infinita, e Stroibus, para justificar a ação, tentou extrair algumas notas do instrumento, enchendo de compaixão as pessoas que os viam passar, e não ignoravam a sorte que iam ter. A notícia desses dois novos delitos foi narrada por Herófilo, e abalou a todos os seus discípulos.

— Realmente, disse o mestre, é um caso extraordinário, um caso lindíssimo. Antes do principal, examinemos aqui o outro ponto...

O ponto era saber se o nervo do latrocínio residia na palma da mão ou na extremidade dos dedos; problema esse sugerido por um dos discípulos. Stroibus foi o primeiro sujeito à operação. Compreendeu tudo, desde que entrou na sala; e, como a natureza humana tem uma parte ínfima, pediu-lhes humildemente que poupassem a vida a um filósofo. Mas Herófilo, com um grande poder de dialética, disse-lhe mais ou menos isto: — Ou és um aventureiro ou o verdadeiro Stroibus; no primeiro caso, tens aqui o único meio para resgatar o crime de iludir a um príncipe esclarecido, presta-te ao escalpelo; no segundo caso, não deves ignorar que a obrigação do filósofo é servir à filosofia, e que o corpo é nada em comparação com o entendimento.

Dito isto, começaram pela experiência das mãos, que produziu ótimos resultados, coligidos em livros, que se perderam com a queda dos Ptolomeus. Também as mãos de Pítias foram rasgadas e minuciosamente examinadas. Os infelizes berravam, choravam, suplicavam; mas Herófilo dizia-lhes pacificamente que a obrigação do filósofo era servir à filosofia, e que para os fins da ciência, eles valiam ainda mais que os ratos, pois era melhor concluir do homem para o homem, e não do rato para o homem. E continuou a rasgá-los fibra por fibra, durante oito dias. No terceiro dia arrancaram-lhes os olhos, para desmentir praticamente uma teoria sobre a conformação interior do órgão. Não falo da extração do estômago de ambos, por se tratar de problemas relativamente secundários, e em todo caso estudados e resolvidos em cinco ou seis indivíduos escalpelados antes deles.

Diziam os alexandrinos que os ratos celebraram esse caso aflitivo e doloroso com danças e festas, a que convidaram alguns cães, rolas, pavões e outros animais ameaçados de igual destino, e outrossim, que nenhum dos convidados aceitou o convite, por sugestão de um cachorro, que lhes disse melancolicamente: — "Século virá em que a mesma coisa nos aconteça". Ao que retorquiu um rato: "Mas até lá, riamos!".

Cantiga de esponsais

Imagine a leitora que está em 1813, na igreja do Carmo, ouvindo uma daquelas boas festas antigas, que eram todo o recreio público e toda a arte musical. Sabem o que é uma missa cantada; podem imaginar o que seria uma missa cantada daqueles anos remotos. Não lhe chamo a atenção para os padres e os sacristães, nem para o sermão, nem para os olhos das moças cariocas, que já eram bonitos nesse tempo, nem para as mantilhas das senhoras graves, os calções, as cabeleiras, as sanefas, as luzes, os incensos, nada. Não falo sequer da orquestra, que é excelente; limito-me a mostrar-lhes uma cabeça branca, a cabeça desse velho que rege a orquestra, com alma e devoção.

Chama-se Romão Pires; terá sessenta anos, não menos, nasceu no Valongo, ou por esses lados. É bom músico e bom homem; todos os músicos gostam dele. Mestre Romão é o nome familiar; e dizer familiar e público era a mesma coisa em tal matéria e naquele tempo. "Quem rege a missa é mestre Romão" — equivalia a esta outra forma de anúncio, anos depois: "Entra em cena o ator João Caetano"; — ou então: "O ator Martinho cantará uma de suas melhores árias".* Era o tempero certo, o chamariz delicado e popular. Mestre Romão rege a festa!

---

* *João dos Santos Caetano* (1808-63): ator e empresário teatral mais famoso da época, lutou para estabelecer um teatro brasileiro. *Martinho Corrêa Vasques* (1822-90): ator de "extraordinária veia

Quem não conhecia mestre Romão, com o seu ar circunspecto, olhos no chão, riso triste, e passo demorado? Tudo isso desaparecia à frente da orquestra; então a vida derramava-se por todo o corpo e todos os gestos do mestre; o olhar acendia-se, o riso iluminava-se: era outro. Não que a missa fosse dele; esta, por exemplo, que ele rege agora no Carmo é de José Maurício;* mas ele rege-a com o mesmo amor que empregaria, se a missa fosse sua.

Acabou a festa; é como se acabasse um clarão intenso, e deixasse o rosto apenas alumiado da luz ordinária. Ei-lo que desce do coro, apoiado na bengala; vai à sacristia beijar a mão aos padres e aceita um lugar à mesa do jantar. Tudo isso indiferente e calado. Jantou, saiu, caminhou para a rua da Mãe dos Homens, onde reside, com um preto velho, pai José, que é a sua verdadeira mãe, e que neste momento conversa com uma vizinha.

— Mestre Romão lá vem, pai José, disse a vizinha.

— Eh! eh! adeus, sinhá, até logo.

Pai José deu um salto, entrou em casa, e esperou o senhor, que daí a pouco entrava com o mesmo ar do costume. A casa não era rica naturalmente; nem alegre. Não tinha o menor vestígio de mulher, velha ou moça, nem passarinhos que cantassem, nem flores, nem cores vivas ou jucundas. Casa sombria e nua. O mais alegre era um cravo, onde o mestre Romão tocava algumas vezes, estudando. Sobre uma cadeira, ao pé, alguns papéis de música; nenhuma dele...

Ah! se mestre Romão pudesse seria um grande compositor. Parece que há duas sortes de vocação, as que têm língua e as que a não têm. As primeiras realizam-se; as últimas representam uma luta constante e estéril entre o impulso interior e a ausência de um modo de comunicação com os homens. Romão era destas. Tinha a vocação íntima da música; trazia dentro de si muitas óperas e missas, um mundo de harmonias novas e originais, que não alcançava exprimir e pôr no papel. Esta era a causa única da tristeza de mestre Romão. Naturalmente o vulgo não atinava com ela; uns diziam isto, outros aquilo: doença, falta de dinheiro, algum desgosto antigo; mas a verdade é esta: — a causa da melancolia de mestre Romão era não poder compor, não possuir o meio de traduzir o que sentia. Não

---

cômica", discípulo e companheiro de João Caetano. Retirou-se de cena com a morte deste, em 1863.

* *José Maurício Nunes Garcia*, padre José Maurício (1767-1830): mulato, de origem humilde, compositor, foi a maior figura musical de seu tempo no Brasil.

é que não rabiscasse muito papel e não interrogasse o cravo, durante horas; mas tudo lhe saía informe, sem ideia nem harmonia. Nos últimos tempos tinha até vergonha da vizinhança, e não tentava mais nada.

E, entretanto, se pudesse, acabaria ao menos uma certa peça, um canto esponsalício, começado três dias depois de casado, em 1779. A mulher, que tinha então vinte e um anos, e morreu com vinte e três, não era muito bonita, nem pouco, mas extremamente simpática, e amava-o tanto como ele a ela. Três dias depois de casado, mestre Romão sentiu em si alguma coisa parecida com inspiração. Ideou então o canto esponsalício, e quis compô-lo; mas a inspiração não pôde sair. Como um pássaro que acaba de ser preso, e forceja por transpor as paredes da gaiola, abaixo, acima, impaciente, aterrado, assim batia a inspiração do nosso músico, encerrada nele sem poder sair, sem achar uma porta, nada. Algumas notas chegaram a ligar-se; ele escreveu-as; obra de uma folha de papel, não mais. Teimou no dia seguinte, dez dias depois, vinte vezes durante o tempo de casado. Quando a mulher morreu, ele releu essas primeiras notas conjugais, e ficou ainda mais triste, por não ter podido fixar no papel a sensação da felicidade extinta.

— Pai José, disse ele ao entrar, sinto-me hoje adoentado.

— Sinhô comeu alguma coisa que fez mal...

— Não; já de manhã não estava bom. Vai à botica...

O boticário mandou alguma coisa, que ele tomou à noite; no dia seguinte mestre Romão não se sentia melhor. É preciso dizer que ele padecia do coração: — moléstia grave e crônica. Pai José ficou aterrado, quando viu que o incômodo não cedera ao remédio, nem ao repouso, e quis chamar o médico.

— Para quê? disse o mestre. Isto passa.

O dia não acabou pior; e a noite suportou-a ele bem, não assim o preto, que mal pôde dormir duas horas. A vizinhança, apenas soube do incômodo, não quis outro motivo de palestra; os que entretinham relações com o mestre foram visitá-lo. E diziam-lhe que não era nada, que eram macacoas do tempo; um acrescentava graciosamente que era manha, para fugir aos capotes que o boticário lhe dava no gamão, — outro que eram amores. Mestre Romão sorria, mas consigo mesmo dizia que era o final.

— Está acabado, pensava ele.

Um dia de manhã, cinco depois da festa, o médico achou-o realmente mal; e foi isso o que ele lhe viu na fisionomia por trás das palavras enganadoras:

— Isto não é nada; é preciso não pensar em músicas...

Em músicas! justamente esta palavra do médico deu ao mestre um pensamento. Logo que ficou só, com o escravo, abriu a gaveta onde guardava desde 1779 o canto esponsalício começado. Releu essas notas arrancadas a custo, e não concluídas. E então teve uma ideia singular: — rematar a obra agora, fosse como fosse; qualquer coisa servia, uma vez que deixasse um pouco de alma na terra.

— Quem sabe? Em 1880, talvez se toque isto, e se conte que um mestre Romão...

O princípio do canto rematava em um certo *lá*; este *lá*, que lhe caía bem no lugar, era a nota derradeiramente escrita. Mestre Romão ordenou que lhe levassem o cravo para a sala do fundo, que dava para o quintal: era-lhe preciso ar. Pela janela viu na janela dos fundos de outra casa dois casadinhos de oito dias, debruçados, com os braços por cima dos ombros, e duas mãos presas. Mestre Romão sorriu com tristeza.

— Aqueles chegam, disse ele, eu saio. Comporei ao menos este canto que eles poderão tocar...

Sentou-se ao cravo; reproduziu as notas e chegou ao *lá*...

— *Lá, lá, lá...*

Nada, não passava adiante. E contudo, ele sabia música como gente.

Lá, dó... lá, mi... lá, si, dó, ré... ré... ré...

Impossível! nenhuma inspiração. Não exigia uma peça profundamente original, mas enfim alguma coisa, que não fosse de outro e se ligasse ao pensamento começado. Voltava ao princípio, repetia as notas, buscava reaver um retalho da sensação extinta, lembrava-se da mulher, dos primeiros tempos. Para completar a ilusão, deitava os olhos pela janela para o lado dos casadinhos. Estes continuavam ali, com as mãos presas e os braços passados nos ombros um do outro; a diferença é que se miravam agora, em vez de olhar para baixo. Mestre Romão, ofegante da moléstia e de impaciência, tornava ao cravo; mas a vista do casal não lhe suprira a inspiração, e as notas seguintes não soavam.

— *Lá... lá... lá...*

Desesperado, deixou o cravo, pegou do papel escrito e rasgou-o. Nesse momento, a moça embebida no olhar do marido, começou a cantarolar à toa, inconscientemente, uma coisa nunca antes cantada nem sabida, na qual coisa um certo *lá* trazia após si uma linda frase musical, justamente a que mestre Romão procurara durante anos sem achar nunca. O mestre ouviu-a com tristeza, abanou a cabeça, e à noite expirou.

Singular ocorrência

— Há ocorrências bem singulares. Está vendo aquela dama que vai entrando na igreja da Cruz? Parou agora no adro para dar uma esmola.

— De preto?

— Justamente; lá vai entrando; entrou.

— Não ponha mais na carta. Esse olhar está dizendo que a dama é uma sua recordação de outro tempo, e não há de ser de muito tempo, a julgar pelo corpo: é moça de truz.

— Deve ter quarenta e seis anos.

— Ah! conservada. Vamos lá; deixe de olhar para o chão, e conte-me tudo. Está viúva, naturalmente?

— Não.

— Bem; o marido ainda vive. É velho?

— Não é casada.

— Solteira?

— Assim, assim. Deve chamar-se hoje D. Maria de tal. Em 1860 florescia com o nome familiar de Marocas. Não era costureira, nem proprietária, nem mestra de meninas; vá excluindo as profissões e lá chegará. Morava na rua do Sacramento. Já então era esbelta, e, seguramente, mais linda do que hoje; modos sérios,

204   MACHADO DE ASSIS

linguagem limpa. Na rua, com o vestido afogado, escorrido, sem espavento, arrastava a muitos, ainda assim.

— Por exemplo, ao senhor.

— Não, mas ao Andrade, um amigo meu, de vinte e seis anos, meio advogado, meio político, nascido nas Alagoas, e casado na Bahia, donde viera em 1859. Era bonita a mulher dele, afetuosa, meiga e resignada; quando os conheci, tinham uma filhinha de dois anos.

— Apesar disso, a Marocas...?

— É verdade, dominou-o. Olhe, se não tem pressa, conto-lhe uma coisa interessante.

— Diga.

— A primeira vez que ele a encontrou, foi à porta da loja Paula Brito, no Rocio.* Estava ali, viu a distância uma mulher bonita, e esperou, já alvoroçado, porque ele tinha em alto grau a paixão das mulheres. Marocas vinha andando, parando e olhando como quem procura alguma casa. Defronte da loja deteve-se um instante; depois, envergonhada e a medo, estendeu um pedacinho de papel ao Andrade, e perguntou-lhe onde ficava o número ali escrito. Andrade disse-lhe que do outro lado do Rocio, e ensinou-lhe a altura provável da casa. Ela cortejou com muita graça; ele ficou sem saber o que pensasse da pergunta.

— Como eu estou.

— Nada mais simples: Marocas não sabia ler. Ele não chegou a suspeitá-lo. Viu-a atravessar o Rocio, que ainda não tinha estátua nem jardim, e ir à casa que buscava, ainda assim perguntando em outras. De noite foi ao Ginásio; dava-se a *Dama das Camélias*;** Marocas estava lá, e, no último ato, chorou como uma criança. Não lhe digo nada; no fim de quinze dias amavam-se loucamente. Marocas

---

* *Francisco de Paula Brito* (1809-61): uma das figuras mais importantes da juventude de Machado de Assis; foi tipógrafo e jornalista, e sua livraria foi ponto de encontro dos intelectuais do período. *Rocio*: nome familiar da praça da Constituição, atualmente praça Tiradentes. A estátua de d. Pedro I, que domina a praça, só foi inaugurada em 1862. Causou polêmica, sendo chamada de "mentira de bronze".

** *A Dama das Camélias*: peça célebre de Alexandre Dumas Filho (1824-95). Estreou em Paris em 1852, e em 1856 foi um sucesso extraordinário no Rio. Embora sua personagem central, a cortesã Marguerite Gautier, morra ao final de tuberculose, ela se regenera pelo amor de Armand Duval. Essa regeneração suscitou, na época, vários contra-ataques, dos quais a peça de Émile Augier mencionada neste conto é um dos mais conhecidos.

despediu todos os seus namorados, e creio que não perdeu pouco; tinha alguns capitalistas bem bons. Ficou só, sozinha, vivendo para o Andrade, não querendo outra afeição, não cogitando de nenhum outro interesse.

— Como a Dama das Camélias.

— Justo. Andrade ensinou-lhe a ler. Estou mestre-escola, disse-me ele um dia; e foi então que me contou a anedota do Rocio. Marocas aprendeu depressa. Compreende-se; o vexame de não saber, o desejo de conhecer os romances em que ele lhe falava, e finalmente o gosto de obedecer a um desejo dele, de lhe ser agradável... Não me encobriu nada; contou-me tudo com um riso de gratidão nos olhos, que o senhor não imagina. Eu tinha a confiança de ambos. Jantávamos às vezes os três juntos; e... não sei por que negá-lo, — algumas vezes os quatro. Não cuide que eram jantares de gente pândega; alegres, mas honestos. Marocas gostava da linguagem afogada, como os vestidos. Pouco a pouco estabeleceu-se intimidade entre nós; ela interrogava-me acerca da vida do Andrade, da mulher, da filha, dos hábitos dele, se gostava deveras dela, ou se era um capricho, se tivera outros, se era capaz de a esquecer, uma chuva de perguntas, e um receio de o perder, que mostravam a força e a sinceridade da afeição... Um dia, uma festa de S. João, o Andrade acompanhou a família à Gávea, onde ia assistir a um jantar e um baile; dois dias de ausência. Eu fui com eles. Marocas, ao despedir-se, recordou a comédia que ouvira algumas semanas antes no Ginásio — *Janto com minha mãe* —* e disse-me que, não tendo família para passar a festa de S. João, ia fazer como a Sofia Arnoult da comédia, ia jantar com um retrato; mas não seria o da mãe, porque não tinha, e sim do Andrade. Este dito ia-lhe rendendo um beijo; o Andrade chegou a inclinar-se; ela, porém, vendo que eu estava ali, afastou-o delicadamente com a mão.

— Gosto desse gesto.

— Ele não gostou menos. Pegou-lhe na cabeça com ambas as mãos, e, paternalmente, pingou-lhe o beijo na testa. Seguimos para a Gávea. De caminho disse-me a respeito da Marocas as maiores finezas, contou-me as últimas frioleiras de ambos, falou-me do projeto que tinha de comprar-lhe uma casa em algum

---

* *Je dîne chez ma mère*: peça de Lambert Thiboust e Adrien Decourcelle, de 1855, traduzida no Brasil em 1857 (não se sabe se foi representada então, mas foi encenada na década de 1870). A ação, que se passa em 1765, tem como figura central a famosa cortesã Sophie Arnoult, abandonada por todos os seus amigos e admiradores na noite de 1º de janeiro: todos dão a mesma desculpa, de que têm que "jantar com a sua mãe". Sophie fica só, e tem que jantar com o retrato de sua mãe.

arrabalde, logo que pudesse dispor de dinheiro; e, de passagem, elogiou a modéstia da moça, que não queria receber dele mais do que o estritamente necessário. Há mais do que isso, disse-lhe eu; e contei-lhe uma coisa que sabia, isto é, que cerca de três semanas antes, a Marocas empenhara algumas joias para pagar uma conta da costureira. Esta notícia abalou-o muito; não juro, mas creio que ficou com os olhos molhados. Em todo caso, depois de cogitar algum tempo, disse-me que definitivamente ia arranjar-lhe uma casa e pô-la ao abrigo da miséria. Na Gávea ainda falamos da Marocas, até que as festas acabaram, e nós voltamos. O Andrade deixou a família em casa, na Lapa, e foi ao escritório aviar alguns papéis urgentes. Pouco depois do meio-dia apareceu-lhe um tal Leandro ex-agente de certo advogado a pedir-lhe, como de costume, dois ou três mil-réis. Era um sujeito reles e vadio. Vivia a explorar os amigos do antigo patrão. Andrade deu-lhe três mil-réis, e, como o visse excepcionalmente risonho, perguntou-lhe se tinha visto passarinho verde. O Leandro piscou os olhos e lambeu os beiços: o Andrade, que dava o cavaco por anedotas eróticas, perguntou-lhe se eram amores. Ele mastigou um pouco, e confessou que sim.

— Olhe; lá vem ela saindo: não é ela?

— Ela mesma; afastemo-nos da esquina.

— Realmente, deve ter sido muito bonita. Tem um ar de duquesa.

— Não olhou para cá; não olha nunca para os lados. Vai subir pela rua do Ouvidor...

— Sim, senhor. Compreendo o Andrade.

— Vamos ao caso. O Leandro confessou que tivera na véspera uma fortuna rara, ou antes única, uma coisa que ele nunca esperara achar, nem merecia mesmo, porque se conhecia e não passava de um pobre-diabo. Mas, enfim, os pobres também são filhos de Deus. Foi o caso que, na véspera, perto das dez horas da noite, encontrara no Rocio uma dama vestida com simplicidade, vistosa de corpo, e muito embrulhada num xale grande. A dama vinha atrás dele, e mais depressa; ao passar rentezinha com ele, fitou-lhe muito os olhos, e foi andando devagar, como quem espera. O pobre-diabo imaginou que era engano de pessoa; confessou ao Andrade que, apesar da roupa simples, viu logo que não era coisa para os seus beiços. Foi andando; a mulher, parada, fitou-o outra vez, mas com tal instância, que ele chegou a atrever-se um pouco; ela atreveu-se o resto... Ah! um anjo! E que casa, que sala rica! Coisa papa-fina. E depois o desinteresse... "Olhe, acrescentou ele, para V. Sª é que era um bom arranjo." Andrade abanou a cabeça; não lhe cheirava o comborço. Mas o Leandro teimou; era na rua do Sacramento, número tantos...

— Não me diga isso!

— Imagine como não ficou o Andrade. Ele mesmo não soube o que fez nem o que disse durante os primeiros minutos, nem o que pensou nem o que sentiu. Afinal teve força para perguntar se era verdade o que estava contando; mas o outro advertiu que não tinha nenhuma necessidade de inventar semelhante coisa; vendo, porém, o alvoroço do Andrade, pediu-lhe segredo, dizendo que ele, pela sua parte, era discreto. Parece que ia sair; Andrade deteve-o, e propôs-lhe um negócio; propôs-lhe ganhar vinte mil-réis. — "Pronto!" — "Dou-lhe vinte mil-réis, se você for comigo à casa dessa moça e disser em presença dela que é ela mesma."

— Oh!

— Não defendo o Andrade; a coisa não era bonita; mas a paixão, nesse caso, cega os melhores homens. Andrade era digno, generoso, sincero; mas o golpe fora tão profundo, e ele amava-a tanto, que não recuou diante de uma tal vingança.

— O outro aceitou?

— Hesitou um pouco, estou que por medo, não por dignidade, mas vinte mil-réis... Pôs uma condição: não metê-lo em barulhos... Marocas estava na sala, quando o Andrade entrou. Caminhou para a porta, na intenção de o abraçar; mas o Andrade advertiu-a, com o gesto, que trazia alguém. Depois, fitando-a muito, fez entrar o Leandro; Marocas empalideceu. — "É esta senhora?" perguntou ele. — "Sim, senhor", murmurou o Leandro com voz sumida, porque há ações ainda mais ignóbeis do que o próprio homem que as comete. Andrade abriu a carteira com grande afetação, tirou uma nota de vinte mil-réis e deu-lha; e, com a mesma afetação, ordenou-lhe que se retirasse. O Leandro saiu. A cena que se seguiu, foi breve, mas dramática. Não a soube inteiramente, porque o próprio Andrade é que me contou tudo, e, naturalmente, estava tão atordoado, que muita coisa lhe escapou. Ela não confessou nada; mas estava fora de si, e, quando ele, depois de lhe dizer as coisas mais duras do mundo, atirou-se para a porta, ela rojou-se-lhe aos pés, agarrou-lhe as mãos, lacrimosa, desesperada, ameaçando matar-se; e ficou atirada ao chão, no patamar da escada; ele desceu vertiginosamente e saiu.

— Na verdade, um sujeito reles, apanhado na rua; provavelmente eram hábitos dela?

— Não.

— Não?

— Ouça o resto. De noite, seriam oito horas, o Andrade veio à minha casa, e esperou por mim. Já me tinha procurado três vezes. Fiquei estupefato; mas como duvidar, se ele tivera a precaução de levar a prova até à evidência? Não lhe conto o que ouvi, os planos de vingança, as exclamações, os nomes que lhe chamou, todo o estilo e todo o repertório dessas crises. Meu conselho foi que a deixasse; que, afinal, vivesse para a mulher e a filha, a mulher tão boa, tão meiga... Ele concordava, mas tornava ao furor. Do furor passou à dúvida; chegou a imaginar que a Marocas, com o fim de o experimentar, inventara o artifício e pagara ao Leandro para vir dizer-lhe aquilo; e a prova é que o Leandro, não querendo ele saber quem era, teimou e lhe disse a casa e o número. E agarrado a esta inverossimilhança, tentava fugir à realidade; mas a realidade vinha — a palidez de Marocas, a alegria sincera do Leandro, tudo o que lhe dizia que a aventura era certa. Creio até que ele arrependia-se de ter ido tão longe. Quanto a mim, cogitava na aventura, sem atinar com a explicação. Tão modesta! maneiras tão acanhadas!

— Há uma frase de teatro que pode explicar a aventura, uma frase de Augier, creio eu: "a nostalgia da lama".*

— Acho que não, mas vá ouvindo. Às dez horas apareceu-nos em casa uma criada de Marocas, uma preta forra, muito amiga da ama. Andava aflita em procura do Andrade, porque a Marocas, depois de chorar muito, trancada no quarto, saiu de casa sem jantar, e não voltara mais. Contive o Andrade, cujo primeiro gesto foi para sair logo. A preta pedia-nos por tudo, que fôssemos descobrir a ama. "Não é costume dela sair?" perguntou o Andrade com sarcasmo. Mas a preta disse que não era costume. "Está ouvindo?" bradou ele para mim. Era a esperança que de novo empolgara o coração do pobre-diabo. "E ontem?..." disse eu. A preta respondeu que na véspera sim; mas não lhe perguntei mais nada, tive compaixão do Andrade, cuja aflição crescia, e cujo pundonor ia cedendo diante do perigo. Saímos em busca da Marocas; fomos a todas as casas em que era possível encontrá-la; fomos à policia; mas a noite passou-se sem outro resultado. De ma-

---

* Em francês, "la nostalgie de la boue": frase usada ainda hoje, e que provém de uma peça de Émile Augier, *Le mariage d'Olympe*, traduzida para o português em 1857, proibida pela censura naquela época, mas representada com certo sucesso no Rio em 1880. A peça mostra a maldade da heroína, Olympe Taverny, ex-cortesã que se casa com o conde de Puygiron, mas, por tédio (ou por "nostalgia da lama"), acaba voltando a seus antigos hábitos.

nhã voltamos à polícia. O chefe ou um dos delegados, não me lembra, era amigo do Andrade, que lhe contou da aventura a parte conveniente; aliás a ligação do Andrade e da Marocas era conhecida de todos os seus amigos. Pesquisou-se tudo; nenhum desastre se dera durante a noite; as barcas da praia Grande* não viram cair ao mar nenhum passageiro; as casas de armas não venderam nenhuma; as boticas nenhum veneno. A polícia pôs em campo todos os seus recursos, e nada. Não lhe digo o estado de aflição em que o pobre Andrade viveu durante essas longas horas, porque todo o dia se passou em pesquisas inúteis. Não era só a dor de a perder; era também o remorso, a dúvida, ao menos, da consciência, em presença de um possível desastre, que parecia justificar a moça. Ele perguntava-me, a cada passo, se não era natural fazer o que fez, no delírio da indignação, se eu não faria a mesma coisa. Mas depois tornava a afirmar a aventura, e provava-me que era verdadeira, com o mesmo ardor com que na véspera tentara provar que era falsa; o que ele queria era acomodar a realidade ao sentimento da ocasião.

— Mas, enfim, descobriram a Marocas?

— Estávamos comendo alguma coisa, em um hotel, eram perto de oito horas, quando recebemos notícia de um vestígio: — um cocheiro que levara na véspera uma senhora para o Jardim Botânico, onde ela entrou em uma hospedaria, e ficou. Nem acabamos o jantar; fomos no mesmo carro ao Jardim Botânico. O dono da hospedaria confirmou a versão; acrescentando que a pessoa se recolhera a um quarto, não comera nada desde que chegou na véspera; apenas pediu uma xícara de café; parecia profundamente abatida. Encaminhamo-nos para o quarto; o dono da hospedaria bateu à porta; ela respondeu com voz fraca, e abriu. O Andrade nem me deu tempo de preparar nada; empurrou-me, e caíram nos braços um do outro. Marocas chorou muito e perdeu os sentidos.

— Tudo se explicou?

— Coisa nenhuma. Nenhum deles tornou ao assunto; livres de um naufrágio, não quiseram saber nada da tempestade que os meteu a pique. A reconciliação fez-se depressa. O Andrade comprou-lhe, meses depois, uma casinha em Catumbi; a Marocas deu-lhe um filho, que morreu de dois anos. Quando ele seguiu para o Norte, em comissão do governo, a afeição era ainda a mesma, posto que os primeiros ardores não tivessem já a mesma intensidade. Não obstante, ela quis

* *Praia Grande*: antigo nome de Niterói.

ir também; fui eu que a obriguei a ficar. O Andrade contava tornar ao fim de pouco tempo, mas, como lhe disse, morreu na província. A Marocas sentiu profundamente a morte, pôs luto, e considerou-se viúva; sei que nos três primeiros anos, ouvia sempre uma missa no dia aniversário. Há dez anos perdi-a de vista. Que lhe parece tudo isto?

— Realmente, há ocorrências bem singulares, se o senhor não abusou da minha ingenuidade de rapaz para imaginar um romance...

— Não inventei nada; é a realidade pura.

— Pois, senhor, é curioso. No meio de uma paixão tão ardente, tão sincera... Eu ainda estou na minha; acho que foi a nostalgia da lama.

— Não: nunca a Marocas desceu até os Leandros.

— Então por que desceria naquela noite?

— Era um homem que ela supunha separado, por um abismo, de todas as suas relações pessoais; daí a confiança. Mas o acaso, que é um deus e um diabo ao mesmo tempo... Enfim, coisas!

Último capítulo

Há entre os suicidas um excelente costume, que é não deixar a vida sem dizer o motivo e as circunstâncias que os armam contra ela. Os que se vão calados, raramente é por orgulho; na maior parte dos casos ou não têm tempo, ou não sabem escrever. Costume excelente: em primeiro lugar, é um ato de cortesia, não sendo este mundo um baile, de onde um homem possa esgueirar-se antes do cotilhão; em segundo lugar, a imprensa recolhe e divulga os bilhetes póstumos, e o morto vive ainda um dia ou dois, às vezes uma semana mais.

Pois apesar da excelência do costume, era meu propósito sair calado. A razão é que, tendo sido caipora em minha vida toda, temia que qualquer palavra última pudesse levar-me alguma complicação à eternidade. Mas um incidente de há pouco trocou-me o plano, e retiro-me deixando, não só um escrito, mas dois. O primeiro é o meu testamento, que acabo de compor e fechar, e está aqui em cima da mesa, ao pé da pistola carregada. O segundo é este resumo de autobiografia. E note-se que não dou o segundo escrito senão porque é preciso esclarecer o primeiro, que pareceria absurdo ou ininteligível, sem algum comentário. Disponho ali que, vendidos os meus poucos livros, roupa de uso e um casebre que possuo em Catumbi, alugado a um carpinteiro, seja o produto empregado em sapatos e botas novas, que se distribuirão por um modo indicado, e confesso que extraordinário. Não explicada a razão de um tal legado, arrisco a validade do testamento. Ora, a razão do legado brotou do incidente de há pouco, e o incidente liga-se à minha vida inteira.

Chamo-me Matias Deodato de Castro e Melo, filho do sargento-mor Salvador Deodato de Castro e Melo e de D. Maria da Soledade Pereira, ambos falecidos. Sou natural de Corumbá, Mato Grosso; nasci em 3 de março de 1820; tenho portanto, cinquenta e um anos, hoje, 3 de março de 1871.

Repito, sou um grande caipora, o mais caipora de todos os homens. Há uma locução proverbial, que eu literalmente realizei. Era em Corumbá; tinha sete para oito anos, embalava-me na rede, à hora da sesta, em um quartinho de telha-vã; a rede, ou por estar frouxa a argola, ou por impulso demasiado violento da minha parte, desprendeu-se de uma das paredes, e deu comigo no chão. Caí de costas; mas, assim mesmo de costas, quebrei o nariz, porque um pedaço de telha, mal seguro, que só esperava ocasião de vir abaixo, aproveitou a comoção e caiu também. O ferimento não foi grave nem longo; tanto que meu pai caçoou muito comigo. O cônego Brito, de tarde, ao ir tomar guaraná conosco, soube do episódio e citou o rifão, dizendo que era eu o primeiro que cumpria exatamente este absurdo de cair de costas e quebrar o nariz. Nem um nem outro imaginava que o caso era um simples início de coisas futuras.

Não me demoro em outros reveses da infância e da juventude. Quero morrer ao meio-dia, e passa de onze horas. Além disso, mandei fora o rapaz que me serve, e ele pode vir mais cedo, e interromper-me a execução do projeto mortal. Tivesse eu tempo, e contaria pelo miúdo alguns episódios doloridos, entre eles, o de umas cacetadas que apanhei por engano. Tratava-se do rival de um amigo meu, rival de amores e naturalmente rival derrubado. O meu amigo e a dama indignaram-se com as pancadas quando souberam da aleivosia do outro; mas aplaudiram secretamente a ilusão. Também não falo de alguns achaques que padeci. Corro ao ponto em que meu pai, tendo sido pobre toda a vida, morreu pobríssimo, e minha mãe não lhe sobreviveu dois meses. O cônego Brito, que acabava de sair eleito deputado, propôs então trazer-me ao Rio de Janeiro, e veio comigo, com a ideia de fazer-me padre; mas cinco dias depois de chegar morreu. Vão vendo a ação constante do caiporismo.

Fiquei só, sem amigos, nem recursos, com dezesseis anos de idade. Um cônego da Capela Imperial lembrou-se de fazer-me entrar ali de sacristão; mas, posto que tivesse ajudado muita missa em Mato Grosso, e possuísse algumas letras

ÚLTIMO CAPÍTULO 213

latinas, não fui admitido, por falta de vaga. Outras pessoas induziram-me então a estudar direito, e confesso que aceitei com resolução. Tive até alguns auxílios, a princípio; faltando-me eles depois, lutei por mim mesmo; enfim alcancei a carta de bacharel. Não me digam que isto foi uma exceção na minha vida caipora, porque o diploma acadêmico levou-me justamente a coisas mui graves; mas, como o destino tinha de flagelar-me, qualquer que fosse a minha profissão, não atribuo nenhum influxo especial ao grau jurídico. Obtive-o com muito prazer, isso é verdade; a idade moça, e uma certa superstição de melhora, faziam-me do pergaminho uma chave de diamante que iria abrir todas as portas da fortuna.

E, para principiar, a carta de bacharel não me encheu sozinha as algibeiras. Não, senhor; tinha ao lado dela umas outras, dez ou quinze, fruto de um namoro travado no Rio de Janeiro, pela semana santa de 1842, com uma viúva mais velha do que eu sete ou oito anos, mas ardente, lépida e abastada. Morava com um irmão cego, na rua do Conde; não posso dar outras indicações. Nenhum dos meus amigos ignorava este namoro; dois deles até liam as cartas, que eu lhes mostrava, com o pretexto de admirar o estilo elegante da viúva, mas realmente para que vissem as finas coisas que ela me dizia. Na opinião de todos, o nosso casamento era certo, mais que certo; a viúva não esperava senão que eu concluísse os estudos. Um desses amigos, quando eu voltei graduado, deu-me os parabéns, acentuando a sua convicção com esta frase definitiva:

— O teu casamento é um dogma.

E, rindo, perguntou-me se por conta do dogma, poderia arranjar-lhe cinquenta mil-réis; era para uma urgente precisão. Não tinha comigo os cinquenta mil-réis; mas o *dogma* repercutia ainda tão docemente no meu coração, que não descansei em todo esse dia, até arranjar-lhos; fui levá-los eu mesmo, entusiasmado; ele recebeu-os cheio de gratidão. Seis meses depois foi ele quem casou com a viúva.

Não digo tudo o que então padeci; digo só que o meu primeiro impulso foi dar um tiro em ambos; e, mentalmente, cheguei a fazê-lo; cheguei a vê-los, moribundos, arquejantes, pedirem-me perdão. Vingança hipotética; na realidade, não fiz nada. Eles casaram-se, e foram ver do alto da Tijuca a ascensão da lua de mel. Eu fiquei relendo as cartas da viúva. "Deus, que me ouve (dizia uma delas), sabe que o meu amor é eterno, e que eu sou tua, eternamente tua..." E, no meu atordoamento, blasfemava comigo: — Deus é um grande invejoso; não quer outra eternidade ao pé dele, e por isso desmentiu a viúva: — nem outro dogma além do católico, e por isso desmentiu o meu amigo. Era assim que eu explicava a perda da namorada e dos cinquenta mil-réis.

Deixei a capital, e fui advogar na roça, mas por pouco tempo. O caiporismo foi comigo, na garupa do burro, e onde eu me apeei, apeou-se ele também. Vi-lhe o dedo em tudo, nas demandas que não vinham, nas que vinham e valiam pouco ou nada, e nas que, valendo alguma coisa, eram invariavelmente perdidas. Além de que os constituintes vencedores são em geral mais gratos que os outros, a sucessão de derrotas foi arredando de mim os demandistas. No fim de algum tempo, ano e meio, voltei à corte, e estabeleci-me com um antigo companheiro de ano: o Gonçalves.

Este Gonçalves era o espírito menos jurídico, menos apto para entestar com as questões de direito. Verdadeiramente era um pulha. Comparemos a vida mental a uma casa elegante; o Gonçalves não aturava dez minutos a conversa do salão, esgueirava-se, descia à copa e ia palestrar com os criados. Mas compensava essa qualidade inferior com certa lucidez, com a presteza de compreensão, nos assuntos menos árduos ou menos complexos, com a facilidade de expor, e, o que não era pouco para um pobre-diabo batido da fortuna, com uma alegria quase sem intermitências. Nos primeiros tempos, como as demandas não vinham, matávamos as horas com excelente palestra, animada e viva, em que a melhor parte era dele, ou falássemos de política, ou de mulheres, assunto que lhe era muito particular.

Mas as demandas vieram vindo; entre elas uma questão de hipoteca. Tratava-se da casa de um empregado da alfândega, Temístocles de Sá Botelho, que não tinha outros bens, e queria salvar a propriedade. Tomei conta do negócio. O Temístocles ficou encantado comigo: e, duas semanas depois, como eu lhe dissesse que não era casado, declarou-me rindo que não queria nada com solteirões. Disse-me outras coisas e convidou-me a jantar no domingo próximo. Fui; namorei-me da filha dele, D. Rufina, moça de dezenove anos, bem bonita, embora um pouco acanhada e meio morta. Talvez seja a educação, pensei eu. Casamo-nos poucos meses depois. Não convidei o caiporismo, é claro; mas na igreja, entre as barbas rapadas e as suíças lustrosas, pareceu-me ver o carão sardônico e o olhar oblíquo do meu cruel adversário. Foi por isso que, no ato mesmo de proferir a fórmula sagrada e definitiva do casamento, estremeci, hesitei, e, enfim, balbuciei a medo o que o padre me ditava...

Estava casado. Rufina não dispunha, é verdade, de certas qualidades brilhan-

ÚLTIMO CAPÍTULO   215

tes e elegantes; não seria, por exemplo, e desde logo, uma dona de salão. Tinha, porém, as qualidades caseiras, e eu não queria outras. A vida obscura bastava-me; e, contanto que ela ma enchesse, tudo iria bem. Mas esse era justamente o agro da empresa. Rufina (permitam-me esta figuração cromática) não tinha a alma negra de lady Macbeth, nem a vermelha de Cleópatra, nem a azul de Julieta, nem a alva de Beatriz, mas cinzenta e apagada como a multidão dos seres humanos. Era boa por apatia, fiel sem virtude, amiga sem ternura nem eleição. Um anjo a levaria ao céu, um diabo ao inferno, sem esforço em ambos os casos, e sem que, no primeiro, lhe coubesse a ela nenhuma glória, nem o menor desdouro no segundo. Era a passividade do sonâmbulo. Não tinha vaidades. O pai armou-me o casamento para ter um genro doutor; ela, não; aceitou-me como aceitaria um sacristão, um magistrado, um general, um empregado público, um alferes, e não por impaciência de casar, mas por obediência à família, e, até certo ponto, para fazer como as outras. Usavam-se maridos; ela queria usar também o seu. Nada mais antipático à minha própria natureza; mas estava casado.

Felizmente — ah! um felizmente neste último capítulo de um caipora, é, na verdade, uma anomalia; mas vão lendo, e verão que o advérbio pertence ao estilo, não à vida; é um modo de transição e nada mais. O que vou dizer não altera o que está dito. Vou dizer que as qualidades domésticas de Rufina davam-lhe muito mérito. Era modesta; não amava bailes, nem passeios, nem janelas. Vivia consigo. Não mourejava em casa, nem era preciso; para dar-lhe tudo, trabalhava eu, e os vestidos e chapéus, tudo vinha "das francesas", como então se dizia, em vez de modistas. Rufina, no intervalo das ordens que dava, sentava-se horas e horas, bocejando o espírito, matando o tempo, uma hidra de cem cabeças, que não morria nunca; mas, repito, com todas essas lacunas, era boa dona de casa. Pela minha parte, estava no papel das rãs que queriam um rei; a diferença é que, mandando-me Júpiter um cepo, não lhe pedi outro, porque viria a cobra e engolia-me.* Viva o cepo! disse comigo. Nem conto estas coisas, senão para mostrar a lógica e a constância do meu destino.

Outro *felizmente*; e este não é só uma transição de frase. No fim de ano e meio, abotoou no horizonte uma esperança, e, a calcular pela comoção que me deu a notícia, uma esperança suprema e única. Era o desejado que chegava. Que

---

* A fonte desta versão da história parece ser Esopo: na versão de La Fontaine, que Machado certamente conhecia, é um grou que engole as rãs.

desejado? Um filho. A minha vida mudou logo. Tudo me sorria como um dia de noivado. Preparei-lhe um recebimento régio; comprei-lhe um rico berço, que me custou bastante; era de ébano e marfim, obra acabada; depois, pouco a pouco, fui comprando o enxoval; mandei-lhe coser as mais finas cambraias, as mais quentes flanelas, uma linda touca de renda, comprei-lhe um carrinho, e esperei, esperei, pronto a bailar diante dele, como Davi diante da arca...* Ai, caipora! a arca entrou vazia em Jerusalém; o pequeno nasceu morto.

Quem me consolou no malogro foi o Gonçalves, que devia ser padrinho do pequeno, e era amigo, comensal e confidente nosso. — Tem paciência, disse-me: serei padrinho do que vier. E confortava-me, falava-me de outras coisas, com ternura de amigo. O tempo fez o resto. O próprio Gonçalves advertiu-me depois que, se o pequeno tinha de ser caipora, como eu dizia que era, melhor foi que nascesse morto.

— E pensas que não? redargui.

Gonçalves sorriu; ele não acreditava no meu caiporismo. Verdade é que não tinha tempo de acreditar em nada; todo era pouco para ser alegre. Afinal, começara a converter-se à advocacia, já arrazoava autos, já minutava petições, já ia às audiências, tudo porque era preciso viver, dizia ele. E alegre sempre. Minha mulher achava-lhe muita graça, ria longamente dos ditos dele, e das anedotas, que às vezes eram picantes demais. Eu, a princípio, repreendia-o em particular, mas acostumei-me a elas. E depois, quem é que não perdoa as facilidades de um amigo, e de um amigo jovial? Devo dizer que ele mesmo se foi refreando, e dali a algum tempo, comecei a achar-lhe muita seriedade. — Estás namorado, disse-lhe um dia; e ele, empalidecendo, respondeu que sim, e acrescentou sorrindo, embora frouxamente, que era indispensável casar também. Eu, à mesa, falei do assunto.

— Rufina, você sabe que o Gonçalves vai casar?

— É caçoada dele, interrompeu vivamente o Gonçalves.

Dei ao diabo a minha indiscrição, e não falei mais nisso; nem ele. Cinco meses depois... A transição é rápida; mas não há meio de a fazer longa. Cinco meses depois, adoeceu Rufina, gravemente, e não resistiu oito dias; morreu de uma febre perniciosa.

Coisa singular: — em vida, a nossa divergência moral trazia a frouxidão dos

* 2 Samuel, 6: 14.

ÚLTIMO CAPÍTULO 217

vínculos, que se sustinham principalmente da necessidade e do costume. A morte, com o seu grande poder espiritual, mudou tudo; Rufina apareceu-me como a esposa que desce do Líbano,* e a divergência foi substituída pela total fusão dos seres. Peguei da imagem, que enchia a minha alma, e enchi com ela a vida, onde outrora ocupara tão pouco espaço e por tão pouco tempo. Era um desafio à má estrela; era levantar o edifício da fortuna em pura rocha indestrutível. Compreendam-me bem; tudo o que até então dependia do mundo exterior, era naturalmente precário: as telhas caíam com o abalo das redes, as sobrepelizes recusavam-se aos sacristães, os juramentos das viúvas fugiam com os dogmas dos amigos, as demandas vinham trôpegas ou iam-se de mergulho; enfim, as crianças nasciam mortas. Mas a imagem de uma defunta era imortal. Com ela podia desafiar o olhar oblíquo do mau destino. A felicidade estava nas minhas mãos, presa, vibrando no ar as grandes asas de condor, ao passo que o caiporismo, semelhante a uma coruja, batia as suas na direção da noite e do silêncio...

Um dia, porém, convalescendo de uma febre, deu-me na cabeça inventariar uns objetos da finada e comecei por uma caixinha, que não fora aberta, desde que ela morreu, cinco meses antes. Achei uma multidão de coisas minúsculas, agulhas, linhas, entremeios, um dedal, uma tesoura, uma oração de S. Cipriano,** um rol de roupa, outras quinquilharias, e um maço de cartas, atado por uma fita azul. Deslacei a fita e abri as cartas: eram do Gonçalves... Meio-dia! Urge acabar; o moleque pode vir, e adeus. Ninguém imagina como o tempo corre nas circunstâncias em que estou; os minutos voam como se fossem impérios, e, o que é importante nesta ocasião, as folhas de papel vão com eles.

Não conto os bilhetes brancos, os negócios abortados, as relações interrompidas; menos ainda outros acintes ínfimos da fortuna. Cansado e aborrecido, entendi que não podia achar a felicidade em parte nenhuma; fui além: acreditei que ela não existia na terra, e preparei-me desde ontem para o grande mergulho na eternidade. Hoje, almocei, fumei um charuto, e debrucei-me à janela. No fim de dez minutos, vi passar um homem bem trajado, fitando a miúdo os pés. Conhecia-o de vista; era uma vítima de grandes reveses, mas ia risonho, e contemplava os pés, digo mal, os sapatos. Estes eram novos, de verniz, muito bem talhados, e provavelmente cosidos a primor. Ele levantava os olhos para as janelas, para

---

* Cântico dos Cânticos, 4: 8 ss.
** As orações mágicas a são Cipriano ainda hoje fazem parte da cultura religiosa brasileira.

as pessoas, mas tornava-os aos sapatos, como por uma lei de atração, anterior e superior à vontade. Ia alegre; via-se-lhe no rosto a expressão da bem-aventurança. Evidentemente era feliz; e, talvez, não tivesse almoçado; talvez mesmo não levasse um vintém no bolso. Mas ia feliz, e contemplava as botas.

A felicidade será um par de botas? Esse homem, tão esbofeteado pela vida, achou finalmente um riso da fortuna. Nada vale nada. Nenhuma preocupação deste século, nenhum problema social ou moral, nem as alegrias da geração que começa, nem as tristezas da que termina, miséria ou guerra de classes, crises da arte e da política, nada vale, para ele, um par de botas. Ele fita-as, ele respira-as, ele reluz com elas, ele calca com elas o chão de um globo que lhe pertence. Daí o orgulho das atitudes, a rigidez dos passos, e um certo ar de tranquilidade olímpica... Sim, a felicidade é um par de botas.

Não é outra a explicação do meu testamento. Os superficiais dirão que estou doido, que o delírio do suicida define a cláusula do testador; mas eu falo para os sapientes e para os malfadados. Nem colhe a objeção de que era melhor gastar comigo as botas, que lego aos outros; não, porque seria único. Distribuindo-as, faço um certo número de venturosos. Eia, caiporas! que a minha última vontade seja cumprida. Boa noite, e calçai-vos!

Galeria póstuma

I

Não, não se descreve a consternação que produziu em todo o Engenho Velho, e particularmente no coração dos amigos, a morte de Joaquim Fidélis. Nada mais inesperado. Era robusto, tinha saúde de ferro, e ainda na véspera fora a um baile, onde todos o viram conversado e alegre. Chegou a dançar, a pedido de uma senhora sexagenária, viúva de um amigo dele, que lhe tomou do braço, e lhe disse:

— Venha cá, venha cá, vamos mostrar a estes criançolas como é que os velhos são capazes de desbancar tudo.

Joaquim Fidélis protestou sorrindo; mas obedeceu e dançou. Eram duas horas quando saiu, embrulhando os seus sessenta anos numa capa grossa, — estávamos em junho de 1879 — metendo a calva na carapuça, acendendo um charuto e entrando lepidamente no carro.

No carro é possível que cochilasse; mas, em casa, mau grado a hora e o grande peso das pálpebras, ainda foi à secretária, abriu uma gaveta, tirou um de muitos folhetos manuscritos, — e escreveu durante três ou quatro minutos umas dez ou onze linhas. As últimas palavras eram estas: "Em suma, baile chinfrim; uma velha gaiteira obrigou-me a dançar uma quadrilha; à porta um crioulo pediu-me as festas. Chinfrim!". Guardou o folheto, despiu-se, meteu-se na cama, dormiu e morreu.

Sim, a notícia consternou a todo o bairro. Tão amado que ele era, com os modos bonitos que tinha, sabendo conversar com toda a gente, instruído com os instruídos, ignorante com os ignorantes, rapaz com os rapazes, e até moça com as moças. E depois, muito serviçal, pronto a escrever cartas, a falar a amigos, a concertar brigas, a emprestar dinheiro. Em casa dele reuniam-se à noite alguns íntimos da vizinhança, e às vezes de outros bairros; jogavam o voltarete ou o *whist*, falavam de política. Joaquim Fidélis tinha sido deputado até à dissolução da câmara pelo marquês de Olinda, em 1863.* Não conseguindo ser reeleito, abandonou a vida pública. Era conservador, nome que a muito custo admitiu, por lhe parecer galicismo político. *SAQUAREMA* é o que ele gostava de ser chamado. Mas abriu mão de tudo; parece até que nos últimos tempos desligou-se do próprio partido, e afinal da mesma opinião. Há razões para crer que, de certa data em diante, foi um profundo cético, e nada mais.

Era rico e letrado. Formara-se em direito no ano de 1842. Agora não fazia nada e lia muito. Não tinha mulheres em casa. Viúvo desde a primeira invasão da febre amarela,** recusou contrair segundas núpcias, com grande mágoa de três ou quatro damas, que nutriram essa esperança durante algum tempo. Uma delas chegou a prorrogar perfidamente os seus belos cachos de 1845 até meados do segundo neto; outra, mais moça e também viúva, pensou retê-lo com algumas concessões, tão generosas quão irreparáveis. "Minha querida Leocádia, dizia ele nas ocasiões em que ela insinuava a solução conjugal, por que não continuaremos assim mesmo? O mistério é o encanto da vida." Morava com um sobrinho, o Benjamim, filho de uma irmã, órfão desde tenra idade. Joaquim Fidélis deu-lhe educação e fê-lo estudar, até obter diploma de bacharel em ciências jurídicas, no ano de 1877.

Benjamim ficou atordoado. Não podia acabar de crer na morte do tio. Correu ao quarto, achou o cadáver na cama, frio, olhos abertos, e um leve arregaço irônico ao canto esquerdo da boca. Chorou muito e muito. Não perdia um sim-

* Trata-se do penúltimo gabinete (liberal) do marquês de Olinda, conhecido como o "ministério dos velhos", ao qual se seguiu, em 1864, o primeiro gabinete de Zacarias de Góis.
** A primeira epidemia de febre amarela aconteceu no Rio de Janeiro no verão de 1849-50. Calcula-se que mais de um terço da população foi afetado.

ples parente, mas um pai, um pai terno, dedicado, um coração único. Benjamim enxugou, enfim, as lágrimas; e, porque lhe fizesse mal ver os olhos abertos do morto, e principalmente o lábio arregaçado, concertou-lhe ambas as coisas. A morte recebeu assim a expressão trágica; mas a originalidade da máscara perdeu-se.

— Não me digam isto! bradava daí a pouco um dos vizinhos, Diogo Vilares, ao receber notícia do caso.

Diogo Vilares era um dos cinco principais familiares de Joaquim Fidélis. Devia-lhe o emprego que exercia desde 1857. Veio ele; vieram os outros quatro, logo depois, um a um, estupefatos, incrédulos. Primeiro chegou o Elias Xavier, que alcançara por intermédio do finado, segundo se dizia, uma comenda; depois entrou o João Brás, deputado que foi, no regime das suplências, eleito com o influxo do Joaquim Fidélis. Vieram, enfim, o Fragoso e o Galdino, que lhe não deviam diplomas, comendas nem empregos, mas outros favores. Ao Galdino adiantou ele alguns poucos capitais, e ao Fragoso arranjou-lhe um bom casamento... E morto! morto para todo sempre! De redor da cama, fitavam o rosto sereno e recordavam a última festa, a do outro domingo, tão íntima, tão expansiva! E, mais perto ainda, a noite da antevéspera, em que o voltarete do costume foi até às onze horas.

— Amanhã não venham, disse-lhes o Joaquim Fidélis; vou ao baile do Carvalhinho.

— E depois?...

— Depois de amanhã, cá estou.

E, à saída, deu-lhes ainda um maço de excelentes charutos, segundo fazia às vezes, com um acréscimo de doces secos para os pequenos, e duas ou três pilhérias finas... Tudo esvaído! tudo disperso! tudo acabado!

Ao enterro acudiram muitas pessoas gradas, dois senadores, um ex-ministro, titulares, capitalistas, advogados, comerciantes, médicos; mas as argolas do caixão foram seguras pelos cinco familiares e o Benjamim. Nenhum deles quis ceder a ninguém esse último obséquio, considerando que era um dever cordial e intransferível. O adeus do cemitério foi proferido pelo João Brás, um adeus tocante, com algum excesso de estilo para um caso tão urgente, mas, enfim, desculpável. Deitada a pá de terra, cada um se foi arredando da cova, menos os seis, que assistiram ao trabalho posterior e indiferente dos coveiros. Não arredaram pé antes de ver cheia a cova até acima, e depositadas sobre ela as coroas fúnebres.

II

A missa do sétimo dia reuniu-os na igreja. Acabada a missa, os cinco amigos acompanharam à casa o sobrinho do morto. Benjamim convidou-os a almoçar.

— Espero que os amigos do tio Joaquim serão também meus amigos, disse ele.

Entraram, almoçaram. Ao almoço falaram do morto; cada um contou uma anedota, um dito; eram unânimes no louvor e nas saudades. No fim do almoço, como tivessem pedido uma lembrança do finado, passaram ao gabinete, e escolheram à vontade, este uma caneta velha, aquele uma caixa de óculos, um folheto, um retalho qualquer íntimo. Benjamim sentia-se consolado. Comunicou-lhes que pretendia conservar o gabinete tal qual estava. Nem a secretária abrira ainda. Abriu-a então, e, com eles, inventariou o conteúdo de algumas gavetas. Cartas, papéis soltos, programas de concertos, *menus* de grandes jantares, tudo ali estava de mistura e confusão. Entre outras coisas acharam alguns cadernos manuscritos, numerados e datados.

— Um diário! disse Benjamim.

Com efeito, era um diário das impressões do finado, espécie de memórias secretas, confidências do homem a si mesmo. Grande foi a comoção dos amigos; lê-lo era ainda conversá-lo. Tão reto caráter! tão discreto espírito! Benjamim começou a leitura; mas a voz embargou-se-lhe depressa, e João Brás continuou-a.

O interesse do escrito adormeceu a dor do óbito. Era um livro digno do prelo. Muita observação política e social, muita reflexão filosófica, anedotas de homens públicos, do Feijó, do Vasconcelos,* outras puramente galantes, nomes de senhoras, o da Leocádia, entre outros; um repertório de fatos e comentários. Cada um admirava o talento do finado, as graças do estilo, o interesse da matéria. Uns opinavam pela impressão tipográfica; Benjamim dizia que sim, com a condição de excluir alguma coisa, ou inconveniente ou demasiado particular. E continuavam a ler, saltando pedaços e páginas, até que bateu meio-dia. Levantaram--se todos; Diogo Vilares ia já chegar à repartição fora de horas; João Brás e Elias tinham onde estar juntos. Galdino seguia para a loja. O Fragoso precisava mudar a roupa preta, e acompanhar a mulher à rua do Ouvidor. Concordaram em

---

* *Diogo Antônio Feijó* (1784-1843): religioso, ministro e depois regente (1835-7). *Bernardo Pereira de Vasconcelos* (1795-1850): senador, ministro e líder dos liberais durante o Primeiro Reinado; mais tarde passou a defender e praticar a política dita do Regresso, de cunho conservador.

GALERIA PÓSTUMA   223

nova reunião para prosseguir a leitura. Certas particularidades tinham-lhes dado uma comichão de escândalo, e as comichões coçam-se: é o que eles queriam fazer, lendo.

— Até amanhã, disseram.

— Até amanhã.

Uma vez só, Benjamim continuou a ler o manuscrito. Entre outras coisas, admirou o retrato da viúva Leocádia, obra-prima de paciência e semelhança, embora a data coincidisse com a dos amores. Era prova de uma rara isenção de espírito. De resto, o finado era exímio nos retratos. Desde 1873 ou 1874, os cadernos vinham cheios deles, uns de vivos, outros de mortos, alguns de homens públicos, Paula Sousa, Aureliano, Olinda, etc.* Eram curtos e substanciais, às vezes três ou quatro rasgos firmes, com tal fidelidade e perfeição, que a figura parecia fotografada. Benjamim ia lendo; de repente deu com o Diogo Vilares. E leu estas poucas linhas:

"DIOGO VILARES. — Tenho-me referido muitas vezes a este amigo, e fá-lo-ei algumas outras mais, se ele me não matar de tédio, coisa em que o reputo profissional. Pediu-me há anos que lhe arranjasse um emprego, e arranjei-lho. Não me avisou da moeda em que me pagaria. Que singular gratidão! Chegou ao excesso de compor um soneto e publicá-lo. Falava-me do obséquio a cada passo, dava-me grandes nomes; enfim, acabou. Mais tarde relacionamo-nos intimamente. Conheci-o então ainda melhor. *C'est le genre ennuyeux*. Não é mau parceiro de voltarete. Dizem-me que não deve nada a ninguém. Bom pai de família. Estúpido e crédulo. Com intervalo de quatro dias, já lhe ouvi dizer de um ministério que era excelente e detestável: — diferença dos interlocutores. Ri muito e mal. Toda a gente, quando o vê pela primeira vez, começa por supô-lo um varão grave; no segundo dia dá-lhe piparotes. A razão é a figura, ou, mais particularmente, as bochechas, que lhe emprestam um certo ar superior."

A primeira sensação do Benjamim foi a do perigo evitado. Se o Diogo Vilares estivesse ali? Releu o retrato e mal podia crer; mas não havia negá-lo, era o

---

* *Antônio Francisco de Paula e Sousa* (1819-66): ministro da Agricultura, Comércio e Obras Públicas em 1865; suas divergências com o ministro da Fazenda levaram à demissão coletiva do gabinete. *Aureliano de Sousa e Oliveira Coutinho*, visconde de Sepetiba (1800-55): ministro da Justiça em 1834 e um dos mais importantes políticos do período da Regência e da Maioridade. *Pedro de Araújo Lima*, marquês de Olinda (1793-1870): sucedeu a Feijó na Regência do Império (1837-40) e foi ainda presidente do Conselho por duas vezes na década de 1860.

próprio nome do Diogo Vilares, era a mesma letra do tio. E não era o único dos familiares; folheou o manuscrito e deu com o Elias:

"ELIAS XAVIER. — Este Elias é um espírito subalterno, destinado a servir alguém, e a servir com desvanecimento, como os cocheiros de casa elegante. Vulgarmente trata as minhas visitas íntimas com alguma arrogância e desdém: política de lacaio ambicioso. Desde as primeiras semanas, compreendi que ele queria fazer-se meu privado; e não menos compreendi que, no dia que realmente o fosse, punha os outros no meio da rua. Há ocasiões em que me chama a um vão da janela para falar-me secretamente do sol e da chuva. O fim claro é incutir nos outros a suspeita de que há entre nós coisas particulares, e alcança isso mesmo, porque todos lhe rasgam muitas cortesias. É inteligente, risonho e fino. Conversa muito bem. Não conheço compreensão mais rápida. Não é poltrão nem maldizente. Só fala mal de alguém, por interesse; faltando-lhe interesse, cala-se; e a maledicência legítima é gratuita. Dedicado e insinuante. Não tem ideias, é verdade; mas há esta grande diferença entre ele e o Diogo Vilares: — o Diogo repete pronta e boçalmente as que ouve, ao passo que o Elias sabe fazê-las suas e plantá-las oportunamente na conversação. Um caso de 1865 caracteriza bem a astúcia deste homem. Tendo dado alguns libertos para a guerra do Paraguai, ia receber uma comenda.* Não precisava de mim; mas veio pedir a minha intercessão, duas ou três vezes, com um ar consternado e súplice. Falei ao ministro, que me disse: — 'O Elias já sabe que o decreto está lavrado; falta só a assinatura do imperador'. Compreendi então que era um estratagema para poder confessar-me essa obrigação. Bom parceiro de voltarete; um pouco brigão, mas entendido."

— Ora o tio Joaquim! exclamou Benjamim levantando-se. E depois de alguns instantes, reflexionou consigo: — Estou lendo um coração, livro inédito. Conhecia a edição pública, revista a expurgada. Este é o texto primitivo e interior, a lição exata e autêntica. Mas quem imaginaria nunca... Ora o tio Joaquim!

E, tornando a sentar-se, releu também o retrato do Elias, com vagar, meditando as feições. Posto lhe faltasse observação, para avaliar a verdade do escrito, achou que em muitas partes, ao menos, o retrato era semelhante. Cotejava essas notas iconográficas, tão cruas, tão secas, com as maneiras cordiais e graciosas do tio, e sentia-se tomado de um certo terror e mal-estar. Ele, por exemplo,

---

* Durante a Guerra do Paraguai, pedia-se aos senhores que patrioticamente "libertassem" seus escravos, com a condição de que estes se alistassem. Não é a única vez que Machado satiriza esta procura de honrarias.

que teria dito dele o finado? Com esta ideia, folheou ainda o manuscrito, passou por alto algumas damas, alguns homens públicos, deu com o Fragoso, — um esboço curto e curtíssimo, — logo depois o Galdino, e quatro páginas adiante o João Brás. Justamente o primeiro levara dele uma caneta, pouco antes, talvez a mesma com que o finado o retratara. Curto era o esboço, e dizia assim:

"FRAGOSO. — Honesto, maneiras açucaradas e bonito. Não me custou casá-lo; vive muito bem com a mulher. Sei que me tem uma extraordinária adoração, — quase tanta como a si mesmo. Conversação vulgar, polida e chocha."

"GALDINO MADEIRA. — O melhor coração do mundo e um caráter sem mácula; mas as qualidades do espírito destroem as outras. Emprestei-lhe algum dinheiro, por motivo da família, e porque me não fazia falta. Há no cérebro dele um certo furo, por onde o espírito escorrega e cai no vácuo. Não reflete três minutos seguidos. Vive principalmente de imagens, de frases translatas. Os 'dentes da calúnia' e outras expressões, surradas como colchões de hospedaria, são os seus encantos. Mortifica-se facilmente no jogo, e, uma vez mortificado, faz timbre em perder, e em mostrar que é de propósito. Não despede os maus caixeiros. Se não tivesse guarda-livros, é duvidoso que somasse os quebrados. Um subdelegado, meu amigo, que lhe deveu algum dinheiro, durante dois anos, dizia-me com muita graça, que o Galdino quando o via na rua, em vez de lhe pedir a dívida, pedia-lhe notícias do ministério."

"JOÃO BRÁS. — Nem tolo nem bronco. Muito atencioso, embora sem maneiras. Não pode ver passar um carro de ministro; fica pálido e vira os olhos. Creio que é ambicioso; mas na idade em que está, sem carreira, a ambição vai-se-lhe convertendo em inveja. Durante os dois anos em que serviu de deputado, desempenhou honradamente o cargo: trabalhou muito, e fez alguns discursos bons, não brilhantes, mas sólidos, cheios de fatos e refletidos. A prova de que lhe ficou um resíduo de ambição, é o ardor com que anda à cata de alguns cargos honoríficos ou proeminentes; há alguns meses consentiu em ser juiz de uma irmandade de S. José, e segundo me dizem, desempenha o cargo com um zelo exemplar. Creio que é ateu, mas não afirmo. Ri pouco e discretamente. A vida é pura e severa, mas o caráter tem uma ou duas cordas fraudulentas, a que só faltou a mão do artista; nas coisas mínimas, mente com facilidade."

Benjamim, estupefato, deu enfim consigo mesmo. — "Este meu sobrinho, dizia o manuscrito, tem vinte e quatro anos de idade, um projeto de reforma judiciária, muito cabelo, e ama-me. Eu não o amo menos. Discreto, leal e bom, —

bom até à credulidade. Tão firme nas afeições como versátil nos pareceres. Superficial, amigo de novidades, amando no direito o vocabulário e as fórmulas."

Quis reler, e não pôde; essas poucas linhas davam-lhe a sensação de um espelho. Levantou-se, foi à janela, mirou a chácara e tornou dentro para contemplar outra vez as suas feições. Contemplou-as; eram poucas, falhas, mas não pareciam caluniosas. Se ali estivesse um público, é provável que a mortificação do rapaz fosse menor, porque a necessidade de dissipar a impressão moral dos outros dar-lhe-ia a força necessária para reagir contra o escrito; mas, a sós, consigo, teve de suportá-lo sem contraste. Então considerou se o tio não teria composto essas páginas nas horas de mau humor; comparou-as a outras em que a frase era menos áspera, mas não cogitou se ali a brandura vinha ou não de molde.

Para confirmar a conjetura, recordou as maneiras usuais do finado, as horas de intimidade e riso, a sós com ele, ou de palestra com os demais familiares. Evocou a figura do tio, com o olhar espirituoso e meigo, e a pilhéria grave; em lugar dessa, tão cândida e simpática, a que lhe apareceu foi a do tio morto, estendido na cama, com os olhos abertos e o lábio arregaçado. Sacudiu-a do espírito, mas a imagem ficou. Não podendo rejeitá-la, Benjamim tentou mentalmente fechar-lhe os olhos e concertar-lhe a boca; mas tão depressa o fazia, como a pálpebra tornava a levantar-se, e a ironia arregaçava o beiço. Já não era o homem, era o autor do manuscrito.

Benjamim jantou mal e dormiu mal. No dia seguinte, à tarde, apresentaram-se os cinco familiares para ouvir a leitura. Chegaram sôfregos, ansiosos; fizeram-lhe muitas perguntas; pediram-lhe com instância para ver o manuscrito. Mas Benjamim tergiversava, dizia isto e aquilo, inventava pretextos; por mal de pecados, apareceu-lhe na sala, por trás deles, a eterna boca do defunto, e esta circunstância fê-lo ainda mais acanhado. Chegou a mostrar-se frio, para ficar só, e ver se com eles desaparecia a visão. Assim se passaram trinta a quarenta minutos. Os cinco olharam enfim uns para os outros, e deliberaram sair; despediram-se cerimoniosamente, e foram conversando, para suas casas:

— Que diferença do tio! que abismo! a herança enfunou-o! deixá-lo! ah! Joaquim Fidélis! ah! Joaquim Fidélis.

Capítulo dos chapéus

> GÉRONTE
> Dans quel chapitre, s'il vous plaît?
> SGANARELLE
> Dans le chapitre des chapeaux.
>
> MOLIÈRE*

Musa, canta o despeito de Mariana, esposa do bacharel Conrado Seabra, naquela manhã de abril de 1879. Qual a causa de tamanho alvoroço? Um simples chapéu, leve, não deselegante, um chapéu baixo. Conrado, advogado, com escritório na rua da Quitanda, trazia-o todos os dias à cidade, ia com ele às audiências; só não o levava às recepções, teatro lírico, enterros e visitas de cerimônia. No mais era constante, e isto desde cinco ou seis anos, que tantos eram os do casamento. Ora, naquela singular manhã de abril, acabado o almoço, Conrado começou a enrolar um cigarro, e Mariana anunciou sorrindo que ia pedir-lhe uma coisa.

— Que é, meu anjo?

— Você é capaz de fazer-me um sacrifício?

— Dez, vinte...

— Pois então não vá mais à cidade com aquele chapéu.

— Por quê? é feio?

— Não digo que seja feio; mas é cá para fora, para andar na vizinhança, à tarde ou à noite, mas na cidade, um advogado, não me parece que...

* Citação frequente em Machado, de *Le médecin malgré lui*, de Molière (1622-73). GÉRONTE: Em que capítulo, por favor? SGANARELLE: No capítulo dos chapéus.

— Que tolice, iaiá!

— Pois sim, mas faz-me este favor, faz?

Conrado riscou um fósforo, acendeu o cigarro, e fez-lhe um gesto de gracejo, para desconversar; mas a mulher teimou. A teima, a princípio frouxa e súplice, tornou-se logo imperiosa e áspera. Conrado ficou espantado. Conhecia a mulher; era, de ordinário, uma criatura passiva, meiga, de uma plasticidade de encomenda, capaz de usar com a mesma divina indiferença tanto um diadema régio como uma touca. A prova é que, tendo tido uma vida de andarilha nos últimos dois anos de solteira, tão depressa casou como se afez aos hábitos quietos. Saía às vezes, e a maior parte delas por instâncias do próprio consorte; mas só estava comodamente em casa. Móveis, cortinas, ornatos supriam-lhe os filhos; tinha-lhes um amor de mãe; e tal era a concordância da pessoa com o meio, que ela saboreava os trastes na posição ocupada, as cortinas com as dobras do costume, e assim o resto. Uma das três janelas, por exemplo, que davam para a rua vivia sempre meio aberta; nunca era outra. Nem o gabinete do marido escapava às exigências monótonas da mulher, que mantinha sem alteração a desordem dos livros, e até chegava a restaurá-la. Os hábitos mentais seguiam a mesma uniformidade. Mariana dispunha de mui poucas noções, e nunca lera senão os mesmos livros: — a *Moreninha* de Macedo, sete vezes; *Ivanhoé* e o *Pirata* de Walter Scott, dez vezes; o *Mot de l'énigme*, de Madame Craven, onze vezes.*

Isto posto, como explicar o caso do chapéu? Na véspera, à noite, enquanto o marido fora a uma sessão do Instituto da Ordem dos Advogados, o pai de Mariana veio à casa deles. Era um bom velho, magro, pausado, ex-funcionário público, ralado de saudades do tempo em que os empregados iam de casaca para as suas repartições. Casaca era o que ele, ainda agora, levava aos enterros, não pela razão que o leitor suspeita, a solenidade da morte ou a gravidade da despedida última, mas por esta menos filosófica, por ser um costume antigo. Não dava outra, nem da casaca nos enterros, nem do jantar às duas horas, nem de vinte

---

* *Ivanhoé* e *O pirata*: romances históricos de Sir Walter Scott, poeta e romancista escocês (1771-1832), um dos autores mais populares e influentes do século passado. *Ivanhoé* (1820), que se passa na Inglaterra medieval, talvez seja a mais conhecida de suas obras; *O pirata* é de 1822. *Lady Augustus Craven* (Pauline de la Ferronays) (1820-91): escritora francesa, cujos romances — *Le mot de l'énigme* (1874) e *Travail d'une âme: étude d'une conversion* (1877), por exemplo — fizeram grande sucesso no mundo católico.

usos mais. E tão aferrado aos hábitos, que no aniversário do casamento da filha, ia para lá às seis horas da tarde, jantado e digerido, via comer, e no fim aceitava um pouco de doce, um cálix de vinho e café. Tal era o sogro de Conrado; como supor que ele aprovasse o chapéu baixo do genro? Suportava-o calado, em atenção às qualidades da pessoa; nada mais. Acontecera-lhe, porém, naquele dia, vê--lo de relance na rua, de palestra com outros chapéus altos de homens públicos, e nunca lhe pareceu tão torpe. De noite, encontrando a filha sozinha, abriu-lhe o coração; pintou-lhe o chapéu baixo como a abominação das abominações, e instou com ela para que o fizesse desterrar.

Conrado ignorava essa circunstância, origem do pedido. Conhecendo a docilidade da mulher, não entendeu a resistência; e, porque era autoritário, e voluntarioso, a teima veio irritá-lo profundamente. Conteve-se ainda assim; preferiu mofar do caso; falou-lhe com tal ironia e desdém, que a pobre dama sentiu-se humilhada. Mariana quis levantar-se duas vezes; ele obrigou-a a ficar, a primeira pegando-lhe levemente no pulso, a segunda subjugando-a com o olhar. E dizia sorrindo:

— Olhe, iaiá, tenho uma razão filosófica para não fazer o que você me pede. Nunca lhe disse isto; mas já agora confio-lhe tudo.

Mariana mordia o lábio, sem dizer mais nada; pegou de uma faca, e entrou a bater com ela devagarinho para fazer alguma coisa; mas, nem isso mesmo consentiu o marido, que lhe tirou a faca delicadamente, e continuou:

— A escolha do chapéu não é uma ação indiferente, como você pode supor; é regida por um princípio metafísico. Não cuide que quem compra um chapéu exerce uma ação voluntária e livre; a verdade é que obedece a um determinismo obscuro. A ilusão da liberdade existe arraigada nos compradores, e é mantida pelos chapeleiros que, ao verem um freguês ensaiar trinta ou quarenta chapéus, e sair sem comprar nenhum, imaginam que ele está procurando livremente uma combinação elegante. O princípio metafísico é este: — o chapéu é a integração do homem, um prolongamento da cabeça, um complemento decretado *ab eterno*; ninguém o pode trocar sem mutilação. É uma questão profunda que ainda não ocorreu a ninguém. Os sábios têm estudado tudo desde o astro até o verme, ou, para exemplificar bibliograficamente, desde Laplace... Você nunca leu Laplace? desde Laplace e a *Mecânica celeste* até Darwin e o seu curioso livro das *Minhocas*, e, entretanto, não se lembraram ainda de parar diante do chapéu e estudá-lo por todos os lados.* Ninguém advertiu que há uma metafísica do chapéu. Talvez eu escreva uma memória a este respeito. São nove horas e três quartos; não tenho tempo de dizer mais nada; mas você reflita consigo, e verá... Quem sabe? pode ser até que nem mesmo o chapéu seja complemento do homem, mas o homem do chapéu...

Mariana venceu-se afinal, e deixou a mesa. Não entendera nada daquela nomenclatura áspera nem da singular teoria; mas sentiu que era um sarcasmo, e, dentro de si, chorava de vergonha. O marido subiu para vestir-se; desceu daí a alguns minutos, e parou diante dela com o famoso chapéu na cabeça. Mariana achou-lho, na verdade, torpe, ordinário, vulgar, nada sério. Conrado despediu-se cerimoniosamente e saiu.

A irritação da dama tinha afrouxado muito; mas, o sentimento de humilhação subsistia. Mariana não chorou, não clamou, como supunha que ia fazer; mas, consigo mesma, recordou a simplicidade do pedido, os sarcasmos de Conrado, e, posto reconhecesse que fora um pouco exigente, não achava justificação para tais excessos. Ia de um lado para outro, sem poder parar; foi à sala de visitas, chegou à janela meio aberta, viu ainda o marido, na rua, à espera do bonde, de costas para casa, com o eterno e torpíssimo chapéu na cabeça. Mariana sentiu-se tomada de ódio contra essa peça ridícula; não compreendia como pudera suportá-la por tantos anos. E relembrava os anos, pensava na docilidade dos seus modos, na aquiescência a todas as vontades e caprichos do marido, e perguntava a si mesma se não seria essa justamente a causa do excesso daquela manhã. Chamava-se tola, moleirona; se tivesse feito como tantas outras, a Clara e a Sofia, por exemplo, que tratavam os maridos como eles deviam ser tratados, não lhe aconteceria nem metade nem uma sombra do que lhe aconteceu. De reflexão em reflexão, chegou à ideia de sair. Vestiu-se, e foi à casa da Sofia, uma antiga companheira de colégio, com o fim de espairecer, não de lhe contar nada.

Sofia tinha trinta anos, mais dois que Mariana. Era alta, forte, muito senho-

---

* *Pierre Simon*, marquês de Laplace (1749-1827): astrônomo, matemático e físico francês. Expôs a teoria segundo a qual o sistema solar seria o resultado do progressivo esfriamento e expansão de um núcleo original. A *Mecânica celeste* (em cinco volumes, 1799-1825) oferecia uma interpretação mecânica completa do sistema solar: foi esse livro que fez sua fama; *The formation of vegetable mould, through the action of worms* [A formação do húmus vegetal, pela ação das minhocas], uma das últimas obras de Charles Darwin (1809-82), foi publicado em 1881: entre a data em que se desenvolve a ação deste conto e sua composição, portanto. Trata-se de um cochilo de Machado?

ra de si. Recebeu a amiga com as festas do costume; e, posto que esta lhe não disse nada, adivinhou que trazia um desgosto e grande. Adeus, planos de Mariana! Daí a vinte minutos contava-lhe tudo. Sofia riu dela, sacudiu os ombros; disse-lhe que a culpa não era do marido.

— Bem sei, é minha, concordava Mariana.

— Não seja tola, iaiá! Você tem sido muito mole com ele. Mas seja forte uma vez; não faça caso; não lhe fale tão cedo; e se ele vier fazer as pazes, diga-lhe que mude primeiro de chapéu.

— Veja você, uma coisa de nada...

— No fim de contas, ele tem muita razão; tanta como outros. Olhe a pamonha da Beatriz; não foi agora para a roça, só porque o marido implicou com um inglês que costumava passar a cavalo de tarde? Coitado do inglês! Naturalmente nem deu pela falta. A gente pode viver bem com seu marido, respeitando-se, não indo contra os desejos um do outro, sem pirraças, nem despotismo. Olhe; eu cá vivo muito bem com o meu Ricardo; temos muita harmonia. Não lhe peço uma coisa que ele me não faça logo; mesmo quando não tem vontade nenhuma, basta que eu feche a cara, obedece logo. Não era ele que teimaria assim por causa de um chapéu! Tinha que ver! Pois não! Onde iria ele parar! Mudava de chapéu, quer quisesse, quer não.

Mariana ouvia com inveja essa bela definição do sossego conjugal. A rebelião de Eva embocava nela os seus clarins; e o contacto da amiga dava-lhe um prurido de independência e vontade. Para completar a situação, esta Sofia não era só muito senhora de si, mas também dos outros; tinha olhos para todos os ingleses, a cavalo ou a pé. Honesta, mas namoradeira; o termo é cru, e não há tempo de compor outro mais brando. Namorava a torto e a direito, por uma necessidade natural, um costume de solteira. Era o troco miúdo do amor, que ela distribuía a todos os pobres que lhe batiam à porta: — um níquel a um, outro a outro; nunca uma nota de cinco mil-réis, menos ainda uma apólice. Ora este sentimento caritativo induziu-a a propor à amiga que fossem passear, ver as lojas, contemplar a vista de outros chapéus bonitos e graves. Mariana aceitou; um certo demônio soprava nela as fúrias da vingança. Demais, a amiga tinha o dom de fascinar, virtude de Bonaparte, e não lhe deu tempo de refletir. Pois sim, iria, estava cansada de viver cativa. Também queria gozar um pouco, etc., etc.

Enquanto Sofia foi vestir-se, Mariana deixou-se estar na sala, irrequieta e contente consigo mesma. Planeou a vida de toda aquela semana, marcando os dias e horas de cada coisa, como numa viagem oficial. Levantava-se, sentava-se, ia à janela, à espera da amiga.

— Sofia parece que morreu, dizia de quando em quando.

De uma das vezes que foi à janela, viu passar um rapaz a cavalo. Não era inglês, mas lembrou-lhe a outra, que o marido levou para a roça, desconfiado de um inglês, e sentiu crescer-lhe o ódio contra a raça masculina, — com exceção, talvez, dos rapazes a cavalo. Na verdade, aquele era afetado demais; esticava a perna no estribo com evidente vaidade das botas, dobrava a mão na cintura, com um ar de figurino. Mariana notou-lhe esses dois defeitos; mas achou que o chapéu resgatava-os; não que fosse um chapéu alto; era baixo, mas próprio do aparelho equestre. Não cobria a cabeça de um advogado indo gravemente para o escritório, mas a de um homem que espairecia ou matava o tempo.

Os tacões de Sofia desceram a escada, compassadamente. Pronta! disse ela daí a pouco, ao entrar na sala. Realmente, estava bonita. Já sabemos que era alta. O chapéu aumentava-lhe o ar senhoril; e um diabo de vestido de seda preta, arredondando-lhe as formas do busto, fazia-a ainda mais vistosa. Ao pé dela, a figura de Mariana desaparecia um pouco. Era preciso atentar primeiro nesta para ver que possuía feições mui graciosas, uns olhos lindos, muita e natural elegância. O pior é que a outra dominava desde logo; e onde houvesse pouco tempo de as ver, tomava-o Sofia para si. Este reparo seria incompleto, se eu não acrescentasse que Sofia tinha consciência da superioridade, e que apreciava por isso mesmo as belezas do gênero Mariana, menos derramadas e aparentes. Se é um defeito, não me compete emendá-lo.

— Onde vamos nós? perguntou Mariana.

— Que tolice! vamos passear à cidade... Agora me lembro, vou tirar o retrato; depois vou ao dentista. Não; primeiro vamos ao dentista. Você não precisa de ir ao dentista?

— Não.

— Nem tirar o retrato?

— Já tenho muitos. E para quê? para dá-lo "àquele senhor"?

Sofia compreendeu que o ressentimento da amiga persistia, e, durante o caminho, tratou de lhe pôr um ou dois bagos mais de pimenta. Disse-lhe que, embora fosse difícil, ainda era tempo de libertar-se. E ensinava-lhe um método para subtrair-se à tirania. Não convinha ir logo de um salto, mas devagar, com segurança, de maneira que ele desse por si quando ela lhe pusesse o pé no pes-

CAPÍTULO DOS CHAPÉUS 233

coço. Obra de algumas semanas, três a quatro, não mais. Ela, Sofia, estava pronta a ajudá-la. E repetia-lhe que não fosse mole, que não era escrava de ninguém, etc. Mariana ia cantando dentro do coração a *marselhesa* do matrimônio.

Chegaram à rua do Ouvidor. Era pouco mais do meio-dia. Muita gente, andando ou parada, o movimento do costume. Mariana sentiu-se um pouco atordoada, como sempre lhe acontecia. A uniformidade e a placidez, que eram o fundo do seu caráter e da sua vida, receberam daquela agitação os repelões do costume. Ela mal podia andar por entre os grupos, menos ainda sabia onde fixasse os olhos, tal era a confusão das gentes, tal era a variedade das lojas. Conchegava-se muito à amiga, e, sem reparar que tinham passado a casa do dentista, ia ansiosa de lá entrar. Era um repouso; era alguma coisa melhor do que o tumulto.

— Esta rua do Ouvidor! ia dizendo.

— Sim? respondia Sofia, voltando a cabeça para ela e os olhos para um rapaz que estava na outra calçada.

Sofia, prática daqueles mares, transpunha, rasgava ou contornava as gentes com muita perícia e tranquilidade. A figura impunha; os que a conheciam gostavam de vê-la outra vez; os que não a conheciam paravam ou voltavam-se para admirar-lhe o garbo. E a boa senhora, cheia de caridade, derramava os olhos à direita e à esquerda, sem grande escândalo, porque Mariana servia a coonestar os movimentos. Nada dizia seguidamente; parece até que mal ouvia as respostas da outra; mas falava de tudo, de outras damas que iam ou vinham, de uma loja, de um chapéu... Justamente os chapéus, — de senhora ou de homem, — abundavam naquela primeira hora da rua do Ouvidor.

— Olha este, dizia-lhe Sofia.

E Mariana acudia a vê-los, femininos ou masculinos, sem saber onde ficar, porque os demônios dos chapéus sucediam-se como num caleidoscópio. Onde era o dentista? perguntava ela à amiga. Sofia só à segunda vez lhe respondeu que tinham passado a casa; mas já agora iriam até ao fim da rua; voltariam depois. Voltaram finalmente.

— Uf! respirou Mariana entrando no corredor.

— Que é, meu Deus? Ora você! Parece da roça...

A sala do dentista tinha já algumas freguesas. Mariana não achou entre elas uma só cara conhecida, e para fugir ao exame das pessoas estranhas, foi para a janela. Da janela podia gozar a rua, sem atropelo. Recostou-se; Sofia veio ter com ela. Alguns chapéus masculinos, parados, começaram a fitá-las; outros, passando, faziam a mesma coisa. Mariana aborreceu-se da insistência; mas, notando que fitavam principalmente a amiga, dissolveu-se-lhe o tédio numa espécie de inveja. Sofia, entretanto, contava-lhe a história de alguns chapéus, — ou, mais corretamente, as aventuras. Um deles merecia os pensamentos de Fulana; outro andava derretido por Sicrana, e ela por ele, tanto que eram certos na rua do Ouvidor às quartas e sábados, entre duas e três horas. Mariana ouvia aturdida. Na verdade, o chapéu era bonito, trazia uma linda gravata, e possuía um ar entre elegante e pelintra, mas...

— Não juro, ouviu? replicava a outra, mas é o que se diz.

Mariana fitou pensativa o chapéu denunciado. Havia agora mais três, de igual porte e graça, e provavelmente os quatro falavam delas, e falavam bem. Mariana enrubesceu muito, voltou a cabeça para o outro lado, tornou logo à primeira atitude, e afinal entrou. Entrando, viu na sala duas senhoras recém-chegadas, e com elas um rapaz que se levantou prontamente e veio cumprimentá-la com muita cerimônia. Era o seu primeiro namorado.

Este primeiro namorado devia ter agora trinta e três anos. Andara por fora, na roça, na Europa, e afinal na presidência de uma província do Sul.* Era mediano de estatura, pálido, barba inteira e rara, e muito apertado na roupa. Tinha na mão um chapéu novo, alto, preto, grave, presidencial, administrativo, um chapéu adequado à pessoa e às ambições. Mariana, entretanto, mal pôde vê-lo. Tão confusa ficou, tão desorientada com a presença de um homem que conhecera em especiais circunstâncias, e a quem não vira desde 1877, que não pôde reparar em nada. Estendeu-lhe os dedos, parece mesmo que murmurou uma resposta qualquer, e ia tornar à janela, quando a amiga saiu dali.

Sofia conhecia também o recém-chegado. Trocaram algumas palavras. Mariana, impaciente, perguntou-lhe ao ouvido se não era melhor adiar os dentes para outro dia; mas a amiga disse-lhe que não; negócio de meia hora a três quartos. Mariana sentia-se opressa: a presença de um tal homem atava-lhe os sentidos, lançava-a na luta e na confusão. Tudo culpa do marido. Se ele não teimasse e não caçoasse com ela, ainda em cima, não aconteceria nada. E Mariana, pensando assim, jurava tirar uma desforra. De memória contemplava a casa, tão sossegada,

---

* Durante o Império, com seu regime centralista, os presidentes das províncias eram nomeados pelo imperador. Uma presidência no Sul era um começo promissor para um político jovem.

tão bonitinha, onde podia estar agora, como de costume, sem os safanões da rua, sem a dependência da amiga...

— Mariana, disse-lhe esta, o Dr. Viçoso teima que está muito magro. Você não acha que está mais gordo do que no ano passado... Não se lembra dele no ano passado?

Dr. Viçoso era o próprio namorado antigo, que palestrava com Sofia, olhando muitas vezes para Mariana. Esta respondeu negativamente. Ele aproveitou a fresta para puxá-la à conversação; disse que, na verdade, não a vira desde alguns anos. E sublinhava o dito com um certo olhar triste e profundo. Depois abriu o estojo dos assuntos, sacou para fora o teatro lírico. Que tal achavam a companhia? Na opinião dele era excelente, menos o barítono; o barítono parecia-lhe cansado. Sofia protestou contra o cansaço do barítono, mas ele insistiu, acrescentando que, em Londres, onde o ouvira pela primeira vez, já lhe parecera a mesma coisa. As damas, sim, senhora; tanto a soprano como a contralto eram de primeira ordem. E falou das óperas, citava os trechos, elogiou a orquestra, principalmente nos *Huguenotes*...* Tinha visto Mariana na última noite, no quarto ou quinto camarote da esquerda, não era verdade?

— Fomos, murmurou ela, acentuando bem o plural.

— No Cassino é que a não tenho visto, continuou ele.

— Está ficando um bicho do mato, acudiu Sofia rindo.

Viçoso gostara muito do último baile, e desfiou as suas recordações; Sofia fez o mesmo às dela. As melhores *toilettes* foram descritas por ambos com muita particularidade; depois vieram as pessoas, os caracteres, dois ou três picos de malícia, mas tão anódina, que não fez mal a ninguém. Mariana ouvia-os sem interesse; duas ou três vezes chegou a levantar-se e ir à janela; mas os chapéus eram tantos e tão curiosos, que ela voltava a sentar-se. Interiormente, disse alguns nomes feios à amiga; não os ponho aqui por não serem necessários, e, aliás, seria de mau gosto desvendar o que esta moça pôde pensar da outra durante alguns minutos de irritação.

— E as corridas do Jockey Club? perguntou o ex-presidente.

Mariana continuava a abanar a cabeça. Não tinha ido às corridas naquele ano. Pois perdera muito, a penúltima, principalmente; esteve animadíssima, e os ca-

---

* *Les huguenots*: ópera de Giacomo Meyerbeer (1791-1864), que estreou em 1836. Uma das óperas mais grandiosas do século passado, e das mais populares.

valos eram de primeira ordem. As de Epsom, que ele vira, quando esteve em Inglaterra, não eram melhores do que a penúltima do Prado Fluminense. E Sofia dizia que sim, que realmente a penúltima corrida honrava o Jockey Club. Confessou que gostava muito; dava emoções fortes. A conversação descambou em dois concertos daquela semana; depois tomou a barca, subiu a serra e foi a Petrópolis, onde dois diplomatas lhe fizeram as despesas da estadia. Como falassem da esposa de um ministro, Sofia lembrou-se de ser agradável ao ex-presidente, declarando-lhe que era preciso casar também porque em breve estaria no ministério. Viçoso teve um estremeção de prazer, e sorriu, e protestou que não; depois, com os olhos em Mariana, disse que provavelmente não casaria nunca... Mariana enrubesceu muito e levantou-se.

— Você está com muita pressa, disse-lhe Sofia. Quantas são? continuou voltando-se para Viçoso.

— Perto de três! exclamou ele.

Era tarde; tinha de ir à câmara dos deputados. Foi falar às duas senhoras, que acompanhara, e que eram primas suas, e despediu-se; vinha despedir-se das outras, mas Sofia declarou que sairia também. Já agora não esperava mais. A verdade é que a ideia de ir à câmara dos deputados começara a faiscar-lhe na cabeça.

— Vamos à câmara? propôs ela à outra.

— Não, não, disse Mariana; não posso, estou muito cansada.

— Vamos, um bocadinho só; eu também estou muito cansada...

Mariana teimou ainda um pouco; mas teimar contra Sofia, — a pomba discutindo com o gavião, — era realmente insensatez. Não teve remédio, foi. A rua estava agora mais agitada, as gentes iam e vinham por ambas as calçadas, e complicavam-se no cruzamento das ruas. De mais a mais, o obsequioso ex-presidente flanqueava as duas damas, tendo-se oferecido para arranjar-lhes uma tribuna.

A alma de Mariana sentia-se cada vez mais dilacerada de toda essa confusão de coisas. Perdera o interesse da primeira hora; e o despeito, que lhe dera forças para um voo audaz e fugidio, começava a afrouxar as asas, ou afrouxara-as inteiramente. E outra vez recordava a casa, tão quieta, com todas as coisas nos seus lugares, metódicas, respeitosas umas com as outras, fazendo-se tudo sem atropelo, e, principalmente, sem mudança imprevista. E a alma batia o pé, raivosa... Não ouvia nada do que o Viçoso ia dizendo, conquanto ele falasse alto, e muitas coisas fossem ditas para ela. Não ouvia, não queria ouvir nada. Só pedia a Deus que as horas andassem depressa. Chegaram à câmara e foram para uma tribuna.

CAPÍTULO DOS CHAPÉUS 237

O rumor das saias chamou a atenção de uns vinte deputados, que restavam, escutando um discurso de orçamento. Tão depressa o Viçoso pediu licença e saiu, Mariana disse rapidamente à amiga que não lhe fizesse outra.

— Que outra? perguntou Sofia.

— Não me pregue outra peça como esta de andar de um lugar para outro feito maluca. Que tenho eu com a câmara? que me importam discursos que não entendo?

Sofia sorriu, agitou o leque e recebeu em cheio o olhar de um dos secretários. Muitos eram os olhos que a fitavam quando ela ia à câmara, mas os do tal secretário tinham uma expressão mais especial, cálida e súplice. Entende-se, pois, que ela não o recebeu de supetão; pode mesmo entender-se que o procurou curiosa. Enquanto acolhia esse olhar legislativo ia respondendo à amiga, com brandura, que a culpa era dela, e que a sua intenção era boa, era restituir-lhe a posse de si mesma.

— Mas, se você acha que a aborreço não venha mais comigo, concluiu Sofia.

E, inclinando-se um pouco:

— Olha o ministro da Justiça.

Mariana não teve remédio senão ver o ministro da Justiça. Este aguentava o discurso do orador, um governista, que provava a conveniência dos tribunais correcionais, e, incidentemente, compendiava a antiga legislação colonial.* Nenhum aparte; um silêncio resignado, polido, discreto e cauteloso. Mariana passeava os olhos de um lado para outro, sem interesse; Sofia dizia-lhe muitas coisas, para dar saída a uma porção de gestos graciosos. No fim de quinze minutos agitou-se a câmara, graças a uma expressão do orador e uma réplica da oposição. Trocaram-se apartes, os segundos mais bravos que os primeiros, e seguiu-se um tumulto, que durou perto de um quarto de hora.

Essa diversão não o foi para Mariana, cujo espírito plácido e uniforme, ficou atarantado no meio de tanta e tão inesperada agitação. Ela chegou a levantar-se para sair; mas, sentou-se outra vez. Já agora estava disposta a ir ao fim, arrependida e resoluta a chorar só consigo as suas mágoas conjugais. A dúvida começou mesmo a entrar nela. Tinha razão no pedido ao marido; mas era caso de doer-se tanto? era razoável o espalhafato? Certamente que as ironias dele fo-

---

* Esta mania dos políticos de mostrar erudição, e fazer discursos compridíssimos, é alvo repetido da sátira de Machado. Ver, por exemplo, *A Semana*, p. 234 (crônica de 30 de abril de 1893).

ram cruéis; mas, em suma, era a primeira vez que ela lhe batera o pé, e, naturalmente, a novidade irritou-o. De qualquer modo, porém, fora um erro ir revelar tudo à amiga. Sofia iria talvez contá-lo a outras... Esta ideia trouxe um calafrio a Mariana; a indiscrição da amiga era certa; tinha-lhe ouvido uma porção de histórias de chapéus masculinos e femininos, coisa mais grave do que uma simples briga de casados. Mariana sentiu necessidade de lisonjeá-la, e cobriu a sua impaciência e zanga com uma máscara de docilidade hipócrita. Começou a sorrir também, a fazer algumas observações, a respeito de um ou outro deputado, e assim chegaram ao fim do discurso e da sessão.

Eram quatro horas dadas. — Toca a recolher, disse Sofia; e Mariana concordou que sim, mas sem impaciência, e ambas tornaram a subir a rua do Ouvidor. A rua, a entrada no bonde completaram a fadiga do espírito de Mariana, que afinal respirou quando viu que ia caminho de casa. Pouco antes de apear-se a outra, pediu-lhe que guardasse segredo sobre o que lhe contara; Sofia prometeu que sim.

Mariana respirou. A rola estava livre do gavião. Levava a alma doente dos encontrões, vertiginosa da diversidade de coisas e pessoas. Tinha necessidade de equilíbrio e saúde. A casa estava perto; à medida que ia vendo as outras casas e chácaras próximas, Mariana sentia-se restituída a si mesma. Chegou finalmente; entrou no jardim, respirou. Era aquele o seu mundo; menos um vaso, que o jardineiro trocara de lugar.

— João, bota este vaso onde estava antes, disse ela.

Tudo o mais estava em ordem, a sala de entrada, a de visitas, a de jantar, os seus quartos, tudo. Mariana sentou-se primeiro, em diferentes lugares, olhando bem para todas as coisas, tão quietas e ordenadas. Depois de uma manhã inteira de perturbação e variedade, a monotonia trazia-lhe um grande bem, e nunca lhe pareceu tão deliciosa. Na verdade, fizera mal... Quis recapitular os sucessos e não pôde; a alma espreguiçava-se toda naquela uniformidade caseira. Quando muito, pensou na figura do Viçoso, que achava agora ridícula, e era injustiça. Despiu-se lentamente, com amor, indo certeira a cada objeto. Uma vez despida, pensou outra vez na briga com o marido. Achou que, bem pesadas as coisas, a principal culpa era dela. Que diabo de teima por causa de um chapéu, que o marido usara há tantos anos? Também o pai era exigente demais...

— Vou ver a cara com que ele vem, pensou ela.

Eram cinco e meia; não tardaria muito. Mariana foi à sala da frente, espiou

CAPÍTULO DOS CHAPÉUS   239

pela vidraça, prestou o ouvido ao bonde, e nada. Sentou-se ali mesmo com o *Ivanhoé* nas palmas, querendo ler e não lendo nada. Os olhos iam até o fim da página, e tornavam ao princípio, em primeiro lugar, porque não apanhavam o sentido, em segundo lugar, porque uma ou outra vez desviavam-se para saborear a correção das cortinas ou qualquer outra feição particular da sala. Santa monotonia, tu a acalentavas no teu regaço eterno.

Enfim, parou um bonde; apeou-se o marido; rangeu a porta de ferro do jardim. Mariana foi à vidraça, e espiou. Conrado entrava lentamente, olhando para a direita e a esquerda, com o chapéu na cabeça, não o famoso chapéu do costume, porém outro, o que a mulher lhe tinha pedido de manhã. O espírito de Mariana recebeu um choque violento, igual ao que lhe dera o vaso do jardim trocado, — ou ao que lhe daria uma lauda de Voltaire entre as folhas da *Moreninha* ou de *Ivanhoé*... Era a nota desigual no meio da harmoniosa sonata da vida. Não, não podia ser esse chapéu. Realmente, que mania a dela exigir que ele deixasse o outro que lhe ficava tão bem? E que não fosse o mais próprio, era o de longos anos; era o que quadrava à fisionomia do marido... Conrado entrou por uma porta lateral. Mariana recebeu-o nos braços.

— Então, passou? perguntou ele, enfim, cingindo-lhe a cintura.

— Escuta uma coisa, respondeu ela com uma carícia divina, bota fora esse; antes o outro.

Anedota pecuniária

Chama-se Falcão o meu homem. Naquele dia — quatorze de abril de 1870 — quem lhe entrasse em casa, às dez horas da noite, vê-lo-ia passear na sala, em mangas de camisa, calça preta e gravata branca, resmungando, gesticulando, suspirando, evidentemente aflito. Às vezes, sentava-se; outras, encostava-se à janela, olhando para a praia, que era a da Gamboa. Mas, em qualquer lugar ou atitude, demorava-se pouco tempo.

— Fiz mal, dizia ele, muito mal. Tão minha amiga que ela era! tão amorosa! Ia chorando, coitadinha! Fiz mal, muito mal... Ao menos, que seja feliz!

Se eu disser que este homem vendeu uma sobrinha, não me hão de crer; se descer a definir o preço, dez contos de réis, voltar-me-ão as costas com desprezo e indignação. Entretanto, basta ver este olhar felino, estes dois beiços, mestres de cálculo, que, ainda fechados, parecem estar contando alguma coisa, para adivinhar logo que a feição capital do nosso homem é a voracidade do lucro. Entendamo-nos: ele faz arte pela arte, não ama o dinheiro pelo que ele pode dar, mas pelo que é em si mesmo! Ninguém lhe vá falar dos regalos da vida. Não tem cama fofa, nem mesa fina, nem carruagem, nem comenda. Não se ganha dinheiro para esbanjá-lo, dizia ele. Vive de migalhas; tudo o que amontoa é para a contemplação. Vai muitas vezes à burra, que está na alcova de dormir, com o único fim de fartar os olhos nos rolos de ouro e maços de títulos. Outras vezes, por um requinte de erotismo pecuniário, contempla-os só de memória. Neste particular, tudo o que eu pudesse dizer, ficaria abaixo de uma palavra dele mesmo, em 1857.

Já então milionário, ou quase, encontrou na rua dois meninos, seus conhecidos, que lhe perguntaram se uma nota de cinco mil-réis, que lhes dera um tio, era verdadeira. Corriam algumas notas falsas, e os pequenos lembraram-se disso em caminho. Falcão ia com um amigo. Pegou trêmulo na nota, examinou-a bem, virou-a, revirou-a...

— É falsa? perguntou com impaciência um dos meninos.

— Não; é verdadeira.

— Dê cá, disseram ambos.

Falcão dobrou a nota vagarosamente, sem tirar-lhe os olhos de cima; depois, restituiu-a aos pequenos, e, voltando-se para o amigo, que esperava por ele, disse-lhe com a maior candura do mundo:

— Dinheiro, mesmo quando não é da gente, faz gosto ver.

Era assim que ele amava o dinheiro, até à contemplação desinteressada. Que outro motivo podia levá-lo a parar, diante das vitrinas dos cambistas, cinco, dez, quinze minutos, lambendo com os olhos os montes de libras e francos, tão arrumadinhos e amarelos? O mesmo sobressalto com que pegou na nota de cinco mil-réis, era um rasgo sutil, era o terror da nota falsa. Nada aborrecia tanto, como os moedeiros falsos, não por serem criminosos, mas prejudiciais, por desmoralizarem o dinheiro bom.

A linguagem do Falcão valia um estudo. Assim é que, um dia, em 1864, voltando do enterro de um amigo, referiu o esplendor do préstito, exclamando com entusiasmo: — "Pegavam no caixão três mil contos!". E, como um dos ouvintes não o entendesse logo, concluiu do espanto, que duvidava dele, e discriminou a afirmação: — "Fulano quatrocentos, Sicrano seiscentos... Sim, senhor, seiscentos; há dois anos, quando desfez a sociedade com o sogro, ia em mais de quinhentos; mas suponhamos quinhentos...". E foi por diante, demonstrando, somando e concluindo: — "Justamente, três mil contos!".

Não era casado. Casar era botar dinheiro fora. Mas os anos passaram, e aos quarenta e cinco entrou a sentir uma certa necessidade moral, que não compreendeu logo, e era a saudade paterna. Não mulher, não parentes, mas um filho ou uma filha, se ele o tivesse, era como receber um patacão de ouro. Infelizmente, esse outro capital devia ter sido acumulado em tempo; não podia começá-lo a ganhar tão tarde. Restava a loteria; a loteria deu-lhe o prêmio grande.

Morreu-lhe o irmão, e três meses depois a cunhada, deixando uma filha de onze anos. Ele gostava muito desta e de outra sobrinha, filha de uma irmã viúva; dava-lhes beijos, quando as visitava; chegava mesmo ao delírio de levar-lhes, uma ou outra vez, biscoitos. Hesitou um pouco, mas, enfim, recolheu a órfã; era a filha cobiçada. Não cabia em si de contente; durante as primeiras semanas, quase não saía de casa, ao pé dela, ouvindo-lhe histórias e tolices.

Chamava-se Jacinta, e não era bonita; mas tinha a voz melodiosa e os modos fagueiros. Sabia ler e escrever; começava a aprender música. Trouxe o piano consigo, o método e alguns exercícios; não pôde trazer o professor, porque o tio entendeu que era melhor ir praticando o que aprendera, e um dia... mais tarde... Onze anos, doze anos, treze anos, cada ano que passava era mais um vínculo que atava o velho solteirão à filha adotiva, e vice-versa. Aos treze, Jacinta mandava na casa; aos dezessete era verdadeira dona. Não abusou do domínio; era naturalmente modesta, frugal, poupada.

— Um anjo! dizia o Falcão ao Chico Borges.

Este Chico Borges tinha quarenta anos, e era dono de um trapiche. Ia jogar com o Falcão, à noite. Jacinta assistia às partidas. Tinha então dezoito anos; não era mais bonita, mas diziam todos "que estava enfeitando muito". Era pequenina, e o trapicheiro adorava as mulheres pequeninas. Corresponderam-se, o namoro fez-se paixão.

— Vamos a elas, dizia o Chico Borges ao entrar, pouco depois de ave-marias.

As cartas eram o chapéu de sol dos dois namorados. Não jogavam a dinheiro; mas o Falcão tinha tal sede ao lucro, que contemplava os próprios tentos, sem valor, e contava-os de dez em dez minutos, para ver se ganhava ou perdia. Quando perdia, caía-lhe o rosto num desalento incurável, e ele recolhia-se pouco a pouco ao silêncio. Se a sorte teimava em persegui-lo, acabava o jogo, e levantava-se tão melancólico e cego, que a sobrinha e o parceiro podiam apertar a mão, uma, duas, três vezes, sem que ele visse coisa nenhuma.

Era isto em 1869. No princípio de 1870 Falcão propôs ao outro uma venda de ações. Não as tinha; mas farejou uma grande baixa, e contava ganhar de um só lance trinta a quarenta contos ao Chico Borges. Este respondeu-lhe finamente que andava pensando em oferecer-lhe a mesma coisa. Uma vez que ambos queriam vender e nenhum comprar, podiam juntar-se e propor a venda a um terceiro. Acharam o terceiro, e fecharam o contrato a sessenta dias. Falcão estava tão contente, ao voltar do negócio, que o sócio abriu-lhe o coração e pediu-lhe a mão de Jacinta. Foi o mesmo que, se de repente, começasse a falar turco. Falcão parou, embasbacado, sem entender. Que lhe desse a sobrinha? Mas então...

— Sim; confesso a você que estimaria muito casar com ela, e ela... penso que também estimaria casar comigo.

— Qual, nada! interrompeu o Falcão. Não, senhor; está muito criança, não consinto.

— Mas reflita...

— Não reflito, não quero.

Chegou a casa irritado e aterrado. A sobrinha afagou-o tanto para saber o que era, que ele acabou contando tudo, e chamando-lhe esquecida e ingrata. Jacinta empalideceu; amava os dois, e via-os tão dados, que não imaginou nunca esse contraste de afeições. No quarto chorou à larga; depois escreveu uma carta ao Chico Borges pedindo-lhe pelas cinco chagas de Nosso Senhor Jesus Cristo, que não fizesse barulho nem brigasse com o tio; dizia-lhe que esperasse, e jurava-lhe um amor eterno.

Não brigaram os dois parceiros; mas as visitas foram naturalmente mais escassas e frias. Jacinta não vinha à sala, ou retirava-se logo. O terror do Falcão era enorme. Ele amava a sobrinha com um amor de cão, que persegue e morde aos estranhos. Queria-a para si, não como homem, mas como pai. A paternidade natural dá forças para o sacrifício da separação; a paternidade dele era de empréstimo, e, talvez, por isso mesmo, mais egoísta. Nunca pensara em perdê-la; agora, porém, eram trinta mil cuidados, janelas fechadas, advertências à preta, uma vigilância perpétua, um espiar os gestos e os ditos, uma campanha de D. Bartolo.*

Entretanto, o sol, modelo de funcionários, continuou a servir pontualmente os dias, um a um, até chegar aos dois meses do prazo marcado para a entrega das ações. Estas deviam baixar, segundo a previsão dos dois; mas as ações, como as loterias e as batalhas, zombam dos cálculos humanos. Naquele caso, além de zombaria, houve crueldade, porque nem baixaram, nem ficaram ao par; subiram até converter o esperado lucro de quarenta contos numa perda de vinte.

Foi aqui que o Chico Borges teve uma inspiração de gênio. Na véspera, quan-

---

* *D. Bartolo*: o pai ciumento de Rosina, heroína da ópera *O barbeiro de Sevilha* (1816), de Gioacchino Rossini (1792-1868).

do o Falcão, abatido e mudo, passeava na sala o seu desapontamento, propôs ele custear todo o *deficit*, se lhe desse a sobrinha. Falcão teve um deslumbramento.

— Que eu...?

— Isso mesmo, interrompeu o outro, rindo.

— Não, não...

Não quis; recusou três e quatro vezes. A primeira impressão fora de alegria, eram os dez contos na algibeira. Mas a ideia de separar-se de Jacinta era insuportável, e recusou. Dormiu mal. De manhã, encarou a situação, pesou as coisas, considerou que, entregando Jacinta ao outro, não a perdia inteiramente, ao passo que os dez contos iam-se embora. E, depois, se ela gostava dele e ele dela, por que razão separá-los? Todas as filhas casam-se, e os pais contentam-se de as ver felizes. Correu à casa do Chico Borges, e chegaram a acordo.

— Fiz mal, muito mal, bradava ele na noite do casamento. Tão minha amiga que ela era! Tão amorosa! Ia chorando, coitadinha... Fiz mal, muito mal.

Cessara o terror dos dez contos; começara o fastio da solidão. Na manhã seguinte, foi visitar os noivos. Jacinta não se limitou a regalá-lo com um bom almoço, encheu-o de mimos e afagos; mas nem estes, nem o almoço lhe restituíram a alegria. Ao contrário, a felicidade dos noivos entristeceu-o mais. Ao voltar para casa não achou a carinha meiga de Jacinta. Nunca mais lhe ouviria as cantigas de menina e moça; não seria ela quem lhe faria o chá, quem lhe traria, à noite, quando ele quisesse ler, o velho tomo ensebado do *Saint-Clair das Ilhas*, dádiva de 1850.*

— Fiz mal, muito mal...

Para remediar o mal feito, transferiu as cartas para a casa da sobrinha, e ia lá jogar, à noite, com o Chico Borges. Mas a fortuna, quando flagela um homem, corta-lhe todas as vazas. Quatro meses depois, os recém-casados foram para a Europa; a solidão alargou-se de toda a extensão do mar. Falcão contava então cinquenta e quatro anos. Já estava mais consolado do casamento de Jacinta; tinha mesmo o plano de ir morar com eles, ou de graça, ou mediante uma pequena retribuição, que calculou ser muito mais econômico do que a despesa de viver

---

* *Saint-Clair das Ilhas, ou os desterrados da Ilha de Barra*: romance popular da inglesa Elizabeth Helme, publicado no Brasil em 1825, traduzido a partir da versão francesa. Aparece em mais de um momento da ficção machadiana (por exemplo, em *Quincas Borba*, capítulo CXXXII), como símbolo da literatura popular das primeiras décadas da independência brasileira.

só. Tudo se esboroou; ei-lo outra vez na situação de oito anos antes, com a diferença que a sorte arrancara-lhe a taça entre dois goles.

Vai senão quando cai-lhe outra sobrinha em casa. Era a filha da irmã viúva, que morreu e lhe pediu a esmola de tomar conta dela. Falcão não prometeu nada, porque um certo instinto o levava a não prometer coisa nenhuma a ninguém, mas a verdade é que recolheu a sobrinha, tão depressa a irmã fechou os olhos. Não teve constrangimento; ao contrário, abriu-lhe as portas de casa, com um alvoroço de namorado, e quase abençoou a morte da irmã. Era outra vez a filha perdida.

— Esta há de fechar-me os olhos, dizia ele consigo.

Não era fácil. Virgínia tinha dezoito anos, feições lindas e originais; era grande e vistosa. Para evitar que lha levassem, Falcão começou por onde acabara da primeira vez: — janelas cerradas, advertências à preta, raros passeios, só com ele e de olhos baixos. Virgínia não se mostrou enfadada. — Nunca fui janeleira, dizia ela, e acho muito feio que uma moça viva com o sentido na rua. Outra cautela do Falcão foi não trazer para casa senão parceiros de cinquenta anos para cima ou casados. Enfim, não cuidou mais da baixa das ações. E tudo isso era desnecessário, porque a sobrinha não cuidava realmente senão dele e da casa. Às vezes, como a vista do tio começava a diminuir muito, lia-lhe ela mesma alguma página do *Saint-Clair das Ilhas*. Para suprir os parceiros, quando eles faltavam, aprendeu a jogar cartas, e, entendendo que o tio gostava de ganhar, deixava-se sempre perder. Ia mais longe: quando perdia muito, fingia-se zangada ou triste, com o único fim de dar ao tio um acréscimo de prazer. Ele ria então à larga, mofava dela, achava-lhe o nariz comprido, pedia um lenço para enxugar-lhe as lágrimas; mas não deixava de contar os seus tentos de dez em dez minutos, e se algum caía no chão (eram grãos de milho) descia a vela para apanhá-lo.

No fim de três meses, Falcão adoeceu. A moléstia não foi grave nem longa; mas o terror da morte apoderou-se-lhe do espírito, e foi então que se pôde ver toda a afeição que ele tinha à moça. Cada visita que se lhe chegava, era recebida com rispidez, ou pelo menos com sequidão. Os mais íntimos padeciam mais, porque ele dizia-lhes brutalmente que ainda não era cadáver, que a carniça ainda estava viva, que os urubus enganavam-se de cheiro, etc. Mas nunca Virgínia achou nele um só instante de mau humor. Falcão obedecia-lhe em tudo, com uma passividade de criança, e quando ria, é porque ela o fazia rir.

— Vamos, tome o remédio, deixe-se disso, vosmecê agora é meu filho...

Falcão sorria e bebia a droga. Ela sentava-se ao pé da cama, contando-lhe histórias, espiava o relógio para dar-lhe os caldos ou a galinha, lia-lhe o sempiterno *Saint-Clair*. Veio a convalescença. Falcão saiu a alguns passeios, acompanhado de Virgínia. A prudência com que esta, dando-lhe o braço, ia mirando as pedras da rua, com medo de encarar os olhos de algum homem, encantava o Falcão.

— Esta há de fechar-me os olhos, repetia ele consigo mesmo. Um dia, chegou a pensá-lo em voz alta: — Não é verdade que você me há de fechar os olhos?

— Não diga tolices!

Conquanto estivesse na rua, ele parou, apertou-lhe muito as mãos, agradecido, não achando que dizer. Se tivesse a faculdade de chorar, ficaria provavelmente com os olhos úmidos. Chegando a casa, Virgínia correu ao quarto para reler uma carta que lhe entregara na véspera uma D. Bernarda, amiga de sua mãe. Era datada de New York, e trazia por única assinatura este nome: Reginaldo. Um dos trechos dizia assim: "Vou daqui no paquete de 25. Espera-me sem falta. Não sei ainda se irei ver-te logo ou não. Teu tio deve lembrar-se de mim; viu-me em casa de meu tio Chico Borges, no dia do casamento de tua prima...".

Quarenta dias depois, desembarcava este Reginaldo, vindo de New York, com trinta anos feitos e trezentos mil dólares ganhos. Vinte e quatro horas depois visitou o Falcão, que o recebeu apenas com polidez. Mas o Reginaldo era fino e prático; atinou com a principal corda do homem, e vibrou-a. Contou-lhe os prodígios de negócio nos Estados Unidos, as hordas de moedas que corriam de um a outro dos dois oceanos. Falcão ouvia deslumbrado, e pedia mais. Então o outro fez-lhe uma extensa computação das companhias e bancos, ações, saldos de orçamento público, riquezas particulares, receita municipal de New York; descreveu-lhe os grandes palácios do comércio...

— Realmente, é um grande país, dizia o Falcão, de quando em quando. E depois de três minutos de reflexão: — Mas, pelo que o senhor conta, só há ouro?

— Ouro só, não; há muita prata e papel; mas ali papel e ouro é a mesma coisa. E moedas de outras nações? Hei de mostrar-lhe uma coleção que trago. Olhe; para ver o que é aquilo basta pôr os olhos em mim. Fui para lá pobre, com vinte e três anos; no fim de sete anos, trago seiscentos contos.

Falcão estremeceu:

— Eu, com a sua idade, confessou ele, mal chegaria a cem.

Estava encantado. Reginaldo disse-lhe que precisava de duas ou três semanas, para lhe contar os milagres do dólar.

— Como é que o senhor lhe chama?

— Dólar.

— Talvez não acredite que nunca vi essa moeda.

Reginaldo tirou do bolso do colete um dólar e mostrou-lho. Falcão, antes de lhe pôr a mão, agarrou-o com os olhos. Como estava um pouco escuro, levantou-se e foi até à janela, para examiná-lo bem — de ambos os lados; depois restituiu-o, gabando muito o desenho e a cunhagem, e acrescentando que os nossos antigos patacões eram bem bonitos.

As visitas repetiram-se. Reginaldo assentou de pedir a moça. Esta, porém, disse-lhe que era preciso ganhar primeiro as boas graças do tio; não casaria contra a vontade dele. Reginaldo não desanimou. Tratou de redobrar as finezas; abarrotou o tio de dividendos fabulosos.

— A propósito, o senhor nunca me mostrou a sua coleção de moedas, disse-lhe um dia o Falcão.

— Vá amanhã à minha casa.

Falcão foi. Reginaldo mostrou-lhe a coleção metida num móvel envidraçado por todos os lados. A surpresa de Falcão foi extraordinária; esperava uma caixinha com um exemplar de cada moeda, e achou montes de ouro, de prata, de bronze e de cobre. Falcão mirou-as primeiro de um olhar universal e coletivo; depois, começou a fixá-las especificamente. Só conheceu as libras, os dólares e os francos; mas o Reginaldo nomeou-as todas; florins, coroas, rublos, dracmas, piastras, pesos, rupias, toda a numismática do trabalho, concluiu ele poeticamente.

— Mas que paciência a sua para ajuntar tudo isto! disse ele.

— Não fui eu que ajuntei, replicou o Reginaldo; a coleção pertencia ao espólio de um sujeito de Filadélfia. Custou-se uma bagatela: — cinco mil dólares.

Na verdade, valia mais. Falcão saiu dali com a coleção na alma; falou dela à sobrinha, e, imaginariamente, desarrumou e tornou a arrumar as moedas, como um amante desgrenha a amante para toucá-la outra vez. De noite sonhou que era um florim, que um jogador o deitava à mesa do *lansquenet*,* e que ele trazia consigo para a algibeira do jogador mais de duzentos florins. De manhã, para consolar-se, foi contemplar as próprias moedas que tinha na burra; mas não se consolou nada. O melhor dos bens é o que se não possui.

Dali a dias, estando em casa, na sala, pareceu-lhe ver uma moeda no chão.

---

* *Lansquenet*: jogo de cartas, semelhante ao trinta e um.

Inclinou-se a apanhá-la; não era moeda, era uma simples carta. Abriu a carta distraidamente e leu-a espantado: era de Reginaldo a Virgínia...

— Basta! interrompe-me o leitor; adivinho o resto. Virgínia casou com o Reginaldo, as moedas passaram às mãos do Falcão, e eram falsas...

Não, senhor, eram verdadeiras. Era mais moral que, para castigo do nosso homem, fossem falsas; mas, ai de mim! eu não sou Sêneca, não passo de um Suetônio que contaria dez vezes a morte de César, se ele ressuscitasse dez vezes, pois não tornaria à vida, senão para tornar ao império.*

---

* *Suetônio* (c. 70-c. 128): historiador romano, autor de *A vida dos doze Césares*, considerado o mais fofoqueiro e menos moralista dos historiadores, em constraste com Sêneca, filósofo e historiador estoico.

Primas de Sapucaia!

Há umas ocasiões oportunas e fugitivas, em que o acaso nos inflige duas ou três primas de Sapucaia; outras vezes, ao contrário, as primas de Sapucaia são antes um benefício do que um infortúnio.

Era à porta de uma igreja. Eu esperava que as minhas primas Claudina e Rosa tomassem água benta, para conduzi-las à nossa casa, onde estavam hospedadas. Tinham vindo de Sapucaia, pelo Carnaval, e demoraram-se dois meses na corte. Era eu que as acompanhava a toda a parte, missas, teatros, rua do Ouvidor, porque minha mãe, com o seu reumático, mal podia mover-se dentro de casa, e elas não sabiam andar sós. Sapucaia era a nossa pátria comum. Embora todos os parentes estivessem dispersos, ali nasceu o tronco da família. Meu tio José Ribeiro, pai destas primas, foi o único, de cinco irmãos, que lá ficou lavrando a terra e figurando na política do lugar. Eu vim cedo para a corte, donde segui a estudar e bacharelar-me em São Paulo. Voltei uma só vez a Sapucaia, para pleitear uma eleição, que perdi.

Rigorosamente, todas estas notícias são desnecessárias para a compreensão da minha aventura; mas é um modo de ir dizendo alguma coisa, antes de entrar em matéria, para a qual não acho porta grande nem pequena; o melhor é afrouxar a rédea à pena, e ela que vá andando, até achar entrada. Há de haver alguma;

tudo depende das circunstâncias, regra que tanto serve para o estilo como para a vida; palavra puxa palavra, uma ideia traz outra, e assim se faz um livro, um governo, ou uma revolução; alguns dizem mesmo que assim é que a natureza compôs as suas espécies.

Portanto, água benta e porta de igreja. Era a igreja de S. José. A missa acabara; Claudina e Rosa fizeram uma cruz na testa, com o dedo polegar, molhado na água benta e descalçado unicamente para esse gesto. Depois ajustaram os manteletes, enquanto eu, ao portal, ia vendo as damas que saíam. De repente, estremeço, inclino-me para fora, chego mesmo a dar dois passos na direção da rua.

— Que foi, primo?

— Nada, nada.

Era uma senhora, que passara rentezinha com a igreja, vagarosa, cabisbaixa, apoiando-se no chapelinho de sol; ia pela rua da Misericórdia acima. Para explicar a minha comoção, é preciso dizer que era a segunda vez que a via. A primeira foi no Prado Fluminense, dois meses antes, com um homem que, pelos modos, era seu marido, mas tanto podia ser marido como pai. Estava então um pouco de espavento, vestida de escarlate, com grandes enfeites vistosos, e umas argolas demasiado grossas nas orelhas; mas os olhos e a boca resgatavam o resto. Namoramos às bandeiras despregadas. Se disser que saí dali apaixonado, não meto a minha alma no inferno, porque é a verdade pura. Saí tonto, mas saí também desapontado, perdi-a de vista na multidão. Nunca mais pude dar com ela, nem ninguém me soube dizer quem fosse.

Calcule-se o meu enfado, vendo que a fortuna vinha trazê-la outra vez ao meu caminho, e que umas primas fortuitas não me deixavam lançar-lhe as mãos. Não será difícil calculá-lo, porque estas primas de Sapucaia tomam todas as formas, e o leitor, se não as teve de um modo, teve-as de outro. Umas vezes copiam o ar confidencial de um cavalheiro informado da última crise do ministério, de todas as causas aparentes ou secretas, dissensões novas ou antigas, interesses agravados, conspiração, crise. Outras vezes, enfronham-se na figura daquele eterno cidadão que afirma de um modo ponderoso e abotoado, que não há leis sem costumes, *nisi lege sine moribus*. Outras, afivelam a máscara de um Dangeau* de

---

* *Philippe de Courcillon*, marquês de Dangeau (1638-1720): memorialista francês, manteve um diário durante muitos anos, anotando todos os detalhes da vida da corte francesa. Esse diário foi muito usado como fonte pelo duque de Saint-Simon, cujas célebres memórias, porém, têm uma graça e um gênio inteiramente ausentes em Dangeau.

esquina, que nos conta miudamente as fitas e rendas que esta, aquela, aquelou-
tra dama levara ao baile ou ao teatro. E durante esse tempo, a Ocasião passa, vagarosa, cabisbaixa, apoiando-se no chapelinho de sol: passa, dobra a esquina, e
adeus... O ministério esfacelava-se; malinas e bruxelas; *nisi lege sine moribus...*

Estive a pique de dizer às primas, que se fossem embora; morávamos na rua
do Carmo, não era longe; mas abri mão da ideia. Já na rua pensei também em
deixá-las na igreja, à minha espera, e ir ver se agarrava a Ocasião pela calva. Creio
mesmo que cheguei a parar um momento, mas rejeitei igualmente esse alvitre e
fui andando.

Fui andando com elas para o lado oposto ao da minha incógnita. Olhei para trás repetidas vezes, até perdê-la numa das curvas da rua, com os olhos no chão,
como quem reflete, devaneia ou espera uma hora marcada. Não minto dizendo
que esta última ideia trouxe-me a emoção do ciúme. Sou exclusivo e pessoal; daria um triste amante de mulheres casadas. Não importa que entre mim e aquela
dama existisse apenas uma contemplação fugitiva de algumas horas; desde que
a minha personalidade ia para ela, a partilha tornava-se-me insuportável. Sou também imaginoso; engenhei logo uma aventura e um aventureiro, dei-me ao prazer mórbido de afligir-me sem motivo nem necessidade. As primas iam adiante,
e falavam-me de quando em quando; eu respondia mal, se respondia alguma coisa. Cordialmente, execrava-as.

Ao chegar à porta de casa, consultei o relógio, como se tivesse alguma coisa que fazer; depois disse às primas que subissem e fossem almoçando. Corri à
rua da Misericórdia. Fui primeiro até à Escola de Medicina; depois voltei e vim
até à câmara dos deputados, então mais devagar, esperando vê-la ao chegar a cada curva da rua; mas nem sombra. Era insensato, não era? Todavia, ainda subi
outra vez a rua, porque adverti que, a pé e devagar, mal teria tempo de ir em meio
da praia de Santa Luzia, se acaso não parara antes; e aí fui, rua acima e praia fora, até ao convento da Ajuda. Não encontrei nada, coisa nenhuma. Nem por isso perdi as esperanças; arrepiei caminho e vim, a passo lento ou apressado, conforme se me afigurava que era possível apanhá-la adiante, ou dar tempo a que
saísse de alguma parte. Desde que a minha imaginação reproduzia a dama, todo
eu sentia um abalo, como se realmente tivesse de vê-la daí a alguns minutos. Compreendi a emoção dos doidos.

Entretanto, nada. Desci a rua sem achar o menor vestígio da minha incógnita. Felizes os cães, que pelo faro dão com os amigos! Quem sabe se não estaria

ali bem perto, no interior de alguma casa, talvez a própria casa dela? Lembrou-me indagar; mas de quem, e como? Um padeiro, encostado ao portal, espiava-me; algumas mulheres faziam a mesma coisa enfiando os olhos pelos postigos. Naturalmente desconfiavam do transeunte, do andar vagaroso ou apressado, do olhar inquisidor, do gesto inquieto. Deixei-me ir até à câmara dos deputados, e parei uns cinco minutos, sem saber que fizesse. Era perto de meio-dia. Esperei mais dez minutos, depois mais cinco, parado, com a esperança de vê-la; afinal, desesperei e fui almoçar.

Não almocei em casa. Não queria ver os demônios das primas, que me impediram de seguir a dama incógnita. Fui a um hotel. Escolhi uma mesa no fim da sala, e sentei-me de costas para as outras; não queria ser visto nem conversado. Comecei a comer o que me deram. Pedi alguns jornais, mas confesso que não li nada seguidamente, e apenas entendi três quartas partes do que ia lendo. No meio de uma notícia ou de um artigo, escorregava-me o espírito e caía na rua da Misericórdia, à porta da igreja, vendo passar a incógnita, vagarosa, cabisbaixa, apoiando-se no chapelinho de sol.

A última vez que me aconteceu essa separação da OUTRA e da BESTA, estava já no café, e tinha diante de mim um discurso parlamentar. Achei-me ainda uma vez à porta da igreja; imaginei então que as primas não estavam comigo, e que eu seguia atrás da bela dama. Assim é que se consolam os preteridos da loteria; assim é que se fartam as ambições malogradas.

Não me peçam minúcias nem preliminares do encontro. Os sonhos desdenham as linhas finas e o acabado das paisagens; contentam-se de quatro ou cinco brochadas grossas, mas representativas. Minha imaginação galgou as dificuldades da primeira fala, e foi direita à rua do Lavradio ou dos Inválidos, à própria casa de Adriana. Chama-se Adriana. Não viera à rua da Misericórdia por motivo de amores, mas a ver alguém, uma parenta ou uma comadre, ou uma costureira. Conheceu-me, e teve igual comoção. Escrevi-lhe; respondeu-me. Nossas pessoas foram uma para a outra por cima de uma multidão de regras morais e de perigos. Adriana é casada; o marido conta cinquenta e dois anos, ela trinta imperfeitos. Não amou nunca, não amou mesmo o marido, com quem casou por obedecer à família. Eu ensinei-lhe ao mesmo tempo o amor e a traição; é o que ela me diz nesta casinha que aluguei fora da cidade, de propósito para nós.

Ouço-a embriagado. Não me enganei; é a mulher ardente e amorosa, qual me diziam os seus olhos, olhos de touro, como os de Juno, grandes e redondos. Vive de mim e para mim. Escrevemo-nos todos os dias; e, apesar disso, quando nos encontramos na casinha, é como se mediara um século. Creio até que o coração dela ensinou-me alguma coisa, embora noviço, ou por isso mesmo. Nesta matéria desaprende-se com o uso e o ignorante é que é douto. Adriana não dissimula a alegria nem as lágrimas; escreve o que pensa, conta o que sente; mostra-me que não somos dois, mas um, tão somente um ente universal, para quem Deus criou o sol e as flores, o papel e a tinta, o correio e as carruagens fechadas.

Enquanto ideava isto, creio que acabei de beber o café; lembra-me que o criado veio à mesa e retirou a xícara e o açucareiro. Não sei se lhe pedi fogo, provavelmente viu-me com o charuto na mão e trouxe-me fósforos.

Não juro, mas penso que acendi o charuto, porque daí a um instante, através de um véu de fumaça, vi a cabeça meiga e enérgica da minha bela Adriana, encostada a um sofá. Eu estou de joelhos, ouvindo-lhe a narração da última rusga do marido. Que ele já desconfia; ela sai muitas vezes, distrai-se, absorve-se, aparece-lhe triste ou alegre, sem motivo, e o marido começa a ameaçá-la. Ameaçá-la de quê? Digo-lhe que, antes de qualquer excesso, era melhor deixá-lo, para viver comigo, publicamente, um para o outro. Adriana escuta-me pensativa, cheia de Eva, namorada do demônio, que lhe sussurra de fora o que o coração lhe diz de dentro. Os dedos afagam-me os cabelos.

— Pois sim! pois sim!

Veio no dia seguinte, consigo mesma, sem marido, sem sociedade, sem escrúpulos, tão somente consigo, e fomos dali viver juntos. Nem ostentação, nem resguardo. Supusemo-nos estrangeiros, e realmente não éramos outra coisa; falávamos uma língua, que nunca ninguém antes falara nem ouvira. Os outros amores eram, desde séculos, verdadeiras contrafações; nós dávamos a edição autêntica. Pela primeira vez, imprimia-se o manuscrito divino, um grosso volume que nós dividíamos em tantos capítulos e parágrafos quantas eram as horas do dia ou os dias da semana. O estilo era tecido de sol e música; a linguagem compunha-se da fina flor dos outros vocabulários. Tudo o que neles existia, meigo ou vibrante, foi extraído pelo autor para formar esse livro único — livro sem índice, porque era infinito — sem margens, para que o fastio não viesse escrever nelas as suas notas, — sem fita, porque já não tínhamos precisão de interromper a leitura e marcar a página.

Uma voz chamou-me à realidade. Era um amigo que acordara tarde, e vinha almoçar. Nem o sonho me deixava esta outra prima de Sapucaia! Cinco minutos depois despedi-me e saí; eram duas horas passadas.

Vexa-me dizer que ainda fui à rua da Misericórdia, mas é preciso narrar tudo: fui e não achei nada. Voltei nos dias seguintes sem outro lucro, além do tempo perdido. Resignei-me a abrir mão da aventura, ou esperar a solução do acaso. As primas achavam-me aborrecido ou doente; não lhes disse que não. Daí a oito dias, foram-se embora, sem me deixar saudades; despedi-me delas como de uma febre maligna.

A imagem da minha incógnita não me deixou durante muitas semanas. Na rua, enganei-me várias vezes. Descobria ao longe uma figura, que era tal qual a outra; picava os calcanhares, até apanhá-la e desenganar-me. Comecei a achar--me ridículo; mas lá vinha uma hora ou um minuto, uma sombra ao longe, e a preocupação revivia. Afinal vieram outros cuidados, e não pensei mais nisso.

No princípio do ano seguinte, fui a Petrópolis; fiz a viagem com um antigo companheiro de estudos, Oliveira, que foi promotor em Minas Gerais, mas abandonara ultimamente a carreira por ter recebido uma herança. Estava alegre como nos tempos da academia; mas de quando em quando calava-se, olhando para fora da barca ou da caleça, com a atonia de quem regala a alma de uma recordação, de uma esperança ou de um desejo. No alto da serra perguntei-lhe para que hotel ia; respondeu que ia para uma casa particular, mas não me disse aonde, e até desconversou. Cuidei que me visitaria no dia seguinte; mas nem me visitou, nem o vi em parte alguma. Outro colega nosso ouvira dizer que ele tinha uma casa para os lados da Renânia.*

Nenhuma destas circunstâncias voltaria à memória, se não fosse a notícia que me deram dias depois. Oliveira tirara uma mulher ao marido, e fora refugiar-se com ela em Petrópolis. Deram-me o nome do marido e o dela. O dela era Adriana. Confesso que, embora o nome da outra fosse pura invenção minha, estremeci ao ouvi-lo; não seria a mesma mulher? Vi logo depois que era pedir muito ao acaso. Já faz bastante esse pobre oficial das coisas humanas, concertando alguns fios dispersos; exigir que os reate a todos, e com os mesmos títulos, é saltar da realidade na novela. Assim falou o meu bom senso, e nunca disse tão gravemente uma tolice, pois as duas mulheres eram nada menos que a mesmíssima.

* *Renânia*: bairro de Petrópolis de nome alemão, como outros bairros da cidade originários da imigração da década de 1840. É provável que gozasse de uma reputação um pouco duvidosa: é lá que Dom Casmurro, já há muito separado de Capitu, vai espairecer (*Dom Casmurro*, capítulo i).

Vi-a três semanas depois, indo visitar o Oliveira, que viera doente da corte. Subimos juntos na véspera; no meio da serra, começou ele a sentir-se incomodado; no alto estava febril. Acompanhei-o no carro até a casa, e não entrei, porque ele dispensou-me o incômodo. Mas no dia seguinte fui vê-lo, um pouco por amizade, outro pouco por avidez de conhecer a incógnita. Vi-a; era ela, era a minha, era a única Adriana.

Oliveira sarou depressa, e, apesar do meu zelo em visitá-lo, não me ofereceu a casa; limitou-se a vir ver-me no hotel. Respeitei-lhe os motivos; mas eles mesmos é que faziam reviver a antiga preocupação. Considerei que, além das razões de decoro, havia da parte dele um sentimento de ciúme, filho de um sentimento de amor, e que um e outro podiam ser a prova de um complexo de qualidades finas e grandes naquela mulher. Isto bastava a transtornar-me; mas a ideia de que a paixão dela não seria menor que a dele, o quadro desse casal que fazia uma só alma e pessoa, excitou em mim todos os nervos da inveja. Baldei esforços para ver se metia o pé na casa; cheguei a falar-lhe do boato que corria; ele sorria e tratava de outra coisa.

Acabou a estação de Petrópolis, e ele ficou. Creio que desceu em julho ou agosto. No fim do ano encontramo-nos casualmente; achei-o um pouco taciturno e preocupado. Vi-o ainda outras vezes, e não me pareceu diferente, a não ser que, além de taciturno, trazia na fisionomia uma longa prega de desgosto. Imaginei que eram efeitos da aventura, e, como não estou aqui para empulhar ninguém, acrescento que tive uma sensação de prazer. Durou pouco; era o demônio que trago em mim, e costuma fazer desses esgares de saltimbanco. Mas castiguei-o depressa, e pus no lugar dele o anjo, que também uso, e que se compadeceu do pobre rapaz, qualquer que fosse o motivo da tristeza.

Um vizinho dele, amigo nosso, contou-me alguma coisa, que me confirmou a suspeita de desgostos domésticos; mas foi ele mesmo quem me disse tudo, um dia, perguntando-lhe eu, estouvadamente, o que é que tinha que o mudara tanto.

— Que hei de ter? Imagina tu que comprei um bilhete de loteria, e nem tive, ao menos, o gosto de não tirar nada; tirei um escorpião.

E, como eu franzisse a testa interrogativamente:

— Ah! se soubesses metade só das coisas que me têm acontecido! Tens tempo? Vamos aqui ao Passeio Público.

Entramos no jardim, e metemo-nos por uma das alamedas. Contou-me tudo. Gastou duas horas em desfiar um rosário infinito de misérias. Vi através da narração duas índoles incompatíveis, unidas pelo amor ou pelo pecado, fartas uma da outra, mas condenadas à convivência e ao ódio. Ele nem podia deixá-la nem suportá-la. Nenhuma estima, nenhum respeito, alegria rara e impura; uma vida gorada.

— Gorada, repetia ele, gesticulando afirmativamente com a cabeça. Não tem que ver; a minha vida gorou. Hás de lembrar-te dos nossos planos da academia, quando nos propúnhamos, tu a ministro do império, eu da justiça. Podes guardar as duas pastas; não serei nada, nada. O ovo, que devia dar uma águia, não chega a dar um frango. Gorou completamente. Há ano e meio que ando nisso, e não acho saída nenhuma; perdi a energia...

Seis meses depois, encontrei-o aflito e desvairado. Adriana deixara-o para ir estudar geometria com um estudante da antiga Escola Central. — Tanto melhor, disse-lhe eu. Oliveira olhou para o chão envergonhado; despediu-se, e correu em procura dela. Achou-a daí a algumas semanas, disseram as últimas um ao outro, e no fim reconciliaram-se. Comecei então a visitá-los, com a ideia de os separar um do outro. Ela estava ainda bonita e fascinante; as maneiras eram finas e meigas, mas evidentemente de empréstimo, acompanhadas de umas atitudes e gestos, cujo intuito latente era atrair-me e arrastar-me.

Tive medo e retraí-me. Não se mortificou; deitou fora a capa de renda, restituiu-se ao natural. Vi então que era ferrenha, manhosa, injusta, muita vez grosseira; em alguns lances notei-lhe uma nota de perversidade. Oliveira, nos primeiros tempos, para fazer-me crer que mentira ou exagerara, suportava tudo rindo; era a vergonha da própria fraqueza. Mas não pôde guardar a máscara; ela arrancou-lha um dia, sem piedade, denunciando as humilhações em que ele caía, quando eu não estava presente. Tive nojo da mulher e pena do pobre-diabo. Convidei-o abertamente a deixá-la, ele hesitou, mas prometeu que sim.

— Realmente, não posso mais...

Combinamos tudo; mas no momento da separação, não pôde. Ela embebeu-lhe novamente os seus grandes olhos de touro e de basilisco, e desta vez, — ó minhas queridas primas de Sapucaia! — desta vez para só deixá-lo exausto e morto.

Uma senhora

Nunca encontro esta senhora que me não lembre a profecia de uma lagartixa ao poeta Heine, subindo os Apeninos: "Dia virá em que as pedras serão plantas, as plantas animais, os animais homens e os homens deuses".* E dá-me vontade de dizer-lhe: — A senhora, D. Camila, amou tanto a mocidade e a beleza, que atrasou o seu relógio, a fim de ver se podia fixar esses dois minutos de cristal. Não se desconsole, D. Camila. No dia da lagartixa, a senhora será Hebe, deusa da juventude; a senhora nos dará a beber o néctar da perenidade com as suas mãos eternamente moças.

A primeira vez que a vi, tinha ela trinta e seis anos, posto só parecesse trinta e dois, e não passasse da casa dos vinte e nove. Casa é um modo de dizer. Não há castelo mais vasto do que a vivenda destes bons amigos, nem tratamento mais obsequioso do que o que eles sabem dar às suas hóspedes. Cada vez que D. Camila queria ir-se embora, eles pediam-lhe muito que ficasse, e ela ficava. Vinham então novos folguedos, cavalhadas, música, dança, uma sucessão de coisas belas, inventadas com o único fim de impedir que esta senhora seguisse o seu caminho.

— Mamãe, mamãe, dizia-lhe a filha crescendo, vamos embora, não podemos ficar aqui toda a vida.

* Citação de *Reisebilder* [Quadros de viagem], IV, capítulo 2, "A cidade de Lucca".

258 MACHADO DE ASSIS

D. Camila olhava para ela mortificada, depois sorria, dava-lhe um beijo e mandava-a brincar com as outras crianças. Que outras crianças? Ernestina estava então entre quatorze e quinze anos, era muito espigada, muito quieta, com uns modos naturais de senhora. Provavelmente não se divertiria com as meninas de oito e nove anos; não importa, uma vez que deixasse a mãe tranquila, podia alegrar-se ou enfadar-se. Mas, ai triste! há um limite para tudo, mesmo para os vinte e nove anos. D. Camila resolveu, enfim, despedir-se desses dignos anfitriões, e fê-lo ralada de saudades. Eles ainda instaram por uns cinco ou seis meses de quebra; a bela dama respondeu-lhes que era impossível e, trepando no alazão do tempo, foi alojar-se na casa dos trinta.

Ela era, porém, daquela casta de mulheres que riem do sol e dos almanaques. Cor de leite, fresca, inalterável, deixava às outras o trabalho de envelhecer. Só queria o de existir. Cabelo negro, olhos castanhos e cálidos. Tinha as espáduas e o colo feitos de encomenda para os vestidos decotados, e assim também os braços, que eu não digo que eram os da Vênus de Milo, para evitar uma vulgaridade, mas provavelmente não eram outros. D. Camila sabia disto; sabia que era bonita, não só porque lho dizia o olhar sorrateiro das outras damas, como por um certo instinto que a beleza possui, como o talento e o gênio. Resta dizer que era casada, que o marido era ruivo, e que os dois amavam-se como noivos; finalmente, que era honesta. Não o era, note-se bem, por temperamento, mas por princípio, por amor ao marido, e creio que um pouco por orgulho.

Nenhum defeito, pois, exceto o de retardar os anos; mas é isso um defeito? Há, não me lembra em que página da Escritura, naturalmente nos Profetas, uma comparação dos dias com as águas de um rio que não voltam mais. D. Camila queria fazer uma represa para seu uso. No tumulto desta marcha contínua entre o nascimento e a morte, ela apegava-se à ilusão da estabilidade. Só se lhe podia exigir que não fosse ridícula, e não o era. Dir-me-á o leitor que a beleza vive de si mesma, e que a preocupação do calendário mostra que esta senhora vivia principalmente com os olhos na opinião. É verdade; mas como quer que vivam as mulheres do nosso tempo?

D. Camila entrou na casa dos trinta e não lhe custou passar adiante. Evidentemente o terror era uma superstição. Duas ou três amigas íntimas, nutridas de aritmética, continuavam a dizer que ela perdera a conta dos anos. Não advertiam que a natureza era cúmplice no erro, e que aos quarenta anos (verdadeiros), D. Camila trazia um ar de trinta e poucos. Restava um recurso: espiar-lhe o primeiro cabelo branco, um fiozinho de nada, mas branco. Em vão espiavam; o demônio do cabelo parecia cada vez mais negro.

Nisto enganavam-se. O fio branco estava ali; era a filha de D. Camila que entrava nos dezenove anos, e, por mal de pecados, bonita. D. Camila prolongou, quanto pôde, os vestidos adolescentes da filha, conservou-a no colégio até tarde, fez tudo para proclamá-la criança. A natureza, porém, que não é só imoral, mas também ilógica, enquanto sofreava os anos de uma, afrouxava a rédea aos da outra, e Ernestina, moça feita, entrou radiante no primeiro baile. Foi uma revelação. D. Camila adorava a filha; saboreou-lhe a glória a tragos demorados. No fundo do copo achou a gota amarga e fez uma careta. Chegou a pensar na abdicação; mas um grande pródigo de frases feitas disse-lhe que ela parecia a irmã mais velha da filha, e o projeto desfez-se. Foi dessa noite em diante que D. Camila entrou a dizer a todos que casara muito criança.

Um dia, poucos meses depois, apontou no horizonte o primeiro namorado. D. Camila pensara vagamente nessa calamidade, sem encará-la, sem aparelhar-se para a defesa. Quando menos esperava, achou um pretendente à porta. Interrogou a filha; descobriu-lhe um alvoroço indefinível, a inclinação dos vinte anos, e ficou prostrada. Casá-la era o menos; mas, se os seres são como as águas da Escritura, que não voltam mais, é porque atrás deles vêm outros, como atrás das águas outras águas; e, para definir essas ondas sucessivas é que os homens inventaram este nome de netos. D. Camila viu iminente o primeiro neto, e determinou adiá-lo. Está claro que não formulou a resolução, como não formulara a ideia do perigo. A alma entende-se a si mesma; uma sensação vale um raciocínio. As que ela teve foram rápidas, obscuras, no mais íntimo do seu ser, donde não as extraiu para não ser obrigada a encará-las.

— Mas que é que você acha de mau no Ribeiro? perguntou-lhe o marido, uma noite, à janela.

D. Camila levantou os ombros.

— Acho-lhe o nariz torto, disse.

— Mau! Você está nervosa; falemos de outra coisa, respondeu o marido. E, depois de olhar uns dois minutos para a rua, cantarolando na garganta, tornou ao Ribeiro, que achava um genro aceitável, e se lhe pedisse Ernestina, entendia que deviam ceder-lha. Era inteligente e educado. Era também o herdeiro provável de uma tia de Cantagalo. E depois tinha um coração de ouro. Contavam-se dele coisas muito bonitas. Na academia, por exemplo... D. Camila ouviu o resto, batendo com a ponta do pé no chão e rufando com os dedos a sonata da impaciência; mas, quando o marido lhe disse que o Ribeiro esperava um despacho do ministro de estrangeiros, um lugar para os Estados Unidos, não pôde ter-se e cortou-lhe a palavra:

— O quê? separar-me de minha filha? Não, senhor.

Em que dose entrara neste grito o amor materno e o sentimento pessoal, é um problema difícil de resolver, principalmente agora, longe dos acontecimentos e das pessoas. Suponhamos que em partes iguais. A verdade é que o marido não soube que inventar para defender o ministro de estrangeiros, as necessidades diplomáticas, a fatalidade do matrimônio, e, não achando que inventar, foi dormir. Dois dias depois veio a nomeação. No terceiro dia, a moça declarou ao namorado que não a pedisse ao pai, porque não queria separar-se da família. Era o mesmo que dizer: prefiro a família ao senhor. É verdade que tinha a voz trêmula e sumida, e um ar de profunda consternação; mas o Ribeiro viu tão somente a rejeição, e embarcou. Assim acabou a primeira aventura.

D. Camila padeceu com o desgosto da filha; mas consolou-se depressa. Não faltam noivos, refletiu ela. Para consolar a filha, levou-a a passear a toda parte. Eram ambas bonitas, e Ernestina tinha a frescura dos anos; mas a beleza da mãe era mais perfeita, e apesar dos anos, superava a da filha. Não vamos ao ponto de crer que o sentimento da superioridade é que animava D. Camila a prolongar e repetir os passeios. Não: o amor materno, só por si, explica tudo. Mas concedamos que animasse um pouco. Que mal há nisso? Que mal há em que um bravo coronel defenda nobremente a pátria, e as suas dragonas? Nem por isso acaba o amor da pátria e o amor das mães.

Meses depois despontou a orelha de um segundo namorado. Desta vez era um viúvo, advogado, vinte e sete anos. Ernestina não sentiu por ele a mesma emoção que o outro lhe dera; limitou-se a aceitá-lo. D. Camila farejou depressa a nova candidatura. Não podia alegar nada contra ele; tinha o nariz reto como a consciência, e profunda aversão à vida diplomática. Mas haveria outros defeitos, devia haver outros. D. Camila buscou-os com alma; indagou de suas relações, hábitos, passado. Conseguiu achar umas coisinhas miúdas, tão somente a unha da imperfeição humana, alternativas de humor, ausência de graças intelectuais, e, finalmente, um grande excesso de amor-próprio. Foi neste ponto que a bela dama o apanhou. Começou a levantar vagarosamente a muralha do silêncio; lançou primeiro a camada das pausas, mais ou menos longas, depois as frases curtas, depois os monossílabos, as distrações, as absorções, os olhares complacentes, os ouvidos resignados, os bocejos fingidos por trás da ventarola. Ele não entendeu logo; mas, quando reparou que os enfados da mãe coincidiam com as ausências da filha, achou que era ali demais e retirou-se. Se fosse homem de luta, tinha saltado a muralha; mas era orgulhoso e fraco. D. Camila deu graças aos deuses.

Houve um trimestre de respiro. Depois apareceram alguns namoricos de uma noite, insetos efêmeros, que não deixaram história. D. Camila compreendeu que eles tinham de multiplicar-se, até vir algum decisivo que a obrigasse a ceder; mas ao menos, dizia ela a si mesma, queria um genro que trouxesse à filha a mesma felicidade que o marido lhe deu. E, uma vez, ou para robustecer este decreto da vontade, ou por outro motivo, repetiu o conceito em voz alta, embora só ela pudesse ouvi-lo. Tu, psicólogo sutil, podes imaginar que ela queria convencer-se a si mesma; eu prefiro contar o que lhe aconteceu em 186...

Era de manhã. D. Camila estava ao espelho, a janela aberta, a chácara verde e sonora de cigarras e passarinhos. Ela sentia em si a harmonia que a ligava às coisas externas. Só a beleza intelectual é independente e superior. A beleza física é irmã da paisagem. D. Camila saboreava essa fraternidade íntima, secreta, um sentimento de identidade, uma recordação da vida anterior no mesmo útero divino. Nenhuma lembrança desagradável, nenhuma ocorrência vinha turvar essa expansão misteriosa. Ao contrário, tudo parecia embebê-la de eternidade, e os quarenta e dois anos em que ia não lhe pesavam mais do que outras tantas folhas de rosa. Olhava para fora, olhava para o espelho. De repente, como se lhe surdisse uma cobra, recuou aterrada. Tinha visto, sobre a fonte esquerda, um cabelinho branco. Ainda cuidou que fosse do marido; mas reconheceu depressa que não, que era dela mesma, um telegrama da velhice, que aí vinha a marchas forçadas. O primeiro sentimento foi de prostração. D. Camila sentiu faltar-lhe tudo, tudo, viu-se encanecida e acabada no fim de uma semana.

— Mamãe, mamãe, bradou Ernestina, entrando na saleta. Está aqui o camarote que papai mandou.

D. Camila teve um sobressalto de pudor, e instintivamente voltou para a filha o lado que não tinha o fio branco. Nunca a achou tão graciosa e lépida. Fitou-a com saudade. Fitou-a também com inveja, e, para abafar este sentimento mau, pegou no bilhete de camarote. Era para aquela mesma noite. Uma ideia expele outra; D. Camila anteviu-se no meio das luzes e das gentes, e depressa levantou o coração. Ficando só, tornou a olhar para o espelho, e corajosamente arrancou o cabelinho branco, e deitou-o à chácara. *Out, damned spot! Out!* Mais feliz do que a outra lady Macbeth, viu assim desaparecer a nódoa no ar, porque no ânimo dela, a velhice era um remorso, e a fealdade um crime. Sai, maldita mancha! sai!

Mas, se os remorsos voltam, por que não hão de voltar os cabelos brancos? Um mês depois, D. Camila descobriu outro, insinuado na bela e farta madeixa negra, e amputou-o sem piedade. Cinco ou seis semanas depois, outro. Este terceiro coincidiu com um terceiro candidato à mão da filha, e ambos acharam D. Camila numa hora de prostração. A beleza, que lhe suprira a mocidade, parecia-lhe prestes a ir também, como uma pomba sai em busca da outra. Os dias precipitavam-se. Crianças que ela vira ao colo, ou de carrinho empuxado pelas amas, dançavam agora nos bailes. Os que eram homens fumavam; as mulheres cantavam ao piano. Algumas destas apresentavam-lhe os seus *babies*, gorduchos, uma segunda geração que mamava, à espera de ir bailar também, cantar ou fumar, apresentar outros *babies* a outras pessoas, e assim por diante.

D. Camila, apenas tergiversou um pouco, acabou cedendo. Que remédio, senão aceitar um genro? Mas, como um velho costume não se perde de um dia para outro, D. Camila viu paralelamente, naquela festa do coração, um cenário e grande cenário. Preparou-se galhardamente, e o efeito correspondeu ao esforço. Na igreja, no meio de outras damas; na sala, sentada no sofá (o estofo que forrava este móvel, assim como o papel da parede foram sempre escuros para fazer sobressair a tez de D. Camila), vestida a capricho, sem o requinte da extrema juventude, mas também sem a rigidez matronal, um meio-termo apenas, destinado a pôr em relevo as suas graças outoniças, risonha, e feliz, enfim, a recente sogra colheu os melhores sufrágios. Era certo que ainda lhe pendia dos ombros um retalho de púrpura.

Púrpura supõe dinastia. Dinastia exige netos. Restava que o Senhor abençoasse a união, e ele abençoou-a, no ano seguinte. D. Camila acostumara-se à ideia; mas era tão penoso abdicar, que ela aguardava o neto com amor e repugnância. Esse importuno embrião, curioso da vida e pretensioso, era necessário na terra? Evidentemente, não; mas apareceu um dia, com as flores de setembro. Durante a crise, D. Camila só teve de pensar na filha; depois da crise, pensou na filha e no neto. Só dias depois é que pôde pensar em si mesma. Enfim, avó. Não havia duvidar; era avó. Nem as feições, que eram ainda concertadas, nem os cabelos, que eram pretos (salvo meia dúzia de fios escondidos), podiam por si sós denunciar a realidade; mas a realidade existia; ela era, enfim, avó.

Quis recolher-se; e para ter o neto mais perto de si, chamou a filha para casa. Mas a casa não era um mosteiro, e as ruas e os jornais com os seus mil rumores acordavam nela os ecos de outro tempo. D. Camila rasgou o ato de abdicação e tornou ao tumulto.

Um dia, encontrei-a ao lado de uma preta, que levava ao colo uma criança de cinco a seis meses. D. Camila segurava na mão o chapelinho de sol aberto para cobrir a criança. Encontrei-a oito dias depois, com a mesma criança, a mesma preta e o mesmo chapéu de sol. Vinte dias depois, e trinta dias mais tarde, tornei a vê-la, entrando para o bonde, com a preta e a criança. — Você já deu de mamar? dizia ela à preta. Olhe o sol. Não vá cair. Não aperte muito o menino. Acordou? Não mexa com ele. Cubra a carinha, etc., etc.

Era o neto. Ela, porém, ia tão apertadinha, tão cuidadosa da criança, tão a miúdo, tão sem outra senhora, que antes parecia mãe do que avó; e muita gente pensava que era mãe. Que tal fosse a intenção de D. Camila não o juro eu. ("Não jurarás", Mat. v, 34.) Tão somente digo que nenhuma outra mãe seria mais desvelada do que D. Camila com o neto; atribuírem-lhe um simples filho era a coisa mais verossímil do mundo.

Fulano

Venha o leitor comigo assistir à abertura do testamento do meu amigo Fulano Beltrão. Conheceu-o? Era um homem de cerca de sessenta anos. Morreu ontem, dois de janeiro de 1884, às onze horas e trinta minutos da noite. Não imagina a força de ânimo que mostrou em toda a moléstia. Caiu na véspera de finados, e a princípio supúnhamos que não fosse nada; mas a doença persistiu, e ao fim de dois meses e poucos dias a morte o levou.

Eu confesso-lhe que estou curioso de ouvir o testamento. Há de conter por força algumas determinações de interesse geral e honrosas para ele. Antes de 1863 não seria assim, porque até então era um homem muito metido consigo, reservado, morando no caminho do Jardim Botânico, para onde ia de ônibus ou de mula. Tinha a mulher e o filho vivos, a filha solteira, com treze anos. Foi nesse ano que ele começou a ocupar-se com outras coisas, além da família, revelando um espírito universal e generoso. Nada posso afirmar-lhe sobre a causa disto. Creio que foi uma apologia de amigo, por ocasião dele fazer quarenta anos. Fulano Beltrão leu no *Jornal do Comércio*, no dia cinco de março de 1864, um artigo anônimo em que se lhe diziam coisas belas e exatas: — bom pai, bom esposo, amigo pontual, cidadão digno, alma levantada e pura. Que se lhe fizesse justiça, era muito; mas anonimamente, era raro.

— Você verá, disse Fulano Beltrão à mulher, você verá que isso é do Xavier ou do Castro; logo rasgaremos o capote.

Castro e Xavier eram dois habituados da casa, parceiros constantes do voltarete e velhos amigos do meu amigo. Costumavam dizer coisas amáveis, no dia cinco de março, mas era ao jantar, na intimidade da família, entre quatro paredes; impressos, era a primeira vez que ele se benzia com elogios. Pode ser que me engane; mas estou que o espetáculo da justiça, a prova material de que as boas qualidades e as boas ações não morrem no escuro, foi o que animou o meu amigo a dispersar-se, a aparecer, a divulgar-se, a dar à coletividade humana um pouco das virtudes com que nasceu. Considerou que milhares de pessoas estariam lendo o artigo, à mesma hora em que o lia também; imaginou que o comentavam, que interrogavam, que confirmavam, ouviu mesmo, por um fenômeno de alucinação que a ciência há de explicar, e que não é raro, ouviu distintamente algumas vozes do público. Ouviu que lhe chamavam homem de bem, cavalheiro distinto, amigo dos amigos, laborioso, honesto, todos os qualificativos que ele vira empregados em outros, e que na vida de bicho do mato em que ia, nunca presumiu que lhe fossem — tipograficamente — aplicados.

— A imprensa é uma grande invenção, disse ele à mulher.

Foi ela, D. Maria Antônia, quem rasgou o capote; o artigo era do Xavier. Declarou este que só em atenção à dona da casa confessava a autoria; e acrescentou que a manifestação não saíra completa, porque a ideia dele era que o artigo fosse dado em todos os jornais, não o tendo feito por havê-lo acabado às sete horas da noite. Não houve tempo de tirar cópias. Fulano Beltrão emendou essa falta, se falta se lhe podia chamar, mandando transcrever o artigo no *Diário do Rio* e no *Correio Mercantil*.

Quando mesmo, porém, este fato não desse causa à mudança de vida do nosso amigo, fica uma coisa de pé, a saber, que daquele ano em diante, e propriamente do mês de março, é que ele começou a aparecer mais. Era até então um casmurro, que não ia às assembleias das companhias, não votava nas eleições políticas, não frequentava teatros, nada, absolutamente nada. Já naquele mês de março, a vinte e dois ou vinte e três, presenteou a Santa Casa da Misericórdia com um bilhete da grande loteria de Espanha, e recebeu uma honrosa carta do provedor, agradecendo em nome dos pobres. Consultou a mulher e os amigos, se devia publicar a carta ou guardá-la, parecendo-lhe que não a publicar era uma desatenção. Com efeito, a carta foi dada a vinte e seis de março, em todas as folhas, fazendo uma delas comentários desenvolvidos acerca da piedade do doador. Das pessoas que leram esta notícia, muitas naturalmente ainda se lembravam do artigo do Xavier, e ligaram as duas ocorrências: "Fulano Beltrão é aquele mesmo que, etc.", primeiro alicerce da reputação de um homem.

É tarde, temos de ir ouvir o testamento, não posso estar a contar-lhe tudo. Digo-lhe sumariamente que as injustiças da rua começaram a ter nele um vingador ativo e discursivo; que as misérias, principalmente as misérias dramáticas, filhas de um incêndio ou inundação, acharam no meu amigo a iniciativa dos socorros que, em tais casos, devem ser prontos e públicos. Ninguém como ele para um desses movimentos. Assim também com as alforrias de escravos. Antes da lei de 28 de setembro de 1871,* era muito comum aparecerem na praça do Comércio crianças escravas, para cuja liberdade se pedia o favor dos negociantes. Fulano Beltrão iniciava três quartas partes das subscrições, com tal êxito, que em poucos minutos ficava o preço coberto.

A justiça que se lhe fazia, animava-o, e até lhe trazia lembranças que, sem ela, é possível que nunca lhe tivessem acudido. Não falo do baile que ele deu para celebrar a vitória de Riachuelo,** porque era um baile planeado antes de chegar a notícia da batalha, e ele não fez mais do que atribuir-lhe um motivo mais alto do que a simples recreação da família, meter o retrato do almirante Barroso no meio de um troféu de armas navais e bandeiras no salão de honra, em frente ao retrato do imperador, e fazer, à ceia, alguns brindes patrióticos, como tudo consta dos jornais de 1865.

Mas aqui vai, por exemplo, um caso bem característico da influência que a justiça dos outros pode ter no nosso procedimento. Fulano Beltrão vinha um dia do Tesouro, aonde tinha ido tratar de umas décimas. Ao passar pela igreja da Lampadosa, lembrou-se que fora ali batizado; e nenhum homem tem uma recordação destas, sem remontar o curso dos anos e dos acontecimentos, deitar-se outra vez no colo materno, rir e brincar, como nunca mais se ri nem brinca. Fulano Beltrão não escapou a este efeito; atravessou o adro, entrou na igreja, tão singela, tão modesta, e para ele tão rica e linda. Ao sair, tinha uma resolução feita, que pôs por obra dentro de poucos dias: mandou de presente à Lampadosa um so-

---

* A Lei do Ventre Livre.
** O almirante Francisco Manuel Barroso da Silva (1804-82) comandou a frota brasileira na Batalha de Riachuelo (junho de 1865), derrotando a frota paraguaia.

berbo castiçal de prata, com duas datas, além do nome do doador — a data da doação e a do batizado. Todos os jornais deram esta notícia, e até a receberam em duplicata, porque a administração da igreja entendeu (com muita razão) que também lhe cumpria divulgá-la aos quatro ventos.

No fim de três anos, ou menos, entrara o meu amigo nas cogitações públicas; o nome dele era lembrado, mesmo quando nenhum sucesso recente vinha sugeri-lo, e não só lembrado como adjetivado. Já se lhe notava a ausência em alguns lugares. Já o iam buscar para outros. D. Maria Antônia via assim entrar-lhe no Éden a serpente bíblica, não para tentá-la, mas para tentar a Adão. Com efeito, o marido ia a tantas partes, cuidava de tantas coisas, mostrava-se tanto na rua do Ouvidor, à porta do Bernardo, que afrouxou a convivência antiga da casa. D. Maria Antônia disse-lho. Ele concordou que era assim, mas demonstrou-lhe que não podia ser de outro modo, e, em todo caso, se mudara de costumes, não mudara de sentimentos. Tinha obrigações morais com a sociedade; ninguém se pertence exclusivamente; daí um pouco de dispersão dos seus cuidados. A verdade é que tinham vivido demasiadamente reclusos; não era justo nem bonito. Não era mesmo conveniente; a filha caminhava para a idade do matrimônio, e casa fechada cria morrinha de convento; por exemplo, um carro, por que é que não teriam um carro? D. Maria Antônia sentiu um arrepio de prazer, mas curto; protestou logo, depois de um minuto de reflexão.

— Não; carro para quê? Não; deixemo-nos de carro.

— Já está comprado, mentiu o marido.

Mas aqui chegamos ao juízo da provedoria. Não veio ainda ninguém; esperemos à porta. Tem pressa? São vinte minutos no máximo. Pois é verdade, comprou uma linda vitória; e, para quem, só por modéstia, andou tantos anos às costas de mula ou apertado num ônibus, não era fácil acostumar-se logo ao novo veículo. A isso atribuo eu as atitudes salientes e inclinadas com que ele andava, nas primeiras semanas, os olhos que estendia a um lado e outro, à maneira de pessoa que procura alguém ou uma casa. Afinal acostumou-se; passou a usar das atitudes reclinadas, embora sem um certo sentimento de indiferença ou despreocupação, que a mulher e a filha tinham muito bem, talvez por serem mulheres. Elas, aliás, não gostavam de sair de carro; mas ele teimava tanto que saíssem, que fossem a toda a parte, e até a parte nenhuma, que não tinham remédio senão obedecer-lhe; e, na rua, era sabido, mal vinha ao longe a ponta do vestido de duas senhoras, e na almofada um certo cocheiro, toda a gente dizia logo: — Aí vem a família de Fulano Beltrão. E isto mesmo, sem que ele talvez o pensasse, tornava-o mais conhecido.

No ano de 1868 deu entrada na política. Sei do ano porque coincidiu com a queda dos liberais e a subida dos conservadores.* Foi em março ou abril de 1868 que ele declarou aderir à situação, não à socapa, mas estrepitosamente. Este foi, talvez, o ponto mais fraco da vida do meu amigo. Não tinha ideias políticas; quando muito, dispunha de um desses temperamentos que substituem as ideias, e fazem crer que um homem pensa, quando simplesmente transpira. Cedeu, porém, a uma alucinação de momento. Viu-se na câmara vibrando um aparte, ou inclinado sobre a balaustrada, em conversa com o presidente do conselho, que sorria para ele, numa intimidade grave de governo. E aí é que a galeria, na exata acepção do termo, tinha de o contemplar. Fez tudo o que pôde para entrar na câmara; a meio caminho caiu a situação. Voltando do atordoamento, lembrou-se de afirmar ao Itaboraí o contrário do que dissera ao Zacarias, ou antes a mesma coisa; mas perdeu a eleição, e deu de mão à política. Muito mais acertado andou, metendo-se na questão da maçonaria com os prelados.** Deixara-se estar quedo, a princípio; por um lado, era maçom; por outro, queria respeitar os sentimentos religiosos da mulher. Mas o conflito tomou tais proporções que ele não podia ficar calado; entrou nele com o ardor, a expansão, a publicidade que metia em tudo; celebrou reuniões em que falou muito da liberdade de consciência e do direito que assistia ao maçom de enfiar uma opa; assinou protestos, representações, felicitações, abriu a bolsa e o coração, escancaradamente.

Morreu-lhe a mulher em 1878. Ela pediu-lhe que a enterrasse sem aparato, e ele assim o fez, porque a amava deveras e tinha a sua última vontade como um decreto do céu. Já então perdera o filho; e a filha, casada, achava-se na Europa. O meu amigo dividiu a dor com o público; e, se enterrou a mulher sem

---

* Em 16 de junho de 1868, Joaquim José Rodrigues Torres, o visconde de Itaboraí (1802-72), um dos primeiros líderes do Partido Conservador, foi feito presidente do Conselho, substituindo o governo de Zacarias de Góis. Político conservador até 1862, quando atacou o governo do conservador Caxias, Zacarias de Góis e Vasconcelos (1815-77) chefiou três gabinetes liberais na década de 1860; o último deles caiu em 1868. Essa mudança súbita e inesperada foi uma das mais importantes do Segundo Reinado, tendo sido chamada depois de golpe de Estado. Fulano, então, adere aos liberais pouco antes de sua queda.

** Isto é, na "questão dos bispos", uma das crises constitucionais dos últimos anos do Império. Os bispos do Pará e de Pernambuco foram encarcerados por resistir a uma decisão imperial que permitia que maçons fossem membros das Ordens Terceiras.

aparato, não deixou de lhe mandar esculpir na Itália um magnífico mausoléu, que esta cidade admirou exposto, na rua do Ouvidor, durante perto de um mês. A filha ainda veio assistir à inauguração. Deixei de os ver uns quatro anos. Ultimamente surgiu a doença, que no fim de pouco mais de dois meses o levou desta para a melhor. Note que, até começar a agonia, nunca perdeu a razão nem a força d'alma. Conversava com as visitas, mandava-as relacionar, não esquecia mesmo noticiar às que chegavam, as que acabavam de sair; coisa inútil, porque uma folha amiga publicava-as todas. Na manhã do dia em que morreu ainda ouviu ler os jornais, e num deles uma pequena comunicação relativamente à sua moléstia; o que de algum modo pareceu reanimá-lo. Mas para a tarde enfraqueceu um pouco; à noite expirou.

Vejo que está aborrecido. Realmente demoram-se... Espere; creio que são eles. São; entremos. Cá está o nosso magistrado, que começa a ler o testamento. Está ouvindo? Não era preciso esta minuciosa genealogia, excedente das práticas tabelioas; mas isto mesmo de contar a família desde o quarto avô prova o espírito exato e paciente do meu amigo. Não esquecia nada. O cerimonial do saimento é longo e complicado, mas bonito. Começa agora a lista dos legados. São todos pios; alguns industriais. Vá vendo a alma do meu amigo. Trinta contos...

Trinta contos para quê? Para servir de começo a uma subscrição pública destinada a erigir uma estátua a Pedro Álvares Cabral. "Cabral, diz ali o testamento, não pode ser olvidado dos brasileiros, foi o precursor do nosso império." Recomenda que a estátua seja de bronze, com quatro medalhões no pedestal, a saber, o retrato do bispo Coutinho, presidente da Constituinte,* o de Gonzaga, chefe da conjuração mineira, e o de dois cidadãos da presente geração "notáveis por seu patriotismo e liberalidade" à escolha da comissão, que ele mesmo nomeou para levar a empresa a cabo.

Que ela se realize, não sei; falta-nos a perseverança do fundador da verba. Dado, porém, que a comissão se desempenhe da tarefa, e que este sol americano ainda veja erguer-se a estátua de Cabral, é da nossa honra que ele contemple num dos medalhões o retrato do meu finado amigo. Não lhe parece? Bem, o magistrado acabou, vamos embora.

---

* *José Caetano da Silva Coutinho* (1767-1833): bispo do Rio de Janeiro, presidiu a Constituinte, em 1823.

A segunda vida

Monsenhor Caldas interrompeu a narração do desconhecido:
— Dá licença? é só um instante.

Levantou-se, foi ao interior da casa, chamou o preto velho que o servia, e disse-lhe em voz baixa:

— João, vai ali à estação de urbanos,* fala da minha parte ao comandante, e pede-lhe que venha cá com um ou dois homens, para livrar-me de um sujeito doido. Anda, vai depressa.

E, voltando à sala:

— Pronto, disse ele; podemos continuar.

— Como ia dizendo a Vossa Reverendíssima, morri no dia vinte de março de 1860, às cinco horas e quarenta e três minutos da manhã. Tinha então sessenta e oito anos de idade. Minha alma voou pelo espaço, até perder a terra de vista, deixando muito abaixo a lua, as estrelas e o sol; penetrou finalmente num espaço em que não havia mais nada, e era clareado tão somente por uma luz difusa. Continuei a subir, e comecei a ver um pontinho mais luminoso ao longe, muito longe. O ponto cresceu, fez-se sol. Fui por ali dentro, sem arder, porque as almas são incombustíveis. A sua pegou fogo alguma vez?

* Membros da Guarda Urbana, polícia profissional carioca criada em 1866, imitando as forças policiais de Londres e Paris.

— Não, senhor.

— São incombustíveis. Fui subindo, subindo; na distância de quarenta mil léguas, ouvi uma deliciosa música, e logo que cheguei a cinco mil léguas, desceu um enxame de almas, que me levaram num palanquim feito de éter e plumas. Entrei daí a pouco no novo sol, que é o planeta dos virtuosos da terra. Não sou poeta, monsenhor; não ouso descrever-lhe as magnificências daquela estância divina. Poeta que fosse, não poderia, usando a linguagem humana, transmitir-lhe a emoção da grandeza, do deslumbramento, da felicidade, os êxtases, as melodias, os arrojos de luz e cores, uma coisa indefinível e incompreensível. Só vendo. Lá dentro é que soube que completava mais um milheiro de almas; tal era o motivo das festas extraordinárias que me fizeram, e que duraram dois séculos, ou, pelas nossas contas, quarenta e oito horas. Afinal, concluídas as festas, convidaram-me a tornar à terra para cumprir uma vida nova; era o privilégio de cada alma que completava um milheiro. Respondi agradecendo e recusando, mas não havia recusar. Era uma lei eterna. A única liberdade que me deram foi a escolha do veículo; podia nascer príncipe ou condutor de ônibus. Que fazer? Que faria Vossa Reverendíssima no meu lugar?

— Não posso saber; depende...

— Tem razão; depende das circunstâncias. Mas imagine que as minhas eram tais que não me davam gosto a tornar cá. Fui vítima da inexperiência, monsenhor, tive uma velhice ruim, por essa razão. Então lembrou-me que sempre ouvira dizer a meu pai e outras pessoas mais velhas, quando viam algum rapaz: — "Quem me dera aquela idade, sabendo o que sei hoje!". Lembrou-me isto, e declarei que me era indiferente nascer mendigo ou potentado, com a condição de nascer experiente. Não imagina o riso universal com que me ouviram. Jó, que ali preside a província dos pacientes, disse-me que um tal desejo era disparate; mas eu teimei e venci. Daí a pouco escorreguei no espaço; gastei nove meses a atravessá-lo até cair nos braços de uma ama de leite, e chamei-me José Maria. Vossa Reverendíssima é Romualdo, não?

— Sim, senhor; Romualdo de Sousa Caldas.

— Será parente do padre Sousa Caldas?*

— Não, senhor.

---

* *Antônio Pereira de Sousa Caldas* (1762-1814): poeta brasileiro, que teria influenciado os românticos. Passou grande parte da vida em Portugal e foi acusado de heresia.

— Bom poeta o padre Caldas. Poesia é um dom; eu nunca pude compor uma décima. Mas, vamos ao que importa. Conto-lhe primeiro o que me sucedeu; depois lhe direi o que desejo de Vossa Reverendíssima. Entretanto, se me permitisse ir fumando...

Monsenhor Caldas fez um gesto de assentimento, sem perder de vista a bengala que José Maria conservava atravessada sobre as pernas. Este preparou vagarosamente um cigarro. Era um homem de trinta e poucos anos, pálido, com um olhar ora mole e apagado, ora inquieto e centelhante. Apareceu ali, tinha o padre acabado de almoçar, e pediu-lhe uma entrevista para negócio grave e urgente. Monsenhor fê-lo entrar e sentar-se; no fim de dez minutos, viu que estava com um lunático. Perdoava-lhe a incoerência das ideias ou o assombroso das invenções; pode ser até que lhe servissem de estudo. Mas o desconhecido teve um assomo de raiva, que meteu medo ao pacato clérigo. Que podiam fazer ele e o preto, ambos velhos, contra qualquer agressão de um homem forte e louco? Enquanto esperava o auxílio policial, monsenhor Caldas desfazia-se em sorrisos e assentimentos de cabeça, espantava-se com ele, alegrava-se com ele, política útil com os loucos, as mulheres e os potentados. José Maria acendeu finalmente o cigarro, e continuou:

— Renasci em cinco de janeiro de 1861. Não lhe digo nada da nova meninice, porque aí a experiência teve só uma forma instintiva. Mamava pouco; chorava o menos que podia para não apanhar pancada. Comecei a andar tarde, por medo de cair, e daí me ficou uma tal ou qual fraqueza nas pernas. Correr e rolar, trepar nas árvores, saltar paredões, trocar murros, coisas tão úteis, nada disso fiz, por medo de contusão e sangue. Para falar com franqueza, tive uma infância aborrecida, e a escola não o foi menos. Chamavam-me tolo e moleirão. Realmente, eu vivia fugindo de tudo. Creia que durante esse tempo não escorreguei, mas também não corria nunca. Palavra, foi um tempo de aborrecimento; e, comparando as cabeças quebradas de outro tempo com o tédio de hoje, antes as cabeças quebradas. Cresci; fiz-me rapaz, entrei no período dos amores... Não se assuste; serei casto, como a primeira ceia. Vossa Reverendíssima sabe o que é uma ceia de rapazes e mulheres?

— Como quer que saiba?...

— Tinha dezenove anos, continuou José Maria, e não imagina o espanto dos meus amigos, quando me declarei pronto a ir a uma tal ceia... Ninguém esperava tal coisa de um rapaz tão cauteloso, que fugia de tudo, dos sonos atrasados,

dos sonos excessivos, de andar sozinho a horas mortas, que vivia, por assim dizer, às apalpadelas. Fui à ceia; era no Jardim Botânico, obra esplêndida. Comidas, vinhos, luzes, flores, alegria dos rapazes, os olhos das damas, e, por cima de tudo, um apetite de vinte anos. Há de crer que não comi nada? A lembrança de três indigestões apanhadas quarenta anos antes, na primeira vida, fez-me recuar. Menti dizendo que estava indisposto. Uma das damas veio sentar-se à minha direita, para curar-me; outra levantou-se também, e veio para a minha esquerda, com o mesmo fim. "Você cura de um lado, eu curo do outro", disseram elas. Eram lépidas, frescas, astuciosas, e tinham fama de devorar o coração e a vida dos rapazes. Confesso-lhe que fiquei com medo e retraí-me. Elas fizeram tudo, tudo; mas em vão. Vim de lá de manhã, apaixonado por ambas, sem nenhuma delas, e caindo de fome. Que lhe parece? concluiu José Maria pondo as mãos nos joelhos, e arqueando os braços para fora.

— Com efeito...

— Não lhe digo mais nada; Vossa Reverendíssima adivinhará o resto. A minha segunda vida é assim uma mocidade expansiva e impetuosa, enfreada por uma experiência virtual e tradicional. Vivo como Eurico, atado ao próprio cadáver...* Não, a comparação não é boa. Como lhe parece que vivo?

— Sou pouco imaginoso. Suponho que vive assim como um pássaro, batendo as asas e amarrado pelos pés...

— Justamente. Pouco imaginoso? Achou a fórmula; é isso mesmo. Um pássaro, um grande pássaro, batendo as asas, assim...

José Maria ergueu-se, agitando os braços, à maneira de asas. Ao erguer-se, caiu-lhe a bengala no chão; mas ele não deu por ela. Continuou a agitar os braços, em pé, defronte do padre, e a dizer que era isso mesmo, um pássaro, um grande pássaro... De cada vez que batia os braços nas coxas, levantava os calcanhares, dando ao corpo uma cadência de movimentos, e conservava os pés unidos, para mostrar que os tinha amarrados. Monsenhor aprovava de cabeça; ao mesmo tempo afiava as orelhas para ver se ouvia passos na escada. Tudo silêncio. Só lhe chegavam os rumores de fora: — carros e carroças que desciam, quitandeiras apre-

---

* Em *Eurico, o presbítero*, romance histórico de Alexandre Herculano (1810-77) que se passa no tempo dos visigodos, o herói, Eurico, não pode se casar com Hermengarda, por razões de linhagem. Faz-se monge, mas, após dez anos "atado a um cadáver", ele a liberta dos invasores árabes e juntos relembram seu amor, agora impossível pelo voto de castidade de Eurico, que se deixa matar lutando contra os mouros.

goando legumes, e um piano da vizinhança. José Maria sentou-se finalmente, depois de apanhar a bengala, e continuou nestes termos:

— Um pássaro, um grande pássaro. Para ver quanto é feliz a comparação, basta a aventura que me traz aqui, um caso de consciência, uma paixão, uma mulher, uma viúva, D. Clemência. Tem vinte e seis anos, uns olhos que não acabam mais, não digo no tamanho, mas na expressão, e duas pinceladas de buço, que lhe completam a fisionomia. É filha de um professor jubilado. Os vestidos pretos ficam-lhe tão bem que eu às vezes digo-lhe rindo que ela não enviuvou senão para andar de luto. Caçoadas! Conhecemo-nos há um ano, em casa de um fazendeiro de Cantagalo. Saímos namorados um do outro. Já sei o que me vai perguntar: por que é que não nos casamos, sendo ambos livres...

— Sim, senhor.

— Mas, homem de Deus! é essa justamente a matéria da minha aventura. Somos livres, gostamos um do outro, e não nos casamos: tal é a situação tenebrosa que venho expor a Vossa Reverendíssima, e que a sua teologia ou o que quer que seja explicará, se puder. Voltamos para a corte namorados. Clemência morava com o velho pai, e um irmão empregado no comércio; relacionei-me com ambos, e comecei a frequentar a casa, em Matacavalos. Olhos, apertos de mão, palavras soltas, outras ligadas, uma frase, duas frases, e estávamos amados e confessados. Uma noite, no patamar da escada, trocamos o primeiro beijo... Perdoe estas coisas, monsenhor; faça de conta que me está ouvindo de confissão. Nem eu lhe digo isto senão para acrescentar que saí dali tonto, desvairado, com a imagem de Clemência na cabeça e o sabor do beijo na boca. Errei cerca de duas horas, planeando uma vida única; determinei pedir-lhe a mão no fim da semana, e casar daí a um mês. Cheguei às derradeiras minúcias, cheguei a redigir e ornar de cabeça as cartas de participação. Entrei em casa depois de meia-noite, e toda essa fantasmagoria voou, como as mutações à vista nas antigas peças de teatro. Veja se adivinha como.

— Não alcanço...

— Considerei, no momento de despir o colete, que o amor podia acabar depressa; tem-se visto algumas vezes. Ao descalçar as botas, lembrou-me coisa pior: — podia ficar o fastio. Concluí a *toilette* de dormir, acendi um cigarro, e, reclinado no canapé, pensei que o costume, a convivência, podia salvar tudo; mas, logo depois adverti que as duas índoles podiam ser incompatíveis; e que fazer com duas índoles incompatíveis e inseparáveis? Mas, enfim, dei de barato tudo isso,

A SEGUNDA VIDA 275

porque a paixão era grande, violenta; considerei-me casado, com uma linda criancinha... Uma? duas, seis, oito; podiam vir oito, podiam vir dez; algumas aleijadas. Também podia vir uma crise, duas crises, falta de dinheiro, penúria, doenças; podia vir alguma dessas afeições espúrias que perturbam a paz doméstica... Considerei tudo e concluí que o melhor era não casar. O que não lhe posso contar é o meu desespero; faltam-me expressões para lhe pintar o que padeci nessa noite... Deixa-me fumar outro cigarro?

Não esperou resposta, fez o cigarro, e acendeu-o. Monsenhor não podia deixar de admirar-lhe a bela cabeça, no meio do desalinho próprio do estado; ao mesmo tempo notou que ele falava em termos polidos, e que, apesar dos rompantes mórbidos, tinha maneiras. Quem diabo podia ser esse homem? José Maria continuou a história, dizendo que deixou de ir à casa de Clemência, durante seis dias, mas não resistiu às cartas e às lágrimas. No fim de uma semana correu para lá, e confessou-lhe tudo, tudo. Ela ouviu-o com muito interesse, e quis saber o que era preciso para acabar com tantas cismas, que prova de amor queria que ela lhe desse. A resposta de José Maria foi uma pergunta.

— Está disposta a fazer-me um grande sacrifício? disse-lhe eu. Clemência jurou que sim. "Pois bem, rompa com tudo, família e sociedade; venha morar comigo; casamo-nos depois desse noviciado." Compreendo que Vossa Reverendíssima arregale os olhos. Os dela encheram-se de lágrimas; mas, apesar de humilhada, aceitou tudo. Vamos; confesse que sou um monstro.

— Não, senhor...

— Como não? Sou um monstro. Clemência veio para minha casa, e não imagina as festas com que a recebi. "Deixo tudo, disse-me ela; você é para mim o universo." Eu beijei-lhe os pés, beijei-lhe os tacões dos sapatos. Não imagina o meu contentamento. No dia seguinte, recebi uma carta tarjada de preto; era a notícia da morte de um tio meu, em Santa Ana do Livramento, deixando-me vinte mil contos. Fiquei fulminado. "Entendo, disse a Clemência, você sacrificou tudo, porque tinha notícia da herança." Desta vez, Clemência não chorou, pegou em si e saiu. Fui atrás dela, envergonhado, pedi-lhe perdão; ela resistiu. Um dia, dois dias, três dias, foi tudo vão; Clemência não cedia nada, não falava sequer. Então declarei-lhe que me mataria; comprei um revólver, fui ter com ela, e apresentei-lho; é este.

Monsenhor Caldas empalideceu. José Maria mostrou-lhe o revólver, durante alguns segundos, tornou a metê-lo na algibeira, e continuou:

— Cheguei a dar um tiro. Ela, assustada, desarmou-me e perdoou-me. Ajustamos precipitar o casamento, e, pela minha parte, impus uma condição: doar os vinte mil contos à Biblioteca Nacional. Clemência atirou-se-me aos braços, e aprovou-me com um beijo. Dei os vinte mil contos. Há de ter lido nos jornais... Três semanas depois casamo-nos. Vossa Reverendíssima respira como quem chegou ao fim. Qual! Agora é que chegamos ao trágico. O que posso fazer é abreviar umas particularidades e suprimir outras; restrinjo-me a Clemência. Não lhe falo de outras emoções truncadas, que são todas as minhas, abortos de prazer, planos que se esgarçam no ar, nem das ilusões de saia rota, nem do tal pássaro... plás... plás... plás...

E, de um salto, José Maria ficou outra vez de pé, agitando os braços, e dando ao corpo uma cadência. Monsenhor Caldas começou a suar frio. No fim de alguns segundos, José Maria parou, sentou-se, e reatou a narração, agora mais difusa, mais derramada, evidentemente mais delirante. Contava os sustos em que vivia, desgostos e desconfianças. Não podia comer um figo às dentadas, como outrora; o receio do bicho diminuía-lhe o sabor. Não cria nas caras alegres da gente que ia pela rua: preocupações, desejos, ódios, tristezas, outras coisas, iam dissimuladas por umas três quartas partes delas. Vivia a temer um filho cego ou surdo-mudo, ou tuberculoso, ou assassino, etc. Não conseguia dar um jantar que não ficasse triste logo depois da sopa, pela ideia de que uma palavra sua, um gesto da mulher, qualquer falta de serviço podia sugerir o epigrama digestivo, na rua, debaixo de um lampião. A experiência dera-lhe o terror de ser empulhado. Confessava ao padre que, realmente, não tinha até agora lucrado nada; ao contrário, perdera até, porque fora levado ao sangue... Ia contar-lhe o caso do sangue. Na véspera, deitara-se cedo, e sonhou... Com quem pensava o padre que ele sonhou?

— Não atino...

— Sonhei que o Diabo lia-me o Evangelho. Chegando ao ponto em que Jesus fala dos lírios do campo, o Diabo colheu alguns e deu-mos. "Toma, disse-me ele; são os lírios da Escritura; segundo ouviste, nem Salomão, em toda a pompa, pode ombrear com eles.* Salomão é a sapiência. E sabes o que são estes lírios, José? São os teus vinte anos." Fitei-os encantado; eram lindos como não imagina. O Diabo pegou deles, cheirou-os e disse-me que os cheirasse também. Não lhe digo nada; no momento de os chegar ao nariz, vi sair de dentro um réptil fedo-

* Mateus, 6: 28.

rento e torpe, dei um grito, e arrojei para longe as flores. Então, o Diabo, escancarando uma formidável gargalhada: "José Maria, são os teus vinte anos". Era uma gargalhada assim: — cá, cá, cá, cá, cá...

José Maria ria à solta, ria de um modo estridente e diabólico. De repente, parou; levantou-se, e contou que, tão depressa abriu os olhos, como viu a mulher diante dele, aflita e desgrenhada. Os olhos de Clemência eram doces, mas ele disse-lhe que os olhos doces também fazem mal. Ela arrojou-se-lhe aos pés... Neste ponto a fisionomia de José Maria estava tão transtornada que o padre, também de pé, começou a recuar, trêmulo e pálido.

— Não, miserável! não! tu não me fugirás! bradava José Maria investindo para ele. Tinha os olhos esbugalhados, as têmporas latejantes; o padre ia recuando... recuando... Pela escada acima ouvia-se um rumor de espadas e de pés.

Trina e una

A primeira coisa que há de espantar o leitor é o título, que lhe anuncia (posso dizê-lo desde já) três mulheres e uma só mulher. Há dois modos de explicar uma tal anomalia: — ou duas mulheres entram no conto indiretamente, são apenas citadas, e puxam os cordéis da ação do outro lado da página, — ou as mulheres não passam de três gradações, três estados sucessivos da mesma pessoa. São os dois modos aparentes de definir o título, e, entretanto, não é nenhum deles, mas um terceiro, que eu guardo comigo, não para aguçar a curiosidade, mas porque não há analisá-lo sem expor o assunto.

Vou expor o assunto. Comecemos por ela, a mulher una e trina. Está sentada numa loja, à rua da Quitanda, ao pé do balcão, onde há cinco ou seis caixas de rendas abertas e derramadas. Não escolhe nada, espera que o caixeiro lhe traga mais rendas, e olha para fora, para as pedras da rua, não para as pessoas que passam. Veste de preto, e o busto fica-lhe bem, assim comprimido na seda, e ornado de rendas finas e vidrilhos. Abana-se por distração; talvez olhe também por distração. Mas, seja ou não assim, abana-se e olha. Uma ou outra vez, recolhe a vista para dentro da loja, e percorre os demais balcões onde se acham senhoras que também escolhem, conversam e compram; mas é difícil ver nos movimentos da dama a menor sombra de interesse ou curiosidade. Os olhos vão de um lado a outro, e a cabeça atrás deles, sem ânimo nem vida, e depois aos desenhos do leque. Ela examina bem os desenhos, como se fossem novos, levanta-os, desce-os, fecha as varetas uma por uma, torna a abri-las, fecha-as de todo e bate com o leque no joelho. Que o leitor se não enfastie com tais minúcias; não há aí uma só palavra que não seja necessária.

— Aqui estão estas que me parece que hão de agradar, disse o caixeiro voltando.

A senhora pega das novas rendas, examina-as com vagar, quase digo com preguiça. Pega delas entre os dedos, fitando-lhes muito os olhos; depois procura a melhor luz; depois compara-as às outras, durante um largo prazo. O caixeiro acompanha-lhe os movimentos, ajuda-a, sem impaciência, porque sabe que ela há de gastar muito tempo, e acabar comprando. É freguesa da casa. Vem muitas vezes estar ali uma, duas horas, e às vezes mais. Hoje, por exemplo, entrou às duas horas e meia; são três horas dadas, e ela já comprou duas peças de fita; é alguma coisa, podia não ter escolhido nada.

— Os desenhos não são feios, disse ela; mas não haverá outros?

— Vou ver.

— Olhe, desta mesma largura.

Enquanto o caixeiro vai ver, ela passa as outras pelos olhos, distraidamente, recomeça a abanar-se, e afinal torna a cravar os olhos nas pedras da rua. As pedras é que não podem querer-lhe mal, porque os olhos são lindos, e o que está escondido dentro, como dizia Salomão, não parece menos lindo.* São também claros, e movem-se por baixo de uma testa olímpica. Para avaliar o amor daqueles olhos às pedras da rua, é preciso considerar que o raio visual é muita vez atravessado por outros corpos, calças masculinas, vestidos femininos, um ou outro carro, mas é raro que os olhos se desviem mais de alguns segundos. Às vezes olham tão de dentro que nem mesmo isso; nenhum corpo lhes interrompe a vista. Ou de cansados, ou por outro motivo, fecham-se agora, lentamente, não para dormir ou cochilar, pode ser que para refletir, pode ser que para coisa nenhuma. O leque, a pouco e pouco, vai parando, e descamba, aberto mesmo, no regaço da dona. Mas aí volta o caixeiro, e ela torna ao exame das rendas, à comparação, ao reparo, a achar que o tecido desta é melhor, que o desenho daquela é melhor, e que o preço daquela outra é ainda melhor que tudo. O caixeiro, in-

---

* Provável referência ao Cântico dos Cânticos; porém, é difícil identificar a fonte exata.

clinado, risonho, informa, discute, demonstra, concede, e afinal conclui o negócio; a dona leva tantos metros de uma e tantos de outra.

Comprou; agora paga. Tira a carteirinha da bolsa, saca um maçozinho de notas, e, vagarosamente, puxa uma, enquanto o caixeiro faz a conta a lápis. Dá-lhe a nota, ele pega nela e nas rendas compradas e vai ao caixa; depois traz o troco e as compras.

— Não há de querer mais nada? pergunta ele.

— Não, responde ela sorrindo.

E guarda o troco, enfia o dedo no rolozinho das compras, disposta a sair, mas não sai, deixa-se estar sentada. Parece-lhe que vai chover; di-lo ao caixeiro, que opina de modo contrário, e com razão, pois o tempo está seguro. Mas pode ser que a dama dissesse aquilo, como diria outra coisa qualquer, ou nada. A verdade é que tem o rolo enfiado no dedo, o leque fechado na mão, o chapelinho de sol em pé, com a mão sobre o cabo, prestes a sair, mas sem sair. Os olhos é que tornam à rua, às pedras, fixos como uma ideia de doido. Inclinado sobre o balcão, o caixeiro diz-lhe alguma coisa, uma ou outra palavra, para corresponder tanto ou quanto ao sorriso maligno de um colega, que está no balcão fronteiro. É opinião deste que a dama em questão, que não quer outra pessoa que a sirva, senão o mesmo caixeiro, anda namorada dele. Vendo que ela está pronta para ir-se e não vai, sorri velhacamente, mas com disfarce, olhando para as agulhas que serve a uma freguesa. Daí as palavras do outro, acerca disto ou daquilo, palavras que a dama não ouve, porque realmente tem os olhos parados e esquecidos.

Já falei das calças masculinas, que de quando em quando cortam o raio visual da nossa dama. Toda a gente que sabe ler, que conhece a alma do licenciado Garcia, compreendeu que eu não apontei uma tal circunstância para ter o vão gosto de dizer que andam calças na rua, mas por um motivo mais alto e recôndito; para acompanhar de longe a entrada de um homem na loja. Puro efeito de arte; cálculo e combinação de gestos. São assim as obras meditadas; são assim os longos frutos de longa gestação. Podia fazer entrar este homem sem nenhum preparo anterior, fazê-lo entrar assim mesmo, de chapéu na mão, e cumprimentar a dama, que lhe pergunta como está, chamando-lhe doutor; mas eu pergunto se não é melhor que o leitor, ainda sem o saber, esteja advertido de uma tal entrada. Não há duas respostas.

Se ela lhe chamou doutor, ele chamou-lhe D. Clara, falaram dez minutos,

se tanto, até que ela dispôs-se definitivamente a sair; ao menos, disse-o ao recém-
-chegado. Este era um homem de trinta e dois a trinta e quatro anos, não feio,
antes simpático que bonito, feições acentuadas do Norte, estatura mediana, e um
grande ar de seriedade. A vontade que ele tinha era de ficar ali com ela, ainda
uma meia hora, ou acompanhá-la à casa. A prova está no ar comovido com que
lhe fala, dependente, suplicante quase; os modos dela é que não animam nada.
Sorriu uma ou duas vezes, para ele, mas um sorriso sem significação, ou com esta significação: — "sei o que queres; continua a andar".

— Bem, disse ele; se me dá licença...

— Pois não. Até quando?

— Não vai hoje ao Matias?

— Vou... Até lá.

— Até lá.

Saiu ele, e foi esperar pouco adiante, não para acompanhá-la, mas para vê-
-la sair, para gozá-la com os olhos, vê-la andar, pisar de um modo régio e tranquilo. Esperou cinco minutos, depois dez, depois vinte; aos vinte e um minutos é
que ela saiu da loja. Tão agitado estava ele que não pôde saborear nada; não pôde admirar de longe a figura, realmente senhoril, da nossa dama. Ao contrário,
parece que até lhe fazia mal. Mordeu o beiço, por baixo do bigode, e caminhou
para o outro lado, resolvendo não ir ao Matias, resolvendo depois o contrário, de-
sejoso de tirar aquela mulher de diante de si e não querendo senão fixá-la diante
de si por toda a eternidade. Parece enigmático, e não há nada mais límpido.

Clara foi dali para a rua do Lavradio. Morava com a mãe. Eram cinco horas dadas, e D. Antônia não gostava de jantar tarde; mas já devia esperar isto mesmo, pensava ela: a filha só voltava cedo quando ela a acompanhava; em saindo
só, ficava horas e horas.

— Anda, anda, é tarde, disse-lhe a mãe.

Clara foi despir-se. Não se despiu às pressas, para condescender com a mãe,
ou fazer-se perdoar a demora; mas, vagarosamente. No fim reclinou-se no sofá
com os olhos no ar.

— Nhanhã não vai jantar? perguntou-lhe uma negrinha de quinze anos, que
a acompanhara ao quarto.

Não respondeu; posso mesmo dizer que não ouviu. Tinha os olhos, não
já no ar, como há pouco, mas numa das flores do papel que forrava o quarto;
pela primeira vez reparou que as flores eram margaridas. E passou os olhos de

uma a outra, para verificar se a estrutura era a mesma, e achou que era a mesma. Não é esquisito? Margaridas pintadas em papel. Ao mesmo tempo que reparava nas pinturas, ia-se sentindo bem, espreguiçando-se moralmente, e mergulhando na atonia do espírito. De maneira que a negrinha falou-lhe uma e duas vezes, sem que ela ouvisse coisa nenhuma; foi preciso chamá-la terceira vez, alteando a voz:

— Nhanhã!

— Que é?

— Sinhá velha está esperando para jantar.

Desta vez, levantou-se e foi jantar. D. Antônia contou-lhe as novidades de casa; Clara referiu-lhe algumas reminiscências da rua. A mais importante foi o encontro do Dr. Severiano. Era assim que se chamava o homem que vimos na loja da rua da Quitanda.

— É verdade, disse a mãe, temos de ir à casa do Matias.

— Que maçada! suspirou Clara.

— Também você tudo lhe maça! exclamou D. Antônia. Pois que mal há em passar uma noite agradável, entre meia dúzia de pessoas? Antes de meia-noite está tudo acabado.

Este Matias era um dos autores da situação em que o Severiano se acha. O ministro da justiça era o outro. Severiano viera do Norte entender-se com o governo, acerca de uma remoção: era juiz de direito na Paraíba. Para se lhe dar a comarca que ele pediu, tornava-se necessário fazer outra troca, e o ministro disse-lhe que esperasse. Esperou, visitou algumas vezes o Matias, seu comprovinciano e advogado. Foi ali que uma noite encontrou a nossa Clara, e ficou um tanto namorado dela. Não era ainda paixão; por isso falou ao amigo com alguma liberdade, confessou-lhe que a achava bonita, chegaram a empregar entre eles algumas galhofas maduras e inocentes; mas afinal, perguntou-lhe o Matias:

— Agora falando sério, você por que é que não casa com ela?

— Casar?

— Sim, são viúvos, podem consolar-se um ao outro. Você está com trinta e quatro, não?

— Feitos.

— Ela tem vinte e oito; estão mesmo ajustadinhos. Valeu?

— Não valeu.

Matias abanou a cabeça: — Pois, meu amigo, lá namoro de passagem é que

TRINA E UNA   283

você não pilha; é uma senhora muito séria. Mas, que diabo! Você com certeza casa outra vez; se há de cair em alguma que não mereça nada, não é melhor esta que eu lhe afianço?

Severiano repeliu a proposta, mas concordou que a dama era bonita. Viúva de quem? Matias explicou-lhe que era viúva de um advogado, e tinha alguma coisa de seu; uma renda de seis contos. Não era muito, mas com os vencimentos de magistrado, numa boa comarca, dava para pôr o céu na terra, e só um insensato desprezaria uma tal pepineira.

— Cá por mim, lavo as mãos, concluiu ele.

— Podes limpá-las à parede, replicou Severiano rindo.

Má resposta; digo má por inútil. Matias era serviçal até ao enfado. De si para si entendeu que devia casá-los, ainda que fosse tão difícil como casar o Grão-Turco e a república de Veneza;* e uma vez que o entendia assim, jurou cumpri-lo. Multiplicou as reuniões íntimas, fazia-os conversar muitas vezes, a sós, arranjou que ela lhe oferecesse a casa, e o convidasse também para as reuniões que dava às vezes; fez obra de paciência e tenacidade. Severiano resistiu, mas resistiu pouco; estava ferido, e caiu. Clara, porém, é que não lhe dava a menor animação, a tal ponto que se o ministro da justiça o despachasse, Severiano fugiria logo, sem pensar mais em nada; é o que ele dizia a si mesmo, sinceramente, mas dada a diferença que vai do vivo ao pintado, podemos crer que fugiria lentamente, e pode ser até que se deixasse ficar. A verdade é que ele começou a não perseguir o ministro, dando como razão que era melhor não exaurir-lhe a boa vontade; importunações estragam tudo. E voltou-se para Clara, que continuou a não o tratar mal, sem todavia passar da estrita polidez. Às vezes parecia-lhe ver nos modos dela um tal ou qual constrangimento, como de pessoa que apenas suporta a outra. Ódio não era; ódio, por quê? Mas ninguém obsta uma antipatia, e as melhores pessoas do mundo podem não ser arrastadas uma para a outra. As maneiras dela na loja vieram confirmar-lhe a suspeita; tão seca! tão fria!

— Não há dúvida, pensava ele; detesta-me; mas que lhe fiz eu?

Entre ir e não ir à casa do Matias, Severiano adotou um meio-termo: era ir tarde, muito tarde. A razão secreta é tão pueril que não me animo a escrevê-la; mas o amor absolve tudo. A secreta razão era dissimular quaisquer impaciências

---

* Frase retirada de *L'avare*, de Molière, onde a casamenteira Frosine diz: "Je marierais le Grand Turc avec la République de Venise" (ato 2, cena 5) — isto é, faria o impossível.

namoradas, mostrar que não fazia caso dela, e ver se assim... Compreenderam, não? Era a aplicação daquele pensamento, que não sei agora, se é oriental ou ocidental, em que se compara a mulher à sombra: segue-se a sombra, ela foge; foge-se, ela segue. Criancices de amor, — ou para escrever francamente o pleonasmo: criancices de criança. Sabe Deus se lhe custou esperar! Mas esperou, lendo, andando, mordendo o bigode, olhando para o chão, chegando o relógio ao ouvido para ver se estava parado. Afinal foi; eram dez horas, quando entrou na sala.

— Tão tarde! disse-lhe o Matias. Esta senhora já tinha notado a sua falta.

Severiano cumprimentou friamente, mas a viúva, que olhava para ele de um modo oblíquo, conheceu que era afetação. Parece que sorriu, mas foi para dentro; em todo o caso, pediu-lhe que se sentasse ao pé dela; queria consultá-lo sobre uma coisa, uma teima que tivera na véspera com a mulher do chefe de polícia. Severiano sentou-se trêmulo.

Não nos importa a matéria da consulta; era um pretexto para conversação. Severiano demorou o mais que pôde a solução pedida, e quando lha deu, ela pensava tão pouco em ouvi-la que não sabia já de que se tratava. Olhava então para o espelho ou para as cortinas; creio que era para as cortinas.

Matias, que os espreitara de longe, veio ter com eles, sentou-se e declarou que trazia uma denúncia na ponta da língua.

— Diga, diga, insistiu ela.

— Digo? perguntou ele ao outro.

Severiano enfiou, e não respondeu logo, mas, teimando o amigo, respondeu que sim. Aqui peço perdão da frivolidade e da impertinência do Matias; não hei de inventar um homem grave e hábil só para evitar uma certa impressão às leitoras. Tal era ele, tal o dou. A denúncia que ele trazia era a da partida próxima do Severiano, mentira pura, com o único fim de provocar da parte de D. Clara uma palavra amiga, um pedido, uma esperança. A verdade é que D. Clara sentiu-se penalizada. Que? ia-se embora? e para não voltar mais?

— Afinal serei obrigado a isso mesmo, disse Severiano: não posso ficar toda a vida aqui. Já estou há muito, a licença acaba.

— Vê? disse Matias voltando-se para a viúva.

Clara sorriu, mas não disse nada. Entretanto, o juiz de direito, entusiasmado, confessou que não iria sem grandes saudades da corte. Levarei as melhores recordações da minha vida, concluiu.

O resto da noite foi agradável. Severiano saiu de lá com as esperanças remoçadas. Era evidente que a viúva chegaria a aceitá-lo, pensava ele consigo; e a primitiva ideia do ódio era simplesmente insensata. Por que é que lhe teria ódio? Podia ser antipatia, quando muito; mas nem era antipatia. A prova era a maneira por que o tratou, parecendo-lhe mesmo que, à saída, um aperto de mão mais forte... Não jurava, mas parecia-lhe...

Este período durou pouco mais de uma semana. O primeiro encontro seguinte foi em casa dela, onde a visitou. Clara recebeu-o sem alvoroço, ouviu-lhe dizer algumas coisas sem lhe prestar grande atenção; mas, como no fim confessou que lhe doía a cabeça, Severiano agarrou-se a essa razão para explicar uns modos que traziam ares de desdém. O segundo encontro foi no teatro.

— Que tal acha a peça? perguntou ela logo que ele entrou no camarote.

— Acho-a bonita.

— Justamente, disse a mãe. Clara é que está aborrecida.

— Sim?

— Cismas de mamãe. Mas então parece-lhe que a peça é bonita?

— Não me parece feia.

— Por quê?

Severiano sorriu, depois procurou dar algumas das razões que o levavam a achar a peça bonita. Enquanto ele falava ela olhava para ele abanando-se, depois os olhos amorteceram-se-lhe um pouco, finalmente ela encostou o leque aberto à boca, para bocejar. Foi, ao menos, o que ele pensou, e podem imaginar se o pensou alegremente. A mãe aprovava tudo, porque gostava do espetáculo, e tanto mais era sincera, quanto que não queria vir ao teatro; mas a filha é que teimou até o ponto de a obrigar a ceder. Cedeu, veio, gostou da peça, e a filha é que ficou aborrecida, e ansiosa de ir embora. Tudo isso disse ela rindo ao juiz de direito; Clara mal protestava, olhava para a sala, abanava-se, tapava a boca, e como que pedia a Deus que, quando menos, a não destruir o universo, lhe levasse aquele homem para fora do camarote. Severiano percebeu que era demais e saiu.

Durante os primeiros minutos, não soube ele o que pensasse; mas, afinal, recapitulou a conversa, considerou os modos da viúva, e concluiu que havia algum namorado.

— Não há que ver, é isto mesmo, disse ele consigo; quis vir ao teatro, contando que ele viesse; não o achando, está aborrecida. Não é outra coisa.

Era a segunda explicação das maneiras da viúva. A primeira, ódio ou aversão natural, foi abandonada por inverossímil; restava um namoro, que não só era verossímil, mas tinha tudo por si. Severiano entendeu desde logo que o único procedimento correto era deixar o campo, e assim fez. Para escapar às exortações do Matias, não lhe diria nada, e passou a visitá-lo poucas vezes. Assim se passaram cinco ou seis semanas. Um dia, viu Clara na rua, cumprimentou-a, ela falou-lhe friamente, e foi andando. Viu-a ainda duas vezes, uma na mesma loja da rua da Quitanda, outra à porta de um dentista. Nenhuma alteração para melhor; tudo estava acabado.

Entretanto, apareceu o despacho do Severiano, a remoção de comarca. Ele preparou-se para seguir viagem, com grande espanto do amigo Matias, que imaginava o namoro a caminho, e cria que eles haviam chegado ao período da discrição. Quando soube que não era assim, caiu das nuvens. Severiano disse-lhe que era negócio acabado; Clara tinha alguma aventura.

— Não creio, reflexionou Matias; é uma senhora severa.

— Pois será uma aventura severa, concordou o juiz de direito; em todo caso, nada tenho com isto, e vou-me embora.

Matias refutou a opinião, e acabou dizendo que uma vez que ele recusava, não faria mais nada, — exceto uma coisa única. Essa coisa, que ele não disse o que era, foi nada menos que ir diretamente à viúva e falar-lhe da paixão do amigo. Clara sabia que era amada, mas estava longe de imaginar a paixão que o Matias lhe pintou, e a primeira impressão foi de aborrecimento.

— Que quer que lhe faça? perguntou ela.

— Peço-lhe que reflita e veja se um homem tão distinto não é um marido talhado no céu. Eu não conheço outro tão digno...

— Não tenho vontade de casar.

— Se me jura que não casa, retiro-me; mas se tiver de casar um dia, por que não aproveita esta ocasião?

— Grande amigo é o senhor do seu amigo.

— E por que não seu?

Clara sorriu, e apoiando os cotovelos nos braços da poltrona, começou a brincar com os dedos. A teima começava a impacientá-la. Era capaz de ceder, só para não ouvir falar mais nisto. Afinal agarrou-se à impossibilidade material; ele vai para uma comarca interior, ela nunca sairia do Rio de Janeiro.

— Tal é a dúvida? perguntou o Matias.

— Parece-lhe pouco?

— De maneira que, se ele aqui ficasse, a senhora casava?

— Casava, respondeu Clara olhando distraidamente para os pingentes do lustre.

Distração do diabo! Foi o que a perdeu, porque o Matias fez daquela resposta um protocolo. A questão era alcançar que o Severiano ficasse, e não gastou dez minutos nessa outra empresa. Clara, apanhada no laço, fez boa cara, e aceitou o noivo sorrindo. Tratou-o mesmo com tais agrados que ele pensou nas palavras do amigo; acreditou que, em substância, era grandemente amado, e que ela não fizera mais do que ceder aos poucos.

Mas essa terceira razão era tão contrária à realidade como as outras duas; — nem ela o amava, nem lhe tinha ódio, nem amava a outro. A verdade única e verdadeira é que ela era um modelo acabado de inércia moral; e, casou para acabar com a importunação do Matias. Casaria com o diabo, se fosse necessário. Severiano reconheceu isso mesmo com o tempo. Uma vez casada, Clara ficou sendo o que sempre fora, capaz de gastar duas horas numa loja, quatro num canapé, vinte numa cama com o pensamento em coisa nenhuma.

Noite de almirante

Deolindo Venta-Grande (era uma alcunha de bordo) saiu do arsenal de marinha e enfiou pela rua de Bragança. Batiam três horas da tarde. Era a fina flor dos marujos e, demais, levava um grande ar de felicidade nos olhos. A corveta dele voltou de uma longa viagem de instrução, e Deolindo veio à terra tão depressa alcançou licença. Os companheiros disseram-lhe, rindo:

— Ah! Venta-Grande! Que noite de almirante vai você passar! ceia, viola e os braços de Genoveva. Colozinho de Genoveva...

Deolindo sorriu. Era assim mesmo, uma noite de almirante, como eles dizem, uma dessas grandes noites de almirante que o esperava em terra. Começara a paixão três meses antes de sair a corveta. Chamava-se Genoveva, caboclinha de vinte anos, esperta, olho negro e atrevido. Encontraram-se em casa de terceiro e ficaram morrendo um pelo outro, a tal ponto que estiveram prestes a dar uma cabeçada, ele deixaria o serviço e ela o acompanharia para a vila mais recôndita do interior.

A velha Inácia, que morava com ela, dissuadiu-os disso; Deolindo não teve remédio senão seguir em viagem de instrução. Eram oito ou dez meses de ausência. Como fiança recíproca, entenderam dever fazer um juramento de fidelidade.

— Juro por Deus que está no céu. E você?

— Eu também.

— Diz direito.

— Juro por Deus que está no céu; a luz me falte na hora da morte.

Estava celebrado o contrato. Não havia descrer da sinceridade de ambos; ela chorava doidamente, ele mordia o beiço para dissimular. Afinal separaram-se. Genoveva foi ver sair a corveta e voltou para casa com um tal aperto no coração que parecia que "lhe ia dar uma coisa". Não lhe deu nada, felizmente; os dias foram passando, as semanas, os meses, dez meses, ao cabo dos quais, a corveta tornou e Deolindo com ela.

Lá vai ele agora, pela rua de Bragança, Prainha e Saúde, até ao princípio da Gamboa, onde mora Genoveva. A casa é uma rotulazinha escura, portal rachado do sol, passando o cemitério dos Ingleses; lá deve estar Genoveva, debruçada à janela, esperando por ele. Deolindo prepara uma palavra que lhe diga. Já formulou esta: "Jurei e cumpri", mas procura outra melhor. Ao mesmo tempo lembra as mulheres que viu por esse mundo de Cristo, italianas, marselhesas ou turcas, muitas delas bonitas, ou que lhe pareciam tais. Concorda que nem todas seriam para os beiços dele, mas algumas eram, e nem por isso fez caso de nenhuma. Só pensava em Genoveva. A mesma casinha dela, tão pequenina, e a mobília de pé quebrado, tudo velho e pouco, isso mesmo lhe lembrava diante dos palácios de outras terras. Foi à custa de muita economia que comprou em Trieste um par de brincos, que leva agora no bolso com algumas bugigangas. E ela que lhe guardaria? Pode ser que um lenço marcado com o nome dele e uma âncora na ponta, porque ela sabia marcar muito bem. Nisto chegou à Gamboa, passou o cemitério e deu com a casa fechada. Bateu, falou-lhe uma voz conhecida, a da velha Inácia, que veio abrir-lhe a porta com grandes exclamações de prazer. Deolindo, impaciente, perguntou por Genoveva.

— Não me fale nessa maluca, arremeteu a velha. Estou bem satisfeita com o conselho que lhe dei. Olhe lá se fugisse. Estava agora como o lindo amor.

— Mas que foi? que foi?

A velha disse-lhe que descansasse, que não era nada, uma dessas coisas que aparecem na vida; não valia a pena zangar-se. Genoveva andava com a cabeça virada...

— Mas virada por quê?

— Está com um mascate, José Diogo. Conheceu José Diogo, mascate de fazendas? Está com ele. Não imagina a paixão que eles têm um pelo outro. Ela então anda maluca. Foi o motivo da nossa briga. José Diogo não me saía da porta; eram conversas e mais conversas, até que eu um dia disse que não queria a minha casa difamada. Ah! meu pai do céu! foi um dia de juízo. Genoveva investiu para mim com uns olhos deste tamanho, dizendo que nunca difamou ninguém e não precisava de esmolas. Que esmolas, Genoveva? O que digo é que não quero esses cochichos à porta, desde as ave-marias... Dois dias depois estava mudada e brigada comigo.

— Onde mora ela?

— Na praia Formosa, antes de chegar à pedreira, uma rótula pintada de novo.

Deolindo não quis ouvir mais nada. A velha Inácia, um tanto arrependida, ainda lhe deu avisos de prudência, mas ele não os escutou e foi andando. Deixo de notar o que pensou em todo o caminho; não pensou nada. As ideias marinhavam-lhe no cérebro, como em hora de temporal, no meio de uma confusão de ventos e apitos. Entre elas rutilou a faca de bordo, ensanguentada e vingadora. Tinha passado a Gamboa, o saco do Alferes, entrara na praia Formosa. Não sabia o número da casa, mas era perto da pedreira, pintada de novo, e com auxílio da vizinhança poderia achá-la. Não contou com o acaso que pegou de Genoveva e fê-la sentar à janela, cosendo, no momento em que Deolindo ia passando. Ele conheceu-a e parou; ela, vendo o vulto de um homem, levantou os olhos e deu com o marujo.

— Que é isso? exclamou espantada. Quando chegou? Entre, seu Deolindo.

E, levantando-se, abriu a rótula e fê-lo entrar. Qualquer outro homem ficaria alvoroçado de esperanças, tão francas eram as maneiras da rapariga; podia ser que a velha se enganasse ou mentisse; podia ser mesmo que a cantiga do mascate estivesse acabada. Tudo isso lhe passou pela cabeça, sem a forma precisa do raciocínio ou da reflexão, mas em tumulto e rápido. Genoveva deixou a porta aberta; fê-lo sentar-se, pediu-lhe notícias da viagem e achou-o mais gordo; nenhuma comoção nem intimidade. Deolindo perdeu a última esperança. Em falta de faca, bastavam-lhe as mãos para estrangular Genoveva, que era um pedacinho de gente, e durante os primeiros minutos não pensou em outra coisa.

— Sei tudo, disse ele.

— Quem lhe contou?

Deolindo levantou os ombros.

— Fosse quem fosse, tornou ela, disseram-lhe que eu gostava muito de um moço?

— Disseram.

— Disseram a verdade.

Deolindo chegou a ter um ímpeto; ela fê-lo parar só com a ação dos olhos. Em seguida disse que, se lhe abrira a porta, é porque contava que era homem de juízo. Contou-lhe então tudo, as saudades que curtira, as propostas do mascate, as suas recusas, até que um dia, sem saber como, amanhecera gostando dele.

— Pode crer que pensei muito e muito em você. Sinhá Inácia que lhe diga se não chorei muito... Mas o coração mudou... Mudou... Conto-lhe tudo isto, como se estivesse diante do padre, concluiu sorrindo.

Não sorria de escárnio. A expressão das palavras é que era uma mescla de candura e cinismo, de insolência e simplicidade, que desisto de definir melhor. Creio até que insolência e cinismo são mal aplicados. Genoveva não se defendia de um erro ou de um perjúrio; não se defendia de nada; faltava-lhe o padrão moral das ações. O que dizia, em resumo, é que era melhor não ter mudado, dava-se bem com a afeição do Deolindo, a prova é que quis fugir com ele; mas, uma vez que o mascate venceu o marujo, a razão era do mascate, e cumpria declará-lo. Que vos parece? O pobre marujo citava o juramento de despedida, como uma obrigação eterna, diante da qual consentira em não fugir e embarcar: "Juro por Deus que está no céu; a luz me falte na hora da morte". Se embarcou, foi porque ela lhe jurou isso. Com essas palavras é que andou, viajou, esperou e tornou; foram elas que lhe deram a força de viver. Juro por Deus que está no céu; a luz me falte na hora da morte...

— Pois, sim, Deolindo, era verdade. Quando jurei, era verdade. Tanto era verdade que eu queria fugir com você para o sertão. Só Deus sabe se era verdade! Mas vieram outras coisas... Veio este moço e eu comecei a gostar dele...

— Mas a gente jura é para isso mesmo; é para não gostar de mais ninguém...

— Deixa disso, Deolindo. Então você só se lembrou de mim? Deixa de partes...

— A que horas volta José Diogo?

— Não volta hoje.

— Não?

— Não volta; está lá para os lados de Guaratiba com a caixa; deve voltar sexta-feira ou sábado... E por que é que você quer saber? Que mal lhe fez ele?

Pode ser que qualquer outra mulher tivesse igual palavra; poucas lhe dariam uma expressão tão cândida, não de propósito, mas involuntariamente. Vede que estamos aqui muito próximos da natureza. Que mal lhe fez ele? Que mal lhe fez esta pedra que caiu de cima? Qualquer mestre de física lhe explicaria a queda das pedras. Deolindo declarou, com um gesto de desespero, que queria matá-lo. Genoveva olhou para ele com desprezo, sorriu de leve e deu um muxoxo; e, como ele lhe falasse de ingratidão e perjúrio, não pôde disfarçar o pasmo. Que perjúrio? que ingratidão? Já lhe tinha dito e repetia que quando jurou era verdade. Nossa Senhora, que ali estava, em cima da cômoda, sabia se era verdade ou não. Era assim que lhe pagava o que padeceu? E ele que tanto enchia a boca de fidelidade, tinha-se lembrado dela por onde andou?

A resposta dele foi meter a mão no bolso e tirar o pacote que lhe trazia. Ela abriu-o, aventou as bugigangas, uma por uma, e por fim deu com os brincos. Não eram nem poderiam ser ricos; eram mesmo de mau gosto, mas faziam uma vista de todos os diabos. Genoveva pegou deles, contente, deslumbrada, mirou-os por um lado e outro, perto e longe dos olhos, e afinal enfiou-os nas orelhas; depois foi ao espelho de pataca, suspenso na parede, entre a janela e a rótula, para ver o efeito que lhe faziam. Recuou, aproximou-se, voltou a cabeça da direita para a esquerda e da esquerda para a direita.

— Sim, senhor, muito bonitos, disse ela, fazendo uma grande mesura de agradecimento. Onde é que comprou?

Creio que ele não respondeu nada, nem teria tempo para isso, porque ela disparou mais duas ou três perguntas, uma atrás da outra, tão confusa estava de receber um mimo a troco de um esquecimento. Confusão de cinco ou quatro minutos; pode ser que dois. Não tardou que tirasse os brincos, e os contemplasse e pusesse na caixinha em cima da mesa redonda que estava no meio da sala. Ele pela sua parte começou a crer que, assim como a perdeu, estando ausente, assim o outro, ausente, podia também perdê-la; e, provavelmente, ela não lhe jurara nada.

— Brincando, brincando, é noite, disse Genoveva.

Com efeito, a noite ia caindo rapidamente. Já não podiam ver o hospital dos Lázaros e mal distinguiam a ilha dos Melões; as mesmas lanchas e canoas, postas em seco, defronte da casa, confundiam-se com a terra e o lodo da praia. Genoveva acendeu uma vela. Depois foi sentar-se na soleira da porta e pediu-lhe que contasse alguma coisa das terras por onde andara. Deolindo recusou a princípio; disse que se ia embora, levantou-se e deu alguns passos na sala. Mas o demônio da esperança mordia e babujava o coração do pobre-diabo, e ele voltou a sentar-se, para dizer duas ou três anedotas de bordo. Genoveva escutava com atenção. Interrompidos por uma mulher da vizinhança, que ali veio, Genoveva fê-la sentar-se também para ouvir "as bonitas histórias que o Sr. Deolindo estava contando". Não houve outra apresentação. A grande dama que prolonga a vigília para concluir a leitura de um livro ou de um capítulo, não vive mais intimamente a vida dos personagens do que a antiga amante do marujo vivia as cenas que ele ia contando, tão livremente interessada e presa, como se entre ambos não houvesse mais que uma narração de episódios. Que importa à grande dama o autor do livro? Que importava a esta rapariga o contador dos episódios?

A esperança, entretanto, começava a desampará-lo e ele levantou-se definitivamente para sair. Genoveva não quis deixá-lo sair antes que a amiga visse os brincos, e foi mostrar-lhos com grandes encarecimentos. A outra ficou encantada, elogiou-os muito, perguntou se os comprara em França e pediu a Genoveva que os pusesse.

— Realmente, são muito bonitos.

Quero crer que o próprio marujo concordou com essa opinião. Gostou de os ver, achou que pareciam feitos para ela e, durante alguns segundos, saboreou o prazer exclusivo e superfino de haver dado um bom presente; mas foram só alguns segundos.

Como ele se despedisse, Genoveva acompanhou-o até à porta para lhe agradecer ainda uma vez o mimo, e provavelmente dizer-lhe algumas coisas meigas e inúteis. A amiga, que deixara ficar na sala, apenas lhe ouviu esta palavra: "Deixa disso, Deolindo"; e esta outra do marinheiro: "Você verá". Não pôde ouvir o resto, que não passou de um sussurro.

Deolindo seguiu, praia fora, cabisbaixo e lento, não já o rapaz impetuoso da tarde, mas com um ar velho e triste, ou, para usar outra metáfora de marujo, como um homem "que vai do meio caminho para terra". Genoveva entrou logo depois, alegre e barulhenta. Contou à outra a anedota dos seus amores marítimos, gabou muito o gênio do Deolindo e os seus bonitos modos; a amiga declarou achá-lo grandemente simpático.

— Muito bom rapaz, insistiu Genoveva. Sabe o que ele me disse agora?

— Que foi?

— Que vai matar-se.

— Jesus!

— Qual o quê! Não se mata, não. Deolindo é assim mesmo; diz as coisas, mas não faz. Você verá que não se mata. Coitado, são ciúmes. Mas os brincos são muito engraçados.

— Eu aqui ainda não vi destes.

— Nem eu, concordou Genoveva, examinando-os à luz. Depois guardou-os e convidou a outra a coser. — Vamos coser um bocadinho, quero acabar o meu corpinho azul...

A verdade é que o marinheiro não se matou. No dia seguinte, alguns dos companheiros bateram-lhe no ombro, cumprimentando-o pela noite de almirante, e pediram-lhe notícias de Genoveva, se estava mais bonita, se chorara muito na ausência, etc. Ele respondia a tudo com um sorriso satisfeito e discreto, um sorriso de pessoa que viveu uma grande noite. Parece que teve vergonha da realidade e preferiu mentir.

A senhora do Galvão

Começaram a rosnar dos amores deste advogado com a viúva do brigadeiro, quando eles não tinham ainda passado dos primeiros obséquios. Assim vai o mundo. Assim se fazem algumas reputações más, e, o que parece absurdo, algumas boas. Com efeito, há vidas que só têm prólogo; mas toda a gente fala do grande livro que se lhe segue, e o autor morre com as folhas em branco. No presente caso, as folhas escreveram-se, formando todas um grosso volume de trezentas páginas compactas, sem contar as notas. Estas foram postas no fim, não para esclarecer, mas para recordar os capítulos passados; tal é o método nesses livros de colaboração. Mas a verdade é que eles apenas combinavam no plano, quando a mulher do advogado recebeu este bilhete anônimo:

"Não é possível que a senhora se deixe embair mais tempo, tão escandalosamente, por uma de suas amigas, que se consola da viuvez, seduzindo os maridos alheios, quando bastava conservar os cachos..."

Que cachos? Maria Olímpia não perguntou que cachos eram; eram da viúva do brigadeiro, que os trazia por gosto, e não por moda. Creio que isto se passou em 1853. Maria Olímpia leu e releu o bilhete; examinou a letra, que lhe pareceu de mulher e disfarçada, e percorreu mentalmente a primeira linha das suas amigas, a ver se descobria a autora. Não descobriu nada, dobrou o papel e fitou o tapete do chão, caindo-lhe os olhos justamente no ponto do desenho em que dois pombinhos ensinavam um ao outro a maneira de fazer de dois bicos um bico. Há dessas ironias do acaso, que dão vontade de destruir o universo. Afinal meteu o bilhete no vestido, e encarou a mucama, que esperava por ela, e que lhe perguntou:

— Nhanhã não quer mais ver o xale?

Maria Olímpia pegou no xale, que a mucama lhe dava e foi pô-lo aos ombros, defronte do espelho. Achou que lhe ficava bem, muito melhor que à viúva. Cotejou as suas graças com as da outra. Nem os olhos nem a boca eram comparáveis; a viúva tinha os ombros estreitinhos, a cabeça grande, e o andar feio. Era alta; mas que tinha ser alta? E os trinta e cinco anos de idade, mais nove que ela? Enquanto fazia essas reflexões, ia compondo, pregando e despregando o xale.

— Este parece melhor que o outro, aventurou a mucama.

— Não sei... disse a senhora, chegando-se mais para a janela, com os dois nas mãos.

— Bota o outro, nhanhã.

A nhanhã obedeceu. Experimentou cinco xales dos dez que ali estavam, em caixas, vindos de uma loja da rua da Ajuda. Concluiu que os dois primeiros eram os melhores; mas aqui surgiu uma complicação — mínima, realmente — mas tão sutil e profunda na solução, que não vacilo em recomendá-la aos nossos pensadores de 1906. A questão era saber qual dos dois xales escolheria, uma vez que o marido, recente advogado, pedia-lhe que fosse econômica. Contemplava-os alternadamente, e ora preferia um, ora outro. De repente, lembrou-lhe a aleivosia do marido, a necessidade de mortificá-lo, castigá-lo, mostrar-lhe que não era peteca de ninguém, nem maltrapilha; e, de raiva, comprou ambos os xales.

Ao bater das quatro horas (era a hora do marido) nada de marido. Nem às quatro, nem às quatro e meia. Maria Olímpia imaginava uma porção de coisas aborrecidas, ia à janela, tornava a entrar, temia um desastre ou doença repentina; pensou também que fosse uma sessão do júri. Cinco horas, e nada. Os cachos da viúva também negrejavam diante dela, entre a doença e o júri, com uns tons de azul-ferrete, que era provavelmente a cor do diabo. Realmente era para exaurir a paciência de uma moça de vinte e seis anos. Vinte e seis anos; não tinha mais. Era filha de um deputado do tempo da Regência, que a deixou menina; e foi uma tia que a educou com muita distinção. A tia não a levou muito cedo a bailes e espetáculos. Era religiosa, conduziu-a primeiro à igreja. Maria Olímpia tinha a vo-

A SENHORA DO GALVÃO   297

cação da vida exterior, e, nas procissões e missas cantadas, gostava principalmente do rumor, da pompa; a devoção era sincera, tíbia e distraída. A primeira coisa que ela via na tribuna das igrejas, era a si mesma. Tinha um gosto particular em olhar de cima para baixo, fitar a multidão das mulheres ajoelhadas ou sentadas, e os rapazes, que, por baixo do coro ou nas portas laterais, temperavam com atitudes namoradas as cerimônias latinas. Não entendia os sermões; o resto, porém, orquestra, canto, flores, luzes, sanefas, ouros, gentes, tudo exercia nela um singular feitiço. Magra devoção, que escasseou ainda mais com o primeiro espetáculo e o primeiro baile. Não alcançou a Candiani, mas ouviu a Ida Edelvira, dançou à larga, e ganhou fama de elegante.*

Eram cinco horas e meia, quando o Galvão chegou. Maria Olímpia, que então passeava na sala, tão depressa lhe ouviu os pés, fez o que faria qualquer outra senhora na mesma situação: pegou de um jornal de modas, e sentou-se, lendo, com um grande ar de pouco-caso. Galvão entrou ofegante, risonho, cheio de carinhos, perguntando-lhe se estava zangada, e jurando que tinha um motivo para a demora, um motivo que ela havia de agradecer, se soubesse...

— Não é preciso, interrompeu ela friamente.

Levantou-se; foram jantar. Falaram pouco; ela menos que ele, mas em todo o caso, sem parecer magoada. Pode ser que entrasse a duvidar da carta anônima; pode ser também que os dois xales lhe pesassem na consciência. No fim do jantar, Galvão explicou a demora: tinha ido, a pé, ao teatro Provisório, comprar um camarote para essa noite: davam os *Lombardos*.** De lá, na volta, foi encomendar um carro...

— Os *Lombardos*? interrompeu Maria Olímpia.

— Sim; canta o Laboceta, canta a Jacobson; há bailado. Você nunca ouviu os *Lombardos*?

— Nunca.

— E aí está por que me demorei. Que é que você merecia agora? Merecia que eu lhe cortasse a ponta desse narizinho arrebitado...

Como ele acompanhasse o dito com um gesto, ela recuou a cabeça; depois acabou de tomar o café. Tenhamos pena da alma desta moça. Os primeiros acor-

---

* Se o conto se passa no ano de 1853, o "reinado" da famosa soprano Augusta Candiani já havia terminado.

** *I Lombardi alla prima crociata* (1843): ópera de Giuseppe Verdi (1813-1901).

des dos *Lombardos* ecoavam nela, enquanto a carta anônima lhe trazia uma nota lúgubre, espécie de réquiem. E por que é que a carta não seria uma calúnia? Naturalmente não era outra coisa: alguma invenção de inimigas, ou para afligi-la, ou para fazê-los brigar. Era isto mesmo. Entretanto, uma vez que estava avisada, não os perderia de vista. Aqui acudiu-lhe uma ideia: consultou o marido se mandaria convidar a viúva.

— Não, respondeu ele; o carro só tem dois lugares, e eu não hei de ir na boleia.

Maria Olímpia sorriu de contente, e levantou-se. Há muito tempo que tinha vontade de ouvir os *Lombardos*. Vamos aos *Lombardos*! Trá, lá, lá, lá... Meia hora depois foi vestir-se. Galvão, quando a viu pronta daí a pouco, ficou encantado. Minha mulher é linda, pensou ele; e fez um gesto para estreitá-la ao peito; mas a mulher recuou, pedindo-lhe que não a amarrotasse. E, como ele, por umas veleidades de camareiro, pretendeu concertar-lhe a pluma do cabelo, ela disse-lhe enfastiada:

— Deixa, Eduardo! Já veio o carro?

Entraram no carro e seguiram para o teatro. Quem é que estava no camarote contíguo ao deles? Justamente a viúva e a mãe. Esta coincidência, filha do acaso, podia fazer crer algum ajuste prévio. Maria Olímpia chegou a suspeitá-lo; mas a sensação da entrada não lhe deu tempo de examinar a suspeita. Toda a sala voltara-se para vê-la, e ela bebeu, a tragos demorados, o leite da admiração pública. Demais, o marido teve a inspiração maquiavélica de lhe dizer ao ouvido: "Antes a mandasses convidar; ficava-nos devendo o favor". Qualquer suspeita cairia diante desta palavra. Contudo, ela cuidou de os não perder de vista — e renovou a resolução de cinco em cinco minutos, durante meia hora, até que, não podendo fixar a atenção, deixou-a andar. Lá vai ela, inquieta, vai direito ao clarão das luzes, ao esplendor dos vestuários, um pouco à ópera, como pedindo a todas as coisas alguma sensação deleitosa em que se espreguice uma alma fria e pessoal. E volta depois à própria dona, ao seu leque, às suas luvas, aos adornos do vestido, realmente magníficos. Nos intervalos, conversando com a viúva, Maria Olímpia tinha a voz e os gestos do costume, sem cálculo, sem esforço, sem sentimento, esquecida da carta. Justamente nos intervalos é que o marido, com uma discrição rara entre os filhos dos homens, ia para os corredores ou para o saguão pedir notícias do ministério.

Juntas saíram do camarote, no fim, e atravessaram os corredores. A modéstia com que a viúva trajava podia realçar a magnificência da amiga. As feições, porém, não eram o que esta afirmou, quando ensaiava os xales de manhã. Não, senhor; eram engraçadas, e tinham um certo pico original. Os ombros proporcionais e bonitos. Não contava trinta e cinco anos, mas trinta e um; nasceu em 1822, na véspera da independência, tanto que o pai, por brincadeira, entrou a chamá-la Ipiranga, e ficou-lhe esta alcunha entre as amigas. Demais, lá estava em Santa Rita o assentamento de batismo.

Uma semana depois, recebeu Maria Olímpia outra carta anônima. Era mais longa e explícita. Vieram outras, uma por semana, durante três meses. Maria Olímpia leu as primeiras com algum aborrecimento; as seguintes foram calejando a sensibilidade. Não havia dúvida que o marido demorava-se fora, muitas vezes, ao contrário do que fazia dantes, ou saía à noite e regressava tarde; mas, segundo dizia, gastava o tempo no Wallerstein ou no Bernardo, em palestras políticas. E isto era verdade, uma verdade de cinco a dez minutos, o tempo necessário para recolher alguma anedota ou novidade, que pudesse repetir em casa, à laia de documento. Dali seguia para o largo de S. Francisco e metia-se no ônibus.

Tudo era verdade. E, contudo, ela continuava a não crer nas cartas. Ultimamente, não se dava mais ao trabalho de as refutar consigo; lia-as uma só vez, e rasgava-as. Com o tempo foram surgindo alguns indícios menos vagos, pouco a pouco, ao modo do aparecimento da terra aos navegantes; mas este Colombo teimava em não crer na América. Negava o que via; não podendo negá-lo, interpretava-o; depois recordava algum caso de alucinação, uma anedota de aparências ilusórias, e nesse travesseiro cômodo e mole punha a cabeça e dormia. Já então, prosperando-lhe o escritório, dava o Galvão partidas e jantares, iam a bailes, teatros, corridas de cavalos. Maria Olímpia vivia alegre, radiante; começava a ser um dos nomes da moda. E andava muita vez, com a viúva, a despeito das cartas, a tal ponto que uma destas lhe dizia: "Parece que é melhor não escrever mais, uma vez que a senhora se regala numa comborçaria de mau gosto". Que era comborçaria? Maria Olímpia quis perguntá-lo ao marido, mas esqueceu o termo, e não pensou mais nisso.

Entretanto, constou ao marido que a mulher recebia cartas pelo correio. Cartas de quem? Esta notícia foi um golpe duro e inesperado. Galvão examinou de memória as pessoas que lhe frequentavam a casa, as que podiam encontrá-la em teatros ou bailes, e achou muitas figuras verossímeis. Em verdade, não lhe faltavam adoradores.

— Cartas de quem? repetia ele mordendo o beiço e franzindo a testa.

Durante sete dias passou uma vida inquieta e aborrecida, espiando a mulher e gastando em casa grande parte do tempo. No oitavo dia, veio uma carta.

— Para mim? disse ele vivamente.

— Não; é para mim, respondeu Maria Olímpia, lendo o sobrescrito; parece letra de Mariana ou de Lulu Fontoura...

Não queria lê-la; mas o marido disse que a lesse; podia ser alguma notícia grave. Maria Olímpia leu a carta e dobrou-a, sorrindo; ia guardá-la, quando o marido desejou ver o que era.

— Você sorriu, disse ele gracejando; há de ser algum epigrama comigo.

— Qual! é um negócio de moldes.

— Mas deixa ver.

— Para quê, Eduardo?

— Que tem? Você, que não quer mostrar, por algum motivo há de ser. Dê cá.

Já não sorria; tinha a voz trêmula. Ela ainda recusou a carta, uma, duas, três vezes. Teve mesmo ideia de rasgá-la, mas era pior, e não conseguiria fazê-lo até o fim. Realmente, era uma situação original. Quando ela viu que não tinha remédio, determinou ceder. Que melhor ocasião para ler no rosto dele a expressão da verdade? A carta era das mais explícitas; falava da viúva em termos crus. Maria Olímpia entregou-lha.

— Não queria mostrar esta, disse-lhe ela primeiro, como não mostrei outras que tenho recebido e botado fora; são tolices, intrigas, que andam fazendo para... Leia, leia a carta.

Galvão abriu a carta e deitou-lhe os olhos ávidos. Ela enterrou a cabeça na cintura, para ver de perto a franja do vestido. Não o viu empalidecer. Quando ele, depois de alguns minutos, proferiu duas ou três palavras, tinha já a fisionomia composta e um esboço de sorriso. Mas a mulher, que o não adivinhava, respondeu ainda de cabeça baixa; só a levantou daí a três ou quatro minutos, e não para fitá-lo de uma vez, mas aos pedaços, como se temesse descobrir-lhe nos olhos a confirmação do anônimo. Vendo-lhe, ao contrário, um sorriso, achou que era o da inocência, e falou de outra coisa.

Redobraram as cautelas do marido; parece também que ele não pôde esquivar-se a um tal ou qual sentimento de admiração para com a mulher. Pela sua parte, a viúva, tendo notícia das cartas, sentiu-se envergonhada; mas reagiu depressa, e requintou de maneiras afetuosas com a amiga.

Na segunda ou terceira semana de agosto, Galvão fez-se sócio do cassino Fluminense. Era um dos sonhos da mulher. A seis de setembro fazia anos a viúva, como sabemos. Na véspera, foi Maria Olímpia (com a tia que chegara de fora) comprar-lhe um mimo: era uso entre elas. Comprou-lhe um anel. Viu na mesma casa uma joia engraçada, uma meia-lua de diamantes para o cabelo, emblema de Diana, que lhe iria muito bem sobre a testa. De Maomé que fosse; todo o emblema de diamantes é cristão. Maria Olímpia pensou naturalmente na primeira noite do Cassino; e a tia, vendo-lhe o desejo, quis comprar a joia, mas era tarde, estava vendida.

Veio a noite do baile. Maria Olímpia subiu comovida as escadas do Cassino. Pessoas que a conheceram naquele tempo, dizem que o que ela achava na vida exterior, era a sensação de uma grande carícia pública, a distância; era a sua maneira de ser amada. Entrando no Cassino, ia recolher nova cópia de admirações, e não se enganou, porque elas vieram, e de fina casta.

Foi pelas dez horas e meia que a viúva ali apareceu. Estava realmente bela, trajada a primor, tendo na cabeça a meia-lua de diamantes. Ficava-lhe bem o diabo da joia, com as duas pontas para cima, emergindo do cabelo negro. Toda a gente admirou sempre a viúva naquele salão. Tinha muitas amigas, mais ou menos íntimas, não poucos adoradores, e possuía um gênero de espírito que espertava com as grandes luzes. Certo secretário de legação não cessava de a recomendar aos diplomatas novos: *"Causez avec Mme. Tavares; c'est adorable!"*.* Assim era nas outras noites; assim foi nesta.

— Hoje quase não tenho tido tempo de estar com você, disse ela a Maria Olímpia, perto de meia-noite.

— Naturalmente, disse a outra abrindo e fechando o leque; e, depois de umedecer os lábios, como para chamar a eles todo o veneno que tinha no coração: — Ipiranga, você está hoje uma viúva deliciosa... Vem seduzir mais algum marido?

A viúva empalideceu, e não pôde dizer nada. Maria Olímpia acrescentou, com os olhos, alguma coisa que a humilhasse bem, que lhe respingasse lama no triunfo. Já no resto da noite falaram pouco; três dias depois romperam para nunca mais.

---

* "Conversem com a sra. Tavares; é adorável!"

As academias de Sião

Conhecem as academias de Sião? Bem sei que em Sião nunca houve academias: mas suponhamos que sim, e que eram quatro, e escutem-me.

I

As estrelas, quando viam subir, através da noite, muitos vaga-lumes cor de leite, costumavam dizer que eram os suspiros do rei de Sião, que se divertia com as suas trezentas concubinas. E, piscando o olho umas às outras, perguntavam:

— Reais suspiros, em que é que se ocupa esta noite o lindo Kalaphangko?

Ao que os vaga-lumes respondiam com gravidade:

— Nós somos os pensamentos sublimes das quatro academias de Sião; trazemos conosco toda a sabedoria do universo.

Uma noite, foram em tal quantidade os vaga-lumes, que as estrelas, de medrosas, refugiaram-se nas alcovas, e eles tomaram conta de uma parte do espaço, onde se fixaram para sempre com o nome de Via Láctea.

Deu lugar a essa enorme ascensão de pensamentos o fato de quererem as quatro academias de Sião resolver este singular problema: — por que é que há homens femininos e mulheres másculas? E o que as induziu a isso foi a índole do jovem rei. Kalaphangko era virtualmente uma dama. Tudo nele respirava a mais esquisita feminidade: tinha os olhos doces, a voz argentina, atitudes moles e obedientes e um cordial horror às armas. Os guerreiros siameses gemiam, mas a nação vivia alegre, tudo eram danças, comédias e cantigas, à maneira do rei que não cuidava de outra coisa. Daí a ilusão das estrelas.

Vai senão quando, uma das academias achou esta solução ao problema:

— Umas almas são masculinas, outras femininas. A anomalia que se observa é uma questão de corpos errados.

— Nego, bradaram as outras três; a alma é neutra; nada tem com o contraste exterior.

Não foi preciso mais para que as vielas e águas de Bangkok se tingissem de sangue acadêmico. Veio primeiramente a controvérsia, depois a descompostura, e finalmente a pancada. No princípio da descompostura tudo andou menos mal; nenhuma das rivais arremessou um impropério que não fosse escrupulosamente derivado do sânscrito, que era a língua acadêmica, o latim de Sião. Mas dali em diante perderam a vergonha. A rivalidade desgrenhou-se, pôs as mãos na cintura, baixou à lama, à pedrada, ao murro, ao gesto vil, até que a academia sexual, exasperada, resolveu dar cabo das outras, e organizou um plano sinistro... Ventos que passais, se quisésseis levar convosco estas folhas de papel, para que eu não contasse a tragédia de Sião! Custa-me (ai de mim!), custa-me escrever a singular desforra. Os acadêmicos armaram-se em segredo, e foram ter com os outros, justamente quando estes, curvados sobre o famoso problema, faziam subir ao céu uma nuvem de vaga-lumes. Nem preâmbulo, nem piedade. Caíram-lhes em cima espumando de raiva. Os que puderam fugir, não fugiram por muitas horas; perseguidos e atacados, morreram na beira do rio, a bordo das lanchas, ou nas vielas escusas. Ao todo, trinta e oito cadáveres. Cortaram uma orelha aos principais, e fizeram delas colares e braceletes para o presidente vencedor, o sublime U-Tong. Ébrios da vitória, celebraram o feito com um grande festim, no qual cantaram este hino magnífico: "Glória a nós, que somos o arroz da ciência e a luminária do universo".

A cidade acordou estupefata. O terror apoderou-se da multidão. Ninguém podia absolver uma ação tão crua e feia; alguns chegavam mesmo a duvidar do que viam... Uma só pessoa aprovou tudo: foi a bela Kinnara, a flor das concubinas régias.

II

Molemente deitado aos pés da bela Kinnara, o jovem rei pedia-lhe uma cantiga.

— Não dou outra cantiga que não seja esta: creio na alma sexual.

— Crês no absurdo, Kinnara.

— Vossa Majestade crê então na alma neutra?

— Outro absurdo, Kinnara. Não, não creio na alma neutra, nem na alma sexual.

— Mas então em que é que Vossa Majestade crê, se não crê em nenhuma delas?

— Creio nos teus olhos, Kinnara, que são o sol e a luz do universo.

— Mas cumpre-lhe escolher: — ou crer na alma neutra, e punir a academia viva, ou crer na alma sexual, e absolvê-la.

— Que deliciosa que é a tua boca, minha doce Kinnara! Creio na tua boca: é a fonte da sabedoria.

Kinnara levantou-se agitada. Assim como o rei era o homem feminino, ela era a mulher máscula — um búfalo com penas de cisne. Era o búfalo que andava agora no aposento, mas daí a pouco foi o cisne que parou, e, inclinando o pescoço, pediu e obteve do rei, entre duas carícias, um decreto em que a doutrina da alma sexual foi declarada legítima e ortodoxa, e a outra absurda e perversa. Nesse mesmo dia, foi o decreto mandado à academia triunfante, aos pagodes, aos mandarins, a todo o reino. A academia pôs luminárias; restabeleceu-se a paz pública.

III

Entretanto, a bela Kinnara tinha um plano engenhoso e secreto. Uma noite, como o rei examinasse alguns papéis do Estado, perguntou-lhe ela se os impostos eram pagos com pontualidade.

— *Ohimé!* exclamou ele, repetindo essa palavra que lhe ficara de um missionário italiano. Poucos impostos têm sido pagos. Eu não quisera mandar cortar a cabeça aos contribuintes... Não, isso nunca... Sangue? sangue? não, não quero sangue...

— E se eu lhe der um remédio a tudo?

— Qual?

— Vossa Majestade decretou que as almas eram femininas e masculinas, disse Kinnara depois de um beijo. Suponha que os nossos corpos estão trocados. Basta restituir cada alma ao corpo que lhe pertence. Troquemos os nossos...

Kalaphangko riu muito da ideia, e perguntou-lhe como é que fariam a troca. Ela respondeu que pelo método Mukunda, rei dos Hindus, que se meteu no cadáver de um brâmane, enquanto um truão se metia no dele Mukunda, — velha lenda passada aos turcos, persas e cristãos. Sim, mas a fórmula da invocação? Kinnara declarou que a possuía; um velho bonzo achara cópia dela nas ruínas de um templo.

— Valeu?

— Não creio no meu próprio decreto, redarguiu ele rindo; mas vá lá, se for verdade, troquemos... mas por um semestre, não mais. No fim do semestre destrocaremos os corpos.

Ajustaram que seria nessa mesma noite. Quando toda a cidade dormia, eles mandaram vir a piroga real, meteram-se dentro e deixaram-se ir à toa. Nenhum dos remadores os via. Quando a aurora começou a aparecer, fustigando as vacas rútilas, Kinnara proferiu a misteriosa invocação; a alma desprendeu-se-lhe, e ficou pairando, à espera que o corpo do rei vagasse também. O dela caíra no tapete.

— Pronto? disse Kalaphangko.

— Pronto, aqui estou no ar esperando. Desculpe Vossa Majestade a indignidade da minha pessoa...

Mas a alma do rei não ouviu o resto. Lépida e cintilante, deixou o seu vaso físico e penetrou no corpo de Kinnara, enquanto a desta se apoderava do despojo real. Ambos os corpos ergueram-se e olharam um para o outro, imagine-se com que assombro. Era a situação do Buoso e da cobra, segundo conta o velho Dante;* mas vede aqui a minha audácia. O poeta manda calar Ovídio e Lucano, por achar que a sua metamorfose vale mais que a deles dois. Eu mando-os calar a todos três. Buoso e a cobra não se encontram mais, ao passo que os meus dois he-

---

* Referência ao canto xxv do "Inferno" de Dante, que Machado traduzira em 1874. A punição dada a três ladrões — Buoso dei Donati é um deles — é serem atacados e comidos por serpentes. Ao descrever a junção do homem e do animal, em que um quase se transforma no outro, Dante compara esta cena a outras parecidas, encontradas na poesia de Ovídio e Lucano, e diz que a sua é mais terrível que as deles.

róis, uma vez trocados continuam a falar e a viver juntos — coisa evidentemente mais dantesca, em que me pese à modéstia.

— Realmente, disse Kalaphangko, isto de olhar para mim mesmo e dar-me majestade é esquisito. Vossa Majestade não sente a mesma coisa?

Um e outro estavam bem, como pessoas que acham finalmente uma casa adequada. Kalaphangko espreguiçava-se todo nas curvas femininas de Kinnara. Esta inteiriçava-se no tronco rijo de Kalaphangko. Sião tinha, finalmente, um rei.

IV

A primeira ação de Kalaphangko (daqui em diante entenda-se que é o corpo do rei com a alma de Kinnara, e Kinnara o corpo da bela siamesa com a alma do Kalaphangko) foi nada menos que dar as maiores honrarias à academia sexual. Não elevou os seus membros ao mandarinato, pois eram mais homens de pensamento que de ação e administração, dados à filosofia e à literatura, mas decretou que todos se prosternassem diante deles, como é de uso aos mandarins. Além disso, fez-lhes grandes presentes, coisas raras ou de valia, crocodilos empalhados, cadeiras de marfim, aparelhos de esmeralda para almoço, diamantes, relíquias. A academia, grata a tantos benefícios, pediu mais o direito de usar oficialmente o título de Claridade do Mundo, que lhe foi outorgado.

Feito isso, cuidou Kalaphangko da fazenda pública, da justiça, do culto e do cerimonial. A nação começou de sentir o peso grosso, para falar como o excelso Camões,* pois nada menos de onze contribuintes remissos foram logo decapitados. Naturalmente os outros, preferindo a cabeça ao dinheiro, correram a pagar as taxas, e tudo se regularizou. A justiça e a legislação tiveram grandes melhoras. Construíram-se novos pagodes; e a religião pareceu até ganhar outro impulso, desde que Kalaphangko, copiando as antigas artes espanholas, mandou queimar uma dúzia de pobres missionários cristãos que por lá andavam; ação que os bonzos da terra chamaram a pérola do reinado.

Faltava uma guerra. Kalaphangko, com um pretexto mais ou menos diplomático, atacou a outro reino, e fez a campanha mais breve e gloriosa do século.

---

* *Os lusíadas*, canto I, estrofe 15: "Comecem a sentir o peso grosso / (Que polo mundo todo faça espanto) / De exércitos e feitos singulares, / de África as terras e do Oriente os mares".

Na volta a Bangkok, achou grandes festas esplêndidas. Trezentos barcos, forrados de seda escarlate e azul, foram recebê-lo. Cada um destes tinha na proa um cisne ou um dragão de ouro, e era tripulado pela mais fina gente da cidade; músicas e aclamações atroaram os ares. De noite, acabadas as festas, sussurrou-lhe ao ouvido a bela concubina:

— Meu jovem guerreiro, paga-me as saudades que curti na ausência; dize-me que a melhor das festas é a tua meiga Kinnara.

Kalaphangko respondeu com um beijo.

— Os teus beiços têm o frio da morte ou do desdém, suspirou ela.

Era verdade, o rei estava distraído e preocupado; meditava uma tragédia. Ia-se aproximando o termo do prazo em que deviam destrocar os corpos, e ele cuidava em iludir a cláusula, matando a linda siamesa. Hesitava por não saber se padeceria com a morte dela, visto que o corpo era seu, ou mesmo se teria de sucumbir também. Era esta a dúvida de Kalaphangko; mas a ideia da morte sombreava-lhe a fronte, enquanto ele afagava ao peito um frasquinho com veneno, imitado dos Bórgias.

De repente, pensou na douta academia; podia consultá-la, não claramente, mas por hipótese. Mandou chamar os acadêmicos; vieram todos menos o presidente, o ilustre U-Tong, que estava enfermo. Eram treze; prosternaram-se e disseram ao modo de Sião:

— Nós, desprezíveis palhas, corremos ao chamado de Kalaphangko.

— Erguei-vos, disse benevolamente o rei.

— O lugar da poeira é o chão, teimaram eles com os cotovelos e joelhos em terra.

— Pois serei o vento que subleva a poeira, redarguiu Kalaphangko; e, com um gesto cheio de graça e tolerância, estendeu-lhes as mãos.

Em seguida, começou a falar de coisas diversas, para que o principal assunto viesse de si mesmo; falou nas últimas notícias do Ocidente e nas leis de Manu.* Referindo-se a U-Tong, perguntou-lhes se realmente era um grande sábio, como parecia; mas, vendo que mastigavam a resposta, ordenou-lhes que dissessem a verdade inteira. Com exemplar unanimidade, confessaram eles que U-Tong

---

* *Leis de Manu*: a mais importante coletânea de leis da época clássica hindu, redigida entre os séculos II a. C. e II d. C. Nela se discute a relação entre nossas ações neste mundo e a vida futura, com base na doutrina da transmigração das almas.

era um dos mais singulares estúpidos do reino, espírito raso, sem valor, nada sabendo e incapaz de aprender nada. Kalaphangko estava pasmado. Um estúpido?

— Custa-nos dizê-lo, mas não é outra coisa; é um espírito raso e chocho. O coração é excelente, caráter puro, elevado...

Kalaphangko, quando voltou a si do espanto, mandou embora os acadêmicos, sem lhes perguntar o que queria. Um estúpido? Era mister tirá-lo da cadeira sem molestá-lo. Três dias depois, U-Tong compareceu ao chamado do rei. Este perguntou-lhe carinhosamente pela saúde, depois disse que queria mandar alguém ao Japão estudar uns documentos, negócio que só podia ser confiado a pessoa esclarecida. Qual dos seus colegas da academia lhe parecia idôneo para tal mister? Compreende-se o plano artificioso do rei: era ouvir dois ou três nomes, e concluir que a todos preferia o do próprio U-Tong; mas eis aqui o que este lhe respondeu:

— Real Senhor, perdoai a familiaridade da palavra: são treze camelos, com a diferença que os camelos são modestos, e eles não; comparam-se ao sol e à lua. Mas, na verdade, nunca a lua nem o sol cobriram mais singulares pulhas do que esses treze... Compreendo o assombro de Vossa Majestade; mas eu não seria digno de mim se não dissesse isto com lealdade, embora confidencialmente...

Kalaphangko tinha a boca aberta. Treze camelos? Treze, treze. U-Tong ressalvou tão somente o coração de todos, que declarou excelente; nada superior a eles pelo lado do caráter. Kalaphangko, com um fino gesto de complacência, despediu o sublime U-Tong, e ficou pensativo. Quais fossem as suas reflexões, não o soube ninguém. Sabe-se que ele mandou chamar os outros acadêmicos, mas desta vez separadamente, a fim de não dar na vista, e para obter maior expansão. O primeiro que chegou, ignorando aliás a opinião de U-Tong, confirmou-a integralmente com a única emenda de serem doze os camelos, ou treze, contando o próprio U-Tong. O segundo não teve opinião diferente, nem o terceiro, nem os restantes acadêmicos. Diferiam no estilo; uns diziam camelos, outros usavam circunlóquios e metáforas, que vinham a dar na mesma coisa. E, entretanto, nenhuma injúria ao caráter moral das pessoas. Kalaphangko estava atônito.

Mas não foi esse o último espanto do rei. Não podendo consultar a academia, tratou de deliberar por si, no que gastou dois dias, até que a linda Kinnara lhe segredou que era mãe. Esta notícia fê-lo recuar do crime. Como destruir o vaso eleito da flor que tinha de vir com a primavera próxima? Jurou ao céu e à

AS ACADEMIAS DE SIÃO   309

terra que o filho havia de nascer e viver. Chegou ao fim do semestre; chegou o momento de destrocar os corpos.

Como da primeira vez, meteram-se no barco real, à noite, e deixaram-se ir águas abaixo, ambos de má vontade, saudosos do corpo que iam restituir um ao outro. Quando as vacas cintilantes da madrugada começaram de pisar vagarosamente o céu, proferiram eles a fórmula misteriosa, e cada alma foi devolvida ao corpo anterior. Kinnara, tornando ao seu, teve a comoção materna, como tivera a paterna, quando ocupava o corpo de Kalaphangko. Parecia-lhe até que era ao mesmo tempo mãe e pai da criança.

— Pai e mãe? repetiu o príncipe restituído à forma anterior.

Foram interrompidos por uma deleitosa música, ao longe. Era algum junco ou piroga que subia o rio, pois a música aproximava-se rapidamente. Já então o sol alagava de luz as águas e as margens verdes, dando ao quadro um tom de vida e renascença, que de algum modo fazia esquecer aos dois amantes a restituição psíquica. E a música vinha chegando, agora mais distinta, até que, numa curva do rio, apareceu aos olhos de ambos um barco magnífico, adornado de plumas e flâmulas. Vinham dentro os quatorze membros da academia (contando U-Tong) e todos em coro mandavam aos ares o velho hino: "Glória a nós, que somos o arroz da ciência e a claridade do mundo!".

A bela Kinnara (antigo Kalaphangko) tinha os olhos esbugalhados de assombro. Não podia entender como é que quatorze varões reunidos em academia eram a claridade do mundo, e separadamente uma multidão de camelos. Kalaphangko, consultado por ela, não achou explicação. Se alguém descobrir alguma, pode obsequiar uma das mais graciosas damas do Oriente, mandando-lha em carta fechada, e, para maior segurança, sobrescritada ao nosso cônsul em Xangai, China.

Evolução

Chamo-me Inácio; ele, Benedito. Não digo o resto dos nossos nomes por um sentimento de compostura, que toda a gente discreta apreciará. Inácio basta. Contentem-se com Benedito. Não é muito, mas é alguma coisa, e está com a filosofia de Julieta: "Que valem nomes? perguntava ela ao namorado. A rosa, como quer que se lhe chame, tem sempre o mesmo cheiro". Vamos ao cheiro do Benedito.

E desde logo assentemos que ele era o menos Romeu deste mundo. Tinha quarenta e cinco anos, quando o conheci; não declaro em que tempo, porque tudo neste conto há de ser misterioso e truncado. Quarenta e cinco anos, e muitos cabelos pretos; para os que o não eram, usava um processo químico, tão eficaz que não se lhe distinguiam os pretos dos outros — salvo ao levantar da cama; mas ao levantar da cama não aparecia a ninguém. Tudo mais era natural, pernas, braços, cabeça, olhos, roupa, sapatos, corrente do relógio e bengala. O próprio alfinete de diamante, que trazia na gravata, um dos mais lindos que tenho visto, era natural e legítimo; custou-lhe bom dinheiro; eu mesmo o vi comprar na casa do... lá me ia escapando o nome do joalheiro; — fiquemos na rua do Ouvidor.

Moralmente, era ele mesmo. Ninguém muda de caráter, e o do Benedito era bom, — ou para melhor dizer, pacato. Mas, intelectualmente, é que ele era menos original. Podemos compará-lo a uma hospedaria bem afreguesada, aonde iam ter ideias de toda parte e de toda sorte, que se sentavam à mesa com a família da casa. Às vezes, acontecia acharem-se ali duas pessoas inimigas, ou simplesmente antipáticas; ninguém brigava, o dono da casa impunha aos hóspedes a indulgência recíproca. Era assim que ele conseguia ajustar uma espécie de ateísmo vago com duas irmandades que fundou, não sei se na Gávea, na Tijuca ou no Engenho Velho. Usava assim, promiscuamente, a devoção, a irreligião e as meias de seda. Nunca lhe vi as meias, note-se; mas ele não tinha segredos para os amigos.

Conhecemo-nos em viagem para Vassouras. Tínhamos deixado o trem e entrado na diligência que nos ia levar da estação à cidade. Trocamos algumas palavras, e não tardou conversarmos francamente, ao sabor das circunstâncias que nos impunham a convivência, antes mesmo de saber quem éramos.

Naturalmente, o primeiro objeto foi o progresso que nos traziam as estradas de ferro. Benedito lembrava-se do tempo em que toda a jornada era feita às costas de burro. Contamos então algumas anedotas, falamos de alguns nomes, e ficamos de acordo em que as estradas de ferro eram uma condição de progresso do país. Quem nunca viajou não sabe o valor que tem uma dessas banalidades graves e sólidas para dissipar os tédios do caminho. O espírito areja-se, os próprios músculos recebem uma comunicação agradável, o sangue não salta, fica-se em paz com Deus e os homens.

— Não serão os nossos filhos que verão todo este país cortado de estradas, disse ele.

— Não, decerto. O senhor tem filhos?

— Nenhum.

— Nem eu. Não será ainda em cinquenta anos; e, entretanto, é a nossa primeira necessidade. Eu comparo o Brasil a uma criança que está engatinhando; só começará a andar quando tiver muitas estradas de ferro.

— Bonita ideia! exclamou Benedito faiscando-lhe os olhos.

— Importa-me pouco que seja bonita, contanto que seja justa.

— Bonita e justa, redarguiu ele com amabilidade. Sim, senhor, tem razão: — o Brasil está engatinhando; só começará a andar quando tiver muitas estradas de ferro.

Chegamos a Vassouras; eu fui para a casa do juiz municipal, camarada antigo; ele demorou-se um dia e seguiu para o interior. Oito dias depois voltei ao Rio de Janeiro, mas sozinho. Uma semana mais tarde, voltou ele; encontramo-nos no teatro, conversamos muito e trocamos notícias; Benedito acabou convidando-me a ir almoçar com ele no dia seguinte. Fui; deu-me um almoço de príncipe, bons charutos e palestra animada. Notei que a conversa dele fazia mais efeito no meio da viagem — arejando o espírito e deixando a gente em paz com Deus e os homens; mas devo dizer que o almoço pode ter prejudicado o resto. Realmente era magnífico; e seria impertinência histórica pôr a mesa de Luculo na casa de Platão.* Entre o café e o conhaque, disse-me ele, apoiando o cotovelo na borda da mesa, e olhando para o charuto que ardia:

— Na minha viagem agora, achei ocasião de ver como o senhor tem razão com aquela ideia do Brasil engatinhando.

— Ah?

— Sim, senhor; é justamente o que o *senhor dizia* na diligência de Vassouras. Só começaremos a andar quando tivermos muitas estradas de ferro. Não imagina como isso é verdade.

E referiu muita coisa, observações relativas aos costumes do interior, dificuldades da vida, atraso, concordando, porém, nos bons sentimentos da população e nas aspirações de progresso. Infelizmente, o governo não correspondia às necessidades da pátria; parecia até interessado em mantê-la atrás das outras nações americanas. Mas era indispensável que nos persuadíssemos de que os princípios são tudo e os homens nada. Não se fazem os povos para os governos, mas os governos para os povos; e *abyssus abyssum invocat.*** Depois foi mostrar-me outras salas. Eram todas alfaiadas com apuro. Mostrou-me as coleções de quadros, de moedas, de livros antigos, de selos, de armas; tinha espadas e floretes, mas confessou que não sabia esgrimir. Entre os quadros vi um lindo retrato de mulher; perguntei-lhe quem era. Benedito sorriu.

— Não irei adiante, disse eu sorrindo também.

— Não, não há que negar, acudiu ele; foi uma moça de quem gostei muito. Bonita, não? Não imagina a beleza que era. Os lábios eram mesmo de carmim e as faces de rosa; tinha os olhos negros, cor da noite. E que dentes! verdadeiras pérolas. Um mimo da natureza.

---

* *Luculo*: general romano cujo nome virou sinônimo de gula; o nome de Platão é uma referência a *O banquete*, diálogo filosófico sobre o amor.

** *Abyssus abyssum invocat*: em latim, "uma desgraça leva a outra".

Em seguida, passamos ao gabinete. Era vasto, elegante, um pouco trivial, mas não lhe faltava nada. Tinha duas estantes, cheias de livros muito bem encadernados, um mapa-múndi, dois mapas do Brasil. A secretária era de ébano, obra fina; sobre ela, casualmente aberto, um almanaque de Laemmert.* O tinteiro era de cristal, — "cristal de rocha", disse-me ele, explicando o tinteiro, como explicava as outras coisas. Na sala contígua havia um órgão. Tocava órgão, e gostava muito de música, falou dela com entusiasmo, citando as óperas, os trechos melhores, e noticiou-me que, em pequeno, começara a aprender flauta; abandonou-a logo, — o que foi pena, concluiu, porque é, na verdade, um instrumento muito saudoso. Mostrou-me ainda outras salas, fomos ao jardim, que era esplêndido, tanto ajudava a arte à natureza, e tanto a natureza coroava a arte. Em rosas, por exemplo, (não há negar, disse-me ele, que é a rainha das flores) em rosas, tinha-as de toda casta e de todas as regiões.

Saí encantado. Encontramo-nos algumas vezes, na rua, no teatro, em casa de amigos comuns, tive ocasião de apreciá-lo. Quatro meses depois fui à Europa, negócio que me obrigava à ausência de um ano; ele ficou cuidando da eleição; queria ser deputado. Fui eu mesmo que o induzi a isso, sem a menor intenção política, mas com o único fim de lhe ser agradável; mal comparando, era como se lhe elogiasse o corte do colete. Ele pegou da ideia, e apresentou-se. Um dia, atravessando uma rua de Paris, dei subitamente com o Benedito.

— Que é isto? exclamei.

— Perdi a eleição, disse ele, e vim passear à Europa.

Não me deixou mais; viajamos juntos o resto do tempo. Confessou-me que a perda da eleição não lhe tirara a ideia de entrar no parlamento. Ao contrário, incitara-o mais. Falou-me de um grande plano.

— Quero vê-lo ministro, disse-lhe.

Benedito não contava com esta palavra, o rosto iluminou-se-lhe; mas disfarçou depressa.

— Não digo isso, respondeu. Quando, porém, seja ministro, creia que serei tão somente ministro industrial. Estamos fartos de partidos; precisamos desenvolver as forças vivas do país, os seus grandes recursos. Lembra-se do que *nós di-*

---

* O prestigioso *Almanaque administrativo, mercantil e industrial da Corte do Rio de Janeiro*, ou mais familiarmente o *Almanaque Laemmert*, publicação anual com dados, estatísticas etc.

zíamos na diligência de Vassouras? O Brasil está engatinhando; só andará com estradas de ferro.

— Tem razão, concordei um pouco espantado. E por que é que eu mesmo vim à Europa? Vim cuidar de uma estrada de ferro. Deixo as coisas arranjadas em Londres.

— Sim?

— Perfeitamente.

Mostrei-lhe os papéis; ele viu-os deslumbrado. Como eu tivesse então recolhido alguns apontamentos, dados estatísticos, folhetos, relatórios, cópias de contratos, tudo referente a matérias industriais, e lhos mostrasse, Benedito declarou-me que ia também coligir algumas coisas daquelas. E, na verdade, vi-o andar por ministérios, bancos, associações, pedindo muitas notas e opúsculos, que amontoava nas malas; mas o ardor com que o fez, se foi intenso, foi curto; era de empréstimo. Benedito recolheu com muito mais gosto os anexins políticos e fórmulas parlamentares. Tinha na cabeça um vasto arsenal deles. Nas conversas comigo repetia-os muita vez, à laia de experiência; achava neles grande prestígio e valor inestimável. Muitos eram de tradição inglesa, e ele os preferia aos outros, como trazendo em si um pouco da Câmara dos Comuns. Saboreava-os tanto que eu não sei se ele aceitaria jamais a liberdade real sem aquele aparelho verbal; creio que não. Creio até que, se tivesse de optar, optaria por essas formas curtas, tão cômodas, algumas lindas, outras sonoras, todas axiomáticas, que não forçam a reflexão, preenchem os vazios, e deixam a gente em paz com Deus e os homens.

Regressamos juntos; mas eu fiquei em Pernambuco, e tornei mais tarde a Londres, donde vim ao Rio de Janeiro, um ano depois. Já então Benedito era deputado. Fui visitá-lo; achei-o preparando o discurso de estreia. Mostrou-me alguns apontamentos, trechos de relatórios, livros de economia política, alguns com páginas marcadas, por meio de tiras de papel rubricadas assim: — *Câmbio, Taxa das terras, Questão dos cereais em Inglaterra, Opinião de Stuart Mill, Erro de Thiers sobre caminhos de ferro*, etc.* Era sincero, minucioso e cálido. Falava-me daquelas coi-

---

* *John Stuart Mill* (1806-73): pensador e ensaísta inglês, um dos pensadores políticos mais influentes do século xix; autor de, entre outros, *Princípios da economia política* (1853) e *Sobre a liberdade* (1859). *Adolphe Thiers* (1797-1877): historiador e político francês, hábil e moderadamente conser-

sas, como se acabasse de as descobrir, expondo-me tudo, *ab ovo*;* tinha a peito mostrar aos homens práticos da Câmara que também ele era prático. Em seguida, perguntou-me pela empresa; disse-lhe o que havia.

— Dentro de dois anos conto inaugurar o primeiro trecho da estrada.

— E os capitalistas ingleses?

— Que têm?

— Estão contentes, esperançados?

— Muito; não imagina.

Contei-lhe algumas particularidades técnicas, que ele ouviu distraidamente, — ou porque a minha narração fosse em extremo complicada, ou por outro motivo. Quando acabei, disse-me que estimava ver-me entregue ao movimento industrial; era dele que precisávamos, e a este propósito fez-me o favor de ler o exórdio do discurso que devia proferir dali a dias.

— Está ainda em borrão, explicou-me; mas as ideias capitais ficam. E começou: "No meio da agitação crescente dos espíritos, do alarido partidário que encobre as vozes dos legítimos interesses, permiti que alguém faça ouvir uma súplica da nação. Senhores, é tempo de cuidar, exclusivamente, — notai que digo exclusivamente, — dos melhoramentos materiais do país. Não desconheço o que se me pode replicar; dir-me-eis que uma nação não se compõe só de estômago para digerir, mas de cabeça para pensar e de coração para sentir. Respondo-vos que tudo isso não valerá nada ou pouco, se ela não tiver pernas para caminhar; e aqui repetirei o que, há alguns anos, *dizia eu* a um amigo, em viagem pelo interior: o Brasil é uma criança que engatinha; só começará a andar quando estiver cortado de estradas de ferro...".

Não pude ouvir mais nada e fiquei pensativo. Mais que pensativo, fiquei assombrado, desvairado diante do abismo que a psicologia rasgava aos meus pés. Este homem é sincero, pensei comigo, está persuadido do que escreveu. E fui por aí abaixo até ver se achava a explicação dos trâmites por que passou aquela re-

---

vador, conhecido por ser pouco escrupuloso; ministro no reinado de Luís Filipe, deputado sob Napoleão III e presidente da República em 1871, quando reprimiu a Comuna com suas tropas. Autor de uma *Histoire de la Révolution* e de uma *Histoire de l'Empire* bastante conhecidas, e que faziam parte da biblioteca de Machado.

* *Ab ovo*: em latim, "desde a origem".

cordação da diligência de Vassouras. Achei (perdoem-me se há nisto enfatuação), achei ali mais um efeito da lei da evolução, tal como a definiu Spencer,* — Spencer ou Benedito, um deles.

* *Herbert Spencer* (1820-1903): filósofo inglês, exerceu forte influência na nascente ciência da sociologia, e no século XIX era citado como evolucionista, quase tanto quanto Darwin. Contudo, sua concepção de evolução, exposta em obras como *Os princípios da sociologia* (1876-96), é diferente da darwiniana, sendo seu princípio fundamental um movimento universal do simples para o complexo. Machado tinha em sua biblioteca vários livros seus, em traduções francesas.

O enfermeiro

Parece-lhe então que o que se deu comigo em 1860, pode entrar numa página de livro? Vá que seja, com a condição única de que não há de divulgar nada antes da minha morte. Não esperará muito, pode ser que oito dias, se não for menos; estou desenganado.

Olhe, eu podia mesmo contar-lhe a minha vida inteira, em que há outras coisas interessantes, mas para isso era preciso tempo, ânimo e papel, e eu só tenho papel; o ânimo é frouxo, e o tempo assemelha-se à lamparina de madrugada. Não tarda o sol do outro dia, um sol dos diabos, impenetrável como a vida. Adeus, meu caro senhor, leia isto e queira-me bem; perdoe-me o que lhe parecer mau, e não maltrate muito a arruda, se lhe não cheira a rosas. Pediu-me um documento humano, ei-lo aqui. Não me peça também o império do Grão-Mogol, nem a fotografia dos Macabeus; peça, porém, os meus sapatos de defunto e não os dou a ninguém mais.

Já sabe que foi em 1860. No ano anterior, ali pelo mês de agosto, tendo eu quarenta e dois anos, fiz-me teólogo, — quero dizer, copiava os estudos de teologia de um padre de Niterói, antigo companheiro de colégio, que assim me dava, delicadamente, casa, cama e mesa. Naquele mês de agosto de 1859, recebeu ele uma carta de um vigário de certa vila do interior, perguntando se conhecia pessoa entendida, discreta e paciente, que quisesse ir servir de enfermeiro ao coronel Felisberto, mediante um bom ordenado. O padre falou-me, aceitei com ambas as mãos, estava já enfarado de copiar citações latinas e fórmulas eclesiásticas. Vim à corte despedir-me de um irmão, e segui para a vila.

Chegando à vila, tive más notícias do coronel. Era homem insuportável, estúrdio, exigente, ninguém o aturava, nem os próprios amigos. Gastava mais enfermeiros que remédios. A dois deles quebrou a cara. Respondi que não tinha medo de gente sã, menos ainda de doentes; e depois de entender-me com o vigário, que me confirmou as notícias recebidas, e me recomendou mansidão e caridade, segui para a residência do coronel.

Achei-o na varanda da casa estirado numa cadeira, bufando muito. Não me recebeu mal. Começou por não dizer nada; pôs em mim dois olhos de gato que observa; depois, uma espécie de riso maligno alumiou-lhe as feições, que eram duras. Afinal, disse-me que nenhum dos enfermeiros que tivera, prestava para nada, dormiam muito, eram respondões e andavam ao faro das escravas; dois eram até gatunos!

— Você é gatuno?

— Não, senhor.

Em seguida, perguntou-me pelo nome: disse-lho e ele fez um gesto de espanto. Colombo? Não, senhor: Procópio José Gomes Valongo. Valongo? achou que não era nome de gente, e propôs chamar-me tão somente Procópio, ao que respondi que estaria pelo que fosse de seu agrado. Conto-lhe esta particularidade, não só porque me parece pintá-lo bem, como porque a minha resposta deu de mim a melhor ideia ao coronel. Ele mesmo o declarou ao vigário, acrescentando que eu era o mais simpático dos enfermeiros que tivera. A verdade é que vivemos uma lua de mel de sete dias.

No oitavo dia, entrei na vida dos meus predecessores, uma vida de cão, não dormir, não pensar em mais nada, recolher injúrias, e, às vezes, rir delas, com um ar de resignação e conformidade; reparei que era um modo de lhe fazer corte. Tudo impertinências da moléstia e do temperamento. A moléstia era um rosário delas, padecia de aneurisma, de reumatismo e de três ou quatro afecções menores. Tinha perto de sessenta anos, e desde os cinco toda a gente lhe fazia a vontade. Se fosse só rabugento, vá; mas ele era também mau, deleitava-se com a dor e a humilhação dos outros. No fim de três meses estava farto de o aturar; determinei vir embora; só esperei ocasião.

O ENFERMEIRO 319

Não tardou a ocasião. Um dia, como lhe não desse a tempo uma fomentação, pegou da bengala e atirou-me dois ou três golpes. Não era preciso mais; despedi-me imediatamente, e fui aprontar a mala. Ele foi ter comigo, ao quarto, pediu-me que ficasse, que não valia a pena zangar por uma rabugice de velho. Instou tanto que fiquei.

— Estou na dependura, Procópio, dizia-me ele à noite; não posso viver muito tempo. Estou aqui, estou na cova. Você há de ir ao meu enterro, Procópio; não o dispenso por nada. Há de ir, há de rezar ao pé da minha sepultura. Se não for, acrescentou rindo, eu voltarei de noite para lhe puxar as pernas. Você crê em almas de outro mundo, Procópio?

— Qual o quê!

— E por que é que não há de crer, *seu* burro? redarguiu vivamente, arregalando os olhos.

Eram assim as pazes; imagine a guerra. Coibiu-se das bengaladas; mas as injúrias ficaram as mesmas, se não piores. Eu, com o tempo, fui calejando, e não dava mais por nada; era burro, camelo, pedaço d'asno, idiota, moleirão, era tudo. Nem, ao menos, havia mais gente que recolhesse uma parte desses nomes. Não tinha parentes; tinha um sobrinho que morreu tísico, em fins de maio ou princípios de junho, em Minas. Os amigos iam por lá às vezes aprová-lo, aplaudi-lo, e nada mais; cinco, dez minutos de visita. Restava eu; era eu sozinho para um dicionário inteiro. Mais de uma vez resolvi sair; mas, instado pelo vigário, ia ficando.

Não só as relações foram-se tornando melindrosas, mas eu estava ansioso por tornar à corte. Aos quarenta e dois anos não é que havia de acostumar-me à reclusão constante, ao pé de um doente bravio, no interior. Para avaliar o meu isolamento, basta saber que eu nem lia os jornais; salvo alguma notícia mais importante que levavam ao coronel, eu nada sabia do resto do mundo. Entendi, portanto, voltar para a corte, na primeira ocasião, ainda que tivesse de brigar com o vigário. Bom é dizer (visto que faço uma confissão geral) que, nada gastando e tendo guardado integralmente os ordenados, estava ansioso por vir dissipá-los aqui.

Era provável que a ocasião aparecesse. O coronel estava pior, fez testamento, descompondo o tabelião, quase tanto como a mim. O trato era mais duro, os breves lapsos de sossego e brandura faziam-se raros. Já por esse tempo tinha eu perdido a escassa dose de piedade que me fazia esquecer os excessos do doente; trazia dentro de mim um fermento de ódio e aversão. No princípio de agosto re-

320 MACHADO DE ASSIS

solvi definitivamente sair; o vigário e o médico, aceitando as razões, pediram-me que ficasse algum tempo mais. Concedi-lhes um mês; no fim de um mês viria embora, qualquer que fosse o estado do doente. O vigário tratou de procurar-me substituto.

Vai ver o que aconteceu. Na noite de vinte e quatro de agosto, o coronel teve um acesso de raiva, atropelou-me, disse-me muito nome cru, ameaçou-me de um tiro, e acabou atirando-me um prato de mingau, que achou frio; o prato foi cair na parede, onde se fez em pedaços.

— Hás de pagá-lo, ladrão! bradou ele.

Resmungou ainda muito tempo. Às onze horas passou pelo sono. Enquanto ele dormia, saquei um livro do bolso, um velho romance de d'Arlincourt, traduzido,* que lá achei, e pus-me a lê-lo, no mesmo quarto, a pequena distância da cama; tinha de acordá-lo à meia-noite para lhe dar o remédio. Ou fosse de cansaço, ou do livro, antes de chegar ao fim da segunda página adormeci também. Acordei aos gritos do coronel, e levantei-me estremunhado. Ele, que parecia delirar, continuou nos mesmos gritos, e acabou por lançar mão da moringa e arremessá-la contra mim. Não tive tempo de desviar-me; a moringa bateu-me na face esquerda, e tal foi a dor que não vi mais nada; atirei-me ao doente, pus-lhe as mãos ao pescoço, lutamos, e esganei-o.

Quando percebi que o doente expirava, recuei aterrado, e dei um grito; mas ninguém me ouviu. Voltei à cama, agitei-o para chamá-lo à vida, era tarde; arrebentara o aneurisma, e o coronel morreu. Passei à sala contígua, e durante duas horas não ousei voltar ao quarto. Não posso mesmo dizer tudo o que passei, durante esse tempo. Era um atordoamento, um delírio vago e estúpido. Parecia-me que as paredes tinham vultos; escutava umas vozes surdas. Os gritos da vítima, antes da luta e durante a luta, continuavam a repercutir dentro de mim, e o ar, para onde quer que me voltasse, aparecia recortado de convulsões. Não creia que esteja fazendo imagens nem estilo; digo-lhe que eu ouvia distintamente umas vozes que me bradavam: assassino! assassino!

Tudo o mais estava calado. O mesmo som do relógio, lento, igual e seco,

* *Charles-Victor Prévot*, visconde D'Arlincourt (1789-1856): escritor de carreira pitoresca, apoiou primeiro Napoleão e, depois de sua queda, os Bourbon. Após a Restauração, encontrou sua verdadeira vocação na composição de vários romances de inspiração aristocrática e romântica, frequentemente reimpressos e traduzidos (como *Le solitaire* [1821] e *Les rebelles sous Charles X* [1832]), mas esquecidos antes do fim do século.

sublinhava o silêncio e a solidão. Colava a orelha à porta do quarto na esperança de ouvir um gemido, uma palavra, uma injúria, qualquer coisa que significasse a vida, e me restituísse a paz à consciência. Estaria pronto a apanhar das mãos do coronel, dez, vinte, cem vezes. Mas nada, nada; tudo calado. Voltava a andar à toa, na sala, sentava-me, punha as mãos na cabeça; arrependia-me de ter vindo. — "Maldita a hora em que aceitei semelhante coisa!" exclamava. E descompunha o padre de Niterói, o médico, o vigário, os que me arranjaram o lugar, e os que me pediram para ficar mais algum tempo. Agarrava-me à cumplicidade dos outros homens.

Como o silêncio acabasse por aterrar-me, abri uma das janelas, para escutar o som do vento, se ventasse. Não ventava. A noite ia tranquila, as estrelas fulguravam, com a indiferença de pessoas que tiram o chapéu a um enterro que passa, e continuam a falar de outra coisa. Encostei-me ali por algum tempo, fitando a noite, deixando-me ir a uma recapitulação da vida, a ver se descansava da dor presente. Só então posso dizer que pensei claramente no castigo. Achei-me com um crime às costas e vi a punição certa. Aqui o temor complicou o remorso. Senti que os cabelos me ficavam de pé. Minutos depois, vi três ou quatro vultos de pessoas, no terreiro, espiando, com um ar de emboscada; recuei, os vultos esvaíram-se no ar; era uma alucinação.

Antes do alvorecer curei a contusão da face. Só então ousei voltar ao quarto. Recuei duas vezes, mas era preciso e entrei; ainda assim, não cheguei logo à cama. Tremiam-me as pernas, o coração batia-me; cheguei a pensar na fuga; mas era confessar o crime, e, ao contrário, urgia fazer desaparecer os vestígios dele. Fui até à cama; vi o cadáver, com os olhos arregalados e a boca aberta, como deixando passar a eterna palavra dos séculos: "Caim, que fizeste de teu irmão?".* Vi no pescoço o sinal das minhas unhas; aboteei alto a camisa e cheguei ao queixo a ponta do lençol. Em seguida, chamei um escravo, disse-lhe que o coronel amanhecera morto; mandei recado ao vigário e ao médico.

A primeira ideia foi retirar-me logo cedo, a pretexto de ter meu irmão doente, e, na verdade, recebera carta dele, alguns dias antes, dizendo-me que se sentia mal. Mas adverti que a retirada imediata poderia fazer despertar suspeitas, e fiquei. Eu mesmo amortalhei o cadáver, com o auxílio de um preto velho e míope. Não saí da sala mortuária; tinha medo de que descobrissem alguma coisa. Que-

* Gênesis, 4: 9.

ria ver no rosto dos outros se desconfiavam; mas não ousava fitar ninguém. Tudo me dava impaciências: os passos de ladrão com que entravam na sala, os cochichos, as cerimônias e as rezas do vigário. Vindo a hora, fechei o caixão, com as mãos trêmulas, tão trêmulas que uma pessoa, que reparou nelas, disse a outra com piedade:

— Coitado do Procópio! apesar do que padeceu, está muito sentido.

Pareceu-me ironia; estava ansioso por ver tudo acabado. Saímos à rua. A passagem da meia escuridão da casa para a claridade da rua deu-me grande abalo; receei que fosse então impossível ocultar o crime. Meti os olhos no chão, e fui andando. Quando tudo acabou, respirei. Estava em paz com os homens. Não o estava com a consciência, e as primeiras noites foram naturalmente de desassossego e aflição. Não é preciso dizer que vim logo para o Rio de Janeiro, nem que vivi aqui aterrado, embora longe do crime; não ria, falava pouco, mal comia, tinha alucinações, pesadelos...

— Deixa lá o outro que morreu, diziam-me. Não é caso para tanta melancolia.

E eu aproveitava a ilusão, fazendo muitos elogios ao morto, chamando-lhe boa criatura, impertinente, é verdade, mas um coração de ouro. E, elogiando, convencia-me também, ao menos por alguns instantes. Outro fenômeno interessante, e que talvez lhe possa aproveitar, é que, não sendo religioso, mandei dizer uma missa pelo eterno descanso do coronel, na igreja do Sacramento. Não fiz convites, não disse nada a ninguém; fui ouvi-la, sozinho, e estive de joelhos todo o tempo, persignando-me a miúdo. Dobrei a espórtula do padre, e distribuí esmolas à porta, tudo por intenção do finado. Não queria embair os homens; a prova é que fui só. Para completar este ponto, acrescentarei que nunca aludia ao coronel, que não dissesse: "Deus lhe fale n'alma!". E contava dele algumas anedotas alegres, rompantes engraçados...

Sete dias depois de chegar ao Rio de Janeiro, recebi a carta do vigário, que lhe mostrei, dizendo-me que fora achado o testamento do coronel, e que eu era o herdeiro universal. Imagine o meu pasmo. Pareceu-me que lia mal, fui a meu irmão, fui aos amigos; todos leram a mesma coisa. Estava escrito; era eu o herdeiro universal do coronel. Cheguei a supor que fosse uma cilada; mas adverti logo que havia outros meios de capturar-me, se o crime estivesse descoberto. Demais, eu conhecia a probidade do vigário, que não se prestaria a ser instrumento. Reli a carta, cinco, dez, muitas vezes; lá estava a notícia.

— Quanto tinha ele? perguntava-me meu irmão.

— Não sei, mas era rico.

— Realmente, provou que era teu amigo.

— Era... era...

Assim, por uma ironia da sorte, os bens do coronel vinham parar às minhas mãos. Cogitei em recusar a herança. Parecia-me odioso receber um vintém do tal espólio; era pior do que fazer-me esbirro alugado. Pensei nisso três dias, e esbarrava sempre na consideração de que a recusa podia fazer desconfiar alguma coisa. No fim dos três dias, assentei num meio-termo; receberia a herança e dá-la-ia toda, aos bocados e às escondidas. Não era só escrúpulo; era também o modo de resgatar o crime por um ato de virtude; pareceu-me que ficava assim de contas saldas.

Preparei-me e segui para a vila. Em caminho, à proporção que me ia aproximando, recordava o triste sucesso; as cercanias da vila tinham um aspecto de tragédia, e a sombra do coronel parecia-me surgir de cada lado. A imaginação ia reproduzindo as palavras, os gestos, toda a noite horrenda do crime...

Crime ou luta? Realmente, foi uma luta em que eu, atacado, defendi-me, e na defesa... Foi uma luta desgraçada, uma fatalidade. Fixei-me nessa ideia. E balanceava os agravos, punha no ativo as pancadas, as injúrias... Não era culpa do coronel, bem o sabia, era da moléstia, que o tornava assim rabugento e até mau... Mas eu perdoava tudo, tudo... O pior foi a fatalidade daquela noite... Considerei também que o coronel não podia viver muito mais; estava por pouco; ele mesmo o sentia e dizia. Viveria quanto? Duas semanas, ou uma; pode ser até que menos. Já não era vida, era um molambo de vida, se isto mesmo se podia chamar ao padecer contínuo do pobre homem... E quem sabe mesmo se a luta e a morte não foram apenas coincidentes? Podia ser, era até o mais provável; não foi outra coisa. Fixei-me também nessa ideia...

Perto da vila apertou-se-me o coração, e quis recuar; mas dominei-me e fui. Receberam-me com parabéns. O vigário disse-me as disposições do testamento, os legados pios, e de caminho ia louvando a mansidão cristã e o zelo com que eu servira ao coronel, que, apesar de áspero e duro, soube ser grato.

— Sem dúvida, dizia eu olhando para outra parte.

Estava atordoado. Toda a gente me elogiava a dedicação e a paciência. As primeiras necessidades do inventário detiveram-me algum tempo na vila. Constituí advogado; as coisas correram placidamente. Durante esse tempo, falava muita vez do coronel. Vinham contar-me coisas dele, mas sem a moderação do padre; eu defendia-o, apontava algumas virtudes, era austero...

— Qual austero! Já morreu, acabou; mas era o diabo.

E referiam-me casos duros, ações perversas, algumas extraordinárias. Quer que lhe diga? Eu, a princípio, ia ouvindo cheio de curiosidade; depois, entrou-me no coração um singular prazer, que eu, sinceramente, buscava expelir. E defendia o coronel, explicava-o, atribuía alguma coisa às rivalidades locais; confessava, sim, que era um pouco violento... Um pouco? Era uma cobra assanhada, interrompia-me o barbeiro; e todos, o coletor, o boticário, o escrivão, todos diziam a mesma coisa; e vinham outras anedotas, vinha toda a vida do defunto. Os velhos lembravam-se das crueldades dele, em menino. E o prazer íntimo, calado, insidioso, crescia dentro de mim, espécie de tênia moral, que por mais que a arrancasse aos pedaços, recompunha-se logo e ia ficando.

As obrigações do inventário distraíram-me; e por outro lado a opinião da vila era tão contrária ao coronel, que a vista dos lugares foi perdendo para mim a feição tenebrosa que a princípio achei neles. Entrando na posse da herança, converti-a em títulos e dinheiro. Eram então passados muitos meses, e a ideia de distribuí-la toda em esmolas e donativos pios não me dominou como da primeira vez; achei mesmo que era afetação. Restringi o plano primitivo: distribuí alguma coisa aos pobres, dei à matriz da vila uns paramentos novos, fiz uma esmola à Santa Casa da Misericórdia, etc.: ao todo trinta e dois contos. Mandei também levantar um túmulo ao coronel, todo de mármore, obra de um napolitano, que aqui esteve até 1866, e foi morrer, creio eu, no Paraguai.

Os anos foram andando, a memória tornou-se cinzenta e desmaiada. Penso às vezes no coronel, mas sem os terrores dos primeiros dias. Todos os médicos a quem contei as moléstias dele, foram acordes em que a morte era certa, e só se admiravam de ter resistido tanto tempo. Pode ser que eu, involuntariamente, exagerasse a descrição que então lhes fiz; mas a verdade é que ele devia morrer, ainda que não fosse aquela fatalidade...

Adeus, meu caro senhor. Se achar que esses apontamentos valem alguma coisa, pague-me também com um túmulo de mármore, ao qual dará por epitáfio esta emenda que faço aqui ao divino sermão da montanha: "Bem-aventurados os que possuem, porque eles serão consolados".*

* Em Mateus, 5: 4, lê-se: "Bem-aventurados os que choram, porque eles serão consolados".

Conto da escola

Aescola era na rua do Costa, um sobradinho de grade de pau. O ano era de 1840. Naquele dia — uma segunda-feira, do mês de maio — deixei-me estar alguns instantes na rua da Princesa a ver onde iria brincar a manhã. Hesitava entre o morro de S. Diogo e o campo de Sant'Ana, que não era então esse parque atual, construção de *gentleman*, mas um espaço rústico, mais ou menos infinito, alastrado de lavadeiras, capim e burros soltos. Morro ou campo? Tal era o problema. De repente disse comigo que o melhor era a escola. E guiei para a escola. Aqui vai a razão.

Na semana anterior tinha feito dois suetos, e, descoberto o caso, recebi o pagamento das mãos de meu pai, que me deu uma sova de vara de marmeleiro. As sovas de meu pai doíam por muito tempo. Era um velho empregado do arsenal de guerra, ríspido e intolerante. Sonhava para mim uma grande posição comercial, e tinha ânsia de me ver com os elementos mercantis, ler, escrever e contar, para me meter de caixeiro. Citava-me nomes de capitalistas que tinham começado ao balcão. Ora, foi a lembrança do último castigo que me levou naquela manhã para o colégio. Não era um menino de virtudes.

Subi a escada com cautela, para não ser ouvido do mestre, e cheguei a tempo; ele entrou na sala três ou quatro minutos depois. Entrou com o andar manso do costume, em chinelas de cordovão, com a jaqueta de brim lavada e desbo-

326 MACHADO DE ASSIS

tada, calça branca e tesa e grande colarinho caído. Chamava-se Policarpo e tinha perto de cinquenta anos ou mais. Uma vez sentado, extraiu da jaqueta a boceta de rapé e o lenço vermelho, pô-los na gaveta; depois relanceou os olhos pela sala. Os meninos, que se conservaram de pé durante a entrada dele, tornaram a sentar-se. Tudo estava em ordem; começaram os trabalhos.

— *Seu* Pilar, eu preciso falar com você, disse-me baixinho o filho do mestre.

Chamava-se Raimundo este pequeno, e era mole, aplicado, inteligência tarda. Raimundo gastava duas horas em reter aquilo que a outros levava apenas trinta ou cinquenta minutos; vencia com o tempo o que não podia fazer logo com o cérebro. Reunia a isso um grande medo ao pai. Era uma criança fina, pálida, cara doente; raramente estava alegre. Entrava na escola depois do pai e retirava-se antes. O mestre era mais severo com ele do que conosco.

— O que é que você quer?

— Logo, respondeu ele com voz trêmula.

Começou a lição de escrita. Custa-me dizer que eu era dos mais adiantados da escola; mas era. Não digo também que era dos mais inteligentes, por um escrúpulo fácil de entender e de excelente efeito no estilo, mas não tenho outra convicção. Note-se que não era pálido nem mofino: tinha boas cores e músculos de ferro. Na lição de escrita, por exemplo, acabava sempre antes de todos, mas deixava-me estar a recortar narizes no papel ou na tábua, ocupação sem nobreza nem espiritualidade, mas em todo caso ingênua. Naquele dia foi a mesma coisa; tão depressa acabei, como entrei a reproduzir o nariz do mestre, dando-lhe cinco ou seis atitudes diferentes, das quais recordo a interrogativa, a admirativa, a dubitativa e a cogitativa. Não lhes punha esses nomes, pobre estudante de primeiras letras que era; mas, instintivamente, dava-lhes essas expressões. Os outros foram acabando; não tive remédio senão acabar também, entregar a escrita, e voltar para o meu lugar.

Com franqueza, estava arrependido de ter vindo. Agora que ficava preso, ardia por andar lá fora, e recapitulava o campo e o morro, pensava nos outros meninos vadios, o Chico Telha, o Américo, o Carlos das Escadinhas, a fina flor do bairro e do gênero humano. Para cúmulo de desespero, vi através das vidraças da escola, no claro azul do céu, por cima do morro do Livramento, um papagaio de papel, alto e largo, preso de uma corda imensa, que bojava no ar, uma coisa soberba. E eu na escola, sentado, pernas unidas, com o livro de leitura e a gramática nos joelhos.

— Fui um bobo em vir, disse eu ao Raimundo.

— Não diga isso, murmurou ele.

Olhei para ele; estava mais pálido. Então lembrou-me outra vez que queria pedir-me alguma coisa, e perguntei-lhe o que era. Raimundo estremeceu de novo, e, rápido, disse-me que esperasse um pouco; era uma coisa particular.

— *Seu* Pilar... murmurou ele daí a alguns minutos.

— Que é?

— Você...

— Você quê?

Ele deitou os olhos ao pai, e depois a alguns outros meninos. Um destes, o Curvelo, olhava para ele, desconfiado, e o Raimundo, notando-me essa circunstância, pediu alguns minutos mais de espera. Confesso que começava a arder de curiosidade. Olhei para o Curvelo, e vi que parecia atento; podia ser uma simples curiosidade vaga, natural indiscrição; mas podia ser também alguma coisa entre eles. Esse Curvelo era um pouco levado do diabo. Tinha onze anos, era mais velho que nós.

Que me quereria o Raimundo? Continuei inquieto, remexendo-me muito, falando-lhe baixo, com instância, que me dissesse o que era, que ninguém cuidava dele nem de mim. Ou então, de tarde...

— De tarde, não, interrompeu-me ele; não pode ser de tarde.

— Então agora...

— Papai está olhando.

Na verdade, o mestre fitava-nos. Como era mais severo para o filho, buscava-o muitas vezes com os olhos, para trazê-lo mais aperreado. Mas nós também éramos finos; metemos o nariz no livro, e continuamos a ler. Afinal cansou e tomou as folhas do dia, três ou quatro, que ele lia devagar, mastigando as ideias e as paixões. Não esqueçam que estávamos então no fim da Regência, e que era grande a agitação pública. Policarpo tinha decerto algum partido, mas nunca pude averiguar esse ponto. O pior que ele podia ter, para nós, era a palmatória. E essa lá estava, pendurada do portal da janela, à direita, com os seus cinco olhos do diabo. Era só levantar a mão, despendurá-la e brandi-la, com a força do costume, que não era pouca. E daí, pode ser que alguma vez as paixões políticas dominassem nele a ponto de poupar-nos uma ou outra correção. Naquele dia, ao menos, pareceu-me que lia as folhas com muito interesse; levantava os olhos de quando em quando, ou tomava uma pitada, mas tornava logo aos jornais, e lia a valer.

No fim de algum tempo — dez ou doze minutos — Raimundo meteu a mão no bolso das calças e olhou para mim.

— Sabe o que tenho aqui?

— Não.

— Uma pratinha que mamãe me deu.

— Hoje?

— Não, no outro dia, quando fiz anos...

— Pratinha de verdade?

— De verdade.

Tirou-a vagarosamente, e mostrou-me de longe. Era uma moeda do tempo do rei, cuido que doze vinténs ou dois tostões, não me lembra; mas era uma moeda, e tão moeda que me fez pular o sangue no coração. Raimundo revolveu em mim o olhar pálido; depois perguntou-me se a queria para mim. Respondi-lhe que estava caçoando, mas ele jurou que não.

— Mas então você fica sem ela?

— Mamãe depois me arranja outra. Ela tem muitas que vovô lhe deixou, numa caixinha; algumas são de ouro. Você quer esta?

Minha resposta foi estender-lhe a mão disfarçadamente, depois de olhar para a mesa do mestre. Raimundo recuou a mão dele e deu à boca um gesto amarelo, que queria sorrir. Em seguida propôs-me um negócio, uma troca de serviços; ele me daria a moeda, eu lhe explicaria um ponto da lição de sintaxe. Não conseguira reter nada do livro, e estava com medo do pai. E concluía a proposta esfregando a pratinha nos joelhos...

Tive uma sensação esquisita. Não é que eu possuísse da virtude uma ideia antes própria de homem; não é também que não fosse fácil em pregar uma ou outra mentira de criança. Sabíamos ambos enganar ao mestre. A novidade estava nos termos da proposta, na troca de lição e dinheiro, compra franca, positiva, toma lá, dá cá; tal foi a causa da sensação. Fiquei a olhar para ele, à toa, sem poder dizer nada.

Compreende-se que o ponto da lição era difícil, e que o Raimundo, não o tendo aprendido, recorria a um meio que lhe pareceu útil para escapar ao castigo do pai. Se me tem pedido a coisa por favor, alcançá-la-ia do mesmo modo, como de outras vezes; mas parece que era a lembrança das outras vezes, o medo de achar a minha vontade frouxa ou cansada, e não aprender como queria, — e pode ser mesmo que em alguma ocasião lhe tivesse ensinado mal, — parece que tal foi a causa da proposta. O pobre-diabo contava com o favor, — mas queria assegurar-lhe a eficácia, e daí recorreu à moeda que a mãe lhe dera e que ele guardava como relíquia ou brinquedo; pegou dela e veio esfregá-la nos joelhos, à minha vista, como uma tentação... Realmente, era bonita, fina, branca, muito branca; e para mim, que só trazia cobre no bolso, quando trazia alguma coisa, um cobre feio, grosso, azinhavrado...

Não queria recebê-la, e custava-me recusá-la. Olhei para o mestre, que continuava a ler, com tal interesse, que lhe pingava o rapé do nariz. — Ande, tome, dizia-me baixinho o filho. E a pratinha fuzilava-lhe entre os dedos, como se fora diamante... Em verdade, se o mestre não visse nada, que mal havia? E ele não podia ver nada, estava agarrado aos jornais, lendo com fogo, com indignação...

— Tome, tome...

Relanceei os olhos pela sala, e dei com os do Curvelo em nós; disse ao Raimundo que esperasse. Pareceu-me que o outro nos observava, então dissimulei; mas daí a pouco, deitei-lhe outra vez o olho, e — tanto se ilude a vontade! — não lhe vi mais nada. Então cobrei ânimo.

— Dê cá...

Raimundo deu-me a pratinha, sorrateiramente; eu meti-a na algibeira das calças, com um alvoroço que não posso definir. Cá estava ela comigo, pegadinha à perna. Restava prestar o serviço, ensinar a lição, e não me demorei em fazê-lo, nem o fiz mal, ao menos conscientemente; passava-lhe a explicação em um retalho de papel que ele recebeu com cautela e cheio de atenção. Sentia-se que despendia um esforço cinco ou seis vezes maior para aprender um nada; mas contanto que ele escapasse ao castigo, tudo iria bem.

De repente, olhei para o Curvelo e estremeci; tinha os olhos em nós, com um riso que me pareceu mau. Disfarcei; mas daí a pouco, voltando-me outra vez para ele, achei-o do mesmo modo, com o mesmo ar, acrescendo que entrava a remexer-se no banco, impaciente. Sorri para ele e ele não sorriu; ao contrário, franziu a testa, o que lhe deu um aspecto ameaçador. O coração bateu-me muito.

— Precisamos muito cuidado, disse eu ao Raimundo.

— Diga-me isto só, murmurou ele.

Fiz-lhe sinal que se calasse; mas ele instava, e a moeda, cá no bolso, lembrava-me o contrato feito. Ensinei-lhe o que era, disfarçando muito; depois, tornei a olhar para o Curvelo, que me pareceu ainda mais inquieto, e o riso, dantes mau, estava agora pior. Não é preciso dizer que também eu ficara em brasas, ansioso que a aula acabasse; mas nem o relógio andava como das outras vezes, nem o mestre fazia caso da escola; este lia os jornais, artigo por artigo, pontuando-os com exclamações, com gestos de ombros, com uma ou duas pancadinhas na mesa. E lá fora, no céu azul, por cima do morro, o mesmo eterno papagaio, guinando a um lado e outro, como se me chamasse a ir ter com ele. Imaginei-me ali, com os livros e a pedra embaixo da mangueira, e a pratinha no bolso das calças, que eu não daria a ninguém, nem que me serrassem; guardá-la-ia em casa, dizendo a mamãe que a tinha achado na rua. Para que me não fugisse, ia-a apalpando, roçando-lhe os dedos pelo cunho, quase lendo pelo tacto a inscrição, com uma grande vontade de espiá-la.

— Oh! *seu* Pilar! bradou o mestre com voz de trovão.

Estremeci como se acordasse de um sonho, e levantei-me às pressas. Dei com o mestre, olhando para mim, cara fechada, jornais dispersos, e ao pé da mesa, em pé, o Curvelo. Pareceu-me adivinhar tudo.

— Venha cá! bradou o mestre.

Fui e parei diante dele. Ele enterrou-me pela consciência dentro um par de olhos pontudos; depois chamou o filho. Toda a escola tinha parado; ninguém mais lia, ninguém fazia um só movimento. Eu, conquanto não tirasse os olhos do mestre, sentia no ar a curiosidade e o pavor de todos.

— Então o senhor recebe dinheiro para ensinar as lições aos outros? disse-me o Policarpo.

— Eu...

— Dê cá a moeda que este seu colega lhe deu! clamou.

Não obedeci logo, mas não pude negar nada. Continuei a tremer muito. Policarpo bradou de novo que lhe desse a moeda, e eu não resisti mais, meti a mão no bolso, vagarosamente, saquei-a e entreguei-lha. Ele examinou-a de um e outro lado, bufando de raiva; depois estendeu o braço e atirou-a à rua. E então disse-nos uma porção de coisas duras, que tanto o filho como eu acabávamos de praticar uma ação feia, indigna, baixa, uma vilania, e para emenda e exemplo íamos ser castigados. Aqui pegou da palmatória.

— Perdão, *seu* mestre... solucei eu.

— Não há perdão! De cá a mão! dê cá! vamos! sem-vergonha! dê cá a mão!

— Mas, *seu* mestre...

— Olhe que é pior!

Estendi-lhe a mão direita, depois a esquerda, e fui recebendo os bolos uns por cima dos outros, até completar doze, que me deixaram as palmas vermelhas e inchadas. Chegou a vez do filho, e foi a mesma coisa; não lhe poupou nada, dois, quatro, oito, doze bolos. Acabou, pregou-nos outro sermão. Chamou-nos sem--vergonhas, desaforados, e jurou que se repetíssemos o negócio, apanharíamos tal castigo que nos havia de lembrar para todo o sempre. E exclamava: Porcalhões! tratantes! faltos de brio!

Eu por mim, tinha a cara no chão. Não ousava fitar ninguém, sentia todos os olhos em nós. Recolhi-me ao banco, soluçando, fustigado pelos impropérios do mestre. Na sala arquejava o terror; posso dizer que naquele dia ninguém faria igual negócio. Creio que o próprio Curvelo enfiara de medo. Não olhei logo para ele, cá dentro de mim jurava quebrar-lhe a cara, na rua, logo que saíssemos, tão certo como três e dois serem cinco.

Daí a algum tempo olhei para ele; ele também olhava para mim, mas desviou a cara, e penso que empalideceu. Compôs-se e entrou a ler em voz alta; estava com medo. Começou a variar de atitude, agitando-se à toa, coçando os joelhos, o nariz. Pode ser até que se arrependesse de nos ter denunciado; e na verdade, por que denunciar-nos? Em que é que lhe tirávamos alguma coisa?

— Tu me pagas! tão duro como osso! dizia eu comigo.

Veio a hora de sair, e saímos; ele foi adiante, apressado, e eu não queria brigar ali mesmo, na rua do Costa, perto do colégio; havia de ser na rua Larga de S. Joaquim. Quando, porém, cheguei à esquina, já o não vi; provavelmente escondera--se em algum corredor ou loja; entrei numa botica, espiei em outras casas, perguntei por ele a algumas pessoas, ninguém me deu notícia. De tarde faltou à escola.

Em casa não contei nada, é claro; mas para explicar as mãos inchadas, menti a minha mãe, disse-lhe que não tinha sabido a lição. Dormi nessa noite, mandando ao diabo os dois meninos, tanto o da denúncia como o da moeda. E sonhei com a moeda; sonhei que, ao tornar à escola, no dia seguinte, dera com ela na rua, e a apanhara, sem medo nem escrúpulos...

De manhã, acordei cedo. A ideia de ir procurar a moeda fez-me vestir depressa. O dia estava esplêndido, um dia de maio, sol magnífico, ar brando, sem contar as calças novas que minha mãe me deu, por sinal que eram amarelas. Tudo isso, e a pratinha... Saí de casa, como se fosse trepar ao trono de Jerusalém. Piquei o passo para que ninguém chegasse antes de mim à escola; ainda assim não andei tão depressa que amarrotasse as calças. Não, que elas eram bonitas! Mirava-as, fugia aos encontros, ao lixo da rua...

Na rua encontrei uma companhia do batalhão de fuzileiros, tambor à frente, rufando. Não podia ouvir isto quieto. Os soldados vinham batendo o pé rápido, igual, direita, esquerda, ao som do rufo; vinham, passaram por mim, e foram andando. Eu senti uma comichão nos pés, e tive ímpeto de ir atrás deles. Já lhes disse: o dia estava lindo, e depois o tambor... Olhei para um e outro lado; afinal, não sei como foi, entrei a marchar também ao som do rufo, creio que cantarolando alguma coisa: *Rato na casaca*... Não fui à escola, acompanhei os fuzileiros, depois enfiei pela Saúde, e acabei a manhã na praia da Gamboa. Voltei para casa com as calças enxovalhadas, sem pratinha no bolso nem ressentimento na alma. E contudo a pratinha era bonita e foram eles, Raimundo e Curvelo, que me deram o primeiro conhecimento, um da corrupção, outro da delação; mas o diabo do tambor...

D. Paula

Não era possível chegar mais a ponto. D. Paula entrou na sala, exatamente quando a sobrinha enxugava os olhos cansados de chorar. Compreende-se o assombro da tia. Entender-se-á também o da sobrinha, em se sabendo que D. Paula vive no alto da Tijuca, donde raras vezes desce; a última foi pelo Natal passado, e estamos em maio de 1882. Desceu ontem, à tarde, e foi para casa da irmã, rua do Lavradio. Hoje, tão depressa almoçou, vestiu-se e correu a visitar a sobrinha. A primeira escrava que a viu, quis ir avisar a senhora, mas D. Paula ordenou-lhe que não, e foi pé ante pé, muito devagar, para impedir o rumor das saias, abriu a porta da sala de visitas, e entrou.

— Que é isto? exclamou.

Venancinha atirou-se-lhe aos braços, as lágrimas vieram-lhe de novo. A tia beijou-a muito, abraçou-a, disse-lhe palavras de conforto, e pediu, e quis que lhe contasse o que era, se alguma doença, ou...

— Antes fosse uma doença! antes fosse a morte! interrompeu a moça.

— Não digas tolices; mas que foi? anda, que foi?

Venancinha enxugou os olhos e começou a falar. Não pôde ir além de cinco ou seis palavras; as lágrimas tornaram, tão abundantes e impetuosas, que D. Paula achou de bom aviso deixá-las correr primeiro. Entretanto, foi tirando a capa de rendas pretas que a envolvia, e descalçando as luvas. Era uma bonita velha, elegante, dona de um par de olhos grandes, que deviam ter sido infinitos. Enquanto a sobrinha chorava, ela foi cerrar cautelosamente a porta da sala, e voltou ao canapé. No fim de alguns minutos, Venancinha cessou de chorar, e confiou à tia o que era.

Era nada menos que uma briga com o marido, tão violenta, que chegaram a falar de separação. A causa eram ciúmes. Desde muito que o marido embirrava com um sujeito; mas na véspera à noite, em casa do C..., vendo-a dançar com ele duas vezes e conversar alguns minutos, concluiu que eram namorados. Voltou amuado para casa; de manhã, acabado o almoço, a cólera estourou, e ele disse-lhe coisas duras e amargas, que ela repeliu com outras.

— Onde está teu marido? perguntou a tia.

— Saiu; parece que foi para o escritório.

D. Paula perguntou-lhe se o escritório era ainda o mesmo, e disse-lhe que descansasse, que não era nada; dali a duas horas tudo estaria acabado. Calçava as luvas rapidamente.

— Titia vai lá?

— Vou... Pois então? Vou. Teu marido é bom; são arrufos. 104? Vou lá; espera por mim, que as escravas não te vejam.

Tudo isso era dito com volubilidade, confiança e doçura. Calçadas as luvas, pôs o mantelete, e a sobrinha ajudou-a, falando também, jurando que, apesar de tudo, adorava o Conrado. Conrado era o marido, advogado desde 1874. D. Paula saiu, levando muitos beijos da moça. Na verdade, não podia chegar mais a ponto. De caminho, parece que ela encarou o incidente, não digo desconfiada, mas curiosa, um pouco inquieta da realidade positiva; em todo caso ia resoluta a reconstruir a paz doméstica.

Chegou, não achou o sobrinho no escritório, mas ele veio logo, e, passado o primeiro espanto, não foi preciso que D. Paula lhe dissesse o objeto da visita; Conrado adivinhou tudo. Confessou que fora excessivo em algumas coisas, e, por outro lado, não atribuía à mulher nenhuma índole perversa ou viciosa. Só isso; no mais, era uma cabeça de vento, muito amiga de cortesias, de olhos ternos, de palavrinhas doces, e a leviandade também é uma das portas do vício. Em relação à pessoa de quem se tratava, não tinha dúvida de que eram namorados. Venancinha contara só o fato da véspera; não referiu outros, quatro ou cinco, o penúltimo no teatro, onde chegou a haver tal ou qual escândalo. Não estava disposto a cobrir com a sua responsabilidade os desazos da mulher. Que namorasse, mas por conta própria.

D. Paula ouviu tudo, calada; depois falou também. Concordava que a sobrinha fosse leviana; era próprio da idade. Moça bonita não sai à rua sem atrair os olhos, e é natural que a admiração dos outros a lisonjeie. Também é natural que o que ela fizer de lisonjeada pareça aos outros e ao marido um princípio de namoro: a fatuidade de uns e o ciúme do outro explicam tudo. Pela parte dela, acabava de ver a moça chorar lágrimas sinceras; deixou-a consternada, falando de morrer, abatida com o que ele lhe dissera. E se ele próprio só lhe atribuía leviandade, por que não proceder com cautela e doçura, por meio de conselho e de observação, poupando-lhe as ocasiões, apontando-lhe o mal que fazem à reputação de uma senhora as aparências de acordo, de simpatia, de boa vontade para os homens?

Não gastou menos de vinte minutos a boa senhora em dizer essas coisas mansas, com tão boa sombra, que o sobrinho sentiu apaziguar-se-lhe o coração. Resistia, é verdade; duas ou três vezes, para não resvalar na indulgência, declarou à tia que entre eles tudo estava acabado. E, para animar-se, evocava mentalmente as razões que tinha contra a mulher. A tia, porém, abaixava a cabeça para deixar passar a onda, e surgia outra vez com os seus grandes olhos sagazes e teimosos. Conrado ia cedendo aos poucos e mal. Foi então que D. Paula propôs um meio-termo.

— Você perdoa-lhe, fazem as pazes, e ela vai estar comigo, na Tijuca, um ou dois meses; uma espécie de desterro. Eu, durante este tempo, encarrego-me de lhe pôr ordem no espírito. Valeu?

Conrado aceitou. D. Paula, tão depressa obteve a palavra, despediu-se para levar a boa nova à outra; Conrado acompanhou-a até à escada. Apertaram as mãos; D. Paula não soltou a dele sem lhe repetir os conselhos de brandura e prudência; depois, fez esta reflexão natural:

— E vão ver que o homem de quem se trata nem merece um minuto dos nossos cuidados...

— É um tal Vasco Maria Portela...

D. Paula empalideceu. Que Vasco Maria Portela? Um velho, antigo diplomata, que... Não, esse estava na Europa desde alguns anos, aposentado, e acabava de receber um título de barão. Era um filho dele, chegado de pouco, um pelintra... D. Paula apertou-lhe a mão, e desceu rapidamente. No corredor, sem ter necessidade de ajustar a capa, fê-lo durante alguns minutos, com a mão trêmula

336 MACHADO DE ASSIS

e um pouco de alvoroço na fisionomia. Chegou mesmo a olhar para o chão, refletindo. Saiu; foi ter com a sobrinha, levando a reconciliação e a cláusula. Venancinha aceitou tudo.

Dois dias depois foram para a Tijuca. Venancinha ia menos alegre do que prometera; provavelmente era o exílio, ou pode ser também que algumas saudades. Em todo caso, o nome de Vasco subiu a Tijuca, se não em ambas as cabeças, ao menos na da tia, onde era uma espécie de eco, um som remoto e brando, alguma coisa que parecia vir do tempo da Stoltz e do ministério Paraná.* Cantora e ministério, coisas frágeis, não o eram menos que a ventura de ser moça, e onde iam essas três eternidades? Jaziam nas ruínas de trinta anos. Era tudo o que D. Paula tinha em si e diante de si.

Já se entende que o outro Vasco, o antigo, também foi moço e amou. Amaram-se, fartaram-se um do outro, à sombra do casamento, durante alguns anos, e, como o vento que passa não guarda a palestra dos homens, não há meio de escrever aqui o que então se disse da aventura. A aventura acabou; foi uma sucessão de horas doces e amargas, de delícias, de lágrimas, de cóleras, de arroubos, drogas várias com que encheram a esta senhora a taça das paixões. D. Paula esgotou-a inteira e emborcou-a depois para não mais beber. A saciedade trouxe-lhe a abstinência, e com o tempo foi esta última fase que fez a opinião. Morreu-lhe o marido e foram vindo os anos. D. Paula era agora uma pessoa austera e pia, cheia de prestígio e consideração.

A sobrinha é que lhe levou o pensamento ao passado. Foi a presença de uma situação análoga, de mistura com o nome e o sangue do mesmo homem, que lhe acordou algumas velhas lembranças. Não esqueçam que elas estavam na Tijuca, que iam viver juntas algumas semanas, e que uma obedecia à outra; era tentar e desafiar a memória.

— Mas nós deveras não voltamos à cidade tão cedo? perguntou Venancinha rindo, no outro dia de manhã.

— Já estás aborrecida?

— Não, não, isso nunca, mas pergunto...

D. Paula, rindo também, fez com o dedo um gesto negativo; depois, perguntou-lhe se tinha saudades cá de baixo. Venancinha respondeu que nenhumas; e

---

* Mais de uma vez Machado usa essa frase para se referir aos meados dos anos 50, época do gabinete da "Conciliação", do marquês de Paraná (1853-6), e de Rosina Stoltz, a cantora de ópera mais popular do período.

para dar mais força à resposta, acompanhou-a de um descair dos cantos da boca, a modo de indiferença e desdém. Era pôr demais na carta. D. Paula tinha o bom costume de não ler às carreiras, como quem vai salvar o pai da forca, mas devagar, enfiando os olhos entre as sílabas e entre as letras, para ver tudo, e achou que o gesto da sobrinha era excessivo.

— Eles amam-se! pensou ela.

A descoberta avivou o espírito do passado. D. Paula forcejou por sacudir fora essas memórias importunas; elas, porém, voltavam, ou de manso ou de assalto, como raparigas que eram, cantando, rindo, fazendo o diabo. D. Paula tornou aos seus bailes de outro tempo, às suas eternas valsas que faziam pasmar a toda a gente, às mazurcas, que ela metia à cara da sobrinha como sendo a mais graciosa coisa do mundo, e aos teatros, e às cartas, e vagamente, aos beijos; mas tudo isso — e esta é a situação — tudo isso era como as frias crônicas, esqueleto da história, sem a alma da história. Passava-se tudo na cabeça. D. Paula tentava emparelhar o coração com o cérebro, a ver se sentia alguma coisa além da pura repetição mental, mas, por mais que evocasse as comoções extintas, não lhe voltava nenhuma. Coisas truncadas!

Se ela conseguisse espiar para dentro do coração da sobrinha, pode ser que achasse ali a sua imagem, e então... Desde que esta ideia penetrou no espírito de D. Paula, complicou-lhe um pouco a obra de reparação e cura. Era sincera, tratava da alma da outra, queria vê-la restituída ao marido. Na constância do pecado é que se pode desejar que outros pequem também, para descer de companhia ao purgatório; mas aqui o pecado já não existia. D. Paula mostrava à sobrinha a superioridade do marido, as suas virtudes e assim também as paixões, que podiam dar um mau desfecho ao casamento, pior que trágico, o repúdio.

Conrado, na primeira visita que lhes fez, nove dias depois, confirmou a advertência da tia; entrou frio e saiu frio. Venancinha ficou aterrada. Esperava que os nove dias de separação tivessem abrandado o marido, e, em verdade, assim era; mas ele mascarou-se à entrada e conteve-se para não capitular. E isto foi mais salutar que tudo o mais. O terror de perder o marido foi o principal elemento de restauração. O próprio desterro não pôde tanto.

Vai senão quando, dois dias depois daquela visita, estando ambas ao portão da chácara, prestes a sair para o passeio do costume, viram vir um cavaleiro. Venancinha fixou a vista, deu um pequeno grito, e correu a esconder-se atrás do muro. D. Paula compreendeu e ficou. Quis ver o cavaleiro de mais perto; viu-o dali a dois ou três minutos, um galhardo rapaz, elegante, com as suas finas botas lustrosas, muito bem-posto no selim; tinha a mesma cara do outro Vasco, era o filho; o mesmo jeito da cabeça, um pouco à direita, os mesmos ombros largos, os mesmos olhos redondos e profundos.

Nessa mesma noite, Venancinha contou-lhe tudo, depois da primeira palavra que ela lhe arrancou. Tinham-se visto nas corridas, uma vez, logo que ele chegou da Europa. Quinze dias depois, foi-lhe apresentado em um baile, e pareceu-lhe tão bem, com um ar tão parisiense, que ela falou dele, na manhã seguinte, ao marido. Conrado franziu o sobrolho, e foi este gesto que lhe deu uma ideia que até então não tinha. Começou a vê-lo com prazer; daí a pouco com certa ansiedade. Ele falava-lhe respeitosamente, dizia-lhe coisas amigas, que ela era a mais bonita moça do Rio, e a mais elegante, que já em Paris ouvira elogiá-la muito, por algumas senhoras da família Alvarenga. Tinha graça em criticar os outros, e sabia dizer também umas palavras sentidas, como ninguém. Não falava de amor, mas perseguia-a com os olhos, e ela, por mais que afastasse os seus, não podia afastá-los de todo. Começou a pensar nele, amiudadamente, com interesse, e quando se encontravam, batia-lhe muito o coração; pode ser que ele lhe visse então, no rosto, a impressão que fazia.

D. Paula, inclinada para ela, ouvia essa narração, que aí fica apenas resumida e coordenada. Tinha toda a vida nos olhos; a boca meio aberta, parecia beber as palavras da sobrinha, ansiosamente, como um cordial. E pedia-lhe mais, que lhe contasse tudo, tudo. Venancinha criou confiança. O ar da tia era tão jovem, a exortação tão meiga e cheia de um perdão antecipado, que ela achou ali uma confidente e amiga, não obstante algumas frases severas que lhe ouviu, mescladas às outras, por um motivo de inconsciente hipocrisia. Não digo cálculo; D. Paula enganava-se a si mesma. Podemos compará-la a um general inválido, que forceja por achar um pouco do antigo ardor na audiência de outras campanhas.

— Já vês que teu marido tinha razão, dizia ela; foste imprudente, muito imprudente...

Venancinha achou que sim, mas jurou que estava tudo acabado.

— Receio que não. Chegaste a amá-lo deveras?

— Titia...

— Tu ainda gostas dele!

— Juro que não. Não gosto; mas confesso... sim... confesso que gostei... Perdoe-me tudo; não diga nada a Conrado; estou arrependida... Repito que a princípio um pouco fascinada... Mas que quer a senhora?

— Ele declarou-te alguma coisa?

— Declarou; foi no teatro, uma noite, no teatro Lírico, à saída. Tinha costume de ir buscar-me ao camarote e conduzir-me até o carro; e foi à saída... duas palavras...

D. Paula não perguntou, por pudor, as próprias palavras do namorado, mas imaginou as circunstâncias, o corredor, os pares que saíam, as luzes, a multidão, o rumor das vozes, e teve o poder de representar, com o quadro, um pouco das sensações dela; e pediu-lhas com interesse, astutamente.

— Não sei o que senti, acudiu a moça, cuja comoção crescente ia desatando a língua; não me lembro dos primeiros cinco minutos. Creio que fiquei séria; em todo o caso, não lhe disse nada. Pareceu-me que toda gente olhava para nós, que teriam ouvido, e quando alguém me cumprimentava sorrindo, dava-me ideia de estar caçoando. Desci as escadas não sei como, entrei no carro sem saber o que fazia; ao apertar-lhe a mão, afrouxei bem os dedos. Juro-lhe que não queria ter ouvido nada. Conrado disse-me que tinha sono, e encostou-se ao fundo do carro; foi melhor assim, porque eu não sei que diria, se tivéssemos de ir conversando. Encostei-me também, mas por pouco tempo; não podia estar na mesma posição. Olhava para fora através dos vidros, e via só o clarão dos lampiões, de quando em quando, e afinal nem isso mesmo; via os corredores do teatro, as escadas, as pessoas todas, e ele ao pé de mim, cochichando as palavras, duas palavras só, e não posso dizer o que pensei em todo esse tempo; tinha as ideias baralhadas, confusas, uma revolução em mim...

— Mas, em casa?

— Em casa, despindo-me, é que pude refletir um pouco, mas muito pouco. Dormi tarde, e mal. De manhã, tinha a cabeça aturdida. Não posso dizer que estava alegre nem triste; lembro-me que pensava muito nele, e para arredá-lo prometi a mim mesma revelar tudo ao Conrado; mas o pensamento voltava outra vez. De quando em quando, parecia-me escutar a voz dele, e estremecia. Cheguei a lembrar-me que, à despedida, lhe dera os dedos frouxos, e sentia, não sei como diga, uma espécie de arrependimento, um medo de o ter ofendido... e depois vinha o desejo de o ver outra vez... Perdoe-me, titia; a senhora é que quer que lhe conte tudo.

A resposta de D. Paula foi apertar-lhe muito a mão e fazer um gesto de cabeça. Afinal achava alguma coisa de outro tempo, ao contato daquelas sensações ingenuamente narradas. Tinha os olhos, ora meio cerrados, na sonolência da recordação, — ora aguçados de curiosidade e calor, e ouvia tudo, dia por dia, encontro por encontro, a própria cena do teatro, que a sobrinha a princípio lhe ocultara. E vinha tudo o mais, horas de ânsia, de saudade, de medo, de esperança, desalentos, dissimulações, ímpetos, toda a agitação de uma criatura em tais circunstâncias, nada dispensava a curiosidade insaciável da tia. Não era um livro, não era sequer um capítulo de adultério, mas um prólogo, — interessante e violento.

Venancinha acabou. A tia não lhe disse nada, deixou-se estar metida em si mesma; depois acordou, pegou-lhe na mão e puxou-a. Não lhe falou logo; fitou primeiro, e de perto, toda essa mocidade inquieta e palpitante, a boca fresca, os olhos ainda infinitos, e só voltou a si quando a sobrinha lhe pediu outra vez perdão. D. Paula disse-lhe tudo o que a ternura e a austeridade da mãe lhe poderia dizer, falou-lhe de castidade, de amor ao marido, de respeito público; foi tão eloquente que Venancinha não pôde conter-se, e chorou.

Veio o chá, mas não há chá possível depois de certas confidências. Venancinha recolheu-se logo, e, como a luz era agora maior, saiu da sala com os olhos baixos, para que o criado lhe não visse a comoção. D. Paula ficou diante da mesa e do criado. Gastou vinte minutos, ou pouco menos, em beber uma xícara de chá e roer um biscoito, e apenas ficou só, foi encostar-se à janela, que dava para a chácara.

Ventava um pouco, as folhas moviam-se sussurrando, e, conquanto não fossem as mesmas do outro tempo, ainda assim perguntavam-lhe: "Paula, você lembra-se do outro tempo?". Que esta é a particularidade das folhas, as gerações que passam contam às que chegam as coisas que viram, e é assim que todas sabem tudo e perguntam por tudo. Você lembra-se do outro tempo?

Lembrar, lembrava; mas aquela sensação de há pouco, reflexo apenas, tinha agora cessado. Em vão repetia as palavras da sobrinha, farejando o ar agreste da noite: era só na cabeça que achava algum vestígio, reminiscências, coisas truncadas. O coração empacara de novo; o sangue ia outra vez com a andadura do costume. Faltava-lhe o contato moral da outra. E continuava, apesar de tudo, diante da noite, que era igual às outras noites de então, e nada tinha que se parecesse com as do tempo da Stoltz e do marquês de Paraná; mas continuava, e lá dentro as pretas espalhavam o sono contando anedotas, e diziam, uma ou outra vez, impacientes:

— Sinhá velha hoje deita tarde como diabo!

O diplomático

A preta entrou na sala de jantar, chegou-se à mesa rodeada de gente, e falou baixinho à senhora. Parece que lhe pedia alguma coisa urgente, porque a senhora levantou-se logo.

— Ficamos esperando, D. Adelaide?

— Não espere, não, Sr. Rangel; vá continuando, eu entro depois.

Rangel era o leitor do livro de sortes. Voltou a página, e recitou um título: "Se alguém *lhe* ama em segredo". Movimento geral; moças e rapazes sorriram uns para os outros. Estamos na noite de S. João de 1854, e a casa é na rua das Mangueiras. Chama-se João o dono da casa, João Viegas, e tem uma filha, Joaninha. Usa-se todos os anos a mesma reunião de parentes e amigos, arde uma fogueira no quintal, assam-se as batatas do costume, e tiram-se sortes. Também há ceia, às vezes dança, e algum jogo de prendas, tudo familiar. João Viegas é escrivão de uma vara cível da corte.

— Vamos. Quem começa agora? disse ele. Há de ser D. Felismina. Vamos ver se alguém *lhe* ama em segredo.

D. Felismina sorriu amarelo. Era uma boa quarentona, sem prendas nem rendas, que vivia espiando um marido por baixo das pálpebras devotas. Em verdade, o gracejo era duro, mas natural. D. Felismina era o modelo acabado daquelas criaturas indulgentes e mansas, que parecem ter nascido para divertir os outros. Pegou e lançou os dados com um ar de complacência incrédula. Número dez, bradaram duas vozes. Rangel desceu os olhos ao baixo da página, viu a quadra correspondente ao número, e leu-a: dizia que sim, que havia uma pessoa, que ela devia procurar domingo, na igreja, quando fosse à missa. Toda a mesa deu parabéns a D. Felismina, que sorriu com desdém, mas interiormente esperançada.

Outros pegaram nos dados, e Rangel continuou a ler a sorte de cada um. Lia espevitadamente. De quando em quando, tirava os óculos e limpava-os com muito vagar na ponta do lenço de cambraia, — ou por ser cambraia, ou por exalar um fino cheiro de bogari. Presumia de grande maneira, e ali chamavam-lhe "o diplomático".

— Ande, *seu* diplomático, continue.

Rangel estremeceu; esquecera-se de ler uma sorte, embebido em percorrer a fila de moças que ficava do outro lado da mesa. Namorava alguma? Vamos por partes.

Era solteiro, por obra das circunstâncias, não de vocação. Em rapaz teve alguns namoricos de esquina, mas com o tempo apareceu-lhe a comichão das grandezas, e foi isto que lhe prolongou o celibato até os quarenta e um anos, em que o vemos. Cobiçava alguma noiva superior a ele e à roda em que vivia, e gastou o tempo em esperá-la. Chegou a frequentar os bailes de um advogado célebre e rico, para quem copiava papéis, e que o protegia muito. Tinha nos bailes a mesma posição subalterna do escritório; passava a noite vagando pelos corredores, espiando o salão, vendo passar as senhoras, devorando com os olhos uma multidão de espáduas magníficas e talhes graciosos. Invejava os homens, e copiava-os. Saía dali excitado e resoluto. Em falta de bailes, ia às festas de igreja, onde poderia ver algumas das primeiras moças da cidade. Também era certo no saguão do paço imperial, em dia de cortejo, para ver entrar as grandes damas e as pessoas da corte, ministros, generais, diplomatas, desembargadores, e conhecia tudo e todos, pessoas e carruagens. Voltava da festa e do cortejo, como voltava do baile, impetuoso, ardente, capaz de arrebatar de um lance a palma da fortuna.

O pior é que entre a espiga e a mão, há o tal muro do poeta, e o Rangel não era homem de saltar muros. De imaginação fazia tudo, raptava mulheres e destruía cidades. Mais de uma vez foi, consigo mesmo, ministro de Estado, e fartou-se de cortesias e decretos. Chegou ao extremo de aclamar-se imperador, um dia,

2 de dezembro,* ao voltar da parada no largo do Paço; imaginou para isso uma revolução, em que derramou algum sangue, pouco, e uma ditadura benéfica, em que apenas vingou alguns pequenos desgostos de escrevente. Cá fora, porém, todas as suas proezas eram fábulas. Na realidade, era pacato e discreto.

Aos quarenta anos desenganou-se das ambições; mas a índole ficou a mesma, e, não obstante a vocação conjugal, não achou noiva. Mais de uma o aceitaria com muito prazer; ele perdia-as todas à força de circunspecção. Um dia, reparou em Joaninha, que chegava aos dezenove anos e possuía um par de olhos lindos e sossegados, — virgens de toda a conversação masculina. Rangel conhecia-a desde criança, andara com ela ao colo, no Passeio Público, ou nas noites de fogo da Lapa; como falar-lhe de amor? Mas, por outro lado, as relações dele na casa eram tais, que podiam facilitar-lhe o casamento; e, ou este ou nenhum outro.

Desta vez, o muro não era alto, e a espiga era baixinha; bastava esticar o braço com algum esforço, para arrancá-la do pé. Rangel andava neste trabalho desde alguns meses. Não esticava o braço, sem espiar primeiro para todos os lados, a ver se vinha alguém, e, se vinha alguém, disfarçava e ia-se embora. Quando chegava a esticá-lo, acontecia que uma lufada de vento meneava a espiga ou algum passarinho andava ali nas folhas secas, e não era preciso mais para que ele recolhesse a mão. Ia-se assim o tempo, e a paixão entranhava-se-lhe, causa de muitas horas de angústia, a que seguiam sempre melhores esperanças. Agora mesmo traz ele a primeira carta de amor, disposto a entregá-la. Já teve duas ou três ocasiões boas, mas vai sempre espaçando; a noite é tão comprida! Entretanto, continua a ler as sortes, com a solenidade de um áugur.

Tudo, em volta, é alegre. Cochicham ou riem, ou falam ao mesmo tempo. O tio Rufino, que é o gaiato da família, anda à roda da mesa com uma pena, fazendo cócegas nas orelhas das moças. João Viegas está ansioso por um amigo, que se demora, o Calisto. Onde se meteria o Calisto?

— Rua, rua, preciso da mesa; vamos para a sala de visitas.

Era D. Adelaide que tornava; ia pôr-se a mesa para a ceia. Toda a gente emigrou, e andando é que se podia ver bem como era graciosa a filha do escrivão. Rangel acompanhou-a com grandes olhos namorados. Ela foi à janela, por alguns instantes, enquanto se preparava um jogo de prendas, e ele foi também; era a ocasião de entregar-lhe a carta.

* Data do nascimento de d. Pedro II.

Defronte, numa casa grande, havia um baile, e dançava-se. Ela olhava, ele olhou também. Pelas janelas viam passar os pares, cadenciados, as senhoras com as suas sedas e rendas, os cavalheiros finos e elegantes, alguns condecorados. De quando em quando, uma faísca de diamantes, rápida, fugitiva, no giro da dança. Pares que conversavam, dragonas que reluziam, bustos de homem, inclinados, gestos de leque, tudo isso em pedaços, através das janelas, que não podiam mostrar todo o salão, mas adivinhava-se o resto. Ele, ao menos, conhecia tudo, e dizia tudo à filha do escrivão. O demônio das grandezas, que parecia dormir, entrou a fazer as suas arlequinadas no coração do nosso homem, e ei-lo que tenta seduzir também o coração da outra.

— Conheço uma pessoa que estaria ali muito bem, murmurou o Rangel.

E Joaninha, com ingenuidade:

— Era o senhor.

Rangel sorriu lisonjeado, e não achou que dizer. Olhou para os lacaios e cocheiros, de libré, na rua, conversando em grupos ou reclinados no tejadilho dos carros. Começou a designar carros: este é do Olinda, aquele é do Maranguape;* mas aí vem outro, rodando, do lado da rua da Lapa, e entra na rua das Mangueiras. Parou defronte; salta o lacaio, abre a portinhola, tira o chapéu e perfila-se. Sai de dentro uma calva, uma cabeça, um homem, duas comendas, depois uma senhora ricamente vestida; entram no saguão, e sobem a escadaria, forrada de tapete e ornada embaixo com dois grandes vasos.

— Joaninha, Sr. Rangel...

Maldito jogo de prendas! Justamente quando ele formulava, na cabeça, uma insinuação a propósito do casal que subia, e ia assim passar naturalmente à entrega da carta... Rangel obedeceu, e sentou-se defronte da moça. D. Adelaide, que dirigia o jogo de prendas, recolhia os nomes; cada pessoa devia ser uma flor. Está claro que o tio Rufino, sempre gaiato, escolheu para si a flor da abóbora. Quanto ao Rangel, querendo fugir ao trivial, comparou mentalmente as flores, e quando a dona da casa lhe perguntou pela dele, respondeu com doçura e pausa:

— Maravilha, minha senhora.

— O pior é não estar cá o Calisto! suspirou o escrivão.

---

* *Pedro de Araújo Lima*, marquês de Olinda (1793-1870): sucedeu a Feijó na Regência do Império (1837-40), e foi ainda presidente do Conselho por duas vezes na década de 1860. *Caetano Maria Lopes Gama*, visconde de Maranguape (1795-1864): senador e ministro em vários gabinetes, incluindo dois presididos por Olinda.

— Ele disse mesmo que vinha?

— Disse; ainda ontem foi ao cartório, de propósito, avisar-me de que viria tarde, mas que contasse com ele; tinha de ir a uma brincadeira na rua da Carioca...

— Licença para dois! bradou uma voz no corredor.

— Ora graças! está aí o homem!

João Viegas foi abrir a porta; era o Calisto, acompanhado de um rapaz estranho, que ele apresentou a todos em geral: — "Queirós, empregado na Santa Casa; não é meu parente, apesar de se parecer muito comigo; quem vê um, vê outro...". Toda a gente riu; era uma pilhéria do Calisto, feio como o diabo, — ao passo que o Queirós era um bonito rapaz de vinte e seis a vinte e sete anos, cabelo negro, olhos negros e singularmente esbelto. As moças retraíram-se um pouco; D. Felismina abriu todas as velas.

— Estávamos jogando prendas, os senhores podem entrar também, disse a dona da casa. Joga, Sr. Queirós?

Queirós respondeu afirmativamente e passou a examinar as outras pessoas. Conhecia algumas, e trocou duas ou três palavras com elas. Ao João Viegas disse que desde muito tempo desejava conhecê-lo, por causa de um favor que o pai lhe deveu outrora, negócio de foro. João Viegas não se lembrava de nada, nem ainda depois que ele lhe disse o que era; mas gostou de ouvir a notícia, em público, olhou para todos, e durante alguns minutos regalou-se calado.

Queirós entrou em cheio no jogo. No fim de meia hora, estava familiar da casa. Todo ele era ação, falava com desembaraço, tinha os gestos naturais e espontâneos. Possuía um vasto repertório de castigos para jogo de prendas, coisa que encantou a toda a sociedade, e ninguém os dirigia melhor, com tanto movimento e animação, indo de um lado para outro, concertando os grupos, puxando cadeiras, falando às moças, como se houvesse brincado com elas em criança.

— D. Joaninha aqui, nesta cadeira; D. Cesária, deste lado, em pé, e o Sr. Camilo entra por aquela porta... Assim, não: olhe, assim de maneira que...

Teso na cadeira, o Rangel estava atônito. Donde vinha esse furacão? E o furacão ia soprando, levando os chapéus dos homens, e despenteando as moças, que riam de contentes: Queirós daqui, Queirós dali, Queirós de todos os lados. Rangel passou da estupefação à mortificação. Era o cetro que lhe caía das mãos. Não olhava para o outro, não se ria do que ele dizia, e respondia-lhe seco. Interiormente, mordia-se e mandava-o ao diabo, chamava-o bobo alegre, que fazia rir e agradava, porque nas noites de festa tudo é festa. Mas, repetindo essas e piores coisas, não chegava a reaver a liberdade de espírito. Padecia deveras, no mais íntimo do amor-próprio; e o pior é que o outro percebeu toda essa agitação, e o péssimo é que ele percebeu que era percebido.

Rangel, assim como sonhava os bens, assim também as vinganças. De cabeça, espatifou o Queirós; depois cogitou a possibilidade de um desastre qualquer, uma dor bastava, mas coisa forte, que levasse dali aquele intruso. Nenhuma dor, nada; o diabo parecia cada vez mais lépido, e toda a sala fascinada por ele. A própria Joaninha, tão acanhada, vibrava nas mãos de Queirós, como as outras moças; e todos, homens e mulheres, pareciam empenhados em servi-lo. Tendo ele falado em dançar, as moças foram ter com o tio Rufino, e pediram-lhe que tocasse uma quadrilha na flauta, uma só, não se lhe pedia mais.

— Não posso, dói-me um calo.

— Flauta? bradou o Calisto. Peçam ao Queirós que nos toque alguma coisa, e verão o que é flauta... Vai buscar a flauta, Rufino. Ouçam o Queirós. Não imaginam como ele é saudoso na flauta!

Queirós tocou a *Casta Diva*.* Que coisa ridícula! dizia consigo o Rangel; — uma música que até os moleques assobiam na rua. Olhava para ele, de revés, para considerar se aquilo era posição de homem sério; e concluía que a flauta era um instrumento grotesco. Olhou também para Joaninha, e viu que, como todas as outras pessoas, tinha a atenção no Queirós, embebida, namorada dos sons da música, e estremeceu, sem saber por quê. Os demais semblantes mostravam a mesma expressão dela, e, contudo, sentiu alguma coisa que lhe complicou a aversão ao intruso. Quando a flauta acabou, Joaninha aplaudiu menos que os outros, e Rangel entrou em dúvida se era o habitual acanhamento, se alguma especial comoção... Urgia entregar-lhe a carta.

Chegou a ceia. Toda a gente entrou confusamente na sala, e felizmente para o Rangel, coube-lhe ficar defronte de Joaninha, cujos olhos estavam mais belos que nunca e tão derramados, que não pareciam os do costume. Rangel saboreou-os caladamente, e reconstruiu todo o seu sonho que o diabo do Queirós abalara com um piparote. Foi assim que tornou a ver-se, ao lado dela, na casa que ia alugar, berço de noivos, que ele enfeitou com os ouros da imaginação. Chegou a tirar um prêmio na loteria e a empregá-lo todo em sedas e joias para a mulher, a

---

* Ária famosíssima de *Norma* (1831), de Bellini.

O DIPLOMÁTICO 347

linda Joaninha, — Joaninha Rangel, — D. Joaninha Rangel, — D. Joana Viegas Rangel, — ou D. Joana Cândida Viegas Rangel... Não podia tirar o Cândida...

— Vamos, uma saúde, *seu* diplomático... faça uma saúde daquelas...

Rangel acordou; a mesa inteira repetia a lembrança do tio Rufino; a própria Joaninha pedia-lhe uma saúde, como a do ano passado. Rangel respondeu que ia obedecer; era só acabar aquela asa de galinha. Movimento, cochichos de louvor; D. Adelaide, dizendo-lhe uma moça que nunca ouvira falar o Rangel:

— Não? perguntou com pasmo. Não imagina; fala muito bem, muito explicado, palavras escolhidas, e uns bonitos modos...

Comendo, ia ele dando rebate a algumas reminiscências, frangalhos de ideias, que lhe serviam para o arranjo das frases e metáforas. Acabou e pôs-se de pé. Tinha o ar satisfeito e cheio de si. Afinal, vinham bater-lhe à porta. Cessara a farandulagem das anedotas, das pilhérias sem alma, e vinham ter com ele para ouvir alguma coisa correta e grave. Olhou em derredor, viu todos os olhos levantados, esperando. Todos não; os de Joaninha enviesavam-se na direção do Queirós, e os deste vinham esperá-los a meio caminho, numa cavalgada de promessas. Rangel empalideceu. A palavra morreu-lhe na garganta; mas era preciso falar, esperavam por ele, com simpatia, em silêncio.

Obedeceu mal. Era justamente um brinde ao dono da casa e à filha. Chamava a esta um pensamento de Deus, transportado da imortalidade à realidade, frase que empregara três anos antes, e devia estar esquecida. Falava também do santuário da família, do altar da amizade, e da gratidão, que é a flor dos corações puros. Onde não havia sentido, a frase era mais especiosa ou retumbante. Ao todo, um brinde de dez minutos bem puxados, que ele despachou em cinco, e sentou-se.

Não era tudo. Queirós levantou-se logo, dois ou três minutos depois, para outro brinde, e o silêncio foi ainda mais pronto e completo. Joaninha meteu os olhos no regaço, vexada do que ele iria dizer; Rangel teve um arrepio.

— O ilustre amigo desta casa, o Sr. Rangel, — disse Queirós, — bebeu às duas pessoas cujo nome é o do santo de hoje; eu bebo àquela que é a santa de todos os dias, a D. Adelaide.

Grandes aplausos aclamaram esta lembrança, e D. Adelaide, lisonjeada, recebeu os cumprimentos de cada conviva. A filha não ficou em cumprimentos.
— Mamãe! mamãe! exclamou, levantando-se; e foi abraçá-la e beijá-la três e quatro vezes; — espécie de carta para ser lida por duas pessoas.

Rangel passou da cólera ao desânimo, e, acabada a ceia, pensou em retirar-se. Mas a esperança, demônio de olhos verdes, pediu-lhe que ficasse, e ficou. Quem sabe? Era tudo passageiro, coisas de uma noite, namoro de S. João; afinal, ele era amigo da casa, e tinha a estima da família; bastava que pedisse a moça, para obtê-la. E depois esse Queirós podia não ter meios de casar. Que emprego era o dele na Santa Casa? Talvez alguma coisa reles... Nisto, olhou obliquamente para a roupa de Queirós, enfiou-se-lhe pelas costuras, escrutou o bordadinho da camisa, apalpou os joelhos das calças, a ver-lhe o uso, e os sapatos, e concluiu que era um rapaz caprichoso, mas provavelmente gastava tudo consigo, e casar era negócio sério. Podia ser também que tivesse mãe viúva, irmãs solteiras... Rangel era só.

— Tio Rufino, toque uma quadrilha.

— Não posso; flauta depois de comer faz indigestão. Vamos a um víspora.

Rangel declarou que não podia jogar, estava com dor de cabeça: mas Joaninha veio a ele e pediu-lhe que jogasse com ela, de sociedade. — "Meia coleção para o senhor, e meia para mim", disse ela, sorrindo; ele sorriu também e aceitou. Sentaram-se ao pé um do outro. Joaninha falava-lhe, ria, levantava para ele os belos olhos, inquieta, mexendo muito a cabeça para todos os lados. Rangel sentiu-se melhor, e não tardou que se sentisse inteiramente bem. Ia marcando à toa, esquecendo alguns números, que ela lhe apontava com o dedo, — um dedo de ninfa, dizia ele, consigo; e os descuidos passaram a ser de propósito, para ver o dedo da moça, e ouvi-la ralhar: "O senhor é muito esquecido; olhe que assim perdemos o nosso dinheiro...".

Rangel pensou em entregar-lhe a carta por baixo da mesa; mas não estando declarados, era natural que ela a recebesse com espanto e estragasse tudo; cumpria avisá-la. Olhou em volta da mesa: todos os rostos estavam inclinados sobre os cartões, seguindo atentamente os números. Então, ele inclinou-se à direita, e baixou os olhos aos cartões de Joaninha, como para verificar alguma coisa.

— Já tem duas quadras, cochichou ele.

— Duas, não; tenho três.

— Três, é verdade, três. Escute...

— E o senhor?

— Eu duas.

— Que duas o quê? São quatro.

Eram quatro; ela mostrou-lhas inclinada, roçando quase a orelha pelos lábios dele; depois, fitou-o rindo e abanando a cabeça: "O senhor! o senhor!". Rangel ouviu isto com singular deleite; a voz era tão doce, e a expressão tão amiga, que ele esqueceu tudo, agarrou-a pela cintura, e lançou-se com ela na eterna valsa das quimeras. Casa, mesa, convivas, tudo desapareceu, como obra vã da imaginação, para só ficar a realidade única, ele e ela, girando no espaço, debaixo de um milhão de estrelas, acesas de propósito para alumiá-los.

Nem carta, nem nada. Perto da manhã foram todos para a janela ver sair os convidados do baile fronteiro. Rangel recuou espantado. Viu um aperto de dedos entre o Queirós e a bela Joaninha. Quis explicá-lo, eram aparências, mas tão depressa destruía uma como vinham outras e outras, à maneira das ondas que não acabam mais. Custava-lhe entender que uma só noite, algumas horas bastassem a ligar assim duas criaturas; mas era a verdade clara e viva dos modos de ambos, dos olhos, das palavras, dos risos, e até da saudade com que se despediram de manhã.

Saiu tonto. Uma só noite, algumas horas apenas! Em casa, aonde chegou tarde, deitou-se na cama, não para dormir, mas para romper em soluços. Só consigo, foi-se-lhe o aparelho da afetação, e já não era o diplomático, era o energúmeno, que rolava na cama, bradando, chorando como uma criança, infeliz deveras, por esse triste amor do outono. O pobre-diabo, feito de devaneio, indolência e afetação, era, em substância, tão desgraçado como Otelo, e teve um desfecho mais cruel.

Otelo mata Desdêmona; o nosso namorado, em quem ninguém pressentira nunca a paixão encoberta, serviu de testemunha ao Queirós, quando este se casou com Joaninha, seis meses depois.

Nem os acontecimentos, nem os anos lhe mudaram a índole. Quando rompeu a guerra do Paraguai, teve ideia muitas vezes de alistar-se como oficial de voluntários; não o fez nunca; mas é certo que ganhou algumas batalhas e acabou brigadeiro.

A cartomante

Hamlet observa a Horácio que há mais coisas no céu e na terra do que sonha a nossa filosofia.* Era a mesma explicação que dava a bela Rita ao moço Camilo, numa sexta-feira de novembro de 1869, quando este ria dela, por ter ido na véspera consultar uma cartomante; a diferença é que o fazia por outras palavras.

— Ria, ria. Os homens são assim; não acreditam em nada. Pois saiba que fui, e que ela adivinhou o motivo da consulta, antes mesmo que eu lhe dissesse o que era. Apenas começou a botar as cartas, disse-me: "A senhora gosta de uma pessoa...". Confessei que sim, e então ela continuou a botar as cartas, combinou-as, e no fim declarou-me que eu tinha medo de que você me esquecesse, mas que não era verdade...

— Errou! interrompeu Camilo, rindo.

— Não diga isso, Camilo. Se você soubesse como eu tenho andado, por sua causa. Você sabe; já lhe disse. Não ria de mim, não ria...

Camilo pegou-lhe nas mãos, e olhou para ela sério e fixo. Jurou que lhe queria muito, que os seus sustos pareciam de criança; em todo o caso, quando tivesse algum receio, a melhor cartomante era ele mesmo. Depois, repreendeu-a; disse-lhe que era imprudente andar por essas casas. Vilela podia sabê-lo, e depois...

* Provavelmente a citação preferida de Machado (*Hamlet*, ato I, cena 5).

— Qual saber! tive muita cautela, ao entrar na casa.

— Onde é a casa?

— Aqui perto, na rua da Guarda Velha; não passava ninguém nessa ocasião. Descansa; eu não sou maluca.

Camilo riu outra vez:

— Tu crês deveras nessas coisas? perguntou-lhe.

Foi então que ela, sem saber que traduzia Hamlet em vulgar, disse-lhe que havia muita coisa misteriosa e verdadeira neste mundo. Se ele não acreditava, paciência; mas o certo é que a cartomante adivinhara tudo. Que mais? A prova é que ela agora estava tranquila e satisfeita.

Cuido que ele ia falar, mas reprimiu-se. Não queria arrancar-lhe as ilusões. Também ele, em criança, e ainda depois, foi supersticioso, teve um arsenal inteiro de crendices, que a mãe lhe incutiu e que aos vinte anos desapareceram. No dia em que deixou cair toda essa vegetação parasita, e ficou só o tronco da religião, ele, como tivesse recebido da mãe ambos os ensinos, envolveu-os na mesma dúvida, e logo depois em uma só negação total. Camilo não acreditava em nada. Por quê? Não poderia dizê-lo, não possuía um só argumento; limitava-se a negar tudo. E digo mal, porque negar é ainda afirmar, e ele não formulava a incredulidade; diante do mistério, contentou-se em levantar os ombros, e foi andando.

Separaram-se contentes, ele ainda mais que ela. Rita estava certa de ser amada; Camilo, não só o estava, mas via-a estremecer e arriscar-se por ele, correr às cartomantes, e, por mais que a repreendesse, não podia deixar de sentir-se lisonjeado. A casa do encontro era na antiga rua dos Barbonos, onde morava uma comprovinciana de Rita. Esta desceu pela rua das Mangueiras, na direção de Botafogo, onde residia; Camilo desceu pela da Guarda Velha, olhando de passagem para a casa da cartomante.

Vilela, Camilo e Rita, três nomes, uma aventura, e nenhuma explicação das origens. Vamos a ela. Os dois primeiros eram amigos de infância. Vilela seguiu a carreira de magistrado. Camilo entrou no funcionalismo, contra a vontade do pai, que queria vê-lo médico; mas o pai morreu, e Camilo preferiu não ser nada, até que a mãe lhe arranjou um emprego público. No princípio de 1869, voltou Vilela da província, onde casara com uma dama formosa e tonta; abandonou a magistratura e veio abrir banca de advogado. Camilo arranjou-lhe casa para os lados de Botafogo, e foi a bordo recebê-lo.

— É o senhor? exclamou Rita, estendendo-lhe a mão. Não imagina como meu marido é seu amigo; falava sempre do senhor.

Camilo e Vilela olharam-se com ternura. Eram amigos deveras. Depois, Camilo confessou de si para si que a mulher do Vilela não desmentia as cartas do marido. Realmente, era graciosa e viva nos gestos, olhos cálidos, boca fina e interrogativa. Era um pouco mais velha que ambos: contava trinta anos, Vilela vinte e nove e Camilo vinte e seis. Entretanto, o porte grave de Vilela fazia-o parecer mais velho que a mulher, enquanto Camilo era um ingênuo na vida moral e prática. Faltava-lhe tanto a ação do tempo, como os óculos de cristal, que a natureza põe no berço de alguns para adiantar os anos. Nem experiência, nem intuição.

Uniram-se os três. Convivência trouxe intimidade. Pouco depois morreu a mãe de Camilo, e nesse desastre, que o foi, os dois mostraram-se grandes amigos dele. Vilela cuidou do enterro, dos sufrágios e do inventário; Rita tratou especialmente do coração, e ninguém o faria melhor.

Como daí chegaram ao amor, não o soube ele nunca. A verdade é que gostava de passar as horas ao lado dela; era a sua enfermeira moral, quase uma irmã, mas principalmente era mulher e bonita. *Odor di femmina*: eis o que ele aspirava nela, e em volta dela, para incorporá-lo em si próprio. Liam os mesmos livros, iam juntos a teatros e passeios. Camilo ensinou-lhe as damas e o xadrez e jogavam às noites; — ela mal, — ele, para lhe ser agradável, pouco menos mal. Até aí as coisas. Agora a ação da pessoa, os olhos teimosos de Rita, que procuravam muita vez os dele, que os consultavam antes de o fazer ao marido, as mãos frias, as atitudes insólitas. Um dia, fazendo ele anos, recebeu de Vilela uma rica bengala de presente, e de Rita apenas um cartão com um vulgar cumprimento a lápis, e foi então que ele pôde ler no próprio coração; não conseguia arrancar os olhos do bilhetinho. Palavras vulgares; mas há vulgaridades sublimes, ou, pelo menos, deleitosas. A velha caleça de praça, em que pela primeira vez passeaste com a mulher amada, fechadinhos ambos, vale o carro de Apolo. Assim é o homem, assim são as coisas que o cercam.

Camilo quis sinceramente fugir, mas já não pôde. Rita, como uma serpente, foi-se acercando dele, envolveu-o todo, fez-lhe estalar os ossos num espasmo, e pingou-lhe o veneno na boca. Ele ficou atordoado e subjugado. Vexame, sustos, remorsos, desejos, tudo sentiu de mistura; mas a batalha foi curta e a vitória delirante. Adeus, escrúpulos! Não tardou que o sapato se acomodasse ao pé, e aí foram ambos, estrada fora, braços dados, pisando folgadamente por cima de ervas e pedregulhos, sem padecer nada mais que algumas saudades, quando estavam ausentes um do outro. A confiança e estima de Vilela continuavam a ser as mesmas.

Um dia, porém, recebeu Camilo uma carta anônima, que lhe chamava imoral e pérfido, e dizia que a aventura era sabida de todos. Camilo teve medo, e, para desviar as suspeitas, começou a rarear as visitas à casa de Vilela. Este notou-lhe as ausências. Camilo respondeu que o motivo era uma paixão frívola de rapaz. Candura gerou astúcia. As ausências prolongaram-se, e as visitas cessaram inteiramente. Pode ser que entrasse também nisso um pouco de amor-próprio, uma intenção de diminuir os obséquios do marido, para tornar menos dura a aleivosia do ato.

Foi por esse tempo que Rita, desconfiada e medrosa, correu à cartomante para consultá-la sobre a verdadeira causa do procedimento de Camilo. Vimos que a cartomante restituiu-lhe a confiança, e que o rapaz repreendeu-a por ter feito o que fez. Correram ainda algumas semanas. Camilo recebeu mais duas ou três cartas anônimas, tão apaixonadas, que não podiam ser advertência da virtude, mas despeito de algum pretendente; tal foi a opinião de Rita, que, por outras palavras mal compostas, formulou este pensamento: — a virtude é preguiçosa e avara, não gasta tempo nem papel; só o interesse é ativo e pródigo.

Nem por isso Camilo ficou mais sossegado; temia que o anônimo fosse ter com Vilela, e a catástrofe viria então sem remédio. Rita concordou que era possível.

— Bem, disse ela; eu levo os sobrescritos para comparar a letra com a das cartas que lá aparecerem; se alguma for igual, guardo-a e rasgo-a...

Nenhuma apareceu; mas daí a algum tempo Vilela começou mostrar-se sombrio, falando pouco, como desconfiado. Rita deu-se pressa em dizê-lo ao outro, e sobre isso deliberaram. A opinião dela é que Camilo devia tornar à casa deles, tatear o marido, e pode ser até que lhe ouvisse a confidência de algum negócio particular. Camilo divergia; aparecer depois de tantos meses era confirmar a suspeita ou denúncia. Mais valia acautelarem-se, sacrificando-se por algumas semanas. Combinaram os meios de se corresponderem, em caso de necessidade, e separaram-se com lágrimas.

No dia seguinte, estando na repartição, recebeu Camilo este bilhete de Vilela: "Vem já, já, à nossa casa; preciso falar-te sem demora". Era mais de meio--dia. Camilo saiu logo; na rua, advertiu que teria sido mais natural chamá-lo ao escritório; por que em casa? Tudo indicava matéria especial, e a letra, fosse realidade ou ilusão, afigurou-se-lhe trêmula. Ele combinou todas essas coisas com a notícia da véspera.

— Vem já, já, à nossa casa; preciso falar-te sem demora, — repetia ele com os olhos no papel.

Imaginariamente, viu a ponta da orelha de um drama, Rita subjugada e lacrimosa, Vilela indignado, pegando da pena e escrevendo o bilhete, certo de que ele acudiria, e esperando-o para matá-lo. Camilo estremeceu, tinha medo: depois sorriu amarelo, e em todo caso repugnava-lhe a ideia de recuar, e foi andando. De caminho, lembrou-se de ir a casa; podia achar algum recado de Rita, que lhe explicasse tudo. Não achou nada, nem ninguém. Voltou à rua, e a ideia de estarem descobertos parecia-lhe cada vez mais verossímil; era natural uma denúncia anônima, até da própria pessoa que o ameaçara antes; podia ser que Vilela conhecesse agora tudo. A mesma suspensão das suas visitas, sem motivo aparente, apenas com um pretexto fútil, viria confirmar o resto.

Camilo ia andando inquieto e nervoso. Não relia o bilhete, mas as palavras estavam decoradas, diante dos olhos, fixas; ou então, — o que era ainda pior, — eram-lhe murmuradas ao ouvido, com a própria voz de Vilela. "Vem já, já, à nossa casa; preciso falar-te sem demora." Ditas assim, pela voz do outro, tinham um tom de mistério e ameaça. Vem, já, já, para quê? Era perto de uma hora da tarde. A comoção crescia de minuto a minuto. Tanto imaginou o que se iria passar, que chegou a crê-lo e vê-lo. Positivamente, tinha medo. Entrou a cogitar em ir armado, considerando que, se nada houvesse, nada perdia, e a precaução era útil. Logo depois rejeitava a ideia, vexado de si mesmo, e seguia, picando o passo, na direção do largo da Carioca, para entrar num tílburi. Chegou, entrou e mandou seguir a trote largo.

— Quanto antes, melhor, pensou ele; não posso estar assim...

Mas o mesmo trote do cavalo veio agravar-lhe a comoção. O tempo voava, e ele não tardaria a entestar com o perigo. Quase no fim da rua da Guarda Velha, o tílburi teve de parar; a rua estava atravancada com uma carroça, que caíra. Camilo, em si mesmo, estimou o obstáculo, e esperou. No fim de cinco minutos, reparou que ao lado, à esquerda, ao pé do tílburi, ficava a casa da cartomante, a quem Rita consultara uma vez, e nunca ele desejou tanto crer na lição das cartas. Olhou, viu as janelas fechadas, quando todas as outras estavam abertas e pejadas de curiosos do incidente da rua. Dir-se-ia a morada do indiferente Destino.

Camilo reclinou-se no tílburi, para não ver nada. A agitação dele era grande, extraordinária, e do fundo das camadas morais emergiam alguns fantasmas de outro tempo, as velhas crenças, as superstições antigas. O cocheiro propôs-lhe voltar a primeira travessa, e ir por outro caminho; ele respondeu que não, que esperasse. E inclinava-se para fitar a casa... Depois fez um gesto incrédulo: era a ideia de ouvir a cartomante, que lhe passava ao longe, muito longe, com vastas asas cinzentas; desapareceu, reapareceu, e tornou a esvair-se no cérebro; mas daí a pouco moveu outra vez as asas, mais perto, fazendo uns giros concêntricos... Na rua, gritavam os homens, safando a carroça:

— Anda! agora! empurra! vá! vá!

Daí a pouco estaria removido o obstáculo. Camilo fechava os olhos, pensava em outras coisas; mas a voz do marido sussurrava-lhe às orelhas as palavras da carta: "Vem, já, já...". E ele via as contorções do drama e tremia. A casa olhava para ele. As pernas queriam descer e entrar... Camilo achou-se diante de um longo véu opaco... pensou rapidamente no inexplicável de tantas coisas. A voz da mãe repetia-lhe uma porção de casos extraordinários, e a mesma frase do príncipe de Dinamarca reboava-lhe dentro: "Há mais coisas no céu e na terra do que sonha a filosofia...". Que perdia ele, se...?

Deu por si na calçada, ao pé da porta; disse ao cocheiro que esperasse, e rápido enfiou pelo corredor, e subiu a escada. A luz era pouca, os degraus comidos dos pés, o corrimão pegajoso; mas ele não viu nem sentiu nada. Trepou e bateu. Não aparecendo ninguém, teve ideia de descer; mas era tarde, a curiosidade fustigava-lhe o sangue, as fontes latejavam-lhe; ele tornou a bater uma, duas, três pancadas. Veio uma mulher; era a cartomante. Camilo disse que ia consultá-la, ela fê-lo entrar. Dali subiram ao sótão, por uma escada ainda pior que a primeira e mais escura. Em cima, havia uma salinha, mal alumiada por uma janela, que dava para o telhado dos fundos. Velhos trastes, paredes sombrias, um ar de pobreza, que antes aumentava do que destruía o prestígio.

A cartomante fê-lo sentar diante da mesa, e sentou-se do lado oposto, com as costas para a janela, de maneira que a pouca luz de fora batia em cheio no rosto de Camilo. Abriu uma gaveta e tirou um baralho de cartas compridas e enxovalhadas. Enquanto as baralhava, rapidamente, olhava para ele, não de rosto, mas por baixo dos olhos. Era uma mulher de quarenta anos, italiana, morena e magra, com grandes olhos sonsos e agudos. Voltou três cartas sobre a mesa, e disse-lhe:

— Vejamos primeiro o que é que o traz aqui. O senhor tem um grande susto...

Camilo, maravilhado, fez um gesto afirmativo.

— E quer saber, continuou ela, se lhe acontecerá alguma coisa ou não...

— A mim e a ela, explicou vivamente ele.

A cartomante não sorriu; disse-lhe só que esperasse. Rápido pegou outra vez das cartas e baralhou-as, com os longos dedos finos, de unhas descuradas; baralhou-as bem, transpôs os maços, uma, duas, três vezes; depois começou a estendê-las. Camilo tinha os olhos nela, curioso e ansioso.

— As cartas dizem-me...

Camilo inclinou-se para beber uma a uma as palavras. Então ela declarou-lhe que não tivesse medo de nada. Nada aconteceria nem a um nem a outro; ele, o terceiro, ignorava tudo. Não obstante, era indispensável muita cautela; ferviam invejas e despeitos. Falou-lhe do amor que os ligava, da beleza de Rita... Camilo estava deslumbrado. A cartomante acabou, recolheu as cartas e fechou-as na gaveta.

— A senhora restituiu-me a paz ao espírito, disse ele estendendo a mão por cima da mesa e apertando a da cartomante.

Esta levantou-se, rindo.

— Vá, disse ela; vá, *ragazzo innamorato*...

E de pé, com o dedo indicador, tocou-lhe na testa. Camilo estremeceu, como se fosse a mão da própria sibila, e levantou-se também. A cartomante foi à cômoda, sobre a qual estava um prato com passas, tirou um cacho destas, começou a despencá-las e comê-las, mostrando duas fileiras de dentes que desmentiam as unhas. Nessa mesma ação comum, a mulher tinha um ar particular. Camilo, ansioso por sair, não sabia como pagasse; ignorava o preço.

— Passas custam dinheiro, disse ele afinal, tirando a carteira. Quantas quer mandar buscar?

— Pergunte ao seu coração, respondeu ela.

Camilo tirou uma nota de dez mil-réis, e deu-lha. Os olhos da cartomante fuzilaram. O preço usual era dois mil-réis.

— Vejo bem que o senhor gosta muito dela... E faz bem; ela gosta muito do senhor. Vá, vá tranquilo. Olhe a escada, é escura; ponha o chapéu...

A cartomante tinha já guardado a nota na algibeira, e descia com ele, falando, com um leve sotaque. Camilo despediu-se dela embaixo, e desceu a escada que levava à rua, enquanto a cartomante, alegre com a paga, tornava acima, cantarolando uma barcarola. Camilo achou o tílburi esperando; a rua estava livre. Entrou e seguiu a trote largo.

Tudo lhe parecia agora melhor, as outras coisas traziam outro aspecto, o céu estava límpido e as caras joviais. Chegou a rir dos seus receios, que chamou pueris; recordou os termos da carta de Vilela e reconheceu que eram íntimos e familiares. Onde é que ele lhe descobrira a ameaça? Advertiu também que eram urgentes, e que fizera mal em demorar-se tanto; podia ser algum negócio grave e gravíssimo.

— Vamos, vamos depressa, repetia ele ao cocheiro.

E consigo, para explicar a demora ao amigo, engenhou qualquer coisa; parece que formou também o plano de aproveitar o incidente para tornar à antiga assiduidade... De volta com os planos, reboavam-lhe na alma as palavras da cartomante. Em verdade, ela adivinhara o objeto da consulta, o estado dele, a existência de um terceiro; por que não adivinharia o resto? O presente que se ignora vale o futuro. Era assim, lentas e contínuas, que as velhas crenças do rapaz iam tornando ao de cima, e o mistério empolgava-o com as unhas de ferro. Às vezes queria rir, e ria de si mesmo, algo vexado; mas a mulher, as cartas, as palavras secas e afirmativas, a exortação: — Vá, vá, *ragazzo innamorato*; e no fim, ao longe, a barcarola da despedida, lenta e graciosa, tais eram os elementos recentes, que formavam, com os antigos, uma fé nova e vivaz.

A verdade é que o coração ia alegre e impaciente, pensando nas horas felizes de outrora e nas que haviam de vir. Ao passar pela Glória, Camilo olhou para o mar, estendeu os olhos para fora, até onde a água e o céu dão um abraço infinito, e teve assim uma sensação do futuro, longo, longo, interminável.

Daí a pouco chegou à casa de Vilela. Apeou-se, empurrou a porta de ferro do jardim e entrou. A casa estava silenciosa. Subiu os seis degraus de pedra, e mal teve tempo de bater, a porta abriu-se, e apareceu-lhe Vilela.

— Desculpa, não pude vir mais cedo; que há?

Vilela não lhe respondeu; tinha as feições decompostas; fez-lhe sinal, e foram para uma saleta interior. Entrando, Camilo não pôde sufocar um grito de terror: — ao fundo, sobre o canapé, estava Rita morta e ensanguentada. Vilela pegou-o pela gola, e, com dois tiros de revólver, estirou-o morto no chão.

Adão e Eva

Uma senhora de engenho, na Bahia, pelos anos de mil setecentos e tantos, tendo algumas pessoas íntimas à mesa, anunciou a um dos convivas, grande lambareiro, um certo doce particular. Ele quis logo saber o que era; a dona da casa chamou-lhe curioso. Não foi preciso mais; daí a pouco estavam todos discutindo a curiosidade, se era masculina ou feminina, e se a responsabilidade da perda do paraíso devia caber a Eva ou a Adão. As senhoras diziam que a Adão, os homens que a Eva, menos o juiz de fora, que não dizia nada, e frei Bento, carmelita, que interrogado pela dona da casa, D. Leonor:

— Eu, senhora minha, toco viola, respondeu sorrindo; e não mentia, porque era insigne na viola e na harpa, não menos que na teologia.

Consultado, o juiz de fora respondeu que não havia matéria para opinião; porque as coisas no paraíso terrestre passaram-se de modo diferente do que está contado no primeiro livro do Pentateuco, que é apócrifo.* Espanto geral, riso do carmelita, que conhecia o juiz de fora como um dos mais piedosos sujeitos da cidade, e sabia que era também jovial e inventivo, e até amigo da pulha, uma vez que fosse curial e delicada; nas coisas graves, era gravíssimo.

* Os cinco primeiros livros do Velho Testamento.

— Frei Bento, disse-lhe D. Leonor, faça calar o Sr. Veloso.

— Não o faço calar, acudiu o frade, porque sei que de sua boca há de sair tudo com boa significação.

— Mas a Escritura... ia dizendo o mestre de campo João Barbosa.

— Deixemos em paz a Escritura, interrompeu o carmelita. Naturalmente, o Sr. Veloso conhece outros livros...

— Conheço o autêntico, insistiu o juiz de fora, recebendo o prato de doce que D. Leonor lhe oferecia, e estou pronto a dizer o que sei, se não mandam o contrário.

— Vá lá, diga.

— Aqui está como as coisas se passaram. Em primeiro lugar, não foi Deus que criou o mundo, foi o Diabo...

— Cruz! exclamaram as senhoras.

— Não diga esse nome, pediu D. Leonor.

— Sim, parece que... ia intervindo frei Bento.

— Seja o Tinhoso. Foi o Tinhoso que criou o mundo; mas Deus, que lhe leu no pensamento, deixou-lhe as mãos livres, cuidando somente de corrigir ou atenuar a obra, a fim de que ao próprio mal não ficasse a desesperança da salvação ou do benefício. E a ação divina mostrou-se logo porque, tendo o Tinhoso criado as trevas, Deus criou a luz, e assim se fez o primeiro dia. No segundo dia, em que foram criadas as águas, nasceram as tempestades e os furacões; mas as brisas da tarde baixaram do pensamento divino. No terceiro dia foi feita a terra, e brotaram dela os vegetais, mas só os vegetais sem fruto nem flor, os espinhosos, as ervas que matam como a cicuta; Deus, porém, criou as árvores frutíferas e os vegetais que nutrem ou encantam. E tendo o Tinhoso cavado abismos e cavernas na terra, Deus fez o sol, a lua e as estrelas; tal foi a obra do quarto dia. No quinto foram criados os animais da terra, da água e do ar. Chegamos ao sexto dia, e aqui peço que redobrem de atenção.

Não era preciso pedi-lo; toda a mesa olhava para ele, curiosa.

Veloso continuou dizendo que no sexto dia foi criado o homem, e logo depois a mulher; ambos belos, mas sem alma, que o Tinhoso não podia dar, e só com ruins instintos. Deus infundiu-lhes a alma, com um sopro, e com outro os sentimentos nobres, puros e grandes. Nem parou nisso a misericórdia divina; fez brotar um jardim de delícias, e para ali os conduziu, investindo-os na posse de tudo. Um e outro caíram aos pés do Senhor, derramando lágrimas de gratidão. "Vivereis aqui, disse-lhes o Senhor, e comereis de todos os frutos, menos o desta árvore, que é a da ciência do bem e do mal."

Adão e Eva ouviram submissos; e ficando sós, olharam um para o outro, admirados; não pareciam os mesmos. Eva, antes que Deus lhe infundisse os bons sentimentos, cogitava de armar um laço a Adão, e Adão tinha ímpetos de espancá-la. Agora, porém, embebiam-se na contemplação um do outro, ou na vista da natureza, que era esplêndida. Nunca até então viram ares tão puros, nem águas tão frescas, nem flores tão lindas e cheirosas, nem o sol tinha para nenhuma outra parte as mesmas torrentes de claridade. E dando as mãos percorreram tudo, a rir muito, nos primeiros dias, porque até então não sabiam rir. Não tinham a sensação do tempo. Não sentiam o peso da ociosidade; viviam da contemplação. De tarde iam ver morrer o sol e nascer a lua, e contar as estrelas, e raramente chegavam a mil, dava-lhes o sono e dormiam como dois anjos.

Naturalmente, o Tinhoso ficou danado quando soube do caso. Não podia ir ao paraíso, onde tudo lhe era avesso, nem chegaria a lutar com o Senhor; mas ouvindo um rumor no chão entre folhas secas, olhou e viu que era a serpente. Chamou-a alvoroçado.

— Vem cá, serpe, fel rasteiro, peçonha das peçonhas, queres tu ser a embaixatriz de teu pai, para reaver as obras de teu pai?

A serpente fez com a cauda um gesto vago, que parecia afirmativo; mas o Tinhoso deu-lhe a fala, e ela respondeu que sim, que iria onde ele a mandasse, — às estrelas, se lhe desse as asas da águia, — ao mar, se lhe confiasse o segredo de respirar na água, — ao fundo da terra, se lhe ensinasse o talento da formiga. E falava a maligna, falava à toa, sem parar, contente e pródiga da língua; mas o diabo interrompeu-a:

— Nada disso, nem ao ar, nem ao mar, nem à terra, mas tão somente ao jardim de delícias; onde estão vivendo Adão e Eva.

— Adão e Eva?

— Sim, Adão e Eva.

— Duas belas criaturas que vimos andar há tempos, altas e direitas como palmeiras?

— Justamente.

— Oh! detesto-os. Adão e Eva? Não, não, manda-me a outro lugar. Detesto-os! Só a vista deles faz-me padecer muito. Não hás de querer que lhes faça mal...

— É justamente para isso.

ADÃO E EVA 361

— Deveras? Então vou; farei tudo o que quiseres, meu senhor e pai. Anda, dize depressa o que queres que faça. Que morda o calcanhar de Eva? Morderei...

— Não, interrompeu o Tinhoso. Quero justamente o contrário. Há no jardim uma árvore, que é da ciência do bem e do mal; eles não devem tocar nela, nem comer-lhe os frutos. Vai, entra, enrosca-te na árvore, e quando um deles ali passar, chama-o de mansinho, tira uma fruta e oferece-lhe, dizendo que é a mais saborosa fruta do mundo; se te responder que não, tu insistirás, dizendo que é bastante comê-la para conhecer o próprio segredo da vida. Vai, vai...

— Vou; mas não falarei a Adão, falarei a Eva. Vou, vou. Que é o próprio segredo da vida, não?

— Sim, o próprio segredo da vida. Vai, serpe das minhas entranhas, flor do mal, e se te saíres bem, juro que terás a melhor parte na criação, que é a parte humana, porque terás muito calcanhar de Eva que morder, muito sangue de Adão em que deitar o vírus do mal... Vai, vai, não te esqueças...

Esquecer? Já levava tudo de cor. Foi, penetrou no paraíso, rastejou até a árvore do bem e do mal, enroscou-se e esperou. Eva apareceu daí a pouco, caminhando sozinha, esbelta, com a segurança de uma rainha que sabe que ninguém lhe arrancará a coroa. A serpente, mordida de inveja, ia chamar a peçonha à língua, mas advertiu que estava ali às ordens do Tinhoso, e, com a voz de mel, chamou-a. Eva estremeceu.

— Quem me chama?

— Sou eu, estou comendo desta fruta...

— Desgraçada, é a árvore do bem e do mal!

— Justamente. Conheço agora tudo, a origem das coisas e o enigma da vida. Anda, come e terás um grande poder na terra.

— Não, pérfida!

— Néscia! Para que recusas o resplendor dos tempos? Escuta-me, faze o que te digo, e serás legião, fundarás cidades, e chamar-te-ás Cleópatra, Dido, Semíramis; darás heróis do teu ventre, e serás Cornélia; ouvirás a voz do céu, e serás Débora; cantarás e serás Safo.* E um dia, se Deus quiser descer à terra, escolherá as tuas entranhas, e chamar-te-ás Maria de Nazaré. Que mais queres tu? Realeza,

---

* Dentre essas mulheres célebres, as menos conhecidas são: *Semíramis*, rainha lendária de Babilônia, a quem foi atribuída a construção dos famosos jardins suspensos; *Cornélia*, mãe dos Graco, tribunos da plebe no século II a. C., que propuseram leis agrárias e tentaram melhorar as condições de vida do povo romano. *Débora* foi profetisa de Israel (ver Juízes, 4 e 5).

poesia, divindade, tudo trocas por uma estulta obediência. Nem será só isso. Toda a natureza te fará bela e mais bela. Cores das folhas verdes, cores do céu azul, vivas ou pálidas, cores da noite, hão de refletir nos teus olhos. A mesma noite, de porfia com o sol, virá brincar nos teus cabelos. Os filhos do teu seio tecerão para ti as melhores vestiduras, comporão os mais finos aromas, e as aves te darão as suas plumas, e a terra as suas flores, tudo, tudo, tudo...

Eva escutava impassível; Adão chegou, ouviu-os e confirmou a resposta de Eva; nada valia a perda do paraíso, nem a ciência, nem o poder, nenhuma outra ilusão da terra. Dizendo isto, deram as mãos um ao outro, e deixaram a serpente, que saiu pressurosa para dar conta ao Tinhoso.

Deus, que ouvira tudo, disse a Gabriel:

— Vai, arcanjo meu, desce ao paraíso terrestre, onde vivem Adão e Eva, e traze-os para a eterna bem-aventurança, que mereceram pela repulsa às instigações do Tinhoso.

E logo o arcanjo, pondo na cabeça o elmo de diamante, que rutila como um milhar de sóis, rasgou instantaneamente os ares, chegou a Adão e Eva, e disse-lhes:

— Salve, Adão e Eva. Vinde comigo para o paraíso, que merecestes pela repulsa às instigações do Tinhoso.

Um e outro, atônitos e confusos, curvaram o colo em sinal de obediência; então Gabriel deu as mãos a ambos, e os três subiram até à estância eterna, onde miríades de anjos os esperavam, cantando:

— Entrai, entrai. A terra que deixastes, fica entregue às obras do Tinhoso, aos animais ferozes e maléficos, às plantas daninhas e peçonhentas, ao ar impuro, à vida dos pântanos. Reinará nela a serpente que rasteja, babuja e morde, nenhuma criatura igual a vós porá entre tanta abominação a nota da esperança e da piedade.

E foi assim que Adão e Eva entraram no céu, ao som de todas as cítaras, que uniam as suas notas em um hino aos dois egressos da criação...

... Tendo acabado de falar, o juiz de fora estendeu o prato a D. Leonor para que lhe desse mais doce, enquanto os outros convivas olhavam uns para os outros, embasbacados; em vez de explicação, ouviam uma narração enigmática, ou, pelo menos, sem sentido aparente. D. Leonor foi a primeira que falou:

— Bem dizia eu que o Sr. Veloso estava logrando a gente. Não foi isso que lhe pedimos, nem nada disso aconteceu, não é, frei Bento?

— Lá o saberá o Sr. juiz, respondeu o carmelita sorrindo.

E o juiz de fora, levando à boca uma colher de doce:

— Pensando bem, creio que nada disso aconteceu; mas também, D. Leonor, se tivesse acontecido, não estaríamos aqui saboreando este doce, que está, na verdade, uma coisa primorosa. É ainda aquela sua antiga doceira de Itapagipe?

Um apólogo

Era uma vez uma agulha, que disse a um novelo de linha:

— Por que está você com esse ar, toda cheia de si, toda enrolada, para fingir que vale alguma coisa neste mundo?

— Deixe-me, senhora.

— Que a deixe? Que a deixe, por quê? Porque lhe digo que está com um ar insuportável? Repito que sim, e falarei sempre que me der na cabeça.

— Que cabeça, senhora? A senhora não é alfinete, é agulha. Agulha não tem cabeça. Que lhe importa o meu ar? Cada qual tem o ar que Deus lhe deu. Importe-se com a sua vida e deixe a dos outros.

— Mas você é orgulhosa.

— Decerto que sou.

— Mas por quê?

— É boa! Porque coso. Então os vestidos e enfeites de nossa ama, quem é que os cose, senão eu?

— Você? Esta agora é melhor. Você é que os cose? Você ignora que quem os cose sou eu, e muito eu?

— Você fura o pano, nada mais; eu é que coso, prendo um pedaço ao outro, dou feição aos babados...

— Sim, mas que vale isso? Eu é que furo o pano, vou adiante, puxando por você, que vem atrás, obedecendo ao que eu faço e mando...

— Também os batedores vão adiante do imperador.

— Você imperador?

— Não digo isso. Mas a verdade é que você faz um papel subalterno, indo adiante; vai só mostrando o caminho, vai fazendo o trabalho obscuro e ínfimo. Eu é que prendo, ligo, ajunto...

Estavam nisto, quando a costureira chegou à casa da baronesa. Não sei se disse que isto se passava em casa de uma baronesa, que tinha a modista ao pé de si, para não andar atrás dela. Chegou a costureira, pegou do pano, pegou da agulha, pegou da linha, enfiou a linha na agulha, e entrou a coser. Uma e outra iam andando orgulhosas, pelo pano adiante, que era a melhor das sedas, entre os dedos da costureira, ágeis como os galgos de Diana — para dar a isto uma cor poética. E dizia a agulha:

— Então senhora linha, ainda teima no que dizia há pouco? Não repara que esta distinta costureira só se importa comigo; eu é que vou aqui entre os dedos dela, unidinha a eles, furando abaixo e acima...

A linha não respondia nada; ia andando. Buraco aberto pela agulha era logo enchido por ela, silenciosa e ativa, como quem sabe o que faz, e não está para ouvir palavras loucas. A agulha, vendo que ela não lhe dava resposta, calou-se também, e foi andando. E era tudo silêncio na saleta de costura; não se ouvia mais que o *plic-plic-plic-plic* da agulha no pano. Caindo o sol, a costureira dobrou a costura, para o dia seguinte; continuou ainda nesse e no outro, até que no quarto acabou a obra, e ficou esperando o baile.

Veio a noite do baile, e a baronesa vestiu-se. A costureira, que a ajudou a vestir-se, levava a agulha espetada no corpinho, para dar algum ponto necessário. E enquanto compunha o vestido da bela dama, e puxava a um lado ou outro, arregaçava daqui ou dali, alisando, abotoando, acolchetando, a linha, para mofar da agulha, perguntou-lhe:

— Ora agora, diga-me, quem é que vai ao baile, no corpo da baronesa, fazendo parte do vestido e da elegância? Quem é que vai dançar com ministros e diplomatas, enquanto você volta para a caixinha da costureira, antes de ir para o balaio das mucamas? Vamos, diga lá.

Parece que a agulha não disse nada; mas um alfinete, de cabeça grande e não menor experiência, murmurou à pobre agulha: — Anda, aprende, tola. Cansas-te em abrir caminho para ela e ela é que vai gozar da vida, enquanto aí ficas na caixinha de costura. Faze como eu, que não abro caminho para ninguém. Onde me espetam, fico.

Contei esta história a um professor de melancolia, que me disse, abanando a cabeça: — Também eu tenho servido de agulha a muita linha ordinária!

A causa secreta

Garcia, em pé, mirava e estalava as unhas; Fortunato, na cadeira de balanço, olhava para o teto; Maria Luísa, perto da janela, concluía um trabalho de agulha. Havia já cinco minutos que nenhum deles dizia nada. Tinham falado do dia, que estivera excelente, — de Catumbi, onde morava o casal Fortunato, e de uma casa de saúde, que adiante se explicará. Como os três personagens aqui presentes estão agora mortos e enterrados, tempo é de contar a história sem rebuço.

Tinham falado também de outra coisa, além daquelas três, coisa tão feia e grave, que não lhes deixou muito gosto para tratar do dia, do bairro e da casa de saúde. Toda a conversação a este respeito foi constrangida. Agora mesmo, os dedos de Maria Luísa parecem ainda trêmulos, ao passo que há no rosto de Garcia uma expressão de severidade, que lhe não é habitual. Em verdade, o que se passou foi de tal natureza, que para fazê-lo entender, é preciso remontar à origem da situação.

Garcia tinha-se formado em medicina, no ano anterior, 1861. No de 1860, estando ainda na Escola, encontrou-se com Fortunato, pela primeira vez, à porta da Santa Casa; entrava, quando o outro saía. Fez-lhe impressão a figura; mas, ainda assim, tê-la-ia esquecido, se não fosse o segundo encontro, poucos dias depois. Morava na rua de D. Manuel. Uma de suas raras distrações era ir ao teatro de S. Januário, que ficava perto, entre essa rua e a praia; ia uma ou duas vezes por mês, e nunca achava acima de quarenta pessoas. Só os mais intrépidos ousavam estender os passos até aquele recanto da cidade. Uma noite, estando nas cadeiras, apareceu ali Fortunato, e sentou-se ao pé dele.

A peça era um dramalhão, cosido a facadas, ouriçado de imprecações e remorsos; mas Fortunato ouviu-a com singular interesse. Nos lances dolorosos, a atenção dele redobrava, os olhos iam avidamente de um personagem a outro, a tal ponto que o estudante suspeitou haver na peça reminiscências pessoais do vizinho. No fim do drama, veio uma farsa; mas Fortunato não esperou por ela e saiu; Garcia saiu atrás dele. Fortunato foi pelo beco do Cotovelo, rua de S. José, até o largo da Carioca. Ia devagar, cabisbaixo, parando às vezes, para dar uma bengalada em algum cão que dormia; o cão ficava ganindo e ele ia andando. No largo da Carioca entrou num tílburi, e seguiu para os lados da praça da Constituição. Garcia voltou para casa sem saber mais nada.

Decorreram algumas semanas. Uma noite, eram nove horas, estava em casa, quando ouviu rumor de vozes na escada; desceu logo do sótão, onde morava, ao primeiro andar, onde vivia um empregado do arsenal de guerra. Era este, que alguns homens conduziam, escada acima, ensanguentado. O preto que o servia, acudiu a abrir a porta; o homem gemia, as vozes eram confusas, a luz pouca. Deposto o ferido na cama, Garcia disse que era preciso chamar um médico.

— Já aí vem um, acudiu alguém.

Garcia olhou: era o próprio homem da Santa Casa e do teatro. Imaginou que seria parente ou amigo do ferido; mas, rejeitou a suposição, desde que lhe ouvira perguntar se este tinha família ou pessoa próxima. Disse-lhe o preto que não, e ele assumiu a direção do serviço, pediu às pessoas estranhas que se retirassem, pagou aos carregadores, e deu as primeiras ordens. Sabendo que o Garcia era vizinho e estudante de medicina, pediu-lhe que ficasse para ajudar o médico. Em seguida contou o que se passara.

— Foi uma malta de capoeiras. Eu vinha do quartel de Moura, onde fui visitar um primo, quando ouvi um barulho muito grande, e logo depois um ajuntamento. Parece que eles feriram também a um sujeito que passava, e que entrou por um daqueles becos; mas eu só vi a este senhor, que atravessava a rua no momento em que um dos capoeiras, roçando por ele, meteu-lhe o punhal. Não caiu logo; disse onde morava, e, como era a dois passos, achei melhor trazê-lo.

— Conhecia-o antes? perguntou Garcia.

A CAUSA SECRETA   369

— Não, nunca o vi. Quem é?

— É um bom homem, empregado no arsenal de guerra. Chama-se Gouveia.

— Não sei quem é.

Médico e subdelegado vieram daí a pouco; fez-se o curativo, e tomaram-se as informações. O desconhecido declarou chamar-se Fortunato Gomes da Silveira, ser capitalista, solteiro, morador em Catumbi. A ferida foi reconhecida grave. Durante o curativo, ajudado pelo estudante, Fortunato serviu de criado, segurando a bacia, a vela, os panos, sem perturbar nada, olhando friamente para o ferido, que gemia muito. No fim, entendeu-se particularmente com o médico, acompanhou-o até o patamar da escada, e reiterou ao subdelegado a declaração de estar pronto a auxiliar as pesquisas da polícia. Os dois saíram, ele e o estudante ficaram no quarto.

Garcia estava atônito. Olhou para ele, viu-o sentar-se tranquilamente, estirar as pernas, meter as mãos nas algibeiras das calças, e fitar os olhos no ferido. Os olhos eram claros, cor de chumbo, moviam-se devagar, e tinham a expressão dura, seca e fria. Cara magra e pálida; uma tira estreita de barba, por baixo do queixo, e de uma têmpora a outra, curta, ruiva e rara. Teria quarenta anos. De quando em quando, voltava-se para o estudante, e perguntava alguma coisa acerca do ferido; mas tornava logo a olhar para ele, enquanto o rapaz lhe dava a resposta. A sensação que o estudante recebia era de repulsa ao mesmo tempo que de curiosidade; não podia negar que estava assistindo a um ato de rara dedicação, e se era desinteressado como parecia, não havia mais que aceitar o coração humano como um poço de mistérios.

Fortunato saiu pouco antes de uma hora; voltou nos dias seguintes, mas a cura fez-se depressa, e, antes de concluída, desapareceu sem dizer ao obsequiado onde morava. Foi o estudante que lhe deu as indicações do nome, rua e número.

— Vou agradecer-lhe a esmola que me fez, logo que possa sair, disse o convalescente.

Correu a Catumbi daí a seis dias. Fortunato recebeu-o constrangido, ouviu impaciente as palavras de agradecimento, deu-lhe uma resposta enfastiada e acabou batendo com as borlas do chambre no joelho. Gouveia, defronte dele, sentado e calado, alisava o chapéu com os dedos, levantando os olhos de quando em quando, sem achar mais nada que dizer. No fim de dez minutos, pediu licença para sair, e saiu.

— Cuidado com os capoeiras! disse-lhe o dono da casa, rindo-se.

O pobre-diabo saiu de lá mortificado, humilhado, mastigando a custo o desdém, forcejando por esquecê-lo, explicá-lo ou perdoá-lo, para que no coração só ficasse a memória do benefício; mas o esforço era vão. O ressentimento, hóspede novo e exclusivo, entrou e pôs fora o benefício, de tal modo que o desgraçado não teve mais que trepar à cabeça e refugiar-se ali como uma simples ideia. Foi assim que o próprio benfeitor insinuou a este homem o sentimento da ingratidão.

Tudo isso assombrou o Garcia. Este moço possuía, em gérmen, a faculdade de decifrar os homens, de decompor os caracteres, tinha o amor da análise, e sentia o regalo, que dizia ser supremo, de penetrar muitas camadas morais, até apalpar o segredo de um organismo. Picado de curiosidade, lembrou-se de ir ter com o homem de Catumbi, mas advertiu que nem recebera dele o oferecimento formal da casa. Quando menos, era-lhe preciso um pretexto, e não achou nenhum.

Tempos depois, estando já formado, e morando na rua de Matacavalos, perto da do Conde, encontrou Fortunato em uma gôndola, encontrou-o ainda outras vezes, e a frequência trouxe a familiaridade. Um dia Fortunato convidou-o a ir visitá-lo ali perto, em Catumbi.

— Sabe que estou casado?

— Não sabia.

— Casei-me há quatro meses, podia dizer quatro dias. Vá jantar conosco domingo.

— Domingo?

— Não esteja forjando desculpas; não admito desculpas. Vá domingo.

Garcia foi lá domingo. Fortunato deu-lhe um bom jantar, bons charutos e boa palestra, em companhia da senhora, que era interessante. A figura dele não mudara; os olhos eram as mesmas chapas de estanho, duras e frias; as outras feições não eram mais atraentes que dantes. Os obséquios, porém, se não resgatavam a natureza, davam alguma compensação, e não era pouco. Maria Luísa é que possuía ambos os feitiços, pessoa e modos. Era esbelta, airosa, olhos meigos e submissos; tinha vinte e cinco anos e parecia não passar de dezenove. Garcia, à segunda vez que lá foi, percebeu que entre eles havia alguma dissonância de caracteres, pouca ou nenhuma afinidade moral, e da parte da mulher para com o marido uns modos que transcendiam o respeito e confinavam na resignação e no temor.

Um dia, estando os três juntos, perguntou Garcia a Maria Luísa se tivera notícia das circunstâncias em que ele conhecera o marido.

— Não, respondeu a moça.

— Vai ouvir uma ação bonita.

— Não vale a pena, interrompeu Fortunato.

— A senhora vai ver se vale a pena, insistiu o médico.

Contou o caso da rua de D. Manuel. A moça ouviu-o espantada. Insensivelmente estendeu a mão e apertou o pulso ao marido, risonha e agradecida, como se acabasse de descobrir-lhe o coração. Fortunato sacudia os ombros, mas não ouvia com indiferença. No fim contou ele próprio a visita que o ferido lhe fez, com todos os pormenores da figura, dos gestos, das palavras atadas, dos silêncios, em suma, um estúrdio. E ria muito ao contá-la. Não era o riso da dobrez. A dobrez é evasiva e oblíqua; o riso dele era jovial e franco.

— Singular homem! pensou Garcia.

Maria Luísa ficou desconsolada com a zombaria do marido; mas o médico restituiu-lhe a satisfação anterior, voltando a referir a dedicação deste e as suas raras qualidades de enfermeiro; tão bom enfermeiro, concluiu ele, que, se algum dia fundar uma casa de saúde, irei convidá-lo.

— Valeu? perguntou Fortunato.

— Valeu o quê?

— Vamos fundar uma casa de saúde?

— Não valeu nada; estou brincando.

— Podia-se fazer alguma coisa; e para o senhor, que começa a clínica, acho que seria bem bom. Tenho justamente uma casa que vai vagar, e serve.

Garcia recusou nesse e no dia seguinte; mas a ideia tinha-se metido na cabeça ao outro, e não foi possível recuar mais. Na verdade, era uma boa estreia para ele, e podia vir a ser um bom negócio para ambos. Aceitou finalmente, daí a dias, e foi uma desilusão para Maria Luísa. Criatura nervosa e frágil, padecia só com a ideia de que o marido tivesse de viver em contato com enfermidades humanas, mas não ousou opor-se-lhe, e curvou a cabeça. O plano fez-se e cumpriu-se depressa. Verdade é que Fortunato não curou de mais nada, nem então, nem depois. Aberta a casa, foi ele o próprio administrador e chefe de enfermeiros, examinava tudo, ordenava tudo, compras e caldos, drogas e contas.

Garcia pôde então observar que a dedicação ao ferido da rua de D. Manuel não era um caso fortuito, mas assentava na própria natureza deste homem. Via-o

372 MACHADO DE ASSIS

servir como nenhum dos fâmulos. Não recuava diante de nada, não conhecia moléstia aflitiva ou repelente, e estava sempre pronto para tudo, a qualquer hora do dia ou da noite. Toda a gente pasmava e aplaudia. Fortunato estudava, acompanhava as operações, e nenhum outro curava os cáusticos. — Tenho muita fé nos cáusticos, dizia ele.

A comunhão dos interesses apertou os laços da intimidade. Garcia tornou-se familiar na casa; ali jantava quase todos os dias, ali observava a pessoa e a vida de Maria Luísa, cuja solidão moral era evidente. E a solidão como que lhe duplicava o encanto. Garcia começou a sentir que alguma coisa o agitava, quando ela aparecia, quando falava, quando trabalhava, calada, ao canto da janela, ou tocava ao piano umas músicas tristes. Manso e manso, entrou-lhe o amor no coração. Quando deu por ele, quis expeli-lo, para que entre ele e Fortunato não houvesse outro laço que o da amizade; mas não pôde. Pôde apenas trancá-lo; Maria Luísa compreendeu ambas as coisas, a afeição e o silêncio, mas não se deu por achada.

No começo de outubro deu-se um incidente que desvendou ainda mais aos olhos do médico a situação da moça. Fortunato metera-se a estudar anatomia e fisiologia, e ocupava-se nas horas vagas em rasgar e envenenar gatos e cães. Como os guinchos dos animais atordoavam os doentes, mudou o laboratório para casa, e a mulher, compleição nervosa, teve de os sofrer. Um dia, porém, não podendo mais, foi ter com o médico e pediu-lhe que, como coisa sua, alcançasse do marido a cessação de tais experiências.

— Mas a senhora mesma...

Maria Luísa acudiu, sorrindo:

— Ele naturalmente achará que sou criança. O que eu queria é que o senhor, como médico, lhe dissesse que isso me faz mal; e creia que faz...

Garcia alcançou prontamente que o outro acabasse com tais estudos. Se os foi fazer em outra parte, ninguém o soube, mas pode ser que sim. Maria Luísa agradeceu ao médico, tanto por ela como pelos animais, que não podia ver padecer. Tossia de quando em quando; Garcia perguntou-lhe se tinha alguma coisa, ela respondeu que nada.

— Deixe ver o pulso.

— Não tenho nada.

Não deu o pulso, e retirou-se. Garcia ficou apreensivo. Cuidava, ao contrário, que ela podia ter alguma coisa, que era preciso observá-la e avisar o marido em tempo.

Dois dias depois, — exatamente o dia em que os vemos agora, — Garcia foi lá jantar. Na sala disseram-lhe que Fortunato estava no gabinete, e ele caminhou para ali; ia chegando à porta, no momento em que Maria Luísa saía aflita.

— Que é? perguntou-lhe.

— O rato! o rato! exclamou a moça sufocada e afastando-se.

Garcia lembrou-se que, na véspera, ouvira ao Fortunato queixar-se de um rato, que lhe levara um papel importante; mas estava longe de esperar o que viu. Viu Fortunato sentado à mesa, que havia no centro do gabinete, e sobre a qual pusera um prato com espírito de vinho. O líquido flamejava. Entre o polegar e o índice da mão esquerda segurava um barbante, de cuja ponta pendia o rato atado pela cauda. Na direita tinha uma tesoura. No momento em que o Garcia entrou, Fortunato cortava ao rato uma das patas; em seguida desceu o infeliz até à chama, rápido, para não matá-lo, e dispôs-se a fazer o mesmo à terceira, pois já lhe havia cortado a primeira. Garcia estacou horrorizado.

— Mate-o logo! disse-lhe.

— Já vai.

E com um sorriso único, reflexo de alma satisfeita, alguma coisa que traduzia a delícia íntima das sensações supremas, Fortunato cortou a terceira pata ao rato, e fez pela terceira vez o mesmo movimento até a chama. O miserável estorcia-se, guinchando, ensanguentado, chamuscado, e não acabava de morrer. Garcia desviou os olhos, depois voltou-os novamente, e estendeu a mão para impedir que o suplício continuasse, mas não chegou a fazê-lo, porque o diabo do homem impunha medo, com toda aquela serenidade radiosa da fisionomia. Faltava cortar a última pata; Fortunato cortou-a muito devagar, acompanhando a tesoura com os olhos; a pata caiu, e ele ficou olhando para o rato meio cadáver. Ao descê-lo pela quarta vez, até a chama, deu ainda mais rapidez ao gesto, para salvar, se pudesse, alguns farrapos de vida.

Garcia, defronte, conseguia dominar a repugnância do espetáculo para fixar a cara do homem. Nem raiva, nem ódio; tão somente um vasto prazer, quieto e profundo, como daria a outro a audição de uma bela sonata ou a vista de uma estátua divina, alguma coisa parecida com a pura sensação estética. Pareceu-lhe, e era verdade, que Fortunato havia-o inteiramente esquecido. Isto posto, não estaria fingindo, e devia ser aquilo mesmo. A chama ia morrendo, o rato podia ser que tivesse ainda um resíduo de vida, sombra de sombra; Fortunato aproveitou-o para cortar-lhe o focinho e pela última vez chegar a carne ao fogo. Afi-

374   MACHADO DE ASSIS

nal deixou cair o cadáver no prato, e arredou de si toda essa mistura de chamusco e sangue.

Ao levantar-se deu com o médico e teve um sobressalto. Então, mostrou-se enraivecido contra o animal, que lhe comera o papel; mas a cólera evidentemente era fingida.

— Castiga sem raiva, pensou o médico, pela necessidade de achar uma sensação de prazer, que só a dor alheia lhe pode dar: é o segredo deste homem.

Fortunato encareceu a importância do papel, a perda que lhe trazia, perda de tempo, é certo, mas o tempo agora era-lhe preciosíssimo. Garcia ouvia só, sem dizer nada, nem lhe dar crédito. Relembrava os atos dele, graves e leves, achava a mesma explicação para todos. Era a mesma troca das teclas da sensibilidade, um diletantismo *sui generis*, uma redução de Calígula.

Quando Maria Luísa voltou ao gabinete, daí a pouco, o marido foi ter com ela, rindo, pegou-lhe nas mãos e falou-lhe mansamente:

— Fracalhona!

E voltando-se para o médico:

— Há de crer que quase desmaiou?

Maria Luísa defendeu-se a medo, disse que era nervosa e mulher; depois foi sentar-se à janela com as suas lãs e agulhas, e os dedos ainda trêmulos, tal qual a vimos no começo desta história. Hão de lembrar-se que, depois de terem falado de outras coisas, ficaram calados os três, o marido sentado e olhando para o teto, o médico estalando as unhas. Pouco depois foram jantar; mas o jantar não foi alegre. Maria Luísa cismava e tossia; o médico indagava de si mesmo se ela não estaria exposta a algum excesso na companhia de tal homem. Era apenas possível; mas o amor trocou-lhe a possibilidade em certeza; tremeu por ela e cuidou de os vigiar.

Ela tossia, tossia, e não se passou muito tempo que a moléstia não tirasse a máscara. Era a tísica, velha dama insaciável, que chupa a vida toda, até deixar um bagaço de ossos. Fortunato recebeu a notícia como um golpe; amava deveras a mulher, a seu modo, estava acostumado com ela, custava-lhe perdê-la. Não poupou esforços, médicos, remédios, ares, todos os recursos e todos os paliativos. Mas foi tudo vão. A doença era mortal.

Nos últimos dias, em presença dos tormentos supremos da moça, a índole do marido subjugou qualquer outra afeição. Não a deixou mais; fitou o olho baço e frio naquela decomposição lenta e dolorosa da vida, bebeu uma a uma as

A CAUSA SECRETA 375

aflições da bela criatura, agora magra e transparente, devorada de febre e minada de morte. Egoísmo aspérrimo, faminto de sensações, não lhe perdoou um só minuto de agonia, nem lhos pagou com uma só lágrima, pública ou íntima. Só quando ela expirou, é que ele ficou aturdido. Voltando a si, viu que estava outra vez só.

De noite, indo repousar uma parenta de Maria Luísa, que a ajudara a morrer, ficaram na sala Fortunato e Garcia, velando o cadáver, ambos pensativos; mas o próprio marido estava fatigado, o médico disse-lhe que repousasse um pouco.

— Vá descansar, passe pelo sono uma hora ou duas: eu irei depois.

Fortunato saiu, foi deitar-se no sofá da saleta contígua, e adormeceu logo. Vinte minutos depois acordou, quis dormir outra vez, cochilou alguns minutos, até que se levantou e voltou à sala. Caminhava nas pontas dos pés para não acordar a parenta, que dormia perto. Chegando à porta, estacou assombrado.

Garcia tinha-se chegado ao cadáver, levantara o lenço e contemplara por alguns instantes as feições defuntas. Depois, como se a morte espiritualizasse tudo, inclinou-se e beijou-o na testa. Foi nesse momento que Fortunato chegou à porta. Estacou assombrado; não podia ser o beijo da amizade, podia ser o epílogo de um livro adúltero. Não tinha ciúmes, note-se; a natureza compô-lo de maneira que lhe não deu ciúmes nem inveja, mas dera-lhe vaidade, que não é menos cativa ao ressentimento. Olhou assombrado, mordendo os beiços.

Entretanto, Garcia inclinou-se ainda para beijar outra vez o cadáver; mas então não pôde mais. O beijo rebentou em soluços, e os olhos não puderam conter as lágrimas, que vieram em borbotões, lágrimas de amor calado, e irremediável desespero. Fortunato, à porta, onde ficara, saboreou tranquilo essa explosão de dor moral que foi longa, muito longa, deliciosamente longa.

Uns braços

Inácio estremeceu, ouvindo os gritos do solicitador, recebeu o prato que este lhe apresentava e tratou de comer, debaixo de uma trovoada de nomes, malandro, cabeça de vento, estúpido, maluco.

— Onde anda que nunca ouve o que lhe digo? Hei de contar tudo a seu pai, para que lhe sacuda a preguiça do corpo com uma boa vara de marmelo, ou um pau; sim, ainda pode apanhar, não pense que não. Estúpido! maluco!

— Olhe que lá fora é isto mesmo que você vê aqui, continuou, voltando-se para D. Severina, senhora que vivia com ele maritalmente, há anos. Confunde-me os papéis todos, erra as casas, vai a um escrivão em vez de ir a outro, troca os advogados: é o diabo! É o tal sono pesado e contínuo. De manhã é o que se vê; primeiro que acorde é preciso quebrar-lhe os ossos... Deixe; amanhã hei de acordá-lo a pau de vassoura!

D. Severina tocou-lhe no pé, como pedindo que acabasse. Borges espeitorou ainda alguns impropérios, e ficou em paz com Deus e os homens.

Não digo que ficou em paz com os meninos, porque o nosso Inácio não era propriamente menino. Tinha quinze anos feitos e benfeitos. Cabeça inculta, mas bela, olhos de rapaz que sonha, que adivinha, que indaga, que quer saber e não acaba de saber nada. Tudo isso posto sobre um corpo não destituído de graça, ainda que mal vestido. O pai é barbeiro na Cidade Nova, e pô-lo de agente, escrevente, ou que quer que era, do solicitador Borges, com esperança de vê-lo no foro, porque lhe parecia que os procuradores de causas ganhavam muito. Passava-se isto na rua da Lapa, em 1870.

Durante alguns minutos não se ouviu mais que o tinir dos talheres e o ruído da mastigação. Borges abarrotava-se de alface e vaca; interrompia-se para virgular a oração com um golpe de vinho e continuava logo calado.

Inácio ia comendo devagarinho, não ousando levantar os olhos do prato, nem para colocá-los onde eles estavam no momento em que o terrível Borges o descompôs. Verdade é que seria agora muito arriscado. Nunca ele pôs os olhos nos braços de D. Severina que se não esquecesse de si e de tudo.

Também a culpa era antes de D. Severina em trazê-los assim nus, constantemente. Usava mangas curtas em todos os vestidos de casa, meio palmo abaixo do ombro; dali em diante ficavam-lhe os braços à mostra. Na verdade, eram belos e cheios, em harmonia com a dona, que era antes grossa que fina, e não perdiam a cor nem a maciez por viverem ao ar; mas é justo explicar que ela os não trazia assim por faceira, senão porque já gastara todos os vestidos de mangas compridas. De pé, era muito vistosa; andando, tinha meneios engraçados; ele, entretanto, quase que só a via à mesa, onde, além dos braços, mal poderia mirar-lhe o busto. Não se pode dizer que era bonita; mas também não era feia. Nenhum adorno; o próprio penteado consta de mui pouco; alisou os cabelos, apanhou-os, atou-os e fixou-os no alto da cabeça com o pente de tartaruga que a mãe lhe deixou. Ao pescoço, um lenço escuro; nas orelhas, nada. Tudo isso com vinte e sete anos floridos e sólidos.

Acabaram de jantar. Borges, vindo o café, tirou quatro charutos da algibeira, comparou-os, apertou-os entre os dedos, escolheu um e guardou os restantes. Aceso o charuto, fincou os cotovelos na mesa e falou a D. Severina de trinta mil coisas que não interessavam nada ao nosso Inácio; mas enquanto falava, não o descompunha e ele podia devanear à larga.

Inácio demorou o café o mais que pôde. Entre um e outro gole, alisava a toalha, arrancava dos dedos pedacinhos de pele imaginários, ou passava os olhos pelos quadros da sala de jantar, que eram dois, um S. Pedro e um S. João, registros trazidos de festas e encaixilhados em casa. Vá que disfarçasse com S. João, cuja cabeça moça alegra as imaginações católicas; mas com o austero S. Pedro era demais. A única defesa do moço Inácio é que ele não via nem um nem outro; passava os olhos por ali como por nada. Via só os braços de D. Severina, — ou porque sorrateiramente olhasse para eles, ou porque andasse com eles impressos na memória.

— Homem, você não acaba mais? bradou de repente o solicitador.

Não havia remédio; Inácio bebeu a última gota, já fria, e retirou-se, como de costume, para o seu quarto, nos fundos da casa. Entrando, fez um gesto de zanga e desespero e foi depois encostar-se a uma das duas janelas que davam para o mar. Cinco minutos depois, a vista das águas próximas e das montanhas ao longe restituía-lhe o sentimento confuso, vago, inquieto, que lhe doía e fazia bem, alguma coisa que deve sentir a planta, quando abotoa a primeira flor. Tinha vontade de ir embora e de ficar. Havia cinco semanas que ali morava, e a vida era sempre a mesma, sair de manhã com o Borges, andar por audiências e cartórios, correndo, levando papéis ao selo, ao distribuidor, aos escrivães, aos oficiais de justiça. Voltava à tarde, jantava e recolhia-se ao quarto, até a hora da ceia; ceava e ia dormir. Borges não lhe dava intimidade na família, que se compunha apenas de D. Severina, nem Inácio a via mais de três vezes por dia, durante as refeições. Cinco semanas de solidão, de trabalho sem gosto, longe da mãe e das irmãs; cinco semanas de silêncio, porque ele só falava uma ou outra vez na rua; em casa, nada.

— Deixe estar, — pensou ele um dia — fujo daqui e não volto mais.

Não foi; sentiu-se agarrado e acorrentado pelos braços de D. Severina. Nunca vira outros tão bonitos e tão frescos. A educação que tivera não lhe permitia encará-los logo abertamente, parece até que a princípio afastava os olhos, vexado. Encarou-os pouco a pouco, ao ver que eles não tinham outras mangas, e assim os foi descobrindo, mirando e amando. No fim de três semanas eram eles, moralmente falando, as suas tendas de repouso. Aguentava toda a trabalheira de fora, toda a melancolia da solidão e do silêncio, toda a grosseria do patrão, pela única paga de ver, três vezes por dia, o famoso par de braços.

Naquele dia, enquanto a noite ia caindo e Inácio estirava-se na rede (não tinha ali outra cama), D. Severina, na sala da frente, recapitulava o episódio do jantar e, pela primeira vez, desconfiou alguma coisa. Rejeitou a ideia logo, uma criança! Mas há ideias que são da família das moscas teimosas: por mais que a gente as sacuda, elas tornam e pousam. Criança? Tinha quinze anos; e ela advertiu que entre o nariz e a boca do rapaz havia um princípio de rascunho de buço. Que admira que começasse a amar? E não era ela bonita? Esta outra ideia não foi rejeitada, antes afagada e beijada. E recordou então os modos dele, os esquecimentos, as distrações, e mais um incidente, e mais outro, tudo eram sintomas, e concluiu que sim.

— Que é que você tem? disse-lhe o solicitador, estirado no canapé, ao cabo de alguns minutos de pausa.

— Não tenho nada.

— Nada? Parece que cá em casa anda tudo dormindo! Deixem estar, que eu sei de um bom remédio para tirar o sono aos dorminhocos...

E foi por ali, no mesmo tom zangado, fuzilando ameaças, mas realmente incapaz de as cumprir, pois era antes grosseiro que mau. D. Severina interrompia-o que não, que era engano, não estava dormindo, estava pensando na comadre Fortunata. Não a visitavam desde o Natal; por que não iriam lá uma daquelas noites? Borges redarguia que andava cansado, trabalhava como um negro, não estava para visitas de parola; e descompôs a comadre, descompôs o compadre, descompôs o afilhado, que não ia ao colégio, com dez anos! Ele, Borges, com dez anos, já sabia ler, escrever e contar, não muito bem, é certo, mas sabia. Dez anos! Havia de ter um bonito fim: — vadio, e o côvado e meio nas costas. A tarimba é que viria ensiná-lo.

D. Severina apaziguava-o com desculpas, a pobreza da comadre, o caiporismo do compadre, e fazia-lhe carinhos, a medo, que eles podiam irritá-lo mais. A noite caíra de todo; ela ouviu o *tlic* do lampião do gás da rua, que acabavam de acender, e viu o clarão dele nas janelas da casa fronteira. Borges, cansado do dia, pois era realmente um trabalhador de primeira ordem, foi fechando os olhos e pegando no sono, e deixou-a só na sala, às escuras, consigo e com a descoberta que acabava de fazer.

Tudo parecia dizer à dama que era verdade; mas essa verdade, desfeita a impressão do assombro, trouxe-lhe uma complicação moral, que ela só conheceu pelos efeitos, não achando meio de discernir o que era. Não podia entender-se nem equilibrar-se, chegou a pensar em dizer tudo ao solicitador, e ele que mandasse embora o fedelho. Mas que era tudo? Aqui estacou: realmente, não havia mais que suposição, coincidência e possivelmente ilusão. Não, não, ilusão não era. E logo recolhia os indícios vagos, as atitudes do mocinho, o acanhamento, as distrações, para rejeitar a ideia de estar enganada. Daí a pouco (capciosa natureza!), refletindo que seria mau acusá-lo sem fundamento, admitiu que se iludisse, para o único fim de observá-lo melhor e averiguar bem a realidade das coisas.

Já nessa noite, D. Severina mirava por baixo dos olhos os gestos de Inácio;

não chegou a achar nada, porque o tempo do chá era curto e o rapazinho não tirou os olhos da xícara. No dia seguinte pôde observar melhor, e nos outros otimamente. Percebeu que sim, que era amada e temida, amor adolescente e virgem, retido pelos liames sociais e por um sentimento de inferioridade que o impedia de reconhecer-se a si mesmo. D. Severina compreendeu que não havia recear nenhum desacato, e concluiu que o melhor era não dizer nada ao solicitador; poupava-lhe um desgosto, e outro à pobre criança. Já se persuadia bem que ele era criança, e assentou de o tratar tão secamente como até ali, ou ainda mais. E assim fez; Inácio começou a sentir que ela fugia com os olhos, ou falava áspero, quase tanto como o próprio Borges. De outras vezes, é verdade que o tom da voz saía brando e até meigo, muito meigo; assim como o olhar, geralmente esquivo, tanto errava por outras partes, que, para descansar, vinha pousar na cabeça dele; mas tudo isso era curto.

— Vou-me embora, repetia ele na rua como nos primeiros dias.

Chegava a casa e não se ia embora. Os braços de D. Severina fechavam-lhe um parêntesis no meio do longo e fastidioso período da vida que levava, e essa oração intercalada trazia uma ideia original e profunda, inventada pelo céu unicamente para ele. Deixava-se estar e ia andando. Afinal, porém, teve de sair, e para nunca mais; eis aqui como e por quê.

D. Severina tratava-o desde alguns dias com benignidade. A rudeza da voz parecia acabada, e havia mais do que brandura, havia desvelo e carinho. Um dia recomendava-lhe que não apanhasse ar, outro que não bebesse água fria depois do café quente, conselhos, lembranças, cuidados de amiga e mãe, que lhe lançaram na alma ainda maior inquietação e confusão. Inácio chegou ao extremo de confiança de rir um dia à mesa, coisa que jamais fizera; e o solicitador não o tratou mal dessa vez, porque era ele que contava um caso engraçado, e ninguém pune a outro pelo aplauso que recebe. Foi então que D. Severina viu que a boca do mocinho, graciosa estando calada, não o era menos quando ria.

A agitação de Inácio ia crescendo, sem que ele pudesse acalmar-se nem entender-se. Não estava bem em parte nenhuma. Acordava de noite, pensando em D. Severina. Na rua, trocava de esquinas, errava as portas, muito mais que dantes, e não via mulher, ao longe ou ao perto, que lha não trouxesse à memória. Ao entrar no corredor da casa, voltando do trabalho, sentia sempre algum alvoroço, às vezes grande, quando dava com ela no topo da escada, olhando através das grades de pau da cancela, como tendo acudido a ver quem era.

Um domingo, — nunca ele esqueceu esse domingo, — estava só no quarto, à janela, virado para o mar, que lhe falava a mesma linguagem obscura e nova de D. Severina. Divertia-se em olhar para as gaivotas, que faziam grandes giros no ar, ou pairavam em cima d'água, ou avoaçavam somente. O dia estava lindíssimo. Não era só um domingo cristão; era um imenso domingo universal.

Inácio passava-os todos ali no quarto ou à janela, ou relendo um dos três folhetos que trouxera consigo, contos de outros tempos, comprados a tostão, debaixo do passadiço do largo do Paço. Eram duas horas da tarde. Estava cansado, dormira mal a noite, depois de haver andado muito na véspera; estirou-se na rede, pegou em um dos folhetos, a *Princesa Magalona*,* e começou a ler. Nunca pôde entender por que é que todas as heroínas dessas velhas histórias tinham a mesma cara e talhe de D. Severina, mas a verdade é que os tinham. Ao cabo de meia hora, deixou cair o folheto e pôs os olhos na parede, donde, cinco minutos depois, viu sair a dama dos seus cuidados. O natural era que se espantasse; mas não se espantou. Embora com as pálpebras cerradas, viu-a desprender-se de todo, parar, sorrir e andar para a rede. Era ela mesma; eram os seus mesmos braços.

É certo, porém, que D. Severina, tanto não podia sair da parede, dado que houvesse ali porta ou rasgão, que estava justamente na sala da frente ouvindo os passos do solicitador que descia as escadas. Ouviu-o descer; foi à janela vê-lo sair e só se recolheu quando ele se perdeu ao longe, no caminho da rua das Mangueiras. Então entrou e foi sentar-se no canapé. Parecia fora do natural, inquieta, quase maluca; levantando-se, foi pegar na jarra que estava em cima do aparador e deixou-a no mesmo lugar; depois caminhou até à porta, deteve-se e voltou, ao que parece, sem plano. Sentou-se outra vez, cinco ou dez minutos. De repente, lembrou-se que Inácio comera pouco ao almoço e tinha o ar abatido, e advertiu que podia estar doente; podia ser até que estivesse muito mal.

Saiu da sala, atravessou rasgadamente o corredor e foi até o quarto do mocinho, cuja porta achou escancarada. D. Severina parou, espiou, deu com ele na rede, dormindo, com o braço para fora e o folheto caído no chão. A cabeça inclinava-se um pouco do lado da porta, deixando ver os olhos fechados, os cabelos revoltos e um grande ar de riso e de beatitude.

---

* *Princesa Magalona*: referência a *História da princesa Magalona, filha de el rei de Nápoles, e do nobre e valoroso Pierre, Pedro de Provença, e dos muitos trabalhos e adversidades que passaram*, livro de origem medieval muito popular no Brasil, reeditado até os dias de hoje.

D. Severina sentiu bater-lhe o coração com veemência e recuou. Sonhara de noite com ele; pode ser que ele estivesse sonhando com ela. Desde madrugada que a figura do mocinho andava-lhe diante dos olhos como uma tentação diabólica. Recuou ainda, depois voltou, olhou dois, três, cinco minutos, ou mais. Parece que o sono dava à adolescência de Inácio uma expressão mais acentuada, quase feminina, quase pueril. Uma criança! disse ela a si mesma, naquela língua sem palavras que todos trazemos conosco. E esta ideia abateu-lhe o alvoroço do sangue e dissipou-lhe em parte a turvação dos sentidos.

— Uma criança!

E mirou-o lentamente, fartou-se de vê-lo, com a cabeça inclinada, o braço caído; mas, ao mesmo tempo que o achava criança, achava-o bonito, muito mais bonito que acordado, e uma dessas ideias corrigia ou corrompia a outra. De repente estremeceu e recuou assustada: ouvira um ruído ao pé, na saleta do engomado; foi ver, era um gato que deitara uma tigela ao chão. Voltando devagarinho a espiá-lo, viu que dormia profundamente. Tinha o sono duro a criança! O rumor que a abalara tanto, não o fez sequer mudar de posição. E ela continuou a vê-lo dormir, — dormir e talvez sonhar.

Que não possamos ver os sonhos uns dos outros! D. Severina ter-se-ia visto a si mesma na imaginação do rapaz; ter-se-ia visto diante da rede, risonha e parada; depois inclinar-se, pegar-lhe nas mãos, levá-las ao peito, cruzando ali os braços, os famosos braços. Inácio, namorado deles, ainda assim ouvia as palavras dela, que eram lindas, cálidas, principalmente novas, — ou, pelo menos, pertenciam a algum idioma que ele não conhecia, posto que o entendesse. Duas, três e quatro vezes a figura esvaía-se, para tornar logo, vindo do mar ou de outra parte, entre gaivotas, ou atravessando o corredor, com toda a graça robusta de que era capaz. E tornando, inclinava-se, pegava-lhe outra vez das mãos e cruzava ao peito os braços, até que, inclinando-se, ainda mais, muito mais, abrochou os lábios e deixou-lhe um beijo na boca.

Aqui o sonho coincidiu com a realidade, e as mesmas bocas uniram-se na imaginação e fora dela. A diferença é que a visão não recuou, e a pessoa real tão depressa cumprira o gesto, como fugiu até à porta, vexada e medrosa. Dali passou à sala da frente, aturdida do que fizera, sem olhar fixamente para nada. Afiava o ouvido, ia até o fim do corredor, a ver se escutava algum rumor que lhe dissesse que ele acordara, e só depois de muito tempo é que o medo foi passando. Na verdade, a criança tinha o sono duro; nada lhe abria os olhos, nem os fracassos contíguos, nem os beijos de verdade. Mas, se o medo foi passando, o vexame ficou e cresceu. D. Severina não acabava de crer que fizesse aquilo; parece que embrulhara os seus desejos na ideia de que era uma criança namorada que ali estava sem consciência nem imputação; e, meio mãe, meio amiga, inclinara-se e beijara-o. Fosse como fosse, estava confusa, irritada, aborrecida, mal consigo e mal com ele. O medo de que ele podia estar fingindo que dormia apontou-lhe na alma e deu-lhe um calefrio.

Mas a verdade é que dormiu ainda muito, e só acordou para jantar. Sentou-se à mesa lépido. Conquanto achasse D. Severina calada e severa e o solicitador tão ríspido como nos outros dias, nem a rispidez de um, nem a severidade da outra podiam dissipar-lhe a vista graciosa que ainda trazia consigo, ou amortecer-lhe a sensação do beijo. Não reparou que D. Severina tinha um xale que lhe cobria os braços; reparou depois, na segunda-feira, e na terça-feira, também, e até sábado, que foi o dia em que Borges mandou dizer ao pai que não podia ficar com ele; e não o fez zangado, porque o tratou relativamente bem e ainda lhe disse à saída:

— Quando precisar de mim para alguma coisa, procure-me.

— Sim, senhor. A Sra. D. Severina...

— Está lá para o quarto, com muita dor de cabeça. Venha amanhã ou depois despedir-se dela.

Inácio saiu sem entender nada. Não entendia a despedida, nem a completa mudança de D. Severina, em relação a ele, nem o xale, nem nada. Estava tão bem! falava-lhe com tanta amizade! Como é que, de repente... Tanto pensou que acabou supondo de sua parte algum olhar indiscreto, alguma distração que a ofendera; não era outra coisa; e daqui a cara fechada e o xale que cobria os braços tão bonitos... Não importa; levava consigo o sabor do sonho. E através dos anos, por meio de outros amores, mais efetivos e longos, nenhuma sensação achou nunca igual à daquele domingo, na rua da Lapa, quando ele tinha quinze anos. Ele mesmo exclama às vezes, sem saber que se engana:

— E foi um sonho! um simples sonho!

Entre santos

Quando eu era capelão de S. Francisco de Paula (contava um padre velho) aconteceu-me uma aventura extraordinária.

Morava ao pé da igreja, e recolhi-me tarde, uma noite. Nunca me recolhi tarde que não fosse ver primeiro se as portas do templo estavam bem fechadas. Achei-as bem fechadas, mas lobriguei luz por baixo delas. Corri assustado à procura da ronda; não a achei, tornei atrás e fiquei no adro, sem saber que fizesse. A luz, sem ser muito intensa, era-o demais para ladrões; além disso notei que era fixa e igual, não andava de um lado para outro, como seria a das velas ou lanternas de pessoas que estivessem roubando. O mistério arrastou-me; fui a casa buscar as chaves da sacristia (o sacristão tinha ido passar a noite em Niterói), benzi-me primeiro, abri a porta e entrei.

O corredor estava escuro. Levava comigo uma lanterna e caminhava devagarinho, calando o mais que podia o rumor dos sapatos. A primeira e a segunda porta que comunicam com a igreja estavam fechadas; mas via-se a mesma luz e, porventura, mais intensa que do lado da rua. Fui andando, até que dei com a terceira porta aberta. Pus a um canto a lanterna, com o meu lenço por cima, para que me não vissem de dentro, e aproximei-me a espiar o que era.

Detive-me logo. Com efeito, só então adverti que viera inteiramente desarmado e que ia correr grande risco aparecendo na igreja sem mais defesa que as duas mãos. Correram ainda alguns minutos. Na igreja a luz era a mesma, igual e geral, e de uma cor de leite que não tinha a luz das velas. Ouvi também vozes, que ainda mais me atrapalharam, não cochichadas nem confusas, mas regulares, claras e tranquilas, à maneira de conversação. Não pude entender logo o que diziam. No meio disto, assaltou-me uma ideia que me fez recuar. Como naquele tempo os cadáveres eram sepultados nas igrejas, imaginei que a conversação podia ser de defuntos. Recuei espavorido, e só passado algum tempo, é que pude reagir e chegar outra vez à porta, dizendo a mim mesmo que semelhante ideia era um disparate. A realidade ia dar-me coisa mais assombrosa que um diálogo de mortos. Encomendei-me a Deus, benzi-me outra vez e fui andando, sorrateiramente, encostadinho à parede, até entrar. Vi então uma coisa extraordinária.

Dois dos três santos do outro lado, S. José e S. Miguel (à direita de quem entra na igreja pela porta da frente), tinham descido dos nichos e estavam sentados nos seus altares. As dimensões não eram as das próprias imagens, mas de homens. Falavam para o lado de cá, onde estão os altares de S. João Batista e S. Francisco de Sales. Não posso descrever o que senti. Durante algum tempo, que não chego a calcular, fiquei sem ir para diante nem para trás, arrepiado e trêmulo. Com certeza, andei beirando o abismo da loucura, e não caí nele por misericórdia divina. Que perdi a consciência de mim mesmo e de toda outra realidade que não fosse aquela, tão nova e tão única, posso afirmá-lo; só assim se explica a temeridade com que, dali a algum tempo, entrei mais pela igreja, a fim de olhar também para o lado oposto. Vi aí a mesma coisa: S. Francisco de Sales e S. João, descidos dos nichos, sentados nos altares e falando com os outros santos.

Tinha sido tal a minha estupefação que eles continuaram a falar, creio eu, sem que eu sequer ouvisse o rumor das vozes. Pouco a pouco, adquiri a percepção delas e pude compreender que não tinham interrompido a conversação; distingui-as, ouvi claramente as palavras, mas não pude colher desde logo o sentido. Um dos santos, falando para o lado do altar-mor, fez-me voltar a cabeça, e vi então que S. Francisco de Paula, o orago da igreja, fizera a mesma coisa que os outros e falava para eles, como eles falavam entre si. As vozes não subiam do tom médio e, contudo, ouviam-se bem, como se as ondas sonoras tivessem recebido um poder maior de transmissão. Mas, se tudo isso era espantoso, não menos o era a luz, que não vinha de parte nenhuma, porque os lustres e castiçais estavam todos apagados; era como um luar, que ali penetrasse, sem que os olhos pudessem ver a lua; comparação tanto mais exata quanto que, se fosse realmente luar, teria deixado alguns lugares escuros, como ali acontecia, e foi num desses recantos que me refugiei.

Já então procedia automaticamente. A vida que vivi durante esse tempo todo, não se pareceu com a outra vida anterior e posterior. Basta considerar que, diante de tão estranho espetáculo, fiquei absolutamente sem medo; perdi a reflexão, apenas sabia ouvir e contemplar.

Compreendi, no fim de alguns instantes, que eles inventariavam e comentavam as orações e implorações daquele dia. Cada um notava alguma coisa. Todos eles, terríveis psicólogos, tinham penetrado a alma e a vida dos fiéis, e desfibravam os sentimentos de cada um, como os anatomistas escalpelam um cadáver. S. João Batista e S. Francisco de Paula, duros ascetas, mostravam-se às vezes enfadados e absolutos. Não era assim S. Francisco de Sales; esse ouvia ou contava as coisas com a mesma indulgência que presidira ao seu famoso livro da *Introdução à vida devota*.*

Era assim, segundo o temperamento de cada um, que eles iam narrando e comentando. Tinham já contado casos de fé sincera e castiça, outros de indiferença, dissimulação e versatilidade; os dois ascetas estavam a mais e mais anojados, mas São Francisco de Sales recordava-lhes o texto da Escritura: muitos são os chamados e poucos os escolhidos, significando assim que nem todos os que ali iam à igreja levavam o coração puro. S. João abanava a cabeça.

— Francisco de Sales, digo-te que vou criando um sentimento singular em santo: começo a descrer dos homens.

— Exageras tudo, João Batista, atalhou o santo bispo, não exageremos nada. Olha — ainda hoje aconteceu aqui uma coisa que me fez sorrir, e pode ser, entretanto, que te indignasse. Os homens não são piores do que eram em outros séculos; descontemos o que há neles ruim, e ficará muita coisa boa. Crê isto e hás de sorrir ouvindo o meu caso.

— Eu?

— Tu, João Batista, e tu também, Francisco de Paula, e todos vós haveis de sorrir comigo; e, pela minha parte, posso fazê-lo, pois já intercedi e alcancei do Senhor aquilo mesmo que me veio pedir esta pessoa.

* Publicado em 1604. São Francisco de Sales (1567-1622) foi influenciado pelo otimismo franciscano, sendo tido como um dos guias mais humanos da vida religiosa.

— Que pessoa?

— Uma pessoa mais interessante que o teu escrivão, José, e que o teu lojista, Miguel...

— Pode ser, atalhou S. José, mas não há de ser mais interessante que a adúltera que aqui veio hoje prostrar-se a meus pés. Vinha pedir-me que lhe limpasse o coração da lepra da luxúria. Brigara ontem mesmo com o namorado, que a injuriou torpemente, e passou a noite em lágrimas. De manhã, determinou abandoná-lo e veio buscar aqui a força precisa para sair das garras do demônio. Começou rezando bem, cordialmente; mas pouco a pouco vi que o pensamento a ia deixando para remontar aos primeiros deleites. As palavras, paralelamente, iam ficando sem vida. Já a oração era morna, depois fria, depois inconsciente; os lábios, afeitos à reza, iam rezando; mas a alma, que eu espiava cá de cima, essa já não estava aqui, estava com o outro. Afinal persignou-se, levantou-se e saiu sem pedir nada.

— Melhor é o meu caso.

— Melhor que isto? perguntou S. José, curioso.

— Muito melhor, respondeu S. Francisco de Sales, e não é triste como o dessa pobre alma ferida do mal da terra, que a graça do Senhor ainda pode salvar. E por que não salvará também a esta outra? Lá vai o que é.

Calaram-se todos, inclinaram-se os bustos, atentos, esperando. Aqui fiquei com medo; lembrou-me que eles, que veem tudo o que se passa no interior da gente, como se fôssemos de vidro, pensamentos recônditos, intenções torcidas, ódios secretos, bem podiam ter-me lido já algum pecado ou gérmen de pecado. Mas não tive tempo de refletir muito; S. Francisco de Sales começou a falar.

— Tem cinquenta anos o meu homem, disse ele; a mulher está de cama, doente de uma erisipela na perna esquerda. Há cinco dias vive aflito porque o mal agrava-se e a ciência não responde pela cura. Vede, porém, até onde pode ir um preconceito público. Ninguém acredita na dor do Sales (ele tem o meu nome), ninguém acredita que ele ame outra coisa que não seja dinheiro, e logo que houve notícia da sua aflição, desabou em todo o bairro um aguaceiro de motes e dichotes; nem faltou quem acreditasse que ele gemia antecipadamente pelos gastos da sepultura.

— Bem podia ser que sim, ponderou S. João.

— Mas não era. Que ele é usurário e avaro não o nego; usurário, como a vida, e avaro, como a morte. Ninguém extraiu nunca tão implacavelmente da algibeira dos outros o ouro, a prata, o papel e o cobre; ninguém os amuou com

388 MACHADO DE ASSIS

mais zelo e prontidão. Moeda que lhe cai na mão dificilmente torna a sair; e tudo o que lhe sobra das casas mora dentro de um armário de ferro, fechado a sete chaves. Abre-o às vezes, por horas mortas, contempla o dinheiro alguns minutos, e fecha-o outra vez depressa; mas nessas noites não dorme, ou dorme mal. Não tem filhos. A vida que leva é sórdida; come para não morrer, pouco e ruim. A família compõe-se da mulher e de uma preta escrava, comprada com outra, há muitos anos, e às escondidas, por serem de contrabando. Dizem até que nem as pagou, porque o vendedor faleceu logo sem deixar nada escrito. A outra preta morreu há pouco tempo; e aqui vereis se este homem tem ou não o gênio da economia; Sales libertou o cadáver...

E o santo bispo calou-se para saborear o espanto dos outros.

— O cadáver?

— Sim, o cadáver. Fez enterrar a escrava como pessoa livre e miserável, para não acudir às despesas da sepultura. Pouco embora, era alguma coisa. E para ele não há pouco; com pingos d'água é que se alagam as ruas. Nenhum desejo de representação, nenhum gosto nobiliário; tudo isso custa dinheiro, e ele diz que o dinheiro não lhe cai do céu. Pouca sociedade, nenhuma recreação de família. Ouve e conta anedotas da vida alheia, que é regalo gratuito.

— Compreende-se a incredulidade pública, ponderou S. Miguel.

— Não digo que não, porque o mundo não vai além da superfície das coisas. O mundo não vê que, além de caseira eminente, educada por ele, e sua confidente de mais de vinte anos, a mulher deste Sales é amada deveras pelo marido. Não te espantes, Miguel; naquele muro aspérrimo brotou uma flor descorada e sem cheiro, mas flor. A botânica sentimental tem dessas anomalias. Sales ama a esposa; está abatido e desvairado com a ideia de a perder. Hoje de manhã, muito cedo, não tendo dormido mais de duas horas, entrou a cogitar no desastre próximo. Desesperando da terra, voltou-se para Deus; pensou em nós, e especialmente em mim, que sou o santo do seu nome. Só um milagre podia salvá-la; determinou vir aqui. Mora perto, e veio correndo. Quando entrou trazia o olhar brilhante e esperançado; podia ser a luz da fé, mas era outra coisa muito particular, que vou dizer. Aqui peço-vos que redobreis de atenção.

Vi os bustos inclinarem-se ainda mais; eu próprio não pude esquivar-me ao movimento e dei um passo para diante. A narração do santo foi tão longa e miúda, a análise tão complicada, que não as ponho aqui integralmente, mas em substância.

ENTRE SANTOS   389

— Quando pensou em vir pedir-me que intercedesse pela vida da esposa, Sales teve uma ideia específica de usurário, a de prometer-me uma perna de cera. Não foi o crente, que simboliza desta maneira a lembrança do benefício; foi o usurário que pensou em forçar a graça divina pela expectação do lucro. E não foi só a usura que falou, mas também a avareza; porque em verdade, dispondo-se à promessa, mostrava ele querer deveras a vida da mulher — intuição de avaro; — despender é documentar: só se quer de coração aquilo que se paga a dinheiro, disse-lho a consciência pela mesma boca escura. Sabeis que pensamentos tais não se formulam como outros, nascem das entranhas do caráter e ficam na penumbra da consciência. Mas eu li tudo nele logo que aqui entrou alvoroçado, com o olhar fúlgido de esperança; li tudo e esperei que acabasse de benzer-se e rezar.

— Ao menos, tem alguma religião, ponderou S. José.

— Alguma tem, mas vaga e econômica. Não entrou nunca em irmandades e ordens terceiras, porque nelas se rouba o que pertence ao Senhor; é o que ele diz para conciliar a devoção com a algibeira. Mas não se pode ter tudo; é certo que ele teme a Deus e crê na doutrina.

— Bem, ajoelhou-se e rezou.

— Rezou. Enquanto rezava, via eu a pobre alma, que padecia deveras, conquanto a esperança começasse a trocar-se em certeza intuitiva. Deus tinha de salvar a doente, por força, graças à minha intervenção, e eu ia interceder; é o que ele pensava, enquanto os lábios repetiam as palavras da oração. Acabando a oração, ficou Sales algum tempo olhando, com as mãos postas; afinal falou a boca do homem, falou para confessar a dor, para jurar que nenhuma outra mão, além da do Senhor, podia atalhar o golpe. A mulher ia morrer... ia morrer... ia morrer... E repetia a palavra, sem sair dela. A mulher ia morrer. Não passava adiante. Prestes a formular o pedido e a promessa, não achava palavras idôneas, nem aproximativas, nem sequer dúbias, não achava nada, tão longo era o descostume de dar alguma coisa. Afinal saiu o pedido; a mulher ia morrer, ele rogava-me que a salvasse, que pedisse por ela ao Senhor. A promessa, porém, é que não acabava de sair. No momento em que a boca ia articular a primeira palavra, a garra da avareza mordia-lhe as entranhas e não deixava sair nada. Que a salvasse... que intercedesse por ela...

No ar, diante dos olhos, recortava-se-lhe a perna de cera, e logo a moeda que ela havia de custar. A perna desapareceu, mas ficou a moeda, redonda, luzidia, amarela, ouro puro, completamente ouro, melhor que o dos castiçais do meu altar, apenas dourados. Para onde quer que virasse os olhos, via a moeda, girando, girando, girando. E os olhos a apalpavam, de longe, e transmitiam-lhe a sensação fria do metal e até a do relevo do cunho. Era ela mesma, velha amiga de longos anos, companheira do dia e da noite, era ela que ali estava no ar, girando, às tontas; era ela que descia do teto, ou subia do chão, ou rolava no altar, indo da Epístola ao Evangelho, ou tilintava nos pingentes do lustre.

Agora a súplica dos olhos e a melancolia deles eram mais intensas e puramente voluntárias. Vi-os alongarem-se para mim, cheios de contrição, de humilhação, de desamparo; e a boca ia dizendo algumas coisas soltas, — Deus, — os anjos do Senhor, — as bentas chagas, — palavras lacrimosas e trêmulas, como para pintar por elas a sinceridade da fé e a imensidade da dor. Só a promessa da perna é que não saía. Às vezes, a alma, como pessoa que recolhe as forças, a fim de saltar um valo, fitava longamente a morte da mulher e rebolcava-se no desespero que ela lhe havia de trazer; mas, à beira do valo, quando ia a dar o salto, recuava. A moeda emergia dele e a promessa ficava no coração do homem.

O tempo ia passando. A alucinação crescia, porque a moeda, acelerando e multiplicando os saltos, multiplicava-se a si mesma e parecia uma infinidade delas; e o conflito era cada vez mais trágico. De repente, o receio de que a mulher podia estar expirando, gelou o sangue ao pobre homem e ele quis precipitar-se. Podia estar expirando... Pedia-me que intercedesse por ela, que a salvasse...

Aqui o demônio da avareza sugeria-lhe uma transação nova, uma troca de espécie, dizendo-lhe que o valor da oração era superfino e muito mais excelso que o das obras terrenas. E o Sales, curvo, contrito, com as mãos postas, o olhar submisso, desamparado, resignado, pedia-me que lhe salvasse a mulher. Que lhe salvasse a mulher, e prometia-me trezentos, — não menos, — trezentos padres-nossos e trezentas ave-marias. E repetia enfático: trezentos, trezentas, trezentos... Foi subindo, chegou a quinhentos, a mil padre-nossos e mil ave-marias. Não via esta soma escrita por letras do alfabeto, mas em algarismos, como se ficasse assim mais viva, mais exata, e a obrigação maior, e maior também a sedução. Mil padre-nossos, mil ave-marias. E voltaram as palavras lacrimosas e trêmulas, as bentas chagas, os anjos do Senhor... 1000 — 1000 — 1000. Os quatro algarismos foram crescendo tanto, que encheram a igreja de alto a baixo, e com eles, crescia o esforço do homem, e a confiança também; a palavra saía-lhe mais rápida, impetuosa, já falada, mil, mil, mil, mil... Vamos lá, podeis rir à vontade, concluiu S. Francisco Sales.

E os outros santos riram efetivamente, não daquele grande riso decomposto dos deuses de Homero, quando viram o coxo Vulcano servir à mesa,* mas de um riso modesto, tranquilo, beato e católico.

Depois, não pude ouvir mais nada. Caí redondamente no chão. Quando dei por mim era dia claro... Corri a abrir todas as portas e janelas da igreja e da sacristia, para deixar entrar o sol, inimigo dos maus sonhos.

* *Ilíada*, canto I, vv. 599-600.

Trio em lá menor

I. ADAGIO CANTABILE

Maria Regina acompanhou a avó até o quarto, despediu-se e recolheu-se ao seu. A mucama que a servia, apesar da familiaridade que existia entre elas, não pôde arrancar-lhe uma palavra, e saiu, meia hora depois, dizendo que Nhanhã estava muito séria. Logo que ficou só, Maria Regina sentou-se ao pé da cama, com as pernas estendidas, os pés cruzados, pensando.

A verdade pede que diga que esta moça pensava amorosamente em dois homens ao mesmo tempo. Um de vinte e sete anos, Maciel, — outro de cinquenta, Miranda. Convenho que é abominável, mas não posso alterar a feição das coisas, não posso negar que se os dois homens estão namorados dela, ela não o está menos de ambos. Uma esquisita, em suma; ou, para falar como as suas amigas de colégio, uma desmiolada. Ninguém lhe nega coração excelente e claro espírito; mas a imaginação é que é o mal, uma imaginação adusta e cobiçosa, insaciável principalmente, avessa à realidade, sobrepondo às coisas da vida outras de si mesma; daí curiosidades irremediáveis.

A visita dos dois homens (que a namoravam de pouco) durou cerca de uma hora. Maria Regina conversou alegremente com eles, e tocou ao piano uma peça clássica, uma sonata, que fez a avó cochilar um pouco. No fim discutiram música. Miranda disse coisas pertinentes acerca da música moderna e antiga; a avó tinha a religião de Bellini e da *Norma*,* e falou das toadas do seu tempo, agradáveis, saudosas e principalmente claras. A neta ia com as opiniões do Miranda; Maciel concordou polidamente com todos.

Ao pé da cama, Maria Regina reconstruía agora tudo isso, a visita, a conversação, a música, o debate, os modos de ser de um e de outro, as palavras do Miranda e os belos olhos do Maciel. Eram onze horas, a única luz do quarto era a lamparina, tudo convidava ao sonho e ao devaneio. Maria Regina, à força de recompor a noite, viu ali dois homens ao pé dela, ouviu-os, e conversou com eles durante uma porção de minutos, trinta ou quarenta, ao som da mesma sonata tocada por ela: lá, lá, lá...

II. ALLEGRO MA NON TROPPO

No dia seguinte a avó e a neta foram visitar uma amiga na Tijuca. Na volta a carruagem derribou um menino que atravessava a rua, correndo. Uma pessoa que viu isto, atirou-se aos cavalos e, com perigo de si própria, conseguiu detê-los e salvar a criança, que apenas ficou ferida e desmaiada. Gente, tumulto, a mãe do pequeno acudiu em lágrimas. Maria Regina desceu do carro e acompanhou o ferido até à casa da mãe, que era ali ao pé.

Quem conhece a técnica do destino adivinha logo que a pessoa que salvou o pequeno foi um dos dois homens da outra noite; foi o Maciel. Feito o primeiro curativo, o Maciel acompanhou a moça até à carruagem e aceitou o lugar que a avó lhe ofereceu até à cidade. Estavam no Engenho Velho. Na carruagem é que Maria Regina viu que o rapaz trazia a mão ensanguentada. A avó inquiria a miúdo se o pequeno estava muito mal, se escaparia; Maciel disse-lhe que os ferimentos eram leves. Depois contou o acidente: estava parado, na calçada, esperando que passasse um tílburi, quando viu o pequeno atravessar a rua por diante dos cavalos; compreendeu o perigo, e tratou de conjurá-lo, ou diminuí-lo.

— Mas está ferido, disse a velha.

— Coisa de nada.

* Vincenzo Bellini foi o compositor mais popular da década de 1850, e *Norma* (1831), sua ópera mais conhecida.

— Está, está, acudiu a moça; podia ter-se curado também.

— Não é nada, teimou ele; foi um arranhão, enxugo isto com o lenço.

Não teve tempo de tirar o lenço; Maria Regina ofereceu-lhe o seu. Maciel, comovido, pegou nele, mas hesitou em maculá-lo. Vá, vá, dizia-lhe ela; e vendo-o acanhado, tirou-lho e enxugou-lhe, ela mesma, o sangue da mão.

A mão era bonita, tão bonita como o dono; mas parece que ele estava menos preocupado com a ferida da mão que com o amarrotado dos punhos. Conversando, olhava para eles disfarçadamente e escondia-os. Maria Regina não via nada, via-o a ele, via-lhe principalmente a ação que acabava de praticar, e que lhe punha uma auréola. Compreendeu que a natureza generosa saltara por cima dos hábitos pausados e elegantes do moço, para arrancar à morte uma criança que ele nem conhecia. Falaram do assunto até à porta da casa delas; Maciel recusou, agradecendo, a carruagem que elas lhe ofereciam, e despediu-se até à noite.

— Até à noite! repetiu Maria Regina.

Esperou-o ansiosa. Ele chegou, por volta de oito horas, trazendo uma fita preta enrolada na mão, e pediu desculpa de vir assim; mas disseram-lhe que era bom pôr alguma coisa e obedeceu.

— Mas está melhor!

— Estou bom, não foi nada.

— Venha, venha, disse-lhe a avó, do outro lado da sala. Sente-se aqui ao pé de mim: o senhor é um herói.

Maciel ouvia sorrindo. Tinha passado o ímpeto generoso, começava a receber os dividendos do sacrifício. O maior deles era a admiração de Maria Regina, tão ingênua e tamanha, que esquecia a avó e a sala. Maciel sentara-se ao lado da velha, Maria Regina defronte de ambos. Enquanto a avó, restabelecida do susto, contava as comoções que padecera, a princípio sem saber de nada, depois imaginando que a criança teria morrido, os dois olhavam um para o outro, discretamente, e afinal esquecidamente. Maria Regina perguntava a si mesma onde acharia melhor noivo. A avó, que não era míope, achou a contemplação excessiva, e falou de outra coisa; pediu ao Maciel algumas notícias de sociedade.

III. ALLEGRO APPASSIONATO

Maciel era homem, como ele mesmo dizia em francês, *très répandu;** sacou da algibeira uma porção de novidades miúdas e interessantes. A maior de todas foi a de estar desfeito o casamento de cèrta viúva.

— Não me diga isso! exclamou a avó. E ela?

— Parece que foi ela mesma que o desfez: o certo é que esteve anteontem no baile, dançou e conversou com muita animação. Oh! abaixo da notícia, o que fez mais sensação em mim foi o colar que ela levava, magnífico...

— Com uma cruz de brilhantes? perguntou a velha. Conheço; é muito bonito.

— Não, não é esse.

Maciel conhecia o da cruz, que ela levara à casa de um Mascarenhas; não era esse. Este outro ainda há poucos dias estava na loja do Resende, uma coisa linda. E descreveu-o todo, número, disposição e facetado das pedras; concluiu dizendo que foi a joia da noite.

— Para tanto luxo era melhor casar, ponderou maliciosamente a avó.

— Concordo que a fortuna dela não dá para isso. Ora, espere! Vou amanhã, ao Resende, por curiosidade, saber o preço por que o vendeu. Não foi barato, não podia ser barato.

— Mas por que é que se desfez o casamento?

— Não pude saber; mas tenho de jantar sábado com o Venancinho Correia, e ele conta-me tudo. Sabe que ainda é parente dela? Bom rapaz; está inteiramente brigado com o barão...

A avó não sabia da briga; Maciel contou-lha de princípio a fim, com todas as suas causas e agravantes. A última gota no cálix foi um dito à mesa de jogo, uma alusão ao defeito do Venancinho, que era canhoto. Contaram-lhe isto, e ele rompeu inteiramente as relações com o barão. O bonito é que os parceiros do barão acusaram-se uns aos outros de terem ido contar as palavras deste. Maciel declarou que era regra sua não repetir o que ouvia à mesa do jogo, porque é lugar em que há certa franqueza.

Depois fez a estatística da rua do Ouvidor, na véspera, entre uma e quatro horas da tarde. Conhecia os nomes das fazendas e todas as cores modernas. Ci-

---

* *Très répandu*: em francês, "muito sociável".

tou as principais *toilettes* do dia. A primeira foi a de Mme. Pena Maia, baiana distinta, *très pschutt*.* A segunda foi a de Mlle. Pedrosa, filha de um desembargador de São Paulo, *adorable*. E apontou mais três, comparou depois as cinco, deduziu e concluiu. Às vezes esquecia-se e falava francês; pode mesmo ser que não fosse esquecimento, mas propósito; conhecia bem a língua, exprimia-se com facilidade e formulara um dia este axioma etnológico — que há parisienses em toda a parte. De caminho, explicou um problema de voltarete.

— A senhora tem cinco trunfos de espadilha e manilha, tem rei e dama de copas...

Maria Regina ia descambando da admiração no fastio: agarrava-se aqui e ali, contemplava a figura moça do Maciel, recordava a bela ação daquele dia, mas ia sempre escorregando; o fastio não tardava a absorvê-la. Não havia remédio. Então recorreu a um singular expediente. Tratou de combinar os dois homens, o presente com o ausente, olhando para um, e escutando o outro de memória; recurso violento e doloroso, mas tão eficaz, que ela pôde contemplar por algum tempo uma criatura perfeita e única.

Nisto apareceu o outro, o próprio Miranda. Os dois homens cumprimentaram-se friamente; Maciel demorou-se ainda uns dez minutos e saiu.

Miranda ficou. Era alto e seco, fisionomia dura e gelada. Tinha o rosto cansado, os cinquenta anos confessavam-se tais, nos cabelos grisalhos, nas rugas e na pele. Só os olhos continham alguma coisa menos caduca. Eram pequenos, e escondiam-se por baixo da vasta arcada do sobrolho; mas lá, ao fundo, quando não estavam pensativos, centelhavam de mocidade. A avó perguntou-lhe, logo que Maciel saiu, se já tinha notícia do acidente do Engenho Velho, e contou-lho com grandes encarecimentos, mas o outro ouvia tudo sem admiração nem inveja.

— Não acha sublime? perguntou ela, no fim.

— Acho que ele salvou talvez a vida a um desalmado que algum dia, sem o conhecer, pode meter-lhe uma faca na barriga.

— Oh! protestou a avó.

— Ou mesmo conhecendo, emendou ele.

— Não seja mau, acudiu Maria Regina; o senhor era bem capaz de fazer o mesmo, se ali estivesse.

Miranda sorriu de um modo sardônico. O riso acentuou-lhe a dureza da fi-

---

* *Très pschutt*: em francês, "muito elegante".

sionomia. Egoísta e mau, este Miranda primava por um lado único: espiritualmente, era completo. Maria Regina achava nele o tradutor maravilhoso e fiel de uma porção de ideias que lutavam dentro dela, vagamente, sem forma ou expressão. Era engenhoso e fino e até profundo, tudo sem pedantice, e sem meter-se por matos cerrados, antes quase sempre na planície das conversações ordinárias; tão certo é que as coisas valem pelas ideias que nos sugerem. Tinham ambos os mesmos gostos artísticos; Miranda estudara direito para obedecer ao pai; a sua vocação era a música.

A avó, prevendo a sonata, aparelhou a alma para alguns cochilos. Demais, não podia admitir tal homem no coração, achava-o aborrecido e antipático. Calou-se no fim de alguns minutos. A sonata veio, no meio de uma conversação que Maria Regina achou deleitosa, e não veio senão porque ele lhe pediu que tocasse; ele ficaria de bom grado a ouvi-la.

— Vovó, disse ela, agora há de ter paciência...

Miranda aproximou-se do piano. Ao pé das arandelas, a cabeça dele mostrava toda a fadiga dos anos, ao passo que a expressão da fisionomia era muito mais de pedra e fel. Maria Regina notou a graduação, e tocava sem olhar para ele; difícil coisa, porque, se ele falava, as palavras entravam-lhe tanto pela alma, que a moça insensivelmente levantava os olhos, e dava logo com um velho ruim. Então é que se lembrava do Maciel, dos seus anos em flor, da fisionomia franca, meiga e boa, e afinal da ação daquele dia. Comparação tão cruel para o Miranda, como fora para o Maciel o cotejo dos seus espíritos. E a moça recorreu ao mesmo expediente. Completou um pelo outro; escutava a este com o pensamento naquele; e a música ia ajudando a ficção, indecisa a princípio, mas logo viva e acabada. Assim Titânia, ouvindo namorada a cantiga do tecelão,* admirava-lhe as belas formas, sem advertir que a cabeça era de burro.

---

* Em *Sonho de uma noite de verão*, de Shakespeare, o rei das fadas, Oberon, prega uma peça em Titânia, sua esposa, com quem anda ressentido. Ele enfeitiça Bottom, um tecelão rude, e coloca uma cabeça de burro em cima de sua cabeça; faz então com que a rainha se enamore da primeira pessoa que vê ao despertar, ou seja, o tecelão.

IV. MENUETTO

Dez, vinte, trinta dias passaram depois daquela noite, e ainda mais vinte, e depois mais trinta. Não há cronologia certa; melhor é ficar no vago. A situação era a mesma. Era a mesma insuficiência individual dos dois homens, e o mesmo complemento ideal por parte dela; daí um terceiro homem, que ela não conhecia.

Maciel e Miranda desconfiavam um do outro, detestavam-se a mais e mais, e padeciam muito, Miranda principalmente, que era paixão da última hora. Afinal acabaram aborrecendo a moça. Esta viu-os ir pouco a pouco. A esperança ainda os fez relapsos, mas tudo morre, até a esperança, e eles saíram para nunca mais. As noites foram passando, passando... Maria Regina compreendeu que estava acabado.

A noite em que se persuadiu bem disto foi uma das mais belas daquele ano, clara, fresca, luminosa. Não havia lua; mas a nossa amiga aborrecia a lua, — não se sabe bem por quê, — ou porque brilha de empréstimo, ou porque toda a gente a admira, e pode ser que por ambas as razões. Era uma das suas esquisitices. Agora outra.

Tinha lido de manhã, em uma notícia de jornal, que há estrelas duplas, que nos parecem um só astro. Em vez de ir dormir, encostou-se à janela do quarto, olhando para o céu, a ver se descobria alguma delas; baldado esforço. Não a descobrindo no céu, procurou-a em si mesma, fechou os olhos para imaginar o fenômeno; astronomia fácil e barata, mas não sem risco. O pior que ela tem é pôr os astros ao alcance da mão; por modo que, se a pessoa abre os olhos e eles continuam a fulgurar lá em cima, grande é o desconsolo e certa a blasfêmia. Foi o que sucedeu aqui. Maria Regina viu dentro de si a estrela dupla e única. Separadas, valiam bastante; juntas, davam um astro esplêndido. E ela queria o astro esplêndido. Quando abriu os olhos e viu que o firmamento ficava tão alto, concluiu que a criação era um livro falho e incorreto, e desesperou.

No muro da chácara viu então uma coisa parecida com dois olhos de gato. A princípio teve medo, mas advertiu logo que não era mais que a reprodução externa dos dois astros que ela vira em si mesma e que tinham ficado impressos na retina. A retina desta moça fazia refletir cá fora todas as suas imaginações. Refrescando o vento, recolheu-se, fechou a janela e meteu-se na cama.

Não dormiu logo, por causa de duas rodelas de opala que estavam incrustadas na parede; percebendo que era ainda uma ilusão, fechou os olhos e dormiu. Sonhou que morria, que a alma dela, levada aos ares, voava na direção de uma bela estrela dupla. O astro desdobrou-se, e ela voou para uma das duas porções; não achou ali a sensação primitiva e despenhou-se para outra; igual resultado, igual regresso, e ei-la a andar de uma para outra das duas estrelas separadas. Então uma voz surgiu do abismo, com palavras que ela não entendeu:

— É a tua pena, alma curiosa de perfeição; a tua pena é oscilar por toda a eternidade entre dois astros incompletos, ao som desta velha sonata do absoluto: lá, lá, lá...

Terpsícore

Glória, abrindo os olhos, deu com o marido sentado na cama, olhando para a parede, e disse-lhe que se deitasse, que dormisse, ou teria de ir para a oficina com sono.

— Que dormir o quê, Glória? Já deram seis horas.

— Jesus! Há muito tempo?

— Deram agora mesmo.

Glória arredou de cima de si a colcha de retalhos, procurou com os pés as chinelas, calçou-as, e levantou-se da cama; depois, vendo que o marido ali ficava na mesma posição, com a cabeça entre os joelhos, chegou-se a ele, puxou-o por um braço, dizendo-lhe carinhosamente que não se amofinasse, que Deus arranjaria as coisas.

— Tudo há de acabar bem, Porfírio. Você mesmo acredita que o senhorio bote os nossos trastes no Depósito? Não acredite; eu não acredito. Diz aquilo para ver se a gente arranja o dinheiro.

— Sim, mas é que eu não arranjo, nem sei onde hei de buscar seis meses de aluguel. Seis meses, Glória; quem é que me há de emprestar tanto dinheiro? Seu padrinho já disse que não dá mais nada.

— Vou falar com ele.

— Qual, é à toa.

— Vou, peço-lhe muito. Vou com mamãe; ela e eu pedindo...

Porfírio abanou a cabeça.

— Não, não, disse ele. Você sabe o que é melhor? O melhor é arranjar casa por estes dias, até sábado; mudamo-nos, e depois então veremos se se pode pagar. Seu padrinho o que podia era dar uma carta de fiança... Diabo! tanta despesa! Conta em toda a parte! é a venda! é a padaria! é o diabo que os carregue. Não posso mais. Gasto todo o santo dia manejando a ferramenta, e o dinheiro nunca chega. Não posso, Glória, não posso mais...

Porfírio deu um salto da cama, e foi preparar-se para sair, enquanto a mulher, lavada a cara às pressas, e despenteada, cuidou de fazer-lhe o almoço. O almoço era sumário: café e pão. Porfírio engoliu-o em poucos minutos, na ponta da mesa de pinho, com a mulher defronte, risonha de esperança para animá-lo. Glória tinha as feições irregulares e comuns; mas o riso dava-lhe alguma graça. Nem foi pela cara que ele se enamorou dela; foi pelo corpo, quando a viu polcar, uma noite, na rua da Imperatriz. Ia passando, e parou defronte da janela aberta de uma casa onde se dançava. Já achou na calçada muitos curiosos. A sala, que era pequena, estava cheia de pares, mas pouco a pouco foram-se todos cansando ou cedendo o passo à Glória.

— Bravos à rainha! exclamou um entusiasta.

Da rua, Porfírio cravou nela uns olhos de sátiro, acompanhou-a em seus movimentos lépidos, graciosos, sensuais, mistura de cisne e de cabrita. Toda a gente dava lugar, apertava-se nos cantos, no vão das janelas, para que ela tivesse o espaço necessário à expansão das saias, ao tremor cadenciado dos quadris, à troca rápida dos giros, para a direita e para a esquerda. Porfírio misturava já à admiração o ciúme; tinha ímpetos de entrar e quebrar a cara ao sujeito que dançava com ela, rapagão alto e espadaúdo, que se curvava todo, cingindo-a pelo meio.

No dia seguinte acordou resoluto a namorá-la e desposá-la. Cumpriu a resolução em pouco tempo, parece que um semestre. Antes, porém, de casar, logo depois de começar o namoro, Porfírio tratou de preencher uma lacuna da sua educação; tirou dez mil-réis mensais à féria do ofício, entrou para um curso de dança, onde aprendeu a valsa, a mazurca, a polca e a quadrilha francesa. Dia sim, dia não, gastava ali duas horas por noite, ao som de um oficlide e de uma flauta, em companhia de alguns rapazes e de meia dúzia de costureiras magras e cansadas. Em pouco tempo estava mestre. A primeira vez que dançou com a noiva foi uma revelação: os mais hábeis confessavam que ele não dançava mal, mas diziam isso com um riso amarelo, e uns olhos muito compridos. Glória derretia-se de contentamento.

Feito isso, tratou ele de ver casa, e achou esta em que mora, não grande, antes pequena, mas adornada na frontaria por uns arabescos que lhe levaram os olhos. Não gostou do preço, regateou algum tempo, cedendo ora dois mil-réis, ora um, ora três, até que, vendo que o dono não cedia nada, cedeu ele tudo.

Tratou das bodas. A futura sogra propôs-lhe que fossem a pé para a igreja, que ficava perto; ele rejeitou a proposta com seriedade, mas em particular com a noiva e os amigos riu da extravagância da velha: uma coisa que nunca se viu, noivos, padrinhos, convidados, tudo a pé, à laia de procissão; era caso de levar assobio. Glória explicou-lhe que a intenção da mãe era poupar despesas. Que poupar despesas? Mas se num dia grande como esse não se gastava alguma coisa, quando é que se havia de gastar? Nada; era moço, era forte, trabalho não lhe metia medo. Contasse ela com um bonito *coupé*, cavalos brancos, cocheiros de farda até abaixo e galão no chapéu.

E assim se cumpriu tudo; foram bodas de estrondo, muitos carros, baile até de manhã. Nenhum convidado queria acabar de sair; todos forcejavam por fixar esse raio de ouro, como um hiato esplêndido na velha noite do trabalho sem tréguas. Mas acabou; o que não acabou foi a lembrança da festa, que perdurou na memória de todos, e servia de termo de comparação para as outras festas do bairro, ou de pessoas conhecidas. Quem emprestou dinheiro para tudo isso foi o padrinho do casamento, dívida que nunca lhe pediu depois, e lhe perdoou à hora da morte.

Naturalmente, apagadas as velas e dormidos os olhos, a realidade empolgou o pobre marceneiro, que a esquecera por algumas horas. A lua de mel foi como a de um simples duque; todas se parecem, em substância; é a lei e o prestígio do amor. A diferença é que Porfírio voltou logo para a tarefa de todos os dias. Trabalhava sete e oito horas numa loja. As alegrias da primeira fase trouxeram despesas excedentes, a casa era cara, a vida foi-se tornando áspera, e as dívidas foram vindo, sorrateiras e miudinhas, agora dois mil-réis, logo cinco, amanhã sete e nove. A maior de todas era a da casa, e era também a mais urgente, pois o senhorio marcara-lhe o prazo de oito dias para o pagamento, ou metia-lhe os trastes no Depósito.

Tal é a manteiga com que ele vai untando agora o pão do almoço. É a úni-

TERPSÍCORE   403

ca, e tem já o ranço da miséria que se aproxima. Comeu às pressas, e saiu, quase sem responder aos beijos da mulher. Vai tonto, sem saber que faça; as ideias batem-lhe na cabeça à maneira de pássaros espantados dentro de uma gaiola. Vida dos diabos! tudo caro! tudo pela hora da morte! E os ganhos eram sempre os mesmos. Não sabia onde iria parar, se as coisas não tomassem outro pé; assim é que não podia continuar. E soma as dívidas: tanto aqui, tanto ali, tanto acolá, mas perde-se na conta ou deixa-se perder de propósito, para não encarar todo o mal. De caminho, vai olhando para as casas grandes, sem ódio, — ainda não tem ódio às riquezas, — mas com saudade, uma saudade de coisas que não conhece, de uma vida lustrosa e fácil, toda alagada de gozos infinitos...

Às ave-marias, voltando a casa, achou Glória abatida. O padrinho respondeu-lhe que eles tinham as mãos rotas, e não dava mais nada enquanto fossem um par de malucos.

— Mas o que dizia eu a você, Glória? Para que é que você foi lá? Ou então era melhor ter pedido uma carta de fiança para outro senhorio... Par de malucos! Maluco é ele!

Glória aquietou-o, e falou-lhe de paciência e resolução. Agora, o melhor era mesmo ver outra casa mais barata, pedir uma espera, e depois arranjar meios e modos de pagar tudo. E paciência, muita paciência. Ela pela sua parte contava com a madrinha do céu. Porfírio foi ouvindo, estava já tranquilo; nem ele pedia outra coisa mais que esperanças. A esperança é a apólice do pobre; ele ficou abastado por alguns dias.

No sábado, voltando para a casa com a féria no bolso, foi tentado por um vendedor de bilhetes de loteria, que lhe ofereceu dois décimos das Alagoas, os últimos. Porfírio sentiu uma coisa no coração, um palpite, vacilou, andou, recuou e acabou comprando. Calculou que, no pior caso, perdia dois mil e quatrocentos; mas podia ganhar, e muito, podia tirar um bom prêmio e arrancava o pé do lodo, pagava tudo, e talvez ainda sobrasse dinheiro. Quando não sobrasse, era bom negócio. Onde diabo iria ele buscar dinheiro para saldar tanta coisa? Ao passo que um prêmio, assim inesperado, vinha do céu. Os números eram bonitos. Ele, que não tinha cabeça aritmética, já os levava de cor. Eram bonitos, bem combinados, principalmente um deles, por causa de um 5 repetido e de um 9 no meio. Não era certo, mas podia ser que tirasse alguma coisa.

Chegando a casa, — na rua de S. Diogo, — ia mostrar os bilhetes à mulher, mas recuou; preferiu esperar. A roda andava dali a dois dias. Glória perguntou-

-lhe se achara casa; e, no domingo, disse-lhe que fosse ver alguma. Porfírio saiu, não achou nada, e voltou sem desespero. De tarde, perguntou rindo à mulher o que é que ela lhe daria se ele lhe trouxesse naquela semana um vestido de seda. Glória levantou os ombros. Seda não era para eles. E por que é que não havia de ser? Em que é que as outras moças eram melhores que ela? Não fosse ele pobre, e ela andaria de carro...

— Mas é justamente isso, Porfírio; nós não podemos.

Sim, mas Deus às vezes também se lembra da gente; enfim, não podia dizer mais nada. Ficasse ela certa de que tão depressa as coisas... Mas não; depois falaria. Calava-se por superstição; não queria assustar a fortuna. E mirando a mulher, com olhos derretidos, despia-lhe o vestido de chita, surrado e desbotado, e substituía-o por outro de seda azul, — havia de ser azul, — com fofos ou rendas, mas coisa que mostrasse bem a beleza do corpo da mulher... E esquecendo-se, em voz alta:

— Corpo como não há de haver muitos no mundo.

— Corpo quê, Porfírio? Você parece doido, disse Glória, espantada.

Não, não era doido, estava pensando naquele corpo que Deus lhe deu a ela... Glória torcia-se na cadeira, rindo, tinha muitas cócegas; ele retirou as mãos, e lembrou-lhe o acaso que o levou uma noite a passar pela rua da Imperatriz, onde a viu dançando, toda dengosa. E, falando, pegou dela pela cintura e começou a dançar com ela, cantarolando uma polca; Glória, arrastada por ele, entrou também a dançar a sério, na sala estreita, sem orquestra nem espectadores. Contas, aluguéis atrasados, nada veio ali dançar com eles.

Mas a fortuna espreitava-os. Dias depois, andando a roda, um dos bilhetes do Porfírio saiu premiado, tirou quinhentos mil-réis. Porfírio, alvoroçado, correu para a casa. Durante os primeiros minutos não pôde reger o espírito. Só deu acordo de si no campo da Aclamação. Era ao fim da tarde; iam-se desdobrando as primeiras sombras da noite. E os quinhentos mil-réis eram como outras tantas mil estrelas na imaginação do pobre-diabo, que não via nada, nem as pessoas que lhe passavam ao pé, nem os primeiros lampiões, que se iam acendendo aqui e ali. Via os quinhentos mil-réis. Bem dizia ele que havia de tirar o pé do lodo; Deus não desampara os seus. E falava só resmungando, ou então ria; outras vezes dava ao corpo um ar superior. Na entrada da rua de S. Diogo achou um conhecido que o consultou sobre o modo prático de reunir alguns amigos e fundar uma irmandade de S. Carlos. Porfírio respondeu afoitamente:

— A primeira coisa é ter em caixa, logo, uns duzentos ou trezentos mil-réis.

Atirava assim quantias grandes, embriagava-se de centenas. Mas o amigo explicou-lhe que o primeiro passo era reunir gente, depois viria dinheiro; Porfírio, que já não pensava nisso, concordou e foi andando. Chegou a casa, espiou pela janela aberta, viu a mulher cosendo na sala, ao candeeiro, e bradou-lhe que abrisse a porta. Glória correu à porta assustada, ele quase que a deita no chão, abraçando-a muito, falando, rindo, pulando, tinham dinheiro, tudo pago, um vestido; Glória perguntava o que era, pedia-lhe que se explicasse, que sossegasse primeiro. Que havia de ser? Quinhentos mil-réis. Ela não quis crer; onde é que ele foi arranjar quinhentos mil-réis? Então Porfírio contou-lhe tudo, comprara dois décimos, dias antes, e não lhe disse nada, a ver primeiro se saía alguma coisa; mas estava certo que saía; o coração nunca o enganou.

Glória abraçou-o então com lágrimas. Graças a Deus, tudo estava salvo. E chegaria para pagar as dívidas todas? Chegava: Porfírio demonstrou-lhe que ainda sobrava dinheiro e foi fazer as contas com ela, ao canto da mesa. Glória ouvia em boa-fé, pois só sabia contar por dúzias; as centenas de mil-réis não lhe entravam na cabeça. Ouvia em boa-fé, calada, com os olhos nele, que ia contando devagar para não errar. Feitas as contas, sobravam perto de duzentos mil-réis.

— Duzentos? Vamos botar na Caixa.

— Não contando, acudiu ele, não contando certa coisa que hei de comprar; uma coisa... Adivinha o que é?

— Não sei.

— Quem é que precisa de um vestido de seda, coisa *chic*, feito na modista?

— Deixa disso, Porfírio. Que vestido, o quê? Pobre não tem luxo. Bota o dinheiro na Caixa.

— O resto boto; mas o vestido há de vir. Não quero mulher esfarrapada. Então, pobre não veste? Não digo lá comprar uma dúzia de vestidos, mas um, que mal faz? Você pode ter necessidade de ir a alguma parte, assim mais arranjadinha. E depois, você nunca teve um vestido feito por francesa.

Porfírio pagou tudo e comprou o vestido. Os credores, quando o viam entrar, franziam a cara; ele, porém, em vez de desculpas, dava-lhes dinheiro, com tal naturalidade que parecia nunca ter feito outra coisa. Glória ainda opôs resistência ao vestido; mas era mulher, cedeu ao adorno e à moda. Só não consentiu em mandá-lo fazer. O preço do feitio e o resto do dinheiro deviam ir para a Caixa Econômica.

— E por que é que há de ir para a Caixa? perguntou ele ao fim de oito dias.

— Para alguma necessidade, respondeu a mulher.

Porfírio refletiu, deu duas voltas, chegou-se a ela e pegou-lhe no queixo; esteve assim alguns instantes, olhando fixo.

Depois, abanando a cabeça:

— Você é uma santa. Vive aqui metida no trabalho; entra mês, sai mês, e nunca se diverte: nunca tem um dia que se diga de refrigério. Isto até é mau para a saúde.

— Pois vamos passear.

— Não digo isso. Passear só não basta. Se passear bastasse, cachorro não morria de lepra, acrescentou ele, rindo muito da própria ideia. O que eu digo é outra coisa. Falemos franco, vamos dar um pagode.

Glória opôs-se logo, instou, rogou, zangou-se; mas o marido tinha argumentos para tudo. Contavam eles com esse dinheiro? Não; podiam estar como dantes, devendo os cabelos da cabeça, ao passo que assim ficava tudo pago, e divertiam-se. Era até um modo de agradecer o benefício a Nosso Senhor. Que é que se levava da vida? Todos se divertiam; os mais reles sujeitos achavam um dia de festa; eles é que haviam de gastar os anos como se fossem escravos? E ainda ele, Porfírio, espairecia um pouco, via na rua uma coisa ou outra; ela, porém, o que é que via? Nada, não via nada; era só trabalho e mais trabalho. E depois, como é que ela havia de estrear o vestido de seda?

— No dia da Glória, vamos à festa da Glória.

Porfírio refletiu um instante.

— Uma coisa não impede a outra, disse ele. Não convido muita gente, não; patuscada de família; convido o Firmino e a mulher, as filhas do defunto Ramalho, a comadre Purificação, o Borges...

— Mais ninguém, Porfírio; isso basta.

Porfírio esteve por tudo, e pode ser que sinceramente; mas os preparativos da festa vieram agravar a febre, que chegou ao delírio. Queria festa de estrondo, coisa que desse o que falar. No fim de uma semana eram trinta os convidados. Choviam pedidos; falava-se muito do pagode que o Porfírio ia dar, e do prêmio que ele tirara na loteria, uns diziam dois contos de réis, outros três e ele, interrogado, não retificava nada, sorria, evitava responder; alguns concluíam que os contos eram quatro, e ele sorria ainda mais, cheio de mistérios.

Chegou o dia. Glória, iscada da febre do marido, vaidosa com o vestido de seda, estava no mesmo grau de entusiasmo. Às vezes, pensava no dinheiro, e recomendava ao marido que se contivesse, que salvasse alguma coisa para pôr na Caixa; ele dizia que sim, mas contava mal, e o dinheiro ia ardendo... Depois de um jantar simples e alegre, começou o baile, que foi de estrondo, tão concorrido que não se podia andar.

Glória era a rainha da noite. O marido, apesar de preocupado com os sapatos, — novos e de verniz, — olhava para ela com olhos de autor. Dançaram muitas vezes, um com o outro, e a opinião geral é que ninguém os desbancava; mas dividiam-se com os convidados, familiarmente. Deram três, quatro, cinco horas. Às cinco havia um terço das pessoas, velha guarda imperial, que o Porfírio comandava, multiplicando-se, gravata ao lado, suando em bica, concertando aqui umas flores, arrebatando ali uma criança que ficara a dormir a um canto e indo levá-la para a alcova, alastrada de outras. E voltava logo batendo palmas, bradando que não esfriassem, que um dia não eram dias, que havia tempo de dormir em casa.

Então o oficlide roncava alguma coisa, enquanto as últimas velas expiravam dentro das mangas de vidro e nas arandelas.

A desejada das gentes

— Ah! conselheiro, aí começa a falar em verso.

— Todos os homens devem ter uma lira no coração, — ou não sejam homens. Que a lira ressoe a toda a hora, nem por qualquer motivo, não o digo eu; mas de longe em longe, e por algumas reminiscências particulares... Sabe por que é que lhe pareço poeta, apesar das Ordenações do Reino* e dos cabelos grisalhos? é porque vamos por esta Glória adiante, costeando aqui a Secretaria de Estrangeiros... Lá está o outeiro célebre... Adiante há uma casa...

— Vamos andando.

— Vamos... Divina Quintília! Todas essas caras que aí passam são outras, mas falam-me daquele tempo, como se fossem as mesmas de outrora; é a lira que ressoa, e a imaginação faz o resto. Divina Quintília!

— Chamava-se Quintília? Conheci de vista, quando andava na Escola de Medicina, uma linda moça com esse nome. Diziam que era a mais bela da cidade.

— Há de ser a mesma, porque tinha essa fama. Magra e alta?

— Isso. Que fim levou?

— Morreu em 1859. Vinte de abril. Nunca me há de esquecer esse dia. Vou contar-lhe um caso interessante para mim, e creio que também para o senhor.

* Compilações, em códigos, das antigas leis de Portugal.

Olhe, a casa era aquela... Morava com um tio, chefe de esquadra reformado; tinha outra casa no Cosme Velho. Quando conheci Quintília... Que idade pensa que teria, quando a conheci?

— Se foi em 1855...

— Em 1855.

— Devia ter vinte anos.

— Tinha trinta.

— Trinta?

— Trinta anos. Não os parecia, nem era nenhuma inimiga que lhe dava essa idade. Ela própria a confessava e até com afetação. Ao contrário, uma de suas amigas afirmava que Quintília não passava dos vinte e sete; mas como ambas tinham nascido no mesmo dia, dizia isso para diminuir-se a si própria.

— Mau, nada de ironias; olhe que a ironia não faz boa cama com a saudade.

— Que é a saudade senão uma ironia do tempo e da fortuna? Veja lá; começo a ficar sentencioso. Trinta anos; mas em verdade, não os parecia. Lembra-se bem que era magra e alta; tinha os olhos, como eu então dizia, que pareciam cortados da capa da última noite, mas apesar de noturnos, sem mistérios nem abismos. A voz era brandíssima, um tanto apaulistada, a boca larga, e os dentes, quando ela simplesmente falava, davam-lhe à boca um ar de riso. Ria também, e foram os risos dela, de parceria com os olhos, que me doeram muito durante certo tempo.

— Mas se os olhos não tinham mistérios...

— Tanto não os tinham que cheguei ao ponto de supor que eram as portas abertas do castelo, e o riso o clarim que chamava os cavaleiros. Já a conhecíamos, eu e o meu companheiro de escritório, o João Nóbrega, ambos principiantes na advocacia, e íntimos como ninguém mais; mas nunca nos lembrou namorá-la. Ela andava então no galarim; era bela, rica, elegante, e da primeira roda. Mas um dia, no antigo teatro Provisório entre dois atos dos *Puritanos*,* estando eu num corredor, ouvi um grupo de moços que falavam dela, como de uma fortaleza inexpugnável. Dois confessaram haver tentado alguma coisa, mas sem fruto; e todos pasmavam do celibato da moça, que lhes parecia sem explicação. E chalaceavam: um dizia que era promessa até ver se engordava primeiro; outro que estava es-

---

* O Teatro Lírico Fluminense, no campo de Santana, inaugurado em 1852, a partir de 1871 passou a se chamar Imperial Teatro D. Pedro II. *I puritani* (1835) foi a última ópera de Vincenzo Bellini (1801-35).

perando a segunda mocidade do tio para casar com ele; outro que provavelmente encomendara algum anjo ao porteiro do céu; trivialidades que me aborreceram muito, e da parte dos que confessavam tê-la cortejado ou amado, achei que era uma grosseria sem nome. No que eles estavam todos de acordo é que ela era extraordinariamente bela; aí foram entusiastas e sinceros.

— Oh! ainda me lembro!... era muito bonita.

— No dia seguinte, ao chegar ao escritório, entre duas causas que não vinham, contei ao Nóbrega a conversação da véspera. Nóbrega riu-se do caso, refletiu, e depois de dar alguns passos, parou diante de mim, olhando, calado. — Aposto que a namoras? perguntei-lhe. — Não, disse ele; nem tu? Pois lembrou-me uma coisa: vamos tentar o assalto à fortaleza? Que perdemos com isso? Nada; ou ela nos põe na rua, e já podemos esperá-lo, ou aceita um de nós, e tanto melhor para o outro que verá o seu amigo feliz. — Estás falando sério? — Muito sério. — Nóbrega acrescentou que não era só a beleza dela que a fazia atraente. Note que ele tinha a presunção de ser espírito prático, mas era principalmente um sonhador que vivia lendo e construindo aparelhos sociais e políticos. Segundo ele, os tais rapazes do teatro evitavam falar dos bens da moça, que eram um dos feitiços dela, e uma das causas prováveis da desconsolação de uns e dos sarcasmos de todos. E dizia-me: — Escuta, nem divinizar o dinheiro, nem também bani-lo; não vamos crer que ele dá tudo, mas reconheçamos que dá alguma coisa e até muita coisa, — este relógio, por exemplo. Combatamos pela nossa Quintília, minha ou tua, mas provavelmente minha, porque sou mais bonito que tu.

— Conselheiro, a confissão é grave; foi assim brincando...?

— Foi assim brincando, cheirando ainda aos bancos da academia, que nos metemos em negócio de tanta ponderação, que podia acabar em nada, mas deu muito de si. Era um começo estouvado, quase um passatempo de crianças, sem a nota da sinceridade; mas o homem põe e a espécie dispõe. Conhecíamo-la, posto não tivéssemos encontros frequentes; uma vez que nos dispusemos a uma ação comum, entrou um elemento novo na nossa vida, e dentro de um mês estávamos brigados.

— Brigados?

— Ou quase. Não tínhamos contado com ela, que nos enfeitiçou a ambos, violentamente. Em algumas semanas já pouco falávamos de Quintília, e com indiferença; tratávamos de enganar um ao outro e dissimular o que sentíamos. Foi assim que as nossas relações se dissolveram, no fim de seis meses, sem ódio, nem luta, nem demonstração externa, porque ainda nos falávamos, onde o acaso nos reunia; mas já então tínhamos banca separada.

— Começo a ver uma pontinha do drama...

— Tragédia, diga tragédia; porque daí a pouco tempo, ou por desengano verbal que ela lhe desse, ou por desespero de vencer, Nóbrega deixou-me só em campo. Arranjou uma nomeação de juiz municipal lá para os sertões da Bahia, onde definhou e morreu antes de acabar o quatriênio. E juro-lhe que não foi o inculcado espírito prático de Nóbrega que o separou de mim; ele, que tanto falara das vantagens do dinheiro, morreu apaixonado como um simples Werther.*

— Menos a pistola.

— Também o veneno mata; e o amor de Quintília podia dizer-se alguma coisa parecido com isso; foi o que o matou, e o que ainda hoje me dói... Mas, vejo pelo seu dito que o estou aborrecendo...

— Pelo amor de Deus. Juro-lhe que não; foi uma graçola que me escapou. Vamos adiante, conselheiro; ficou só em campo.

— Quintília não deixava ninguém estar só em campo, — não digo por ela, mas pelos outros. Muitos vinham ali tomar um cálix de esperanças, e iam cear a outra parte. Ela não favorecia a um mais que a outro; mas era lhana, graciosa e tinha essa espécie de olhos derramados que não foram feitos para homens ciumentos. Tive ciúmes amargos, e, às vezes, terríveis. Todo argueiro me parecia um cavaleiro, e todo cavaleiro um diabo. Afinal acostumei-me a ver que eram passageiros de um dia. Outros me metiam mais medo, eram os que vinham dentro da luva das amigas. Creio que houve duas ou três negociações dessas, mas sem resultado. Quintília declarou que nada faria sem consultar o tio, e o tio aconselhou a recusa, — coisa que ela sabia de antemão. O bom velho não gostava nunca da visita de homens, com receio de que a sobrinha escolhesse algum e casasse. Estava tão acostumado a trazê-la ao pé de si, como uma muleta da velha alma aleijada, que temia perdê-la inteiramente.

— Não seria essa a causa da isenção sistemática da moça?

— Vai ver que não.

— O que noto é que o senhor era mais teimoso que os outros...

— ... Iludido, a princípio, porque no meio de tantas candidaturas malogra-

---

* Herói do romance *Die Leiden des jungen Werthers* [Os sofrimentos do jovem Werther] (1774), do escritor alemão Johann Wolfgang von Goethe (1749-1832). Esse romance sentimental fez sucesso em toda a Europa, e o suicídio do herói, motivado pelo amor, teria causado uma onda de suicídios.

das, Quintília preferia-me a todos os outros homens, e conversava comigo mais largamente e mais intimamente, a tal ponto que chegou a correr que nos casávamos.

— Mas conversavam de quê?

— De tudo o que ela não conversava com os outros; e era de fazer pasmar que uma pessoa tão amiga de bailes e passeios, de valsar e rir, fosse comigo tão severa e grave, tão diferente do que costumava ou parecia ser.

— A razão é clara: achava a sua conversação menos insossa que a dos outros homens.

— Obrigado; era mais profunda a causa da diferença, e a diferença ia-se acentuando com os tempos. Quando a vida cá embaixo a aborrecia muito, ia para o Cosme Velho, e ali as nossas conversações eram mais frequentes e compridas. Não lhe posso dizer, nem o senhor compreenderia nada, o que foram as horas que ali passei, incorporando na minha vida toda a vida que jorrava dela. Muitas vezes quis dizer-lhe o que sentia, mas as palavras tinham medo e ficavam no coração. Escrevi cartas sobre cartas; todas me pareciam frias, difusas, ou inchadas de estilo. Demais, ela não dava ensejo a nada; tinha um ar de velha amiga. No princípio de 1857 adoeceu meu pai em Itaboraí; corri a vê-lo, achei-o moribundo. Este fato reteve-me fora da corte uns quatro meses. Voltei pelos fins de maio. Quintília recebeu-me triste da minha tristeza, e vi claramente que o meu luto passara aos olhos dela...

— Mas que era isso senão amor?

— Assim o cri, e dispus a minha vida para desposá-la. Nisto, adoeceu o tio gravemente. Quintília não ficava só, se ele morresse, porque, além dos muitos parentes espalhados que tinha, morava com ela agora, na casa da rua do Catete, uma prima, D. Ana, viúva; mas, é certo que a afeição principal ia-se embora e nessa transição da vida presente à vida ulterior podia eu alcançar o que desejava. A moléstia do tio foi breve; ajudada da velhice, levou-o em duas semanas. Digo-lhe aqui que a morte dele lembrou-me a de meu pai, e a dor que então senti foi quase a mesma. Quintília viu-me padecer, compreendeu o duplo motivo, e, segundo me disse depois, estimou a coincidência do golpe, uma vez que tínhamos de o receber sem falta e tão breve. A palavra pareceu-me um convite matrimonial; dois meses depois cuidei de pedi-la em casamento. D. Ana ficara morando com ela e estavam no Cosme Velho. Fui ali, achei-as juntas no terraço, que ficava perto da montanha. Eram quatro horas da tarde de um domingo. D. Ana, que nos presumia namorados, deixou-nos o campo livre.

A DESEJADA DAS GENTES   413

— Enfim!

— No terraço, lugar solitário, e posso dizer agreste, proferi a primeira palavra. O meu plano era justamente precipitar tudo, com medo de que, cinco minutos de conversa, me tirassem as forças. Ainda assim, não sabe o que me custou; custaria menos uma batalha, e juro-lhe que não nasci para guerras. Mas aquela mulher magrinha e delicada, impunha-se-me, como nenhuma outra, antes e depois...

— E então?

— Quintília adivinhara, pelo transtorno do meu rosto, o que lhe ia pedir, e deixou-me falar para preparar a resposta. A resposta foi interrogativa e negativa. Casar para quê? Era melhor que ficássemos amigos como dantes. Respondi-lhe que a amizade era, em mim, desde muito, a simples sentinela do amor; não podendo mais contê-lo, deixou que ele saísse. Quintília sorriu da metáfora, o que me doeu, e sem razão; ela, vendo o efeito, fez-se outra vez séria e tratou de persuadir-me de que era melhor não casar. — Estou velha, disse ela; vou em trinta e três anos. — Mas se eu a amo assim mesmo, repliquei, e disse-lhe uma porção de coisas, que não poderia repetir agora. Quintília refletiu um instante; depois insistiu nas relações de amizade; disse que, posto que mais moço que ela, tinha a gravidade de um homem mais velho, e inspirava-lhe confiança como nenhum outro. Desesperançado, dei algumas passadas, depois sentei-me outra vez e narrei-lhe tudo. Ao saber da minha briga com o amigo e companheiro da academia, e a separação em que ficamos, sentiu-se, não sei se diga, magoada ou irritada. Censurou-nos a ambos; não valia a pena que chegássemos a tal ponto. — A senhora diz isso, porque não sente a mesma coisa. — Mas então é um delírio? — Creio que sim; o que lhe afianço é que ainda agora, se fosse necessário, separar-me-ia dele uma e cem vezes; e creio poder afirmar-lhe que ele faria a mesma coisa. Aqui olhou ela espantada para mim, como se olha para uma pessoa cujas faculdades parecem transtornadas; depois abanou a cabeça, e repetiu que fora um erro; não valia a pena. — Fiquemos amigos, disse-me, estendendo a mão. — É impossível; pede-me coisa superior às minhas forças, nunca poderei ver na senhora uma simples amiga; não desejo impor-lhe nada; dir-lhe-ei até que nem mais insisto, porque não aceitaria outra resposta agora. Trocamos ainda algumas palavras, e retirei-me... Veja a minha mão.

— Treme-lhe ainda...

— E não lhe contei tudo. Não lhe digo aqui os aborrecimentos que tive, nem a dor e o despeito que me ficaram. Estava arrependido, zangado, devia ter pro-

414 MACHADO DE ASSIS

vocado aquele desengano desde as primeiras semanas; mas a culpa foi da esperança, que é uma planta daninha, que me comeu o lugar de outras plantas melhores. No fim de cinco dias saí para Itaboraí, onde me chamaram alguns interesses do inventário de meu pai. Quando voltei, três semanas depois, achei em casa uma carta de Quintília.

— Oh!

— Abri-a alvoroçadamente: datava de quatro dias. Era longa; aludia aos últimos sucessos, e dizia coisas meigas e graves. Quintília afirmava ter esperado por mim todos os dias, não cuidando que eu levasse o egoísmo até não voltar lá mais, por isso escrevia-me, pedindo que fizesse dos meus sentimentos pessoais e sem eco uma página de história acabada; que ficasse só o amigo, e lá fosse ver a sua amiga. E concluía com estas singulares palavras: "Quer uma garantia? Juro-lhe que não casarei nunca". Compreendi que um vínculo de simpatia moral nos ligava um ao outro; com a diferença que o que era em mim paixão específica, era nela uma simples eleição de caráter. Éramos dois sócios, que entravam no comércio da vida com diferente capital: eu, tudo o que possuía; ela, quase um óbolo. Respondi à carta dela nesse sentido; e declarei que era tal a minha obediência e o meu amor, que cedia, mas de má vontade, porque, depois do que se passara entre nós, ia sentir-me humilhado. Risquei a palavra *ridículo*, já escrita, para poder ir vê-la sem este vexame; bastava o outro.

— Aposto que seguiu atrás da carta? É o que eu faria, porque essa moça, ou eu me engano ou estava morta por casar com o senhor.

— Deixe a sua fisiologia usual; este caso é particularíssimo.

— Deixe-me adivinhar o resto; o juramento era um anzol místico; depois, o senhor, que o recebera, podia desobrigá-la dele, uma vez que aproveitasse com a absolvição. Mas, enfim, correu à casa dela.

— Não corri; fui dois dias depois. No intervalo, respondeu ela à minha carta com um bilhete carinhoso, que rematava com esta ideia: "não fale de humilhação, onde não houve público". Fui, voltei uma e mais vezes e restabeleceram-se as nossas relações. Não se falou em nada; ao princípio, custou-me muito parecer o que era dantes; depois, o demônio da esperança veio pousar outra vez no meu coração; e, sem nada exprimir, cuidei que um dia, um dia tarde, ela viesse a casar comigo. E foi essa esperança que me retificou aos meus próprios olhos, na situação em que me achava. Os boatos de nosso casamento correram mundo. Chegaram aos nossos ouvidos; eu negava formalmente e sério; ela dava de ombros e ria. Foi essa fase da nossa vida a mais serena para mim, salvo um incidente curto, um diplomata austríaco ou não sei quê, rapagão, elegante, ruivo, olhos grandes e atrativos, e fidalgo ainda por cima. Quintília mostrou-se-lhe tão graciosa, que ele cuidou estar aceito, e tratou de ir adiante. Creio que algum gesto meu, inconsciente, ou então um pouco da percepção fina que o céu lhe dera, levou depressa o desengano à legação austríaca. Pouco depois ela adoeceu; e foi então que a nossa intimidade cresceu de vulto. Ela, enquanto se tratava, resolveu não sair, e isso mesmo lhe disseram os médicos. Lá passava eu muitas horas diariamente. Ou elas tocavam, ou jogávamos os três, ou então lia-se alguma coisa; a maior parte das vezes conversávamos somente. Foi então que a estudei muito; escutando as suas leituras vi que os livros puramente amorosos achava-os incompreensíveis, e, se as paixões aí eram violentas, largava-os com tédio. Não falava assim por ignorante; tinha notícia vaga das paixões, e assistira a algumas alheias.

— De que moléstia padecia?

— Da espinha. Os médicos diziam que a moléstia não era talvez recente, e ia tocando o ponto melindroso. Chegamos assim a 1859. Desde março desse ano a moléstia agravou-se muito; teve uma pequena parada, mas para os fins do mês chegou ao estado desesperador. Nunca vi depois criatura mais enérgica diante da iminente catástrofe; estava então de uma magreza transparente, quase fluida; ria, ou antes, sorria apenas, e vendo que eu escondia as minhas lágrimas, apertava-me as mãos agradecida. Um dia, estando só com o médico, perguntou-lhe a verdade; ele ia mentir; ela disse-lhe que era inútil, que estava perdida. — Perdida, não, murmurou o médico. — Jura que não estou perdida? — Ele hesitou, ela agradeceu-lho. Uma vez certa que morria, ordenou o que prometera a si mesma.

— Casou com o senhor, aposto?

— Não me relembre essa triste cerimônia; ou antes, deixe-me relembrá-la, porque me traz algum alento do passado. Não aceitou recusas nem pedidos meus; casou comigo à beira da morte. Foi no dia 18 de abril de 1859. Passei os últimos dois dias, até 20 de abril, ao pé da minha noiva moribunda, e abracei-a pela primeira vez, feita cadáver.

— Tudo isso é bem esquisito.

— Não sei o que dirá a sua fisiologia. A minha, que é de profano, crê que aquela moça tinha ao casamento uma aversão puramente física. Casou meio defunta, às portas do nada. Chame-lhe monstro, se quer, mas acrescente divino.

Um homem célebre

— Ah! o senhor é que é o Pestana? perguntou Sinhazinha Mota, fazendo um largo gesto admirativo. E logo depois, corrigindo a familiaridade: — Desculpe meu modo, mas... é mesmo o senhor?

Vexado, aborrecido, Pestana respondeu que sim, que era ele. Vinha do piano, enxugando a testa com o lenço, e ia a chegar à janela, quando a moça o fez parar. Não era baile; apenas um sarau íntimo, pouca gente, vinte pessoas ao todo, que tinham ido jantar com a viúva Camargo, rua do Areal, naquele dia dos anos dela, cinco de novembro de 1875... Boa e patusca viúva! Amava o riso e a folga, apesar dos sessenta anos em que entrava, e foi a última vez que folgou e riu, pois faleceu nos primeiros dias de 1876. Boa e patusca viúva! Com que alma e diligência arranjou ali umas danças, logo depois do jantar, pedindo ao Pestana que tocasse uma quadrilha! Nem foi preciso acabar o pedido; Pestana curvou-se gentilmente, e correu ao piano. Finda a quadrilha, mal teriam descansado uns dez minutos, a viúva correu novamente ao Pestana para um obséquio mui particular.

— Diga, minha senhora.

— É que nos toque agora aquela sua polca *Não bula comigo, nhonhô*.

Pestana fez uma careta, mas dissimulou depressa, inclinou-se calado, sem gen-

tileza, e foi para o piano, sem entusiasmo. Ouvidos os primeiros compassos, der-
ramou-se pela sala uma alegria nova, os cavalheiros correram às damas, e os pares entraram a saracotear a polca da moda. Da moda; tinha sido publicada vinte
dias antes, e já não havia recanto da cidade, em que não fosse conhecida. Ia chegando à consagração do assobio e da cantarola noturna.

Sinhazinha Mota estava longe de supor que aquele Pestana que ela vira à
mesa de jantar e depois ao piano, metido numa sobrecasaca cor de rapé, cabelo
negro, longo e cacheado, olhos cuidosos, queixo rapado, era o mesmo Pestana
compositor; foi uma amiga que lho disse quando o viu vir do piano, acabada a
polca. Daí a pergunta admirativa. Vimos que ele respondeu aborrecido e vexado. Nem assim as duas moças lhe pouparam finezas, tais e tantas, que a mais modesta vaidade se contentaria de as ouvir; ele recebeu-as cada vez mais enfadado,
até que, alegando dor de cabeça, pediu licença para sair. Nem elas, nem a dona
da casa, ninguém logrou retê-lo. Ofereceram-lhe remédios caseiros, algum repouso, não aceitou nada, teimou em sair e saiu.

Rua fora, caminhou depressa, com medo de que ainda o chamassem; só afrouxou, depois que dobrou a esquina da rua Formosa. Mas aí mesmo esperava-o a
sua grande polca festiva. De uma casa modesta, à direita, a poucos metros de
distância, saíam as notas da composição do dia, sopradas em clarineta. Dançava-se. Pestana parou alguns instantes, pensou em arrepiar caminho, mas dispôs-
-se a andar, estugou o passo, atravessou a rua, e seguiu pelo lado oposto ao da
casa do baile. As notas foram-se perdendo, ao longe, e o nosso homem entrou
na rua do Aterrado, onde morava. Já perto de casa, viu vir dois homens; um deles, passando rentezinho com o Pestana, começou a assobiar a mesma polca, ri-
jamente, com brio, e o outro pegou a tempo na música, e aí foram os dois abaixo, ruidosos e alegres, enquanto o autor da peça, desesperado, corria a meter-se
em casa.

Em casa, respirou. Casa velha, escada velha, um preto velho que o servia, e
que veio saber se ele queria cear.

— Não quero nada, bradou o Pestana; faça-me café e vá dormir.

Despiu-se, enfiou uma camisola, e foi para a sala dos fundos. Quando o preto acendeu o gás da sala, Pestana sorriu e, dentro d'alma, cumprimentou uns dez
retratos que pendiam da parede. Um só era a óleo, o de um padre, que o educa-
ra, que lhe ensinara latim e música, e que, segundo os ociosos, era o próprio pai
do Pestana. Certo é que lhe deixou em herança aquela casa velha, e os velhos tras-

418   MACHADO DE ASSIS

tes, ainda do tempo de Pedro I. Compusera alguns motetes o padre, era doido por música, sacra ou profana, cujo gosto incutiu no moço, ou também lhe transmitiu no sangue, se é que tinham razão as bocas vadias, coisa de que se não ocupa a minha história, como ides ver.

Os demais retratos eram de compositores clássicos, Cimarosa, Mozart, Beethoven, Gluck, Bach, Schumann, e ainda uns três, alguns gravados, outros litografados, todos mal encaixilhados e de diferente tamanho, mas postos ali como santos de uma igreja. O piano era o altar; o evangelho da noite lá estava aberto: era uma sonata de Beethoven.

Veio o café; Pestana engoliu a primeira xícara, e sentou-se ao piano. Olhou para o retrato de Beethoven, e começou a executar a sonata, sem saber de si, desvairado ou absorto, mas com grande perfeição. Repetiu a peça; depois parou alguns instantes, levantou-se e foi a uma das janelas. Tornou ao piano; era a vez de Mozart, pegou de um trecho, e executou-o do mesmo modo, com a alma alhures. Haydn levou-o à meia-noite e à segunda xícara de café.

Entre meia-noite e uma hora, Pestana pouco mais fez que estar à janela e olhar para as estrelas, entrar e olhar para os retratos. De quando em quando ia ao piano, e, de pé, dava uns golpes soltos no teclado, como se procurasse algum pensamento; mas o pensamento não aparecia e ele voltava a encostar-se à janela. As estrelas pareciam-lhe outras tantas notas musicais fixadas no céu à espera de alguém que as fosse descolar; tempo viria em que o céu tinha de ficar vazio, mas então a terra seria uma constelação de partituras. Nenhuma imagem, desvario ou reflexão trazia uma lembrança qualquer de Sinhazinha Mota, que entretanto, a essa mesma hora, adormecia pensando nele, famoso autor de tantas polcas amadas. Talvez a ideia conjugal tirou à moça alguns momentos de sono. Que tinha? Ela ia em vinte anos, ele em trinta, boa conta. A moça dormia ao som da polca, ouvida de cor, enquanto o autor desta não cuidava nem da polca nem da moça, mas das velhas obras clássicas, interrogando o céu e a noite, rogando aos anjos, em último caso ao diabo. Por que não faria ele uma só que fosse daquelas páginas imortais?

Às vezes, como que ia surgir das profundezas do inconsciente uma aurora de ideia; ele corria ao piano, para aventá-la inteira, traduzi-la, em sons, mas era em vão; a ideia esvaía-se. Outras vezes, sentado, ao piano, deixava os dedos correrem, à ventura, a ver se as fantasias brotavam deles, como dos de Mozart; mas nada, nada, a inspiração não vinha, a imaginação deixava-se estar dormindo. Se acaso uma ideia aparecia, definida e bela, era eco apenas de alguma peça alheia, que a memória repetia, e que ele supunha inventar. Então, irritado, erguia-se, jurava abandonar a arte, ir plantar café ou puxar carroça; mas daí a dez minutos, ei-lo outra vez, com os olhos em Mozart, a imitá-lo ao piano.

Duas, três, quatro horas. Depois das quatro foi dormir; estava cansado, desanimado, morto; tinha que dar lições no dia seguinte. Pouco dormiu; acordou às sete horas. Vestiu-se e almoçou.

— Meu senhor quer a bengala ou o chapéu de sol? perguntou o preto, segundo as ordens que tinha, porque as distrações do senhor eram frequentes.

— A bengala.

— Mas parece que hoje chove.

— Chove, repetiu Pestana maquinalmente.

— Parece que sim, senhor, o céu está meio escuro.

Pestana olhava para o preto, vago, preocupado. De repente:

— Espera aí.

Correu à sala dos retratos, abriu o piano, sentou-se e espalmou as mãos no teclado. Começou a tocar alguma coisa própria, uma inspiração real e pronta, uma polca, uma polca buliçosa, como dizem os anúncios. Nenhuma repulsa da parte do compositor; os dedos iam arrancando as notas, ligando-as, meneando-as; dir-se-ia que a musa compunha e bailava a um tempo. Pestana esquecera as discípulas, esquecera o preto, que o esperava com a bengala e o guarda-chuva, esquecera até os retratos que pendiam gravemente da parede. Compunha só, teclando ou escrevendo, sem os vãos esforços da véspera, sem exasperação, sem nada pedir ao céu, sem interrogar os olhos de Mozart. Nenhum tédio. Vida, graça, novidade, escorriam-lhe da alma como de uma fonte perene.

Em pouco tempo estava a polca feita. Corrigiu ainda alguns pontos, quando voltou para jantar: mas já a cantarolava, andando, na rua. Gostou dela; na composição recente e inédita circulava o sangue da paternidade e da vocação. Dois dias depois, foi levá-la ao editor das outras polcas suas, que andariam já por umas trinta. O editor achou-a linda.

— Vai fazer grande efeito.

Veio a questão do título. Pestana, quando compôs a primeira polca, em 1871, quis dar-lhe um título poético, escolheu este: *Pingos de sol.* O editor abanou a cabeça, e disse-lhe que os títulos deviam ser, já de si, destinados à popularidade, ou por alusão a algum sucesso do dia, — ou pela graça das palavras; indicou-lhe dois: *A lei de 28 de setembro,* ou *Candongas não fazem festa.*★

— Mas que quer dizer *Candongas não fazem festa*? perguntou o autor.

— Não quer dizer nada, mas populariza-se logo.

Pestana, ainda donzel inédito, recusou qualquer das denominações e guardou a polca; mas não tardou que compusesse outra, e a comichão da publicidade levou-o a imprimir as duas, com os títulos que ao editor parecessem mais atraentes ou apropriados. Assim se regulou pelo tempo adiante.

Agora, quando Pestana entregou a nova polca, e passaram ao título, o editor acudiu que trazia um, desde muitos dias, para a primeira obra que ele lhe apresentasse, título de espavento, longo e meneado. Era este: *Senhora dona, guarde o seu balaio.*

— E para a vez seguinte, acrescentou, já trago outro de cor.

Exposta à venda, esgotou-se logo a primeira edição. A fama do compositor bastava à procura; mas a obra em si mesma era adequada ao gênero, original, convidava a dançá-la e decorava-se depressa. Em oito dias, estava célebre. Pestana, durante os primeiros, andou deveras namorado da composição, gostava de a cantarolar baixinho, detinha-se na rua, para ouvi-la tocar em alguma casa, e zangava-se quando não a tocavam bem. Desde logo, as orquestras de teatro a executaram, e ele lá foi a um deles. Não desgostou também de a ouvir assobiada, uma noite, por um vulto que descia a rua do Aterrado.

Essa lua de mel durou apenas um quarto de lua. Como das outras vezes, e mais depressa ainda, os velhos mestres retratados o fizeram sangrar de remorsos. Vexado e enfastiado, Pestana arremeteu contra aquela que o viera consolar tantas vezes, musa de olhos marotos e gestos arredondados, fácil e graciosa. E aí voltaram as náuseas de si mesmo, o ódio a quem lhe pedia a nova polca da moda, e juntamente o esforço de compor alguma coisa ao sabor clássico, uma página que fosse, uma só, mas tal que pudesse ser encadernada entre Bach e Schumann. Vão estudo, inútil esforço. Mergulhava naquele Jordão sem sair batizado. Noites e noites, gastou-as assim, confiado e teimoso, certo de que a vontade era tudo, e que, uma vez que abrisse mão da música fácil...

— As polcas que vão para o inferno fazer dançar o diabo, disse ele um dia, de madrugada, ao deitar-se.

★ A lei é a Lei do Ventre Livre. *Candongas* são "namoros" ou "mexericos".

Mas as polcas não quiseram ir tão fundo. Vinham à casa de Pestana, à própria sala dos retratos, irrompiam tão prontas, que ele não tinha mais que o tempo de as compor, imprimi-las depois, gostá-las alguns dias, aborrecê-las, e tornar às velhas fontes, donde lhe não manava nada. Nessa alternativa viveu até casar, e depois de casar.

— Casar com quem? perguntou Sinhazinha Mota ao tio escrivão que lhe deu aquela notícia.

— Vai casar com uma viúva.

— Velha?

— Vinte e sete anos.

— Bonita?

— Não, nem feia, assim, assim. Ouvi dizer que ele se enamorou dela, porque a ouviu cantar na última festa de S. Francisco de Paula. Mas ouvi também que ela possui outra prenda, que não é rara, mas vale menos: está tísica.

Os escrivães não deviam ter espírito, — mau espírito, quero dizer. A sobrinha deste sentiu no fim um pingo de bálsamo, que lhe curou a dentadinha da inveja. Era tudo verdade. Pestana casou daí a dias com uma viúva de vinte e sete anos, boa cantora e tísica. Recebeu-a como a esposa espiritual do seu gênio. O celibato era, sem dúvida, a causa da esterilidade e do transvio, dizia ele consigo; artisticamente considerava-se um arruador de horas mortas; tinha as polcas por aventuras de petimetres. Agora, sim, é que ia engendrar uma família de obras sérias, profundas, inspiradas e trabalhadas.

Essa esperança abotoou desde as primeiras horas do amor, e desabrochou à primeira aurora do casamento. Maria, balbuciou a alma dele, dá-me o que não achei na solidão das noites, nem no tumulto dos dias.

Desde logo, para comemorar o consórcio, teve ideia de compor um noturno. Chamar-lhe-ia *Ave, Maria*. A felicidade como que lhe trouxe um princípio de inspiração; não querendo dizer nada à mulher, antes de pronto, trabalhava às escondidas; coisa difícil, porque Maria, que amava igualmente a arte, vinha tocar com ele, ou ouvi-lo somente, horas e horas, na sala dos retratos. Chegaram a fazer alguns concertos semanais, com três artistas, amigos do Pestana. Um domingo, porém, não se pôde ter o marido, e chamou a mulher para tocar um trecho do noturno; não lhe disse o que era nem de quem era. De repente, parando, interrogou-a com os olhos.

— Acaba, disse Maria; não é Chopin?

Pestana empalideceu, fitou os olhos no ar, repetiu um ou dois trechos e ergueu-se. Maria assentou-se ao piano, e, depois de algum esforço de memória, executou a peça de Chopin. A ideia, o motivo eram os mesmos; Pestana achara-os em algum daqueles becos escuros da memória, velha cidade de traições. Triste, desesperado, saiu de casa, e dirigiu-se para o lado da ponte, caminho de S. Cristóvão.

— Para que lutar? dizia ele. Vou com as polcas... Viva a polca!

Homens que passavam por ele, e ouviam isto, ficavam olhando, como para um doido. E ele ia andando, alucinado, mortificado, eterna peteca entre a ambição e a vocação... Passou o velho matadouro; ao chegar à porteira da estrada de ferro, teve ideia de ir pelo trilho acima e esperar o primeiro trem que viesse e o esmagasse. O guarda fê-lo recuar. Voltou a si e tornou a casa.

Poucos dias depois, — uma clara e fresca manhã de maio de 1876, — eram seis horas, Pestana sentiu nos dedos um frêmito particular e conhecido. Ergueu-se devagarinho, para não acordar Maria, que tossira toda a noite, e agora dormia profundamente. Foi para a sala dos retratos, abriu o piano, e, o mais surdamente que pôde, extraiu uma polca. Fê-la publicar com um pseudônimo; nos dois meses seguintes compôs e publicou mais duas. Maria não soube nada; ia tossindo e morrendo, até que expirou, uma noite, nos braços do marido, apavorado e desesperado.

Era noite de Natal. A dor do Pestana teve um acréscimo, porque na vizinhança havia um baile, em que se tocaram várias de suas melhores polcas. Já o baile era duro de sofrer; as suas composições davam-lhe um ar de ironia e perversidade. Ele sentia a cadência dos passos, adivinhava os movimentos, porventura lúbricos, a que obrigava alguma daquelas composições; tudo isso ao pé do cadáver pálido, um molho de ossos, estendido na cama... Todas as horas da noite passaram assim, vagarosas ou rápidas, úmidas de lágrimas e de suor, de águas-da-colônia e de Labarraque,* saltando sem parar, como ao som da polca de um grande Pestana invisível.

Enterrada a mulher, o viúvo teve uma única preocupação: deixar a música, depois de compor um *Requiem*, que faria executar no primeiro aniversário da morte de Maria. Escolheria outro emprego, escrevente, carteiro, mascate, qualquer coisa que lhe fizesse esquecer a arte assassina e surda.

---

* *Licor de Labarraque*: líquido desinfetante conhecido pelo nome de seu inventor, Antoine Germain Labarraque.

Começou a obra; empregou tudo, arrojo, paciência, meditação, e até os caprichos do acaso, como fizera outrora, imitando Mozart. Releu e estudou o *Requiem* deste autor.* Passaram-se semanas e meses. A obra, célere a princípio, afrouxou o andar. Pestana tinha altos e baixos. Ora achava-a incompleta, não lhe sentia a alma sacra, nem ideia, nem inspiração, nem método; ora elevava-se-lhe o coração e trabalhava com vigor. Oito meses, nove, dez, onze, e o *Requiem* não estava concluído. Redobrou de esforços; esqueceu lições e amizades. Tinha refeito muitas vezes a obra; mas agora queria concluí-la, fosse como fosse. Quinze dias, oito, cinco... A aurora do aniversário veio achá-lo trabalhando.

Contentou-se da missa rezada e simples, para ele só. Não se pode dizer se todas as lágrimas que lhe vieram sorrateiramente aos olhos, foram do marido, ou se algumas eram do compositor. Certo é que nunca mais tornou ao *Requiem*.

— Para quê? dizia ele a si mesmo.

Correu ainda um ano. No princípio de 1878, apareceu-lhe o editor.

— Lá vão dois anos, disse este, que nos não dá um ar da sua graça. Toda a gente pergunta se o senhor perdeu o talento. Que tem feito?

— Nada.

— Bem sei o golpe que o feriu; mas lá vão dois anos. Venho propor-lhe um contrato: vinte polcas durante doze meses; o preço antigo, e uma porcentagem maior na venda. Depois, acabado o ano, podemos renovar.

Pestana assentiu com um gesto. Poucas lições tinha, vendera a casa para saldar dívidas, e as necessidades iam comendo o resto, que era assaz escasso. Aceitou o contrato.

— Mas a primeira polca há de ser já, explicou o editor. É urgente. Viu a carta do Imperador ao Caxias? Os liberais foram chamados ao poder; vão fazer a reforma eleitoral. A polca há de chamar-se: *Bravos à eleição direta!* ** Não é política; é um bom título de ocasião.

---

* É curioso notar que Mozart (1756-91) faleceu antes de terminar o seu *Requiem*, e que a versão que normalmente se executa se deve em parte a seu discípulo Franz Xavier Süssmayr, compositor apenas competente, e que se limitou a tentar adivinhar o que Mozart teria feito, se tivesse vivido.

** No início de 1878, a situação se alterou, quando ao gabinete conservador sucedeu um gabinete liberal presidido por Cansanção de Sinimbu. Este tinha como objetivo principal aprovar uma lei substituindo as eleições indiretas para a Câmara dos Deputados, notoriamente manipuladas, por eleições diretas, que dariam ao regime uma legitimidade maior. Essa lei, contudo, só foi aprovada em 9 de janeiro de 1881, no governo do conselheiro Saraiva.

Pestana compôs a primeira obra do contrato. Apesar do longo tempo de silêncio, não perdera a originalidade nem a inspiração. Trazia a mesma nota genial. As outras polcas vieram vindo, regularmente. Conservara os retratos e os repertórios; mas fugia de gastar todas as noites ao piano, para não cair em novas tentativas. Já agora pedia uma entrada de graça, sempre que havia alguma boa ópera ou concerto de artista, ia, metia-se a um canto, gozando aquela porção de coisas que nunca lhe haviam de brotar do cérebro. Uma ou outra vez, ao tornar para casa, cheio de música, despertava nele o maestro inédito; então, sentava-se ao piano, e, sem ideia, tirava algumas notas, até que ia dormir, vinte ou trinta minutos depois.

Assim foram passando os anos, até 1885. A fama do Pestana dera-lhe definitivamente o primeiro lugar entre os compositores de polcas; mas o primeiro lugar da aldeia não contentava a este César, que continuava a preferir-lhe, não o segundo, mas o centésimo em Roma. Tinha ainda as alternativas de outro tempo, acerca de suas composições; a diferença é que eram menos violentas. Nem entusiasmo nas primeiras horas, nem horror depois da primeira semana; algum prazer e certo fastio.

Naquele ano, apanhou uma febre de nada, que em poucos dias cresceu, até virar perniciosa. Já estava em perigo, quando lhe apareceu o editor, que não sabia da doença, e ia dar-lhe notícia da subida dos conservadores, e pedir-lhe uma polca de ocasião.* O enfermeiro, pobre clarineta de teatro, referiu-lhe o estado do Pestana, de modo que o editor entendeu calar-se. O doente é que instou para que lhe dissesse o que era; o editor obedeceu.

— Mas há de ser quando estiver bom de todo, concluiu.

— Logo que a febre decline um pouco, disse o Pestana.

Seguiu-se uma pausa de alguns segundos. O clarineta foi pé ante pé preparar o remédio; o editor levantou-se e despediu-se.

— Adeus.

— Olhe, disse o Pestana, como é provável que eu morra por estes dias, faço-lhe logo duas polcas; a outra servirá para quando subirem os liberais.

Foi a única pilhéria que disse em toda a vida, e era tempo, porque expirou na madrugada seguinte, às quatro horas e cinco minutos, bem com os homens e mal consigo mesmo.

---

* Em 20 de agosto desse ano, assumiu o poder o primeiro ministério conservador desde 1878, presidido pelo barão de Cotegipe.

O caso da vara

Damião fugiu do seminário às onze horas da manhã de uma sexta-feira de agosto. Não sei bem o ano; foi antes de 1850. Passados alguns minutos parou vexado; não contava com o efeito que produzia nos olhos da outra gente aquele seminarista que ia espantado, medroso, fugitivo. Desconhecia as ruas, andava e desandava; finalmente parou. Para onde iria? Para casa, não; lá estava o pai que o devolveria ao seminário, depois de um bom castigo. Não assentara no ponto de refúgio, porque a saída estava determinada para mais tarde; uma circunstância fortuita a apressou. Para onde iria? Lembrou-se do padrinho, João Carneiro, mas o padrinho era um moleirão sem vontade, que por si só não faria coisa útil. Foi ele que o levou ao seminário e o apresentou ao reitor:

— Trago-lhe o grande homem que há de ser, disse ele ao reitor.

— Venha, acudiu este, venha o grande homem, contanto que seja também humilde e bom. A verdadeira grandeza é chã. Moço...

Tal foi a entrada. Pouco tempo depois fugiu o rapaz ao seminário. Aqui o vemos agora na rua, espantado, incerto, sem atinar com refúgio nem conselho; percorreu de memória as casas de parentes e amigos, sem se fixar em nenhuma. De repente, exclamou:

— Vou pegar-me com Sinhá Rita! Ela manda chamar meu padrinho, diz-lhe que quer que eu saia do seminário... Talvez assim...

426 MACHADO DE ASSIS

Sinhá Rita era uma viúva, querida de João Carneiro; Damião tinha umas ideias vagas dessa situação e tratou de a aproveitar. Onde morava? Estava tão atordoado, que só daí a alguns minutos é que lhe acudiu a casa; era no largo do Capim.

— Santo nome de Jesus! Que é isto? bradou Sinhá Rita, sentando-se na marquesa, onde estava reclinada.

Damião acabava de entrar espavorido; no momento de chegar à casa, vira passar um padre, e deu um empurrão à porta, que por fortuna não estava fechada a chave nem ferrolho. Depois de entrar, espiou pela rótula, a ver o padre. Este não deu por ele e ia andando.

— Mas que é isto, Sr. Damião? bradou novamente a dona da casa, que só agora o conhecera. Que vem fazer aqui?

Damião, trêmulo, mal podendo falar, disse que não tivesse medo, não era nada; ia explicar tudo.

— Descanse, e explique-se.

— Já lhe digo; não pratiquei nenhum crime, isso juro; mas espere.

Sinhá Rita olhava para ele espantada, e todas as crias, de casa, e de fora, que estavam sentadas em volta da sala, diante das suas almofadas de renda, todas fizeram parar os bilros e as mãos. Sinhá Rita vivia principalmente de ensinar a fazer renda, crivo e bordado. Enquanto o rapaz tomava fôlego, ordenou às pequenas que trabalhassem, e esperou. Afinal, Damião contou tudo, o desgosto que lhe dava o seminário; estava certo de que não podia ser bom padre; falou com paixão, pediu-lhe que o salvasse.

— Como assim? Não posso nada.

— Pode, querendo.

— Não, replicou ela abanando a cabeça; não me meto em negócios de sua família, que mal conheço; e então seu pai, que dizem que é zangado!

Damião viu-se perdido. Ajoelhou-se-lhe aos pés, beijou-lhe a mãos, desesperado.

— Pode muito, Sinhá Rita; peço-lhe pelo amor de Deus, pelo que a senhora tiver de mais sagrado, por alma de seu marido, salve-me da morte, porque eu mato-me, se voltar para aquela casa.

Sinhá Rita, lisonjeada com as súplicas do moço, tentou chamá-lo a outros sentimentos. A vida de padre era santa e bonita, disse-lhe ela; o tempo lhe mostraria que era melhor vencer as repugnâncias e um dia... Não, nada, nunca, redarguia Damião, abanando a cabeça e beijando-lhe as mãos; e repetia que era a sua morte. Sinhá Rita hesitou ainda muito tempo; afinal perguntou-lhe por que não ia ter com o padrinho.

— Meu padrinho? Esse é ainda pior que papai; não me atende, duvido que atenda a ninguém...

— Não atende? interrompeu Sinhá Rita ferida em seus brios. Ora, eu lhe mostro se atende ou não...

Chamou um moleque e bradou-lhe que fosse à casa do Sr. João Carneiro chamá-lo, já e já; e se não estivesse em casa, perguntasse onde podia ser encontrado, e corresse a dizer-lhe que precisava muito de lhe falar imediatamente.

— Anda, moleque.

Damião suspirou alto e triste. Ela, para mascarar a autoridade com que dera aquelas ordens, explicou ao moço que o Sr. João Carneiro fora amigo do marido e arranjara-lhe algumas crias para ensinar. Depois, como ele continuasse triste, encostado a um portal, puxou-lhe o nariz, rindo:

— Ande lá, seu padreco, descanse que tudo se há de arranjar.

Sinhá Rita tinha quarenta anos na certidão de batismo, e vinte e sete nos olhos. Era apessoada, viva, patusca, amiga de rir; mas, quando convinha, brava como diabo. Quis alegrar o rapaz, e, apesar da situação, não lhe custou muito. Dentro de pouco, ambos eles riam, ela contava-lhe anedotas, e pedia-lhe outras, que ele referia com singular graça. Uma destas, estúrdia, obrigada a trejeitos, fez rir a uma das crias de Sinhá Rita, que esquecera o trabalho, para mirar e escutar o moço. Sinhá Rita pegou de uma vara que estava ao pé da marquesa, e ameaçou-a:

— Lucrécia, olha a vara!

A pequena abaixou a cabeça, aparando o golpe, mas o golpe não veio. Era uma advertência; se à noitinha a tarefa não estivesse pronta, Lucrécia receberia o castigo do costume. Damião olhou para a pequena; era uma negrinha, magricela, um frangalho de nada, com uma cicatriz na testa e uma queimadura na mão esquerda. Contava onze anos. Damião reparou que tossia, mas para dentro, surdamente, a fim de não interromper a conversação. Teve pena da negrinha, e resolveu apadrinhá-la, se não acabasse a tarefa. Sinhá Rita não lhe negaria o perdão... Demais, ela rira por achar-lhe graça; a culpa era sua, se há culpa em ter chiste.

Nisto, chegou João Carneiro. Empalideceu quando viu ali o afilhado, e olhou para Sinhá Rita, que não gastou tempo com preâmbulos. Disse-lhe que era preciso tirar o moço do seminário, que ele não tinha vocação para a vida eclesiástica, e antes um padre de menos que um padre ruim. Cá fora também se po-

428 MACHADO DE ASSIS

dia amar e servir a Nosso Senhor. João Carneiro, assombrado, não achou que replicar durante os primeiros minutos; afinal, abriu a boca e repreendeu o afilhado por ter vindo incomodar "pessoas estranhas", e em seguida afirmou que o castigaria.

— Qual castigar, qual nada! interrompeu Sinhá Rita. Castigar por quê? Vá, vá falar a seu compadre.

— Não afianço nada, não creio que seja possível...

— Há de ser possível, afianço eu. Se o senhor quiser, continuou ela com certo tom insinuativo, tudo se há de arranjar. Peça-lhe muito, que ele cede. Ande, senhor João Carneiro, seu afilhado não volta para o seminário; digo-lhe que não volta...

— Mas, minha senhora...

— Vá, vá.

João Carneiro não se animava a sair, nem podia ficar. Estava entre um puxar de forças opostas. Não lhe importava, em suma, que o rapaz acabasse clérigo, advogado ou médico, ou outra qualquer coisa, vadio que fosse; mas o pior é que lhe cometiam uma luta ingente com os sentimentos mais íntimos do compadre, sem certeza do resultado; e, se este fosse negativo, outra luta com Sinhá Rita, cuja última palavra era ameaçadora: "digo-lhe que ele não volta". Tinha de haver por força um escândalo. João Carneiro estava com a pupila desvairada, a pálpebra trêmula, o peito ofegante. Os olhares que deitava a Sinhá Rita eram de súplica, mesclados de um tênue raio de censura. Por que lhe não pedia outra coisa? Por que lhe não ordenava que fosse a pé, debaixo de chuva, à Tijuca, ou Jacarepaguá? Mas logo persuadir ao compadre que mudasse a carreira do filho... Conhecia o velho; era capaz de lhe quebrar uma jarra na cara. Ah! se o rapaz caísse ali, de repente, apoplético, morto! Era uma solução, — cruel, é certo, mas definitiva.

— Então? insistiu Sinhá Rita.

Ele fez-lhe um gesto de mão que esperasse. Coçava a barba, procurando um recurso. Deus do céu! um decreto do papa dissolvendo a igreja, ou, pelo menos, extinguindo os seminários, faria acabar tudo em bem. João Carneiro voltaria para casa e ia jogar os *três-setes*. Imaginai que o barbeiro de Napoleão era encarregado de comandar a batalha de Austerlitz... Mas a igreja continuava, os seminários continuavam, o afilhado continuava, cosido à parede, olhos baixos, esperando, sem solução apoplética.

— Vá, vá, disse Sinhá Rita dando-lhe o chapéu e a bengala.

Não teve remédio. O barbeiro meteu a navalha no estojo, travou da espada e saiu à campanha. Damião respirou; exteriormente deixou-se estar na mesma, olhos fincados no chão, acabrunhado. Sinhá Rita puxou-lhe desta vez o queixo.

— Ande jantar, deixe-se de melancolias.

— A senhora crê que ele alcance alguma coisa?

— Há de alcançar tudo, redarguiu Sinhá Rita cheia de si. Ande, que a sopa está esfriando.

Apesar do gênio galhofeiro de Sinhá Rita, e do seu próprio espírito leve, Damião esteve menos alegre ao jantar que na primeira parte do dia. Não fiava do caráter mole do padrinho. Contudo, jantou bem; e, para o fim, voltou às pilhérias da manhã. À sobremesa, ouviu um rumor de gente na sala, e perguntou se o vinham prender.

— Hão de ser as moças.

Levantaram-se e passaram à sala. As moças eram cinco vizinhas que iam todas as tardes tomar café com Sinhá Rita, e ali ficavam até o cair da noite.

As discípulas, findo o jantar delas, tornaram às almofadas do trabalho. Sinhá Rita presidia a todo esse mulherio de casa e de fora. O sussurro dos bilros e o palavrear das moças eram ecos tão mundanos, tão alheios à teologia e ao latim, que o rapaz deixou-se ir por eles e esqueceu o resto. Durante os primeiros minutos, ainda houve da parte das vizinhas certo acanhamento; mas passou depressa. Uma delas cantou uma modinha, ao som da guitarra, tangida por Sinhá Rita, e a tarde foi passando depressa. Antes do fim, Sinhá Rita pediu a Damião que contasse certa anedota que lhe agradara muito. Era a tal que fizera rir Lucrécia.

— Ande, senhor Damião, não se faça de rogado, que as moças querem ir embora. Vocês vão gostar muito.

Damião não teve remédio senão obedecer. Malgrado o anúncio e a expectação, que serviam a diminuir o chiste e o efeito, a anedota acabou entre risadas das moças. Damião, contente de si, não esqueceu Lucrécia e olhou para ela, a ver se ria também. Viu-a com a cabeça metida na almofada para acabar a tarefa. Não ria; ou teria rido para dentro, como tossia.

Saíram as vizinhas, e a tarde caiu de todo. A alma de Damião foi-se fazendo tenebrosa, antes da noite. Que estaria acontecendo? De instante a instante, ia espiar pela rótula, e voltava cada vez mais desanimado. Nem sombra do padrinho. Com certeza, o pai fê-lo calar, mandou chamar dois negros, foi à polícia pedir um pedestre, e aí vinha pegá-lo à força e levá-lo ao seminário. Damião perguntou a Sinhá Rita se a casa não teria saída pelos fundos; correu ao quintal, e calculou que podia saltar o muro. Quis ainda saber se haveria modo de fugir para a rua da Vala, ou se era melhor falar a algum vizinho que fizesse o favor de o receber. O pior era a batina; se Sinhá Rita lhe pudesse arranjar um rodaque, uma sobrecasaca velha... Sinhá Rita dispunha justamente de um rodaque, lembrança ou esquecimento de João Carneiro.

— Tenho um rodaque do meu defunto, disse ela, rindo; mas para que está com esses sustos? Tudo se há de arranjar, descanse.

Afinal, à boca da noite, apareceu um escravo do padrinho, com uma carta para Sinhá Rita. O negócio ainda não estava composto; o pai ficou furioso e quis quebrar tudo; bradou que não, senhor, que o peralta havia de ir para o seminário, ou então metia-o no Aljube ou na presiganga. João Carneiro lutou muito para conseguir que o compadre não resolvesse logo, que dormisse a noite, e meditasse bem se era conveniente dar à religião um sujeito tão rebelde e vicioso. Explicava na carta que falou assim para melhor ganhar a causa. Não a tinha por ganha; mas no dia seguinte lá iria ver o homem, e teimar de novo. Concluía dizendo que o moço fosse para a casa dele.

Damião acabou de ler a carta e olhou para Sinhá Rita. "Não tenho outra tábua de salvação", pensou ele. Sinhá Rita mandou vir um tinteiro de chifre, e na meia folha da própria carta escreveu esta resposta: "Joãozinho, ou você salva o moço, ou nunca mais nos vemos". Fechou a carta com obreia, e deu-a ao escravo, para que a levasse depressa. Voltou a reanimar o seminarista, que estava outra vez no capuz da humildade e da consternação. Disse-lhe que sossegasse, que aquele negócio era agora dela.

— Hão de ver para quanto presto! Não, que eu não sou de brincadeiras!

Era a hora de recolher os trabalhos. Sinhá Rita examinou-os; todas as discípulas tinham concluído a tarefa. Só Lucrécia estava ainda à almofada, meneando os bilros, já sem ver; Sinhá Rita chegou-se a ela, viu que a tarefa não estava acabada, ficou furiosa, e agarrou-a por uma orelha.

— Ah! malandra!

— Nhanhã, nhanhã! pelo amor de Deus! por Nossa Senhora que está no céu.

— Malandra! Nossa Senhora não protege vadias!

Lucrécia fez um esforço, soltou-se das mãos da senhora, e fugiu para dentro; a senhora foi atrás e agarrou-a.

— Anda cá!

— Minha senhora, me perdoe! tossia a negrinha.

— Não perdoo, não. Onde está a vara?

E tornaram ambas à sala, uma presa pela orelha, debatendo-se, chorando e pedindo; a outra dizendo que não, que a havia de castigar.

— Onde está a vara?

A vara estava à cabeceira da marquesa, do outro lado da sala. Sinhá Rita, não querendo soltar a pequena, bradou ao seminarista:

— Sr. Damião, dê-me aquela vara, faz favor?

Damião ficou frio... Cruel instante! Uma nuvem passou-lhe pelos olhos. Sim, tinha jurado apadrinhar a pequena, que, por causa dele, atrasara o trabalho...

— Dê-me a vara, Sr. Damião!

Damião chegou a caminhar na direção da marquesa. A negrinha pediu--lhe então por tudo o que houvesse mais sagrado, pela mãe, pelo pai, por Nosso Senhor...

— Me acuda, meu sinhô moço!

Sinhá Rita, com a cara em fogo e os olhos esbugalhados, instava pela vara, sem largar a negrinha, agora presa de um acesso de tosse. Damião sentiu-se compungido; mas ele precisava tanto sair do seminário! Chegou à marquesa, pegou na vara e entregou-a a Sinhá Rita.

Missa do galo

Nunca pude entender a conversação que tive com uma senhora, há muitos anos, contava eu dezessete, ela trinta. Era noite de Natal. Havendo ajustado com um vizinho irmos à missa do galo, preferi não dormir; combinei que eu iria acordá-lo à meia-noite.

A casa em que eu estava hospedado era a do escrivão Meneses, que fora casado, em primeiras núpcias, com uma de minhas primas. A segunda mulher, Conceição, e a mãe desta acolheram-me bem, quando vim de Mangaratiba para o Rio de Janeiro, meses antes, a estudar preparatórios. Vivia tranquilo, naquela casa assobradada da rua do Senado, com os meus livros, poucas relações, alguns passeios. A família era pequena, o escrivão, a mulher, a sogra e duas escravas. Costumes velhos. Às dez horas da noite toda a gente estava nos quartos; às dez e meia a casa dormia. Nunca tinha ido ao teatro, e mais de uma vez, ouvindo dizer ao Meneses que ia ao teatro, pedi-lhe que me levasse consigo. Nessas ocasiões, a sogra fazia uma careta, e as escravas riam à socapa; ele não respondia, vestia-se, saía e só tornava na manhã seguinte. Mais tarde é que eu soube que o teatro era um eufemismo em ação. Meneses trazia amores com uma senhora, separada do marido, e dormia fora de casa uma vez por semana. Conceição padecera, a princípio, com a existência da comborça; mas, afinal, resignara-se, acostumara-se, e acabou achando que era muito direito.

Boa Conceição! Chamavam-lhe "a santa", e fazia jus ao título, tão facilmente suportava os esquecimentos do marido. Em verdade, era um temperamento moderado, sem extremos, nem grandes lágrimas, nem grandes risos. No capítulo de que trato, dava para maometana; aceitaria um harém, com as aparências salvas. Deus me perdoe, se a julgo mal. Tudo nela era atenuado e passivo. O próprio rosto era mediano, nem bonito nem feio. Era o que chamamos uma pessoa simpática. Não dizia mal de ninguém, perdoava tudo. Não sabia odiar; pode ser até que não soubesse amar.

Naquela noite de Natal foi o escrivão ao teatro. Era pelos anos de 1861 ou 1862. Eu já devia estar em Mangaratiba, em férias; mas fiquei até o Natal para ver "a missa do galo na corte". A família recolheu-se à hora do costume; eu meti-me na sala da frente, vestido e pronto. Dali passaria ao corredor da entrada e sairia sem acordar ninguém. Tinha três chaves a porta; uma estava com o escrivão, eu levaria outra, a terceira ficava em casa.

— Mas, Sr. Nogueira, que fará você todo esse tempo? — perguntou-me a mãe de Conceição.

— Leio, D. Inácia.

Tinha comigo um romance, os *Três Mosqueteiros*, velha tradução creio do *Jornal do Comércio*. Sentei-me à mesa que havia no centro da sala, e à luz de um candeeiro de querosene, enquanto a casa dormia, trepei ainda uma vez ao cavalo magro de D'Artagnan e fui-me às aventuras. Dentro em pouco estava completamente ébrio de Dumas. Os minutos voavam, ao contrário do que costumam fazer, quando são de espera; ouvi bater onze horas, mas quase sem dar por elas, um acaso. Entretanto, um pequeno rumor que ouvi dentro veio acordar-me da leitura. Eram uns passos no corredor que ia da sala de visitas à de jantar; levantei a cabeça; logo depois vi assomar à porta da sala o vulto de Conceição.

— Ainda não foi? perguntou ela.

— Não fui, parece que ainda não é meia-noite.

— Que paciência!

Conceição entrou na sala, arrastando as chinelinhas da alcova. Vestia um roupão branco, mal-apanhado na cintura. Sendo magra, tinha um ar de visão romântica, não disparatada com o meu livro de aventuras. Fechei o livro; ela foi sentar-se na cadeira que ficava defronte de mim, perto do canapé. Como eu lhe perguntasse se a havia acordado, sem querer, fazendo barulho, respondeu com presteza:

— Não! qual! Acordei por acordar.

Fitei-a um pouco e duvidei da afirmativa. Os olhos não eram de pessoa que acabasse de dormir; pareciam não ter ainda pegado no sono. Essa observação, porém, que valeria alguma coisa em outro espírito, depressa a botei fora, sem advertir que talvez não dormisse justamente por minha causa, e mentisse para me não afligir ou aborrecer. Já disse que ela era boa, muito boa.

— Mas a hora já há de estar próxima, disse eu.

— Que paciência a sua de esperar acordado, enquanto o vizinho dorme! E esperar sozinho! Não tem medo de almas do outro mundo? Eu cuidei que se assustasse quando me viu.

— Quando ouvi os passos estranhei; mas a senhora apareceu logo.

— Que é que estava lendo? Não diga, já sei, é o romance dos *Mosqueteiros*.

— Justamente: é muito bonito.

— Gosta de romances?

— Gosto.

— Já leu a *Moreninha*?

— Do Dr. Macedo? Tenho lá em Mangaratiba.

— Eu gosto muito de romances, mas leio pouco, por falta de tempo. Que romances é que você tem lido?

Comecei a dizer-lhe os nomes de alguns. Conceição ouvia-me com a cabeça reclinada no espaldar, enfiando os olhos por entre as pálpebras meio cerradas, sem os tirar de mim. De vez em quando passava a língua pelos beiços, para umedecê-los. Quando acabei de falar, não me disse nada; ficamos assim alguns segundos. Em seguida, vi-a endireitar a cabeça, cruzar os dedos e sobre eles pousar o queixo, tendo os cotovelos nos braços da cadeira, tudo sem desviar de mim os grandes olhos espertos.

— Talvez esteja aborrecida, pensei eu.

E logo alto:

— D. Conceição, creio que vão sendo horas, e eu...

— Não, não, ainda é cedo. Vi agora mesmo o relógio, são onze e meia. Tem tempo. Você, perdendo a noite, é capaz de não dormir de dia?

— Já tenho feito isso.

— Eu, não; perdendo uma noite, no outro dia estou que não posso, e, meia hora que seja, hei de passar pelo sono. Mas também estou ficando velha.

— Que velha o quê, D. Conceição?

Tal foi o calor da minha palavra que a fez sorrir. De costume tinha os gestos demorados e as atitudes tranquilas; agora, porém, ergueu-se rapidamente, passou para o outro lado da sala e deu alguns passos, entre a janela da rua e a porta do gabinete do marido. Assim, com o desalinho honesto que trazia, dava-me uma impressão singular. Magra embora, tinha não sei que balanço no andar, como quem lhe custa levar o corpo; essa feição nunca me pareceu tão distinta como naquela noite. Parava algumas vezes, examinando um trecho de cortina ou concertando a posição de algum objeto no aparador; afinal deteve-se, ante mim, com a mesa de permeio. Estreito era o círculo das suas ideias; tornou ao espanto de me ver esperar acordado; eu repeti-lhe o que ela sabia, isto é, que nunca ouvira missa do galo na corte, e não queria perdê-la.

— É a mesma missa da roça; todas as missas se parecem.

— Acredito; mas aqui há de haver mais luxo e mais gente também. Olhe, a semana santa na corte é mais bonita que na roça. S. João não digo, nem Santo Antônio...

Pouco a pouco, tinha-se inclinado; fincara os cotovelos no mármore da mesa e metera o rosto entre as mãos espalmadas. Não estando abotoadas as mangas, caíram naturalmente, e eu vi-lhe metade dos braços, muito claros, e menos magros do que se poderiam supor. A vista não era nova para mim, posto também não fosse comum; naquele momento, porém, a impressão que tive foi grande. As veias eram tão azuis, que apesar da pouca claridade, podia contá-las do meu lugar. A presença de Conceição espertara-me ainda mais que o livro. Continuei a dizer o que pensava das festas da roça e da cidade, e de outras coisas que me iam vindo à boca. Falava emendando os assuntos, sem saber por quê, variando deles ou tornando aos primeiros, e rindo para fazê-la sorrir e ver-lhe os dentes que luziam de brancos, todos iguaizinhos. Os olhos dela não eram bem negros, mas escuros; o nariz, seco e longo, um tantinho curvo, dava-lhe ao rosto um ar interrogativo. Quando eu alteava um pouco a voz, ela reprimia-me:

— Mais baixo! mamãe pode acordar.

E não saía daquela posição, que me enchia de gosto, tão perto ficavam as nossas caras. Realmente, não era preciso falar alto para ser ouvido: cochichávamos os dois, eu mais que ela, porque falava mais; ela, às vezes, ficava séria, muito séria, com a testa um pouco franzida. Afinal, cansou; trocou de atitude e de lugar. Deu volta à mesa e veio sentar-se do meu lado, no canapé. Voltei-me, e pude ver, a furto, o bico das chinelas; mas foi só o tempo que ela gastou em sentar-

-se, o roupão era comprido e cobriu-as logo. Recordo-me que eram pretas. Conceição disse baixinho:

— Mamãe está longe, mas tem o sono muito leve; se acordasse agora, coitada, tão cedo não pegava no sono.

— Eu também sou assim.

— O quê? perguntou ela inclinando o corpo para ouvir melhor.

Fui sentar-me na cadeira que ficava ao lado do canapé e repeti a palavra. Riu-se da coincidência; também ela tinha o sono leve; éramos três sonos leves.

— Há ocasiões em que sou como mamãe; acordando, custa-me dormir outra vez, rolo na cama, à toa, levanto-me, acendo vela, passeio, torno a deitar-me, e nada.

— Foi o que lhe aconteceu hoje.

— Não, não, atalhou ela.

Não entendi a negativa; ela pode ser que também não a entendesse. Pegou das pontas do cinto e bateu com elas sobre os joelhos, isto é, o joelho direito, porque acabava de cruzar as pernas. Depois referiu uma história de sonhos, e afirmou-me que só tivera um pesadelo, em criança. Quis saber se eu os tinha. A conversa reatou-se assim lentamente, longamente, sem que eu desse pela hora nem pela missa. Quando eu acabava uma narração ou uma explicação, ela inventava outra pergunta ou outra matéria, e eu pegava novamente na palavra. De quando em quando, reprimia-me:

— Mais baixo, mais baixo...

Havia também umas pausas. Duas outras vezes, pareceu-me que a via dormir; mas os olhos, cerrados por um instante, abriam-se logo sem sono nem fadiga, como se ela os houvesse fechado para ver melhor. Uma dessas vezes creio que deu por mim embebido na sua pessoa, e lembra-me que os tornou a fechar, não sei se apressada ou vagarosamente. Há impressões dessa noite, que me aparecem truncadas ou confusas. Contradigo-me, atrapalho-me. Uma das que ainda tenho frescas é que, em certa ocasião, ela, que era apenas simpática, ficou linda, ficou lindíssima. Estava de pé, os braços cruzados; eu, em respeito a ela, quis levantar-me; não consentiu, pôs uma das mãos no meu ombro, e obrigou-me a estar sentado. Cuidei que ia dizer alguma coisa; mas estremeceu, como se tivesse um arrepio de frio, voltou as costas e foi sentar-se na cadeira, onde me achara lendo. Dali relanceou a vista pelo espelho, que ficava por cima do canapé, falou de duas gravuras que pendiam da parede.

— Estes quadros estão ficando velhos. Já pedi a Chiquinho para comprar outros.

Chiquinho era o marido. Os quadros falavam do principal negócio deste homem. Um representava "Cleópatra"; não me recordo o assunto do outro, mas eram mulheres. Vulgares ambos; naquele tempo não me pareciam feios.

— São bonitos, disse eu.

— Bonitos são; mas estão manchados. E depois francamente, eu preferia duas imagens, duas santas. Estas são mais próprias para sala de rapaz ou de barbeiro.

— De barbeiro? A senhora nunca foi a casa de barbeiro.

— Mas imagino que os fregueses, enquanto esperam, falam de moças e namoros, e naturalmente o dono da casa alegra a vista deles com figuras bonitas. Em casa de família é que não acho próprio. É o que eu penso; mas eu penso muita coisa assim esquisita. Seja o que for, não gosto dos quadros. Eu tenho uma Nossa Senhora da Conceição, minha madrinha, muito bonita; mas é de escultura, não se pode pôr na parede, nem eu quero. Está no meu oratório.

A ideia do oratório trouxe-me a da missa, lembrou-me que podia ser tarde e quis dizê-lo. Penso que cheguei a abrir a boca, mas logo a fechei para ouvir o que ela contava, com doçura, com graça, com tal moleza que trazia preguiça à minha alma e fazia esquecer a missa e a igreja. Falava das suas devoções de menina e moça. Em seguida referia umas anedotas de baile, uns casos de passeio, reminiscências de Paquetá, tudo de mistura, quase sem interrupção. Quando cansou do passado, falou do presente, dos negócios da casa, das canseiras de família, que lhe diziam ser muitas, antes de casar, mas não eram nada. Não me contou, mas eu sabia que casara aos vinte e sete anos.

Já agora não trocava de lugar, como a princípio, e quase não saíra da mesma atitude. Não tinha os grandes olhos compridos, e entrou a olhar à toa para as paredes.

— Precisamos mudar o papel da sala, disse daí a pouco, como se falasse consigo.

Concordei, para dizer alguma coisa, para sair da espécie de sono magnético, ou o que quer que era que me tolhia a língua e os sentidos. Queria e não queria acabar a conversação; fazia esforço para arredar os olhos dela, e arredava-os por um sentimento de respeito; mas a ideia de parecer que era aborrecimento, quando não era, levava-me os olhos outra vez para Conceição. A conversa ia morrendo. Na rua, o silêncio era completo.

Chegamos a ficar por algum tempo, — não posso dizer quanto, — inteiramente calados. O rumor único e escasso, era um roer de camundongo no gabinete, que me acordou daquela espécie de sonolência; quis falar dele, mas não achei modo. Conceição parecia estar devaneando. Subitamente, ouvi uma pancada na janela, do lado de fora, e uma voz que bradava: "Missa do galo! missa do galo!".

— Aí está o companheiro, disse ela levantando-se. Tem graça; você é que ficou de ir acordá-lo, ele é que vem acordar você. Vá, que hão de ser horas; adeus.

— Já serão horas? perguntei.

— Naturalmente.

— Missa do galo! repetiram de fora, batendo.

— Vá, vá, não se faça esperar. A culpa foi minha. Adeus; até amanhã.

E com o mesmo balanço do corpo, Conceição enfiou pelo corredor dentro, pisando mansinho. Saí à rua e achei o vizinho que esperava. Guiamos dali para a igreja. Durante a missa, a figura de Conceição interpôs-se mais de uma vez, entre mim e o padre; fique isto à conta dos meus dezessete anos. Na manhã seguinte, ao almoço, falei da missa do galo e da gente que estava na igreja sem excitar a curiosidade de Conceição. Durante o dia, achei-a como sempre, natural, benigna, sem nada que fizesse lembrar a conversação da véspera. Pelo ano-bom fui para Mangaratiba. Quando tornei ao Rio de Janeiro, em março, o escrivão tinha morrido de apoplexia. Conceição morava no Engenho Novo, mas nem a visitei nem a encontrei. Ouvi mais tarde que casara com o escrevente juramentado do marido.

Ideias de canário

Um homem dado a estudos de ornitologia, por nome Macedo, referiu a alguns amigos um caso tão extraordinário que ninguém lhe deu crédito. Alguns chegam a supor que Macedo virou o juízo. Eis aqui o resumo da narração.

No princípio do mês passado, — disse ele, — indo por uma rua, sucedeu que um tílburi à disparada, quase me atirou ao chão. Escapei saltando para dentro de uma loja de belchior. Nem o estrépito do cavalo e do veículo, nem a minha entrada fez levantar o dono do negócio, que cochilava ao fundo, sentado numa cadeira de abrir. Era um frangalho de homem, barba cor de palha suja, a cabeça enfiada em um gorro esfarrapado, que provavelmente não achara comprador. Não se adivinhava nele nenhuma história, como podiam ter alguns dos objetos que vendia, nem se lhe sentia a tristeza austera e desenganada das vidas que foram vidas.

A loja era escura, atulhada das coisas velhas, tortas, rotas, enxovalhadas, enferrujadas que de ordinário se acham em tais casas, tudo naquela meia desordem própria do negócio. Essa mistura, posto que banal, era interessante. Panelas sem tampa, tampas sem panela, botões, sapatos, fechaduras, uma saia preta, chapéus de palha e de pelo, caixilhos, binóculos, meias casacas, um florete, um cão empalhado, um par de chinelas, luvas, vasos sem nome, dragonas, uma bolsa de veludo, dois cabides, um bodoque, um termômetro, cadeiras, um retrato litografado pelo finado Sisson,* um gamão, duas máscaras de arame para o carnaval que há de vir, tudo isso e o mais que não vi ou não me ficou de memória, enchia a loja nas imediações da porta, encostado, pendurado ou exposto em caixas de vidro, igualmente velhas. Lá para dentro, havia outras coisas mais e muitas, e do mesmo aspecto, dominando os objetos grandes, cômodas, cadeiras, camas, uns por cima dos outros, perdidos na escuridão.

Ia a sair, quando vi uma gaiola pendurada da porta. Tão velha como o resto, para ter o mesmo aspecto da desolação geral, faltava-lhe estar vazia. Não estava vazia. Dentro pulava um canário. A cor, a animação e a graça do passarinho davam àquele amontoado de destroços uma nota de vida e de mocidade. Era o último passageiro de algum naufrágio, que ali foi parar íntegro e alegre como dantes. Logo que olhei para ele, entrou a saltar mais, abaixo e acima, de poleiro em poleiro, como se quisesse dizer que no meio daquele cemitério brincava um raio de sol. Não atribuo essa imagem ao canário, senão porque falo a gente retórica; em verdade, ele não pensou em cemitério nem sol, segundo me disse depois. Eu, de envolta com o prazer que me trouxe aquela vista, senti-me indignado do destino do pássaro, e murmurei baixinho palavras de azedume.

— Quem seria o dono execrável deste bichinho, que teve ânimo de se desfazer dele por alguns pares de níqueis? Ou que mão indiferente, não querendo guardar esse companheiro de dono defunto, o deu de graça a algum pequeno, que o vendeu para ir jogar uma quiniela?

E o canário, quedando-se em cima do poleiro, trilou isto:

— Quem quer que sejas tu, certamente não estás em teu juízo. Não tive dono execrável, nem fui dado a nenhum menino que me vendesse. São imaginações de pessoa doente; vai-te curar, amigo...

— Como? interrompi eu, sem ter tempo de ficar espantado. Então o teu dono não te vendeu a esta casa? Não foi a miséria ou a ociosidade que te trouxe a este cemitério, como um raio de sol?

— Não sei que seja sol nem cemitério. Se os canários que tens visto usam do primeiro desses nomes, tanto melhor, porque é bonito, mas estou que confundes.

* Sébastien Auguste Sisson produziu em 1859 uma série de litografias, a *Galeria dos Brasileiros Ilustres*, que se fez muito conhecida.

— Perdão, mas tu não vieste para aqui à toa, sem ninguém, salvo se o teu dono foi sempre aquele homem que ali está sentado.

— Que dono? Esse homem que aí está é meu criado, dá-me água e comida todos os dias, com tal regularidade que eu, se devesse pagar-lhe os serviços, não seria com pouco; mas os canários não pagam criados. Em verdade, se o mundo é propriedade dos canários, seria extravagante que eles pagassem o que está no mundo.

Pasmado das respostas, não sabia que mais admirar, se a linguagem, se as ideias. A linguagem, posto me entrasse pelo ouvido como de gente, saía do bicho em trilos engraçados. Olhei em volta de mim, para verificar se estava acordado; a rua era a mesma, a loja era a mesma loja escura, triste e úmida. O canário, movendo a um lado e outro, esperava que eu lhe falasse. Perguntei-lhe então se tinha saudades do espaço azul e infinito...

— Mas, caro homem, trilou o canário, que quer dizer espaço azul e infinito?

— Mas, perdão, que pensas deste mundo? Que coisa é o mundo?

— O mundo, redarguiu o canário com certo ar de professor, o mundo é uma loja de belchior, com uma pequena gaiola de taquara, quadrilonga, pendente de um prego; o canário é senhor da gaiola que habita e da loja que o cerca. Fora daí, tudo é ilusão e mentira.

Nisto acordou o velho, e veio a mim arrastando os pés. Perguntou-me se queria comprar o canário. Indaguei se o adquirira, como o resto dos objetos que vendia, e soube que sim, que o comprara a um barbeiro, acompanhado de uma coleção de navalhas.

— As navalhas estão em muito bom uso, concluiu ele.

— Quero só o canário.

Paguei-lhe o preço, mandei comprar uma gaiola vasta, circular, de madeira e arame, pintada de branco, e ordenei que a pusessem na varanda da minha casa, donde o passarinho podia ver o jardim, o repuxo e um pouco do céu azul.

Era meu intuito fazer um longo estudo do fenômeno, sem dizer nada a ninguém, até poder assombrar o século com a minha extraordinária descoberta. Comecei por alfabetar a língua do canário, por estudar-lhe a estrutura, as relações com a música, os sentimentos estéticos do bicho, as suas ideias e reminiscências. Feita essa análise filológica e psicológica, entrei propriamente na história dos canários, na origem deles, primeiros séculos, geologia e flora das ilhas Canárias, se ele tinha conhecimento da navegação, etc. Conversávamos longas horas, eu escrevendo as notas, ele esperando, saltando, trilando.

Não tendo mais família que dois criados, ordenava-lhes que não me interrompessem, ainda por motivo de alguma carta ou telegrama urgente, ou visita de importância. Sabendo ambos das minhas ocupações científicas, acharam natural a ordem, e não suspeitaram que o canário e eu nos entendíamos.

Não é mister dizer que dormia pouco, acordava duas e três vezes por noite, passeava à toa, sentia-me com febre. Afinal tornava ao trabalho, para reler, acrescentar, emendar. Retifiquei mais de uma observação, — ou por havê-la entendido mal, ou porque ele não a tivesse expresso claramente. A definição do mundo foi uma delas. Três semanas depois da entrada do canário em minha casa, pedi-lhe que me repetisse a definição do mundo.

— O mundo, respondeu ele, é um jardim assaz largo com repuxo no meio, flores e arbustos, alguma grama, ar claro e um pouco de azul por cima; o canário, dono do mundo, habita uma gaiola vasta, branca e circular, donde mira o resto. Tudo o mais é ilusão e mentira.

Também a linguagem sofreu algumas retificações, e certas conclusões, que me tinham parecido simples, vi que eram temerárias. Não podia ainda escrever a memória que havia de mandar ao Museu Nacional, ao Instituto Histórico e às universidades alemãs, não porque faltasse matéria, mas para acumular primeiro todas as observações e ratificá-las. Nos últimos dias, não saía de casa, não respondia a cartas, não quis saber de amigos nem parentes. Todo eu era canário. De manhã, um dos criados tinha a seu cargo limpar a gaiola e pôr-lhe água e comida. O passarinho não lhe dizia nada, como se soubesse que a esse homem faltava qualquer preparo científico. Também o serviço era o mais sumário do mundo; o criado não era amador de pássaros.

Um sábado amanheci enfermo, a cabeça e a espinha doíam-me. O médico ordenou absoluto repouso; era excesso de estudo, não devia ler nem pensar, não devia saber sequer o que se passava na cidade e no mundo. Assim fiquei cinco dias; no sexto levantei-me, e só então soube que o canário, estando o criado a tratar dele, fugira da gaiola. O meu primeiro gesto foi para esganar o criado; a indignação sufocou-me, caí na cadeira, sem voz, tonto. O culpado defendeu-se, jurou que tivera cuidado, o passarinho é que fugira por astuto...

— Mas não o procuraram?

— Procuramos, sim, senhor; a princípio trepou ao telhado, trepei também, ele fugiu, foi para uma árvore, depois escondeu-se não sei onde. Tenho indagado desde ontem, perguntei aos vizinhos, aos chacareiros, ninguém sabe nada.

Padeci muito; felizmente, a fadiga estava passada, e com algumas horas pude sair à varanda e ao jardim. Nem sombra de canário. Indaguei, corri, anunciei, e nada. Tinha já recolhido as notas para compor a memória, ainda que truncada e incompleta, quando me sucedeu visitar um amigo, que ocupa uma das mais belas e grandes chácaras dos arrabaldes. Passeávamos nela antes de jantar, quando ouvi trilar esta pergunta:

— Viva, Sr. Macedo, por onde tem andado que desapareceu?

Era o canário; estava no galho de uma árvore. Imaginem como fiquei, e o que lhe disse. O meu amigo cuidou que eu estivesse doido; mas que me importavam cuidados de amigos? Falei ao canário com ternura, pedi-lhe que viesse continuar a conversação, naquele nosso mundo composto de um jardim e repuxo, varanda e gaiola branca e circular...

— Que jardim? que repuxo?

— O mundo, meu querido.

— Que mundo? Tu não perdes os maus costumes de professor. O mundo, concluiu solenemente, é um espaço infinito e azul, com o sol por cima.

Indignado, retorqui-lhe que, se eu lhe desse crédito, o mundo era tudo; até já fora uma loja de belchior...

— De belchior? trilou ele às bandeiras despregadas. Mas há mesmo lojas de belchior?

Uma noite

I

— Você sabe que não tenho pai nem mãe, — começou a dizer o tenente Isidoro ao alferes Martinho. Já lhe disse também que estudei na Escola Central.* O que não sabe é que não foi o simples patriotismo que me trouxe ao Paraguai; também não foi ambição militar. Que sou patriota, e me baterei agora, ainda que a guerra dure dez anos, é verdade, é o que me aguenta e me aguentará até o fim. Lá postos de coronel nem general não são comigo. Mas, se não foi imediatamente nenhum desses motivos, foi outro; foi, foi outro, uma alucinação. Minha irmã quis dissuadir-me, meu cunhado também; o mais que alcançaram foi que não viesse soldado raso, pedi um posto de tenente, quiseram dar-me o de capitão, mas fiquei em tenente. Para consolar a família, disse que, se mostrasse jeito para a guerra, subiria a major ou coronel; se não, voltaria tenente, como dantes. Nunca tive ambições de qualquer espécie. Quiseram fazer-me deputado provincial no Rio de Janeiro, recusei a candidatura, dizendo que não tinha ideias políticas. Um sujeito, meio gracioso, quis persuadir-me que as ideias viriam com

---

* A Escola Militar da Corte, precursora da Escola Politécnica, situada no largo São Francisco de Paula.

o diploma, ou então com os discursos que eu mesmo proferisse na assembleia legislativa. Respondi que, estando a assembleia em Niterói, e morando eu na corte, achava muito aborrecida a meia hora de viagem que teria de fazer na barca, todos os dias, durante dois meses, salvo as prorrogações. Pilhéria contra pilhéria; deixaram-me sossegado...

II

Os dois oficiais estavam nas avançadas do acampamento de Tuiuti.* Eram ambos voluntários, tinham recebido o batismo de fogo na batalha de 24 de maio. Corriam agora aqueles longos meses de inação, que só terminou em meados de 1867. Isidoro e Martinho não se conheciam antes da guerra, um viera do Norte, outro do Rio de Janeiro. A convivência os fez amigos, o coração também, e afinal a idade, que era no tenente de vinte e oito anos, e no alferes de vinte e cinco. Fisicamente, não se pareciam nada. O alferes Martinho era antes baixo que alto, enxuto de carnes, o rosto moreno, maçãs salientes, boca fina, risonha, maneiras alegres. Isidoro não se podia dizer triste, mas estava longe de ser jovial. Sorria algumas vezes, conversava com interesse. Usava grandes bigodes. Era alto e elegante, peito grosso, quadris largos, cintura fina.

Semanas antes, tinham estado no teatro do acampamento. Este era agora uma espécie de vila improvisada, com espetáculos, bailes, bilhares, um periódico e muita casa de comércio. A comédia representada trouxe à memória do alferes uma aventura amorosa que lhe sucedera nas Alagoas, onde nascera. Se não a contou logo, foi por vergonha; agora, porém, como estivesse passeando com o tenente e lhe falasse das caboclinhas do Norte, Martinho não pôde ter mão em si e referiu os seus primeiros amores. Podiam não valer muito; mas foram eles que o levaram para o Recife, onde alcançou um lugar na secretaria do governo; sobrevindo a guerra, alistou-se com o posto de alferes. Quando acabou a narração, viu que Isidoro tinha os olhos no chão, parecendo ler por letras invisíveis alguma história análoga. Perguntou-lhe o que era.

— A minha história é mais longa e mais trágica, respondeu Isidoro.

* A primeira batalha de Tuiuti aconteceu em 24 de maio de 1866, no início da Guerra do Paraguai; a segunda, em 3 de novembro de 1867: os paraguaios foram derrotados, depois de um ataque desastroso.

— Tenho as orelhas grandes, posso ouvir histórias compridas, replicou o alferes rindo. Quanto a ser trágica, olhe que passar, como eu passei, metido no canavial, à espera de cinco ou dez tiros que me levassem, não é história de farsa. Vamos, conte; se é coisa triste, eu sou amigo para tristezas.

Isidoro começou a sentir o desejo de contar a alguém uma situação penosa e aborrecida, causa da alucinação que o levou à guerra. Batia-lhe o coração, a palavra forcejava por subir à boca, a memória ia acendendo todos os recantos do cérebro. Quis resistir, tirou dois charutos, ofereceu um ao alferes, e falou dos tiros das avançadas. Brasileiros e paraguaios tiroteavam naquela ocasião, — o que era comum, — pontuando com balas de espingardas a conversação. Algumas delas coincidiam porventura com os pontos finais das frases, levando a morte a alguém; mas que essa pontuação fosse sempre exata ou não, era indiferente aos dois rapazes. O tempo acostumara-os à troca de balas; era como se ouvissem rodar carros pelas ruas de uma cidade em paz. Martinho insistia pela confidência.

— Levará mais tempo que fumar este charuto?

— Pode levar menos, pode também levar uma caixa inteira, redarguiu Isidoro; tudo depende de ser resumido ou completo. Em acampamento, há de ser resumido. Olhe que nunca referi isto a ninguém; você é o primeiro e o último.

III

Isidoro principiou como vimos e continuou desta maneira:

Morávamos em um arrabalde do Rio de Janeiro; minha irmã não estava ainda casada, mas já estava pedida; eu continuava os estudos. Vagando uma casa fronteira à nossa, meu futuro cunhado quis alugá-la, e foi ter com o dono, um negociante da rua do Hospício.

— Está meio ajustada, disse este; a pessoa ficou de mandar-me a carta de fiança amanhã de manhã. Se não vier, é sua.

Mal dizia isto, entrou na loja uma senhora, moça, vestida de luto, com um menino pela mão; dirigiu-se ao comerciante e entregou-lhe um papel; era a carta de fiança. Meu cunhado viu que não podia fazer nada, cumprimentou e saiu. No dia seguinte, começaram a vir os trastes; dois dias depois estavam os novos moradores em casa. Eram três pessoas; a tal moça de luto, o pequeno que a acompanhou à rua do Hospício, e a mãe dela, D. Leonor, senhora velha e doente. Com pouco, soubemos que a moça, D. Camila, tinha vinte e cinco anos de idade, era viúva de um ano, tendo perdido o marido ao fim de cinco meses de casamento. Não apareciam muito. Tinham duas escravas velhas. Iam à missa ao domingo. Uma vez, minha irmã e a viúva encontraram-se ao pé da pia, cumprimentaram-se com afabilidade. A moça levava a mãe pelo braço. Vestiam com decência, sem luxo.

Minha mãe adoeceu. As duas vizinhas fronteiras mandavam saber dela todas as manhãs e oferecer os seus serviços. Restabelecendo-se, minha mãe quis ir pessoalmente agradecer-lhes as atenções. Voltou cativa.

— Parece muito boa gente, disse-nos. Trataram-me como se fôssemos amigas de muito tempo, cuidadosas, fechando uma janela, pedindo-me que mudasse de lugar por causa do vento. A filha, como é moça, desfazia-se mais em obséquios. Perguntou-me por que não levei Claudina, e elogiou-a muito; já sabe do casamento e acha que o Dr. Lacerda dá um excelente marido.

— De mim não disse nada? perguntei eu rindo.

— Nada.

Três dias depois vieram elas agradecer o favor da visita pessoal de minha mãe. Não estando em casa, não pude vê-las. Quando me deram notícia, ao jantar, achei comigo que as vizinhas pareciam querer meter-se à cara da gente, e pensei também que tudo podia ser urdido pela moça, para aproximar-se de mim. Eu era fátuo. Supunha-me o mais belo homem do bairro e da cidade, o mais elegante, o mais fino, tinha algumas namoradas de passagem, e já contava uma aventura secreta. Pode ser que ela me veja todos os dias, à saída e à volta, disse comigo, e acrescentei por chacota: a vizinha quer despir o luto e vestir a solidão. Em substância, sentia-me lisonjeado.

Antes de um mês, estavam as relações travadas, minha irmã e a vizinha eram amigas. Comecei a vê-la em nossa casa. Era bonita e graciosa, tinha os olhos garços e ria por eles. Posto conservasse o luto, temperado por alguns laços de fita roxa, o total da figura não era melancólico. A beleza vencia a tristeza. O gesto rápido, o andar ligeiro, não permitiam atitudes saudosas nem pensativas. Mas, quando permitissem, a índole de Camila era alegre, ruidosa, expansiva. Chegava a ser estouvada. Falava muito e ria muito, ria a cada passo, em desproporção com a causa, e, não raro, sem causa alguma. Pode dizer-se que saía fora da conta e da linha necessárias; mas, nem por isso enfadava, antes cativava. Também é certo que a presença de um estranho devolvia a moça ao gesto encolhido; a simples conversação grave bastava a fazê-la grave. Em suma, o freio da educação apenas moderava a natureza irrequieta e volúvel. Soubemos por ela mesma que a mãe era viúva de um capitão de fragata, de cujo meio soldo vivia, além das rendas de umas casinhas que lhe deixara o primeiro marido, seu pai. Ela, Camila, fazia coletes e roupas brancas. Minha irmã, ao contar-me isto, disse-me que tivera uma sensação de vexame e de pena, e mudou de conversa; tudo inútil, porque a vizinha ria sempre, e contava rindo que trabalhava de manhã, porque, à noite, o branco lhe fazia mal aos olhos. Não cantava desde que perdera o marido, mas a mãe dizia que "a voz era de um anjo". Ao piano era divina; passava a alma aos dedos, não aquela alma tumultuosa, mas outra mais quieta, mais doce, tão metida consigo que chegava a esquecer-se deste mundo. O aplauso fazia-a fugir, como pomba assustada, e a outra alma passava aos dedos para tocar uma peça jovial qualquer, uma polca por exemplo, — meu Deus! às vezes, um lundu.

Você crê naturalmente que essa moça me enfeitiçou. Nem podia ser outra coisa. O diabo da viuvinha entrou-me pelo coração saltando ao som de um pandeiro. Era tentadora sem falar nem rir; falando e rindo era pior. O péssimo é que eu sentia nela não sei que correspondência dos meus sentimentos mal sopitados. Às vezes, esquecendo-me a olhar para ela, acordava repentinamente, e achava os olhos dela fitos em mim. Já lhe disse que eram garços. Disse também que ria por eles. Naquelas ocasiões, porém, não tinham o riso do costume, nem sei se conservavam a mesma cor. A cor pode ser, não a via, não sentia mais que o peso grande de uma alma escondida dentro deles. Era talvez a mesma que lhe passava aos dedos quando tocava. Toda essa mulher devia ser feita de fogo e nervos. Antes de dois meses estava apaixonado, e quis fugir-lhe. Deixe-me dizer-lhe toda a minha corrupção, — nem pensava em casar, nem podia ficar ao pé dela, sem arrebatá-la um dia e levá-la ao inferno. Comecei a não estar em casa, quando ela ia lá, e não acompanhava a família à casa dela. Camila não deu por isso na primeira semana, — ou simulou que não. Passados mais dias, perguntou a minha irmã:

— O doutor Isidoro está zangado conosco?

— Não! por quê?

— Já não nos visita. São estudos, não? Ou namoro, quem sabe? Há namoro no beco, concluiu rindo.

— Rindo? perguntei a minha irmã, quando me repetiu as palavras de Camila.

A pergunta em si era uma confissão; o tom em que a fiz, outra; a seriedade que me ficou, outra e maior. Minha irmã quis explicar a amiga. Eu de mim para mim, jurei que não a veria nunca mais. Dois dias depois, sabendo que ela vinha à nossa casa, deixei-me estar com o pretexto de me doer a cabeça; mas, em vez de me fechar no gabinete, fui vê-la rir ou fazê-la rir. A comoção que lhe vi nos primeiros instantes, reconciliou-nos. Reatamos o fio que íamos tecendo, sem saber bem onde pararia a obra. Já então ia só a casa delas; meu pai estava enfraquecendo muito, minha mãe fazia-lhe companhia: minha irmã ficava com o noivo, eu ia só. Não percamos tempo que os tiros se aproximam, e pode ser que nos chamem. Dentro de dez dias estávamos declarados. O amor de Camila devia ser forte; o meu era fortíssimo. Foi na sala de visitas, sozinhos, a mãe cochilava na sala de jantar. Camila, que falava tanto e sem parar, não achou palavra que dissesse. Eu agarrei-lhe a mão, quis puxá-la a mim; ela, ofegante, deixou-se cair numa cadeira. Inclinei-me, desatinado, para lhe dar um beijo; Camila desviou a cabeça, recuou a cadeira com força e quase caiu para trás.

— Adeus, adeus, até amanhã, murmurou ela.

No dia seguinte, como eu formulasse o pedido de casamento, respondeu-me que pensasse em outra coisa.

— Nós nos amamos, disse ela; o senhor ama-me desde muito, e quer casar comigo, apesar de ser uma triste viúva pobre...

— Quem lhe fala nisso? Deixa de ser viúva, nem pobre, nem triste.

— Sim, mas há um obstáculo. Mamãe está muito doente, não quero desampará-la.

— Desampará-la? Seremos dois ao pé dela, em vez de uma só pessoa. A razão não serve, Camila; há de haver outra.

— Não tenho outra. Fiz esta promessa a mim mesma, que só me casaria depois que mamãe se fosse deste mundo. Ela, por mais que saiba do amor que lhe tenho, e da proteção que o senhor lhe dará, ficará pensando que eu vou para meu marido, e que ela passará a ser uma agregada incômoda. Há de achar natural que eu pense mais no senhor que nela.

— Pode ser que a razão seja verdadeira; mas o sentimento, Camila, é esquisito, sem deixar de ser digno. Pois não é natural até que o seu casamento lhe dê a ela mais força e alegria, vendo que a não deixa sozinha no mundo?

Talvez que esta objeção a abalasse um pouco; refletiu, mas insistiu.

— Mamãe vive principalmente das minhas carícias, da minha alegria, dos meus cuidados, que são só para ela...

— Pois vamos consultá-la.

— Se a consultarmos quererá que nos casemos logo.

— Então não suporá que fica sendo agregada incômoda.

— Já, já, não; mas pensá-lo-á mais tarde; e quer que lhe diga tudo? Há de pensá-lo e com razão. Eu, provavelmente, serei toda de meu marido: durante a lua de mel, pelo menos, — continuou rindo, e concluiu triste: — e a lua de mel pode levá-la. Não, não; se me ama deveras, esperemos; a minha velha morrerá ou sarará. Se não pode esperar, paciência.

Creio que lhe vi os olhos úmidos; o riso que ria por eles deixou-se velar um pouco daquela chuvazinha passageira. Concordei em esperar, com o plano secreto de comunicar à mãe de Camila os nossos desejos, a fim de que ela própria nos ligasse as mãos. Não disse nada a meus pais, certo de que ambos aceitariam a escolha; mas ainda contra a vontade deles, casaria. Minha irmã soube de tudo, aprovou tudo, e tomou a si guiar as negociações com a velha enferma. Entretanto, a paixão de Camila não lhe trocou a índole. Tagarela, mas graciosa, risonha sem banalidade, toda vida e movimento... Não me canso em repetir essas coisas. Tinha dias tristes ou calados; eram aqueles em que a moléstia da mãe parecia agravar-se. Eu padecia com a mudança, uma vez que a vida da mãe era empecilho à nossa ventura; sentimento mau, que me enchia de vergonha e de remorsos. Não quero cansá-lo com as palavras que trocávamos e foram infinitas, menos ainda com os versos que lhe fiz; é verdade, Martinho, cheguei ao extremo de fazer versos; lia os de outros para compor os meus, e daí fiquei com tal ou qual soma de imagens e de expressões poéticas...

Um dia, ao almoço, ouvimos rumor na escada, vozes confusas, choro; mandei ver o que era. Uma das escravas da casa fronteira vinha dar notícia... Cuidei que era a morte da velha, e tive uma sensação de prazer. Ai, meu amigo! a verdade era outra e terrível.

— Nhã Camila está doida!

Não sei o que fiz, nem por onde saí, mas instantes depois entrava pela casa delas. Nunca pude ter memória clara dos primeiros instantes. Vi a pobre velha, caída num sofá da sala; vinham de dentro os gritos de Camila. Se acudi ou não à velha, não sei; mas é provável que corresse logo para o interior, onde dei com a moça furiosa, torcendo-se para escapar às mãos de dois calceteiros que trabalhavam na rua e acudiram ao pedido de socorro de uma das escravas. Quis ajudá-los; pensei em influir nela com a minha pessoa, com a minha palavra; mas, ao que cuido, não via nem ouvia nada. Não afirmo também se lhe disse alguma coi-

UMA NOITE   451

sa e o que foi. Os gritos da moça eram agudos, os movimentos raivosos, a força grande; tinha o vestido rasgado, os cabelos despenteados. Minha família chegou logo; o inspetor de quarteirão e um médico apareceram e deram as primeiras ordens. Eu, tonto, não sabia que fizesse, achava-me num estado que podia ser contágio do terrível acesso. Camila pareceu melhorar, não forcejava por desvencilhar-se dos homens que a retinham; estes, confiando na quietação dela, soltaram-lhe os braços. Veio outra crise, ela atirou-se para a escada, e teria lá chegado e rolado, se eu não a sustivesse pelos vestidos. Quis voltar-se para mim; mas os homens acudiram e novamente a retiveram.

Algumas horas correram, antes que as ordens todas da autoridade fossem expedidas e cumpridas. Minha irmã veio ter comigo para levar-me para a outra sala ou para casa; recusei. Uma vez ainda a exaltação e o furor de Camila cessaram, mas os homens não lhe deixaram os braços soltos. Quando se repetiu o fenômeno, o prazo foi mais longo, fizeram sentá-la, os homens afrouxaram os braços. Eu, cosido à parede, fiquei a olhar para ela, notando que as palavras eram já poucas, e, se ainda sem sentido, não eram aflitas, nem ela repetia os guinchos agudos. Os olhos vagavam sem ver; mas, fitando-me de passagem, tornaram a mim, e ficaram parados alguns segundos, rindo como era costume deles quando tinham saúde. Camila chamou-me, não pelo nome, disse-me que fosse ter com ela. Acudi prontamente, sem dizer nada.

— Chegue-se mais.

Obedeci; ela quis estender-me a mão, o homem que a segurava, reteve-a com força; eu disse-lhe que deixasse, não fazia mal, era um instante. Camila deu-me a mão livre, eu dei-lhe a minha. A princípio, não tirou os olhos dos meus; mas já então não ria por eles, tinha-os quietos e apagados. De repente, levou a minha mão à boca, como se fosse beijá-la. Tendo libertado a outra (foi tudo rápido) segurou a minha com força e cravou-lhe furiosamente os dentes; soltei um grito. A boca ficou-lhe cheia de sangue. Veja; tenho ainda os sinais nestes dois dedos...

Não me quero demorar neste ponto da minha história. Digo-lhe sumariamente que os médicos entenderam necessário recolher Camila ao Hospício de Pedro II.* A mãe morreu quinze dias depois. Eu fui concluir os meus estudos na Europa. Minha irmã casou, meu pai não durou muito, minha mãe acompanhou-o

---

* O asilo de loucos que ficava no prédio atualmente ocupado pela reitoria da Universidade Federal do Rio de Janeiro, na Praia Vermelha.

de perto. Pouco tempo depois, minha irmã e meu cunhado foram ter comigo. Já me acharam não esquecido, mas consolado. Quando tornamos ao Rio de Janeiro passavam quatro anos daqueles acontecimentos. Fomos morar juntos, mas em outro bairro. Nada soubemos de Camila, nem indagamos nada; ao menos eu.

Uma noite, porém, andando a passear, aborrecido, começou a chover, e entrei num teatro. Não sabia da peça, nem do autor, nem do número de atos; o bilheteiro disse-me que ia começar o segundo. Na terceira ou quarta cena, vejo entrar uma mulher, que me abalou todo; pareceu-me Camila. Fazia um papel de ingênua, creio; entrou lentamente e travou frouxamente um diálogo com o galã. Não tinha que ver; era a própria voz de Camila. Mas, se ela estava no Hospício, como podia achar-se no teatro? Se havia sarado, como se fizera atriz? Era natural que estivesse a costurar, e se alguma coisa lhe restava das casinhas da mãe... Perguntei a um vizinho da plateia como se chamava aquela dama.

— Plácida, respondeu-me.

Não é ela, pensei; mas refletindo que podia ter mudado de nome, quis saber se estava há muito tempo no teatro.

— Não sei; apareceu aqui há meses. Acho que é novata na cena, fala muito arrastado, tem talento.

Não podia ser Camila; mas tão depressa achava que não, um gesto da mulher, uma inflexão de voz, qualquer coisa me dizia que era ela mesma. No intervalo lembrou-me de ir à caixa do teatro. Não conhecia ninguém, não sabia se era fácil entrar desconhecido, cheguei à porta de comunicação e bati. Ninguém abriu nem perguntou quem era. Daí a nada vi sair de dentro um homem, que empurrou simplesmente a porta e deixou-a cair. Puxei a porta e entrei. Fiquei aturdido no meio do movimento; criei ânimo e perguntei a um empregado se podia falar a D. Plácida. Respondeu-me que provavelmente estava mudando de trajo, mas que fosse com ele. Chegando à porta de um camarim, bateu.

— D. Plácida?

— Quem é?

— Está aqui um senhor que lhe deseja falar.

— Que espere!

A voz era dela. O sangue entrou a correr-me acelerado; afastei-me um pouco e esperei. Minutos depois, a porta do camarim abriu-se, saiu uma criada; enfim, a porta escancarou-se, e apareceu a figura da atriz. Aproximei-me, e fizemos teatro no teatro: reconhecemo-nos um ao outro. Entrei no camarim, apertamos as mãos, e durante algum tempo não pudemos dizer nada. Ela, por baixo do carmim, empalidecera; eu senti-me lívido. Ouvi apitar; era o contrarregra que mandava subir o pano.

— Vai subir o pano, disse-me ela com a voz lenta e abafada. Entro na segunda cena. Espera-me?

— Espero.

— Venha cá para os bastidores.

Falei-lhe ainda duas vezes nos bastidores. Soube na conversação onde morava, e que morava só. Como a chuva aumentasse e caísse agora a jorros, ofereci-lhe o meu carro. Aceitou. Saí para alugar um carro de praça; no fim do espetáculo, mandei que a recebesse à porta do teatro, e acompanhei-a dando-lhe o braço, no meio do espanto de atores e empregados. Depois que ela entrou, despedi-me.

— Não, não, disse ela. Pois há de ir por baixo d'água? Entre também, venha deixar-me à porta.

Entrei e partimos. Durante os primeiros instantes, parecia-me delirar. Após quatro anos de separação e ausência, quando supunha aquela senhora em outra parte, eis-me dentro de uma carruagem com ela, duas horas depois de a tornar a ver. A chuva que caía forte, o tropel dos cavalos, o rodar da carruagem, e por fim a noite, complicavam a situação do meu espírito. Cria-me doido. Vencia a comoção falando, mas as palavras não teriam grande ligação entre si, nem seriam muitas. Não queria falar da mãe; menos ainda perguntar-lhe pelos acontecimentos que a trouxeram à carreira de atriz. Camila é que me disse que estivera doente, que perdera a mãe fora da corte, e que entrara para o teatro por ver um dia uma peça em cena; mas sentia que não tinha vocação. Ganho a minha vida, concluiu. Ao ouvir esta palavra, apertei-lhe a mão cheio de pena; ela apertou a minha e não a soltou mais. Ambas ficaram sobre o joelho dela. Estremeci; não lhe perguntei quem a levara ao teatro, onde vira a peça que a fez fazer-se atriz. Deixei estar a mão no joelho. Camila falava lentamente, como em cena; mas a comoção aqui era natural. Perguntou-me pelos meus; disse-lhe o que havia. Quando falei do casamento de minha irmã, senti que me apertou os dedos; imaginei que era a recordação do malogro do nosso. Enfim, chegamos. Fi-la descer, ela entrou depressa no corredor, onde uma preta a esperava.

— Adeus, disse-lhe.

— Está chovendo muito; por que não toma chá comigo?

Não tinha a menor vontade de ir-me; ao contrário, queria ficar, a todo custo, tal era a ressurreição das sensações de outrora. Entretanto, não sei que força de respeito me detinha à soleira da porta. Disse que sim e que não.

— Suba, suba, replicou ela dando-me o braço.

A sala era trastejada com simplicidade, antes vizinha da pobreza que da mediania. Camila tirou a capa, e sentou-se no sofá, ao pé de mim. Vista agora, sem o caio nem o carmim do teatro, era uma criatura pálida, representando os seus vinte e nove anos, um tanto fatigada, mas ainda bela, e acaso mais cheia de corpo. Abria e fechava um leque desnecessário. Às vezes apoiava nele o queixo e fitava os olhos no chão, ouvindo-me. Estava comovida, decerto; falava pouco e a medo. A fala e os gestos não eram os de outro tempo, não tinham a volubilidade e a agitação, que a caracterizavam; dir-se-ia que a língua acompanhava de longe o pensamento, ao invés de outrora, em que o pensamento mal emparelhava com a língua. Não era a minha Camila; era talvez a de outro; mas, que tinha que não fosse a mesma? Assim pensava eu, à medida da nossa conversação sem assunto. Falávamos de tudo o que não éramos, ou nada tinha com a nossa vida de quatro anos passados; mas isso mesmo era disperso, desalinhado, roto, uma palavra aqui, outra ali, sem interesse aparente ou real. De uma vez perguntei-lhe:

— Espera ficar no teatro muito tempo?

— Creio que sim, disse ela; ao menos, enquanto não acabar a educação de meu sobrinho.

— É verdade; deve estar um mocinho.

— Tem onze anos, vai fazer doze.

— Mora com a senhora? perguntei depois de um minuto de pausa.

— Não; está no colégio. Já lhe disse que moro só. Minha companhia é este piano velho, concluiu levantando-se e indo a um canto, onde vi pela primeira vez um pequeno piano, ao pé da porta da alcova.

— Vamos ver se ele é seu amigo, disse-lhe.

Camila não hesitou em tocar. Tocou uma peça que acertou de ser a primeira que executara em nossa casa, quatro anos antes. Acaso ou propósito? Custava-me a crer que fosse propósito, e o acaso vinha cheio de mistérios. O destino ligava-nos outra vez, por qualquer vínculo, legítimo ou espúrio? Tudo me parecia assim; o noivo antigo dava de si apenas um amante de arribação. Tive ímpeto de aproximar-me dela, derrear-lhe a cabeça e beijá-la muito. Não teria tempo; a preta veio dizer que o chá estava na mesa.

— Desculpe a pobreza da casa, disse ela entrando na sala de jantar. Sabe que nunca fui rica.

UMA NOITE   455

Sentamo-nos defronte um do outro. A preta serviu o chá e saiu. Ao comer não havia diferença de outrora, comia devagar; mas isso, e o gesto encolhido, e a fala a modo que amarrada, davam um composto tão diverso do que era antigamente, que eu podia amá-la agora sem pecado. Não lhe estou dizendo o que sinto hoje; estou mostrando francamente a você a falta de delicadeza da minha alma. O respeito que me detivera um instante à soleira da porta, já me não detinha agora à porta da alcova.

— Em que é que pensa? perguntou ela após certa pausa.

— Penso em dizer-lhe adeus, respondi estendendo-lhe a mão; é tarde.

— Que sinais são estes? perguntou ela olhando-me para os dedos.

Certamente empalideci. Respondi que eram sinais de um golpe antigo. Mirou muito a mão; eu cuidei a princípio que era um pretexto para não soltá-la logo; depois ocorreu-me se acaso alguma reminiscência vaga emergia dos velhos destroços do delírio.

— A sua mão treme, disse ela, querendo sorrir.

Uma ideia traz outra. Saberia ela que estivera louca? Outra depois e mais terrível. Essa mulher que conheci tão esperta e ágil, e que agora me aparecia tão morta, era o fruto da tristeza da vida e de sucessos que eu ignorava, ou puro efeito do delírio, que lhe torcera e esgalhara o espírito? Ambas as hipóteses, — a segunda principalmente, — deram-me uma sensação complexa, que não sei definir, — pena, repugnância, pavor. Levantei-me e fitei-a por alguns instantes.

— A chuva ainda não parou, disse ela; voltemos para a sala.

Voltamos para a sala. Tornou ao sofá comigo. Quanto mais olhava para ela, mais sentia que era uma aleijada do espírito, uma convalescente da loucura... A minha repugnância crescia, a pena também; ela, fitando-me os olhos que já não sabiam rir, segurou-me a mão com ambas as suas; eu levantei-me para sair...

Isidoro deu uma volta e caiu; uma bala paraguaia varou-lhe o coração, estava morto. Não se conheceu outro amigo ao alferes. Por muitas semanas o pobre Martinho não disse uma só chalaça. Em compensação, continuou sempre bravo e disciplinado. No dia em que o marechal Caxias, dando novo impulso à guerra marchou para Tuiu-Cuê,* ninguém foi mais resoluto que ele, ninguém mais certo de acabar capitão; acabou major.

---

* Nos primeiros meses de 1868, quando Bartolomé Mitre abandonou a guerra, o duque de Caxias assumiu o comando de todas as tropas aliadas e tomou Humaitá, em 5 de agosto de 1868: foi o começo do fim da guerra.

Pílades e Orestes*

Quintanilha engendrou Gonçalves. Tal era a impressão que davam os dois juntos, não que se parecessem. Ao contrário, Quintanilha tinha o rosto redondo, Gonçalves comprido, o primeiro era baixo e moreno, o segundo alto e claro, e a expressão total divergia inteiramente. Acresce que eram quase da mesma idade. A ideia da paternidade nascia das maneiras com que o primeiro tratava o segundo; um pai não se desfaria mais em carinhos, cautelas e pensamentos.

Tinham estudado juntos, morado juntos, e eram bacharéis do mesmo ano. Quintanilha não seguiu advocacia nem magistratura, meteu-se na política; mas, eleito deputado provincial em 187..., cumpriu o prazo da legislatura e abandonou a carreira. Herdara os bens de um tio, que lhe davam de renda cerca de trinta contos de réis. Veio para o seu Gonçalves, que advogava no Rio de Janeiro.

Posto que abastado, moço, amigo do seu único amigo, não se pode dizer que Quintanilha fosse inteiramente feliz, como vais ver. Ponho de lado o desgosto que lhe trouxe a herança com o ódio dos parentes; tal ódio foi que ele esteve prestes

---

* Orestes era filho de Agamêmnon e Clitemnestra: quando seu pai foi assassinado por esta e seu amante Egisto, ele foi exilado e criado na corte do rei da Fócida, cunhado de Agamêmnon. Aí desenvolveu uma grande amizade com Pílades, filho do rei. Juntos voltaram a Argos, onde Orestes matou sua mãe e o amante dela. Orestes enlouqueceu, como punição do crime de matricídio.

a abrir mão dela, e não o fez porque o amigo Gonçalves, que lhe dava ideias e conselhos, o convenceu de que semelhante ato seria rematada loucura.

— Que culpa tem você que merecesse mais a seu tio que os outros parentes? Não foi você que fez o testamento nem andou a bajular o defunto, como os outros. Se ele deixou tudo a você, é que o achou melhor que eles; fique-se com a fortuna, que é a vontade do morto, e não seja tolo.

Quintanilha acabou concordando. Dos parentes alguns buscaram reconciliar-se com ele, mas o amigo mostrou-lhe a intenção recôndita dos tais, e Quintanilha não lhes abriu a porta. Um desses, ao vê-lo ligado com o antigo companheiro de estudos, bradava por toda a parte:

— Aí está, deixa os parentes para se meter com estranhos; há de ver o fim que leva.

Ao saber disto, Quintanilha correu a contá-lo a Gonçalves, indignado. Gonçalves sorriu, chamou-lhe tolo e aquietou-lhe o ânimo; não valia a pena irritar-se por ditinhos.

— Uma só coisa desejo, continuou, é que nos separemos, para que se não diga...

— Que se não diga o quê? É boa! Tinha que ver, se eu passava a escolher as minhas amizades conforme o capricho de alguns peraltas sem-vergonha!

— Não fale assim, Quintanilha. Você é grosseiro com seus parentes.

— Parentes do diabo que os leve! Pois eu hei de viver com as pessoas que me forem designadas por meia dúzia de velhacos que o que querem é comer-me o dinheiro? Não, Gonçalves; tudo o que você quiser, menos isso. Quem escolhe os meus amigos sou eu, é o meu coração. Ou você está... está aborrecido de mim?

— Eu? Tinha graça.

— Pois então?

— Mas é...

— Não é tal!

A vida que viviam os dois, era a mais unida deste mundo. Quintanilha acordava, pensava no outro, almoçava e ia ter com ele. Jantavam juntos, faziam alguma visita, passeavam ou acabavam a noite no teatro. Se Gonçalves tinha algum trabalho que fazer à noite, Quintanilha ia ajudá-lo como obrigação; dava busca aos textos de lei, marcava-os, copiava-os, carregava os livros. Gonçalves esquecia com facilidade, ora um recado, ora uma carta, sapatos, charutos, papéis. Quintanilha supria-lhe a memória. Às vezes, na rua do Ouvidor, vendo passar as moças, Gonçalves lembrava-se de uns autos que deixara no escritório. Quintanilha voava a buscá-los e tornava com eles, tão contente que não se podia saber se eram autos, se a sorte grande; procurava-o ansiosamente com os olhos, corria, sorria, morria de fadiga.

— São estes?

— São; deixa ver, são estes mesmos. Dá cá.

— Deixa, eu levo.

A princípio, Gonçalves suspirava:

— Que maçada que dei a você!

Quintanilha ria do suspiro com tão bom humor que o outro, para não o molestar, não se acusou de mais nada; concordou em receber os obséquios. Com o tempo, os obséquios ficaram sendo puro ofício. Gonçalves dizia ao outro: "Você hoje há de lembrar-me isto e aquilo". E o outro decorava as recomendações, ou escrevia-as, se eram muitas. Algumas dependiam de horas; era de ver como o bom Quintanilha suspirava aflito, à espera que chegasse tal ou tal hora para ter o gosto de lembrar os negócios ao amigo. E levava-lhe as cartas e papéis, ia buscar as respostas, procurar as pessoas, esperá-las na estrada de ferro, fazia viagens ao interior. De si mesmo descobria-lhe bons charutos, bons jantares, bons espetáculos. Gonçalves já não tinha liberdade de falar de um livro novo, ou somente caro, que não achasse um exemplar em casa.

— Você é um perdulário, dizia-lhe em tom repreensivo.

— Então gastar com letras e ciências é botar fora? É boa! concluía o outro.

No fim do ano quis obrigá-lo a passar fora as férias. Gonçalves acabou aceitando, e o prazer que lhe deu com isto foi enorme. Subiram a Petrópolis. Na volta, serra abaixo, como falassem de pintura, Quintanilha advertiu que não tinham ainda uma tela com o retrato dos dois, e mandou fazê-la. Quando a levou ao amigo, este não pôde deixar de lhe dizer que não prestava para nada. Quintanilha ficou sem voz.

— É uma porcaria, insistiu Gonçalves.

— Pois o pintor disse-me...

— Você não entende de pintura, Quintanilha, e o pintor aproveitou a ocasião para meter a espiga. Pois isto é cara decente? Eu tenho este braço torto?

— Que ladrão!

— Não, ele não tem culpa, fez o seu negócio; você é que não tem o sentimento da arte, nem prática, e espichou-se redondamente. A intenção foi boa, creio...

— Sim, a intenção foi boa.

— E aposto que já pagou?

— Já.

Gonçalves abanou a cabeça, chamou-lhe ignorante e acabou rindo. Quintanilha, vexado e aborrecido, olhava para a tela, até que sacou de um canivete e rasgou-a de alto a baixo. Como se não bastasse esse gesto de vingança, devolveu a pintura ao artista com um bilhete em que lhe transmitiu alguns dos nomes recebidos e mais o de asno. A vida tem muitas de tais pagas. Demais, uma letra de Gonçalves que se venceu dali a dias e que este não pôde pagar, veio trazer ao espírito de Quintanilha uma diversão. Quase brigaram; a ideia de Gonçalves era reformar a letra; Quintanilha, que era o endossante, entendia não valer a pena pedir o favor por tão escassa quantia (um conto e quinhentos), ele emprestaria o valor da letra, e o outro que lhe pagasse, quando pudesse. Gonçalves não consentiu e fez-se a reforma. Quando, ao fim dela, a situação se repetiu, o mais que este admitiu foi aceitar uma letra de Quintanilha, com o mesmo juro.

— Você não vê que me envergonha, Gonçalves? Pois eu hei de receber juro de você...?

— Ou recebe, ou não fazemos nada.

— Mas, meu querido...

Teve que concordar. A união dos dois era tal que uma senhora chamava-lhes os "casadinhos de fresco", e um letrado, Pílades e Orestes. Eles riam, naturalmente, mas o riso de Quintanilha trazia alguma coisa parecida com lágrimas: era, nos olhos, uma ternura úmida. Outra diferença é que o sentimento de Quintanilha tinha uma nota de entusiasmo, que absolutamente faltava ao de Gonçalves; mas, entusiasmo não se inventa. É claro que o segundo era mais capaz de inspirá-lo ao primeiro do que este a ele. Em verdade, Quintanilha era mui sensível a qualquer distinção; uma palavra, um olhar bastava a acender-lhe o cérebro. Uma pancadinha no ombro ou no ventre, com o fim de aprová-lo ou só acentuar a intimidade, era para derretê-lo de prazer. Contava o gesto e as circunstâncias durante dois e três dias.

Não era raro vê-lo irritar-se, teimar, descompor os outros. Também era comum vê-lo rir-se; alguma vez o riso era universal, entornava-se-lhe da boca, dos olhos, da testa, dos braços, das pernas, todo ele era um riso único. Sem ter paixões, estava longe de ser apático.

A letra sacada contra Gonçalves tinha o prazo de seis meses. No dia do vencimento, não só não pensou em cobrá-la, mas resolveu ir jantar a algum arrabalde para não ver o amigo, se fosse convidado à reforma. Gonçalves destruiu todo esse plano; logo cedo, foi levar-lhe o dinheiro. O primeiro gesto de Quintanilha foi recusá-lo, dizendo-lhe que o guardasse, podia precisar dele; o devedor teimou em pagar e pagou.

Quintanilha acompanhava os atos de Gonçalves; via a constância do seu trabalho, o zelo que ele punha na defesa das demandas, e vivia cheio de admiração. Realmente, não era grande advogado, mas na medida das suas habilitações, era distinto.

— Você por que não se casa? perguntou-lhe um dia; um advogado precisa casar.

Gonçalves respondia rindo. Tinha uma tia, única parenta, a quem ele queria muito, e que lhe morreu, quando eles iam em trinta anos. Dias depois, dizia ao amigo:

— Agora só me resta você.

Quintanilha sentiu os olhos molhados, e não achou que lhe respondesse. Quando se lembrou de dizer que "iria até à morte" era tarde. Redobrou então de carinhos, e um dia acordou com a ideia de fazer testamento. Sem revelar nada ao outro, nomeou-o testamenteiro e herdeiro universal.

— Guarde-me este papel, Gonçalves, disse-lhe entregando o testamento. Sinto-me forte, mas a morte é fácil, e não quero confiar a qualquer pessoa as minhas últimas vontades.

Foi por esse tempo que sucedeu um caso que vou contar.

Quintanilha tinha uma prima segunda, Camila, moça de vinte e dois anos, modesta, educada e bonita. Não era rica; o pai, João Bastos, era guarda-livros de uma casa de café. Haviam brigado por ocasião da herança; mas, Quintanilha foi ao enterro da mulher de João Bastos, e este ato de piedade novamente os ligou. João Bastos esqueceu facilmente alguns nomes crus que dissera do primo, chamou-lhe outros nomes doces, e pediu-lhe que fosse jantar com ele. Quintanilha foi e tornou a ir. Ouviu ao primo o elogio da finada mulher; numa ocasião em que Camila os deixou sós, João Bastos louvou as raras prendas da filha, que afirmava haver recebido integralmente a herança moral da mãe.

— Não direi isto nunca à pequena, nem você lhe diga nada. É modesta, e, se começarmos a elogiá-la, pode perder-se. Assim, por exemplo, nunca lhe direi que é tão bonita como foi a mãe, quando tinha a idade dela; pode ficar vaidosa.

Mas a verdade é que é mais, não lhe parece? Tem ainda o talento de tocar piano, que a mãe não possuía.

Quando Camila voltou à sala de jantar, Quintanilha sentiu vontade de lhe descobrir tudo, conteve-se e piscou o olho ao primo. Quis ouvi-la ao piano; ela respondeu, cheia de melancolia:

— Ainda não, há apenas um mês que mamãe faleceu, deixe passar mais tempo. Demais, eu toco mal.

— Mal?

— Muito mal.

Quintanilha tornou a piscar o olho ao primo, e ponderou à moça que a prova de tocar bem ou mal só se dava ao piano. Quanto ao prazo, era certo que apenas passara um mês; todavia era também certo que a música era uma distração natural e elevada. Além disso, bastava tocar um pedaço triste. João Bastos aprovou este modo de ver e lembrou uma composição elegíaca. Camila abanou a cabeça.

— Não, não, sempre é tocar piano; os vizinhos são capazes de inventar que eu toquei uma polca.

Quintanilha achou graça e riu. Depois concordou e esperou que os três meses fossem passados. Até lá, viu a prima algumas vezes, sendo as três últimas visitas mais próximas e longas. Enfim, pôde ouvi-la tocar piano, e gostou. O pai confessou que, ao princípio, não gostava muito daquelas músicas alemãs; com o tempo e o costume achou-lhes sabor. Chamava à filha "a minha alemãzinha", apelido que foi adotado por Quintanilha, apenas modificado para o plural: "a nossa alemãzinha". Pronomes possessivos dão intimidade; dentro em pouco, ela existia entre os três, — ou quatro, se contarmos Gonçalves, que ali foi apresentado pelo amigo; — mas fiquemos nos três.

Que ele é coisa já farejada por ti, leitor sagaz. Quintanilha acabou gostando da moça. Como não, se Camila tinha uns longos olhos mortais? Não é que os pousasse muita vez nele, e, se o fazia, era com tal ou qual constrangimento, a princípio, como as crianças que obedecem sem vontade às ordens do mestre ou do pai; mas pousava-os, e eles eram tais que, ainda sem intenção, feriam de morte. Também sorria com frequência e falava com graça. Ao piano, e por mais aborrecida que tocasse, tocava bem. Em suma, Camila não faria obra de impulso próprio, sem ser por isso menos feiticeira. Quintanilha descobriu um dia de manhã que sonhara com ela a noite toda, e à noite que pensara nela todo o dia, e concluiu da descoberta que a amava e era amado. Tão tonto ficou que esteve prestes a imprimi-lo nas folhas públicas. Quando menos, quis dizê-lo ao amigo Gonçalves e correu ao escritório deste. A afeição de Quintanilha complicava-se de respeito e temor. Quase a abrir a boca, engoliu outra vez o segredo. Não ousou dizê-lo nesse dia nem no outro.

Antes dissesse; talvez fosse tempo de vencer a campanha. Adiou a revelação por uma semana. Um dia foi jantar com o amigo, e, depois de muitas hesitações, disse-lhe tudo; amava a prima e era amado.

— Você aprova, Gonçalves?

Gonçalves empalideceu, — ou, pelo menos, ficou sério; nele a seriedade confundia-se com a palidez. Mas, não; verdadeiramente ficou pálido.

— Aprova? repetiu Quintanilha.

Após alguns segundos, Gonçalves ia abrir a boca para responder, mas fechou-a de novo, e fitou os olhos "em ontem", como ele mesmo dizia de si, quando os estendia ao longe. Em vão Quintanilha teimou em saber o que era, o que pensava, se aquele amor era *asneira*. Estava tão acostumado a ouvir-lhe este vocábulo que já lhe não doía nem afrontava, ainda em matéria tão melindrosa e pessoal. Gonçalves tornou a si daquela meditação, sacudiu os ombros, com ar desenganado, e murmurou esta palavra tão surdamente que o outro mal a pôde ouvir:

— Não me pergunte nada; faça o que quiser.

— Gonçalves, que é isso? perguntou Quintanilha, pegando-lhe nas mãos, assustado.

Gonçalves soltou um grande suspiro, que, se tinha asas, ainda agora estará voando. Tal foi, sem esta forma paradoxal, a impressão de Quintanilha. O relógio da sala de jantar bateu oito horas, Gonçalves alegou que ia visitar um desembargador, e o outro despediu-se.

Na rua, Quintanilha parou atordoado. Não acabava de entender aqueles gestos, aquele suspiro, aquela palidez, todo o efeito misterioso da notícia dos seus amores. Entrara e falara, disposto a ouvir do outro um ou mais daqueles epítetos costumados e amigos, *idiota*, *crédulo*, *paspalhão*, e não ouviu nenhum. Ao contrário, havia nos gestos de Gonçalves alguma coisa que pegava com o respeito. Não se lembrava de nada, ao jantar, que pudesse tê-lo ofendido; foi só depois de lhe confiar o sentimento novo que trazia a respeito da prima que o amigo ficou acabrunhado.

— Mas, não pode ser, pensava ele; o que é que Camila tem que não possa ser boa esposa?

Nisto gastou, parado, defronte da casa, mais de meia hora. Advertiu então que Gonçalves não saíra. Esperou mais meia hora, nada. Quis entrar outra vez, abraçá-lo, interrogá-lo... Não teve forças; enfiou pela rua fora, desesperado. Chegou à casa de João Bastos, e não viu Camila; tinha-se recolhido, constipada. Queria justamente contar-lhe tudo, e aqui é preciso explicar que ele ainda não se havia declarado à prima. Os olhares da moça não fugiam dos seus; era tudo, e podia não passar de faceirice. Mas o lance não podia ser melhor para clarear a situação. Contando o que se passara com o amigo, tinha o ensejo de lhe fazer saber que a amava e ia pedi-la ao pai. Era uma consolação no meio daquela agonia, o acaso negou-lha, e Quintanilha saiu da casa, pior do que entrara. Recolheu-se à sua.

Não dormiu antes das duas horas da manhã, e não foi para repouso, senão para agitação maior e nova. Sonhou que ia a atravessar uma ponte velha e longa, entre duas montanhas, e a meio caminho viu surdir debaixo um vulto e fincar os pés defronte dele. Era Gonçalves. "Infame, disse este com os olhos acesos, por que me vens tirar a noiva de meu coração, a mulher que eu amo e é minha? Toma, toma logo o meu coração, é mais completo." E com um gesto rápido abriu o peito, arrancou o coração e meteu-lho na boca. Quintanilha tentou pegar da víscera amiga e repô-la no peito de Gonçalves; foi impossível. Os queixos acabaram por fechá-la. Quis cuspi-la, e foi pior; os dentes cravaram-se no coração. Quis falar, mas vá alguém falar com a boca cheia daquela maneira. Afinal o amigo ergueu os braços e estendeu-lhe as mãos com o gesto de maldição que ele vira nos melodramas, em dias de rapaz; logo depois, brotaram-lhe dos olhos duas imensas lágrimas, que encheram o vale de água, atirou-se abaixo e desapareceu. Quintanilha acordou sufocado.

A ilusão do pesadelo era tal que ele ainda levou as mãos à boca, para arrancar de lá o coração do amigo. Achou a língua somente, esfregou os olhos e sentou-se. Onde estava? Que era? E a ponte? E o Gonçalves? Voltou a si de todo, compreendeu e novamente se deitou, para outra insônia, menor que a primeira, é certo; veio a dormir às quatro horas.

De dia, rememorando toda a véspera, realidade e sonho, chegou à conclusão de que o amigo Gonçalves era seu rival, amava a prima dele, era talvez amado por ela... Sim, sim, podia ser. Quintanilha passou duas horas cruéis. Afinal pegou em si e foi ao escritório de Gonçalves, para saber tudo de uma vez; e, se fosse verdade, sim, se fosse verdade...

Gonçalves redigia umas razões de embargo. Interrompeu-as para fitá-lo um instante, erguer-se, abrir o armário de ferro, onde guardava os papéis graves, tirar de lá o testamento de Quintanilha, e entregá-lo ao testador.

— Que é isto?

— Você vai mudar de estado, respondeu Gonçalves, sentando-se à mesa.

Quintanilha sentiu-lhe lágrimas na voz; assim lhe pareceu, ao menos. Pediu-lhe que guardasse o testamento; era o seu depositário natural. Instou muito; só lhe respondia o som áspero da pena correndo no papel. Não corria bem a pena, a letra era tremida, as emendas mais numerosas que de costume, provavelmente as datas erradas. A consulta dos livros era feita com tal melancolia que entristecia o outro. Às vezes, parava tudo, pena e consulta, para só ficar o olhar fito "em ontem".

— Entendo, disse Quintanilha subitamente; ela será tua.

— Ela quem? quis perguntar Gonçalves, mas já o amigo voava, escada abaixo, como uma flecha, e ele continuou as suas razões de embargo.

Não se adivinha todo o resto; basta saber o final. Nem se adivinha nem se crê; mas a alma humana é capaz de esforços grandes, no bem como no mal. Quintanilha fez outro testamento, legando tudo à prima, com a condição de desposar o amigo. Camila não aceitou o testamento, mas ficou tão contente, quando o primo lhe falou das lágrimas de Gonçalves, que aceitou Gonçalves e as lágrimas. Então Quintanilha não achou melhor remédio que fazer terceiro testamento legando tudo ao amigo.

O final da história foi dito em latim. Quintanilha serviu de testemunha ao noivo, e de padrinho aos dois primeiros filhos. Um dia em que, levando doces para os afilhados, atravessava a praça Quinze de Novembro, recebeu uma bala revoltosa (1893)* que o matou quase instantaneamente. Está enterrado no cemitério de S. João Batista; a sepultura é simples, a pedra tem um epitáfio que termina com esta pia frase: "Orai por ele!". É também o fecho da minha história. Orestes vive ainda, sem os remorsos do modelo grego. Pílades é agora o personagem mudo de Sófocles.** Orai por ele!

---

* Isto é, durante a Revolta da Armada.

** Na única peça de Sófocles sobre Orestes, *Electra*, Pílades faz parte do elenco, mas como "personagem mudo": isto é, ele aparece no palco, mas não diz nada.

Pai contra mãe

A escravidão levou consigo ofícios e aparelhos, como terá sucedido a outras instituições sociais. Não cito alguns aparelhos senão por se ligarem a certo ofício. Um deles era o ferro ao pescoço, outro o ferro ao pé; havia também a máscara de folha de flandres. A máscara fazia perder o vício da embriaguez aos escravos, por lhes tapar a boca. Tinha só três buracos, dois para ver, um para respirar, e era fechada atrás da cabeça por um cadeado. Com o vício de beber, perdiam a tentação de furtar, porque geralmente era dos vinténs do senhor que eles tiravam com que matar a sede, e aí ficavam dois pecados extintos, e a sobriedade e a honestidade certas. Era grotesca tal máscara, mas a ordem social e humana nem sempre se alcança sem o grotesco, e alguma vez o cruel. Os funileiros as tinham penduradas, à venda, na porta das lojas. Mas não cuidemos de máscaras.

O ferro ao pescoço era aplicado aos escravos fujões. Imaginai uma coleira grossa, com a haste grossa também, à direita ou à esquerda, até ao alto da cabeça e fechada atrás com chave. Pesava, naturalmente, mas era menos castigo que sinal. Escravo que fugia assim, onde quer que andasse, mostrava um reincidente, e com pouco era pegado.

Há meio século, os escravos fugiam com frequência. Eram muitos, e nem todos gostavam da escravidão. Sucedia ocasionalmente apanharem pancada, e nem todos gostavam de apanhar pancada. Grande parte era apenas repreendida; havia alguém de casa que servia de padrinho, e o mesmo dono não era mau; além disso, o sentimento da propriedade moderava a ação, porque dinheiro também dói. A fuga repetia-se, entretanto. Casos houve, ainda que raros, em que o escravo de contrabando, apenas comprado no Valongo, deitava a correr, sem conhecer as ruas da cidade. Dos que seguiam para casa, não raro, apenas ladinos, pediam ao senhor que lhes marcasse aluguel, e iam ganhá-lo fora, quitandando.

Quem perdia um escravo por fuga dava algum dinheiro a quem lho levasse. Punha anúncios nas folhas públicas, com os sinais do fugido, o nome, a roupa, o defeito físico, se o tinha, o bairro por onde andava e a quantia de gratificação. Quando não vinha a quantia, vinha promessa: "gratificar-se-á generosamente", — ou "receberá uma boa gratificação". Muita vez o anúncio trazia em cima ou ao lado uma vinheta, figura de preto, descalço, correndo, vara ao ombro, e na ponta uma trouxa. Protestava-se com todo o rigor da lei contra quem o acoutasse.

Ora, pegar escravos fugidios era um ofício do tempo. Não seria nobre, mas por ser instrumento da força com que se mantêm a lei e a propriedade, trazia esta outra nobreza implícita das ações reivindicadoras. Ninguém se metia em tal ofício por desfastio ou estudo; a pobreza, a necessidade de uma achega, a inaptidão para outros trabalhos, o acaso, e alguma vez o gosto de servir também, ainda que por outra via, davam o impulso ao homem que se sentia bastante rijo para pôr ordem à desordem.

Cândido Neves, — em família, Candinho, — é a pessoa a quem se liga a história de uma fuga, cedeu à pobreza, quando adquiriu o ofício de pegar escravos fugidos. Tinha um defeito grave esse homem, não aguentava emprego nem ofício, carecia de estabilidade; é o que ele chamava caiporismo. Começou por querer aprender tipografia, mas viu cedo que era preciso algum tempo para compor bem, e ainda assim talvez não ganhasse o bastante; foi o que ele disse a si mesmo. O comércio chamou-lhe a atenção, era carreira boa. Com algum esforço entrou de caixeiro para um armarinho. A obrigação, porém, de atender e servir a todos feria-o na corda do orgulho, e ao cabo de cinco ou seis semanas estava na rua por sua vontade. Fiel de cartório, contínuo de uma repartição anexa ao ministério do império, carteiro e outros empregos foram deixados pouco depois de obtidos.

Quando veio a paixão da moça Clara, não tinha ele mais que dívidas, ainda

PAI CONTRA MÃE 467

que poucas, porque morava com um primo, entalhador de ofício. Depois de várias tentativas para obter emprego, resolveu adotar o ofício do primo, de que aliás já tomara algumas lições. Não lhe custou apanhar outras, mas, querendo aprender depressa, aprendeu mal. Não fazia obras finas nem complicadas, apenas garras para sofás e relevos comuns para cadeiras. Queria ter em que trabalhar quando casasse, e o casamento não se demorou muito.

Contava trinta anos, Clara vinte e dois. Ela era órfã, morava com uma tia, Mônica, e cosia com ela. Não cosia tanto que não namorasse o seu pouco, mas os namorados apenas queriam matar o tempo; não tinham outro empenho. Passavam às tardes, olhavam muito para ela, ela para eles, até que a noite a fazia recolher para a costura. O que ela notava é que nenhum deles lhe deixava saudades nem lhe acendia desejos. Talvez nem soubesse o nome de muitos. Queria casar, naturalmente. Era, como lhe dizia a tia, um pescar de caniço, a ver se o peixe pegava, mas o peixe passava de longe; algum que parasse, era só para andar à roda da isca, mirá-la, cheirá-la, deixá-la e ir a outras.

O amor traz sobrescritos. Quando a moça viu Cândido Neves, sentiu que era este o possível marido, o marido verdadeiro e único. O encontro deu-se em um baile; tal foi — para lembrar o primeiro ofício do namorado, — tal foi a página inicial daquele livro, que tinha de sair mal composto e pior brochado. O casamento fez-se onze meses depois, e foi a mais bela festa das relações dos noivos. Amigas de Clara, menos por amizade que por inveja, tentaram arredá-la do passo que ia dar. Não negavam a gentileza do noivo, nem o amor que lhe tinha, nem ainda algumas virtudes; diziam que era dado em demasia a patuscadas.

— Pois ainda bem, replicava a noiva; ao menos, não caso com defunto.

— Não, defunto não; mas é que...

Não diziam o que era. Tia Mônica, depois do casamento, na casa pobre onde eles se foram abrigar, falou-lhes uma vez nos filhos possíveis. Eles queriam um, um só, embora viesse agravar a necessidade.

— Vocês, se tiverem um filho, morrem de fome, disse a tia à sobrinha.

— Nossa Senhora nos dará de comer, acudiu Clara.

Tia Mônica devia ter-lhes feito a advertência, ou ameaça, quando ele lhe foi pedir a mão da moça; mas também ela era amiga de patuscadas, e o casamento seria uma festa, como foi.

A alegria era comum aos três. O casal ria a propósito de tudo. Os mesmos nomes eram objeto de trocados, Clara, Neves, Cândido; não davam que comer, mas davam que rir, e o riso digeria-se sem esforço. Ela cosia agora mais, ele saía a empreitadas de uma coisa e outra; não tinha emprego certo.

Nem por isso abriam mão do filho. O filho é que, não sabendo daquele desejo específico, deixava-se estar escondido na eternidade. Um dia, porém, deu sinal de si a criança; varão ou fêmea, era o fruto abençoado que viria trazer ao casal a suspirada ventura. Tia Mônica ficou desorientada, Cândido e Clara riram dos seus sustos.

— Deus nos há de ajudar, titia, insistia a futura mãe.

A notícia correu de vizinha a vizinha. Não houve mais que espreitar a aurora do dia grande. A esposa trabalhava agora com mais vontade, e assim era preciso, uma vez que, além das costuras pagas, tinha de ir fazendo com retalhos o enxoval da criança. À força de pensar nela, vivia já com ela, media-lhe fraldas, cosia-lhe camisas. A porção era escassa, os intervalos longos. Tia Mônica ajudava, é certo, ainda que de má vontade.

— Vocês verão a triste vida, suspirava ela.

— Mas as outras crianças não nascem também? perguntou Clara.

— Nascem, e acham sempre alguma coisa certa que comer, ainda que pouco...

— Certa como?

— Certa, um emprego, um ofício, uma ocupação, mas em que é que o pai dessa infeliz criatura que aí vem, gasta o tempo?

Cândido Neves, logo que soube daquela advertência, foi ter com a tia, não áspero, mas muito menos manso que de costume, e lhe perguntou se já algum dia deixara de comer.

— A senhora ainda não jejuou senão pela semana santa, e isso mesmo quando não quer jantar comigo. Nunca deixamos de ter o nosso bacalhau...

— Bem sei, mas somos três.

— Seremos quatro.

— Não é a mesma coisa.

— Que quer então que eu faça, além do que faço?

— Alguma coisa mais certa. Veja o marceneiro da esquina, o homem do armarinho, o tipógrafo que casou sábado, todos têm um emprego certo... Não fique zangado; não digo que você seja vadio, mas a ocupação que escolheu, é vaga. Você passa semanas sem vintém.

— Sim, mas lá vem uma noite que compensa tudo, até de sobra. Deus não me abandona, e preto fugido sabe que comigo não brinca; quase nenhum resiste, muitos entregam-se logo.

Tinha glória nisto, falava da esperança como de capital seguro. Daí a pouco ria, e fazia rir à tia, que era naturalmente alegre, e previa uma patuscada no batizado.

Cândido Neves perdera já o ofício de entalhador, como abrira mão de outros muitos, melhores ou piores. Pegar escravos fugidos trouxe-lhe um encanto novo. Não obrigava a estar longas horas sentado. Só exigia força, olho vivo, paciência, coragem e um pedaço de corda. Cândido Neves lia os anúncios, copiava-os, metia-os no bolso e saía às pesquisas. Tinha boa memória. Fixados os sinais e os costumes de um escravo fugido, gastava pouco tempo em achá-lo, segurá-lo, amarrá-lo e levá-lo. A força era muita, a agilidade também. Mais de uma vez, a uma esquina, conversando de coisas remotas, via passar um escravo como os outros, e descobria logo que ia fugido, quem era, o nome, o dono, a casa deste e a gratificação; interrompia a conversa e ia atrás do vicioso. Não o apanhava logo, espreitava lugar azado, e de um salto tinha a gratificação nas mãos. Nem sempre saía sem sangue, as unhas e os dentes do outro trabalhavam, mas geralmente ele os vencia sem o menor arranhão.

Um dia os lucros entraram a escassear. Os escravos fugidos não vinham já, como dantes, meter-se nas mãos de Cândido Neves. Havia mãos novas e hábeis. Como o negócio crescesse, mais de um desempregado pegou em si e numa corda, foi aos jornais, copiou anúncios e deitou-se à caçada. No próprio bairro havia mais de um competidor. Quer dizer que as dívidas de Cândido Neves começaram de subir, sem aqueles pagamentos prontos ou quase prontos dos primeiros tempos. A vida fez-se difícil e dura. Comia-se fiado e mal; comia-se tarde. O senhorio mandava pelos aluguéis.

Clara não tinha sequer tempo de remendar a roupa ao marido, tanta era a necessidade de coser para fora. Tia Mônica ajudava a sobrinha, naturalmente. Quando ele chegava à tarde, via-se-lhe pela cara que não trazia vintém. Jantava e saía outra vez, à cata de algum fugido. Já lhe sucedia, ainda que raro, enganar-se de pessoa, e pegar em escravo fiel que ia a serviço de seu senhor; tal era a cegueira da necessidade. Certa vez capturou um preto livre; desfez-se em desculpas, mas recebeu grande soma de murros que lhe deram os parentes do homem.

— É o que lhe faltava! exclamou a tia Mônica, ao vê-lo entrar, e depois de ouvir narrar o equívoco e suas consequências. Deixe-se disso, Candinho; procure outra vida, outro emprego.

Cândido quisera efetivamente fazer outra coisa, não pela razão do conselho, mas por simples gosto de trocar de ofício; seria um modo de mudar de pele ou de pessoa. O pior é que não achava à mão negócio que aprendesse depressa.

A natureza ia andando, o feto crescia, até fazer-se pesado à mãe, antes de nascer. Chegou o oitavo mês, mês de angústias e necessidades, menos ainda que o nono, cuja narração dispenso também. Melhor é dizer somente os seus efeitos. Não podiam ser mais amargos.

— Não, tia Mônica! bradou Candinho, recusando um conselho que me custa escrever, quanto mais ao pai ouvi-lo. Isso nunca!

Foi na última semana do derradeiro mês que a tia Mônica deu ao casal o conselho de levar a criança que nascesse à Roda dos enjeitados. Em verdade, não podia haver palavra mais dura de tolerar a dois jovens pais que espreitavam a criança, para beijá-la, guardá-la, vê-la rir, crescer, engordar, pular... Enjeitar quê? enjeitar como? Candinho arregalou os olhos para a tia, e acabou dando um murro na mesa de jantar. A mesa, que era velha e desconjuntada, esteve quase a se desfazer inteiramente. Clara interveio:

— Titia não fala por mal, Candinho.

— Por mal? replicou tia Mônica. Por mal ou por bem, seja o que for, digo que é o melhor que vocês podem fazer. Vocês devem tudo; a carne e o feijão vão faltando. Se não aparecer algum dinheiro, como é que a família há de aumentar? E depois, há tempo; mais tarde, quando o senhor tiver a vida mais segura, os filhos que vierem serão recebidos com o mesmo cuidado que este ou maior. Este será bem criado, sem lhe faltar nada. Pois então a Roda é alguma praia ou monturo? Lá não se mata ninguém, ninguém morre à toa, enquanto que aqui é certo morrer, se viver à míngua. Enfim...

Tia Mônica terminou a frase com um gesto de ombros, deu as costas e foi meter-se na alcova. Tinha já insinuado aquela solução, mas era a primeira vez que o fazia com tal franqueza e calor, — crueldade, se preferes. Clara estendeu a mão ao marido, como a amparar-lhe o ânimo; Cândido Neves fez uma careta, e chamou maluca à tia, em voz baixa. A ternura dos dois foi interrompida por alguém que batia à porta da rua.

— Quem é? perguntou o marido.

— Sou eu.

Era o dono da casa, credor de três meses de aluguel, que vinha em pessoa ameaçar o inquilino. Este quis que ele entrasse.

— Não é preciso...

— Faça favor.

O credor entrou e recusou sentar-se; deitou os olhos à mobília para ver se daria algo à penhora; achou que pouco. Vinha receber os aluguéis vencidos, não podia esperar mais; se dentro de cinco dias não fosse pago, pô-lo-ia na rua. Não havia trabalhado para regalo dos outros. Ao vê-lo, ninguém diria que era proprietário; mas a palavra supria o que faltava ao gesto, e o pobre Cândido Neves preferiu calar a retorquir. Fez uma inclinação de promessa e súplica ao mesmo tempo. O dono da casa não cedeu mais.

— Cinco dias ou rua! repetiu, metendo a mão no ferrolho da porta e saindo.

Candinho saiu por outro lado. Nesses lances não chegava nunca ao desespero, contava com algum empréstimo, não sabia como nem onde, mas contava. Demais, recorreu aos anúncios. Achou vários, alguns já velhos, mas em vão os buscava desde muito. Gastou algumas horas sem proveito, e tornou para casa. Ao fim de quatro dias, não achou recursos; lançou mão de empenhos, foi a pessoas amigas do proprietário, não alcançando mais que a ordem de mudança.

A situação era aguda. Não achavam casa, nem contavam com pessoa que lhes emprestasse alguma; era ir para a rua. Não contavam com a tia. Tia Mônica teve arte de alcançar aposento para os três em casa de uma senhora velha e rica, que lhe prometeu emprestar os quartos baixos da casa, ao fundo da cocheira, para os lados de um pátio. Teve ainda a arte maior de não dizer nada aos dois, para que Cândido Neves, no desespero da crise, começasse por enjeitar o filho e acabasse alcançando algum meio seguro e regular de obter dinheiro; emendar a vida, em suma. Ouvia as queixas de Clara, sem as repetir, é certo, mas sem as consolar. No dia em que fossem obrigados a deixar a casa, fá-los-ia espantar com a notícia do obséquio e iriam dormir melhor do que cuidassem.

Assim sucedeu. Postos fora da casa, passaram ao aposento de favor, e dois dias depois nasceu a criança. A alegria do pai foi enorme, e a tristeza também. Tia Mônica insistiu em dar a criança à Roda. "Se você não a quer levar, deixe isso comigo; eu vou à rua dos Barbonos." Cândido Neves pediu que não, que esperasse, que ele mesmo a levaria. Notei que era um menino, e que ambos os pais desejavam justamente este sexo. Mal lhe deram algum leite; mas, como chovesse à noite, assentou o pai levá-lo à Roda na noite seguinte.

Naquela reviu todas as suas notas de escravos fugidos. As gratificações pela maior parte eram promessas; algumas traziam a soma escrita e escassa. Uma, porém, subia a cem mil-réis. Tratava-se de uma mulata; vinham indicações de gesto e de vestido. Cândido Neves andara a pesquisá-la sem melhor fortuna, e abrira mão do negócio; imaginou que algum amante da escrava a houvesse recolhido. Agora, porém, a vista nova da quantia e a necessidade dela animaram Cândido Neves a fazer um grande esforço derradeiro. Saiu de manhã a ver e indagar pela rua e largo da Carioca, rua do Parto e da Ajuda, onde ela parecia andar, segundo o anúncio. Não a achou; apenas um farmacêutico da rua da Ajuda se lembrava de ter vendido uma onça de qualquer droga, três dias antes, à pessoa que tinha os sinais indicados. Cândido Neves parecia falar como dono da escrava, e agradeceu cortesmente a notícia. Não foi mais feliz com outros fugidos de gratificação incerta ou barata.

Voltou para a triste casa que lhe haviam emprestado. Tia Mônica arranjara de si mesma a dieta para a recente mãe, e tinha já o menino para ser levado à Roda. O pai, não obstante o acordo feito, mal pôde esconder a dor do espetáculo. Não quis comer o que tia Mônica lhe guardara; não tinha fome, disse, e era verdade. Cogitou mil modos de ficar com o filho; nenhum prestava. Não podia esquecer o próprio albergue em que vivia. Consultou a mulher, que se mostrou resignada. Tia Mônica pintara-lhe a criação do menino; seria maior miséria, podendo suceder que o filho achasse a morte sem recurso. Cândido Neves foi obrigado a cumprir a promessa; pediu à mulher que desse ao filho o resto do leite que ele beberia da mãe. Assim se fez; o pequeno adormeceu, o pai pegou dele, e saiu na direção da rua dos Barbonos.

Que pensasse mais de uma vez em voltar para casa com ele, é certo; não menos certo é que o agasalhava muito, que o beijava, que lhe cobria o rosto para preservá-lo do sereno. Ao entrar na rua da Guarda Velha, Cândido Neves começou a afrouxar o passo.

— Hei de entregá-lo o mais tarde que puder, murmurou ele.

Mas não sendo a rua infinita ou sequer longa, viria a acabá-la; foi então que lhe ocorreu entrar por um dos becos que ligavam aquela à rua da Ajuda. Chegou ao fim do beco e, indo a dobrar à direita, na direção do largo da Ajuda, viu do lado oposto, um vulto de mulher: era a mulata fugida. Não dou aqui a comoção de Cândido Neves por não podê-lo fazer com a intensidade real. Um adjetivo basta; digamos enorme. Descendo a mulher, desceu ele também; a poucos passos estava a farmácia onde obtivera a informação, que referi acima. Entrou, achou o farmacêutico, pediu-lhe a fineza de guardar a criança por um instante; viria buscá-la sem falta.

— Mas...

Cândido Neves não lhe deu tempo de dizer nada; saiu rápido, atravessou a rua, até ao ponto em que pudesse pegar a mulher sem dar alarma. No extremo da rua, quando ela ia a descer a de S. José, Cândido Neves aproximou-se dela. Era a mesma, era a mulata fujona.

— Arminda! bradou, conforme a nomeava o anúncio.

Arminda voltou-se sem cuidar malícia. Foi só quando ele, tendo tirado o pedaço de corda da algibeira, pegou dos braços da escrava, que ela compreendeu e quis fugir. Era já impossível. Cândido Neves, com as mãos robustas, atava-lhe os pulsos e dizia que andasse. A escrava quis gritar, parece que chegou a soltar alguma voz mais alta que de costume, mas entendeu logo que ninguém viria libertá-la, ao contrário. Pediu então que a soltasse pelo amor de Deus.

— Estou grávida, meu senhor! exclamou. Se Vossa Senhoria tem algum filho, peço-lhe por amor dele que me solte; eu serei sua escrava, vou servi-lo pelo tempo que quiser. Me solte, meu senhor moço!

— Siga! repetiu Cândido Neves.

— Me solte!

— Não quero demoras; siga!

Houve aqui luta, porque a escrava, gemendo, arrastava-se a si e ao filho. Quem passava ou estava à porta de uma loja, compreendia o que era e naturalmente não acudia. Arminda ia alegando que o senhor era muito mau, e provavelmente a castigaria com açoites, — coisa que, no estado em que ela estava, seria pior de sentir. Com certeza, ele lhe mandaria dar açoites.

— Você é que tem culpa. Quem lhe manda fazer filhos e fugir depois? perguntou Cândido Neves.

Não estava em maré de riso, por causa do filho que lá ficara na farmácia, à espera dele. Também é certo que não costumava dizer grandes coisas. Foi arrastando a escrava pela rua dos Ourives, em direção à da Alfândega, onde residia o senhor. Na esquina desta a luta cresceu; a escrava pôs os pés à parede, recuou com grande esforço, inutilmente. O que alcançou foi, apesar de ser a casa próxima, gastar mais tempo em lá chegar do que devera. Chegou, enfim, arrastada, desesperada, arquejando. Ainda ali ajoelhou-se, mas em vão. O senhor estava em casa, acudiu ao chamado e ao rumor.

— Aqui está a fujona, disse Cândido Neves.

— É ela mesma.

— Meu senhor!

— Anda, entra...

Arminda caiu no corredor. Ali mesmo o senhor da escrava abriu a carteira e tirou os cem mil-réis de gratificação. Cândido Neves guardou as duas notas de cinquenta mil-réis, enquanto o senhor novamente dizia à escrava que entrasse. No chão, onde jazia, levada do medo e da dor, e após algum tempo de luta a escrava abortou.

O fruto de algum tempo entrou sem vida neste mundo, entre os gemidos da mãe e os gestos de desespero do dono. Cândido Neves viu todo esse espetáculo. Não sabia que horas eram. Quaisquer que fossem, urgia correr à rua da Ajuda, e foi o que ele fez sem querer conhecer as consequências do desastre.

Quando lá chegou, viu o farmacêutico sozinho, sem o filho que lhe entregara. Quis esganá-lo. Felizmente, o farmacêutico explicou tudo a tempo; o menino estava lá dentro com a família, e ambos entraram. O pai recebeu o filho com a mesma fúria com que pegara a escrava fujona de há pouco, fúria diversa, naturalmente, fúria de amor. Agradeceu depressa e mal, e saiu às carreiras, não para a Roda dos enjeitados, mas para a casa de empréstimo, com o filho e os cem mil-réis de gratificação. Tia Mônica, ouvida a explicação, perdoou a volta do pequeno, uma vez que trazia os cem mil-réis. Disse, é verdade, algumas palavras duras contra a escrava, por causa do aborto, além da fuga. Cândido Neves, beijando o filho, entre lágrimas verdadeiras, abençoava a fuga e não se lhe dava do aborto.

— Nem todas as crianças vingam, bateu-lhe o coração.

Nota bibliográfica

Esta antologia contém mais contos que a norma. Porém, para quem quiser conhecer todos os contos, apresentamos também um pequeno guia para ajudá-lo. Algumas das edições de que falaremos estão esgotadas, mas ainda, e com sorte, podem ser encontradas em sebos. Os 76 contos que foram publicados em livro pelo autor existem em várias edições: a melhor delas, e a mais acessível, é a da Livraria Garnier, editada por Adriano da Gama Kury; existe também um nova série, em andamento, da Martins Fontes. Quem tiver curiosidade de ver as variantes entre as versões publicadas em revista e em livro, às vezes muito reveladoras, deve procurar as edições críticas da Comissão Machado de Assis, que infelizmente não chegou a publicar *Papéis avulsos* nem *Páginas recolhidas*.

Os contos que foram excluídos das coletâneas (à parte alguns poucos publicados por Mário de Alencar no livro *Outras relíquias*, em 1910) começaram a aparecer na edição das *Obras completas* da Jackson Editores, em 31 volumes. A edição, longe de ser completa, contém, no entanto, 57 desses contos, distribuídos sem nenhum critério aparente entre vários volumes da coleção. Alguns desses volumes foram batizados com títulos novos (*Histórias românticas*), alguns como "segundos volumes" das coletâneas de Machado (*Contos fluminenses II*, *Relíquias de casa velha II*); outros mais foram incluídos em volumes já existentes, caso de *Páginas recolhi-*

das e *Relíquias de casa velha*. É importante assinalar que não se pode confiar no texto dessa edição; não hesitaram em alterar o texto para "melhorá-lo", e acrescentaram alguns erros de sua própria lavra. A única exceção é o volume correspondente a *Várias histórias*, editado em 1957 sob os cuidados de Aurélio Buarque de Hollanda Ferreira.

Nos anos 50 foi publicada a *Bibliografia de Machado de Assis*, de José Galante de Sousa, a bíblia dos estudos machadianos, e que dá notícia de praticamente todas as obras do autor: só raramente é que surge uma descoberta nova, como foi o caso recente de uma crônica que passara despercebida por Galante, da série "Balas de estalo" (1885).

Pouco depois, Raymundo Magalhães Júnior deu início à publicação de vários volumes dos contos que não constam nem das coletâneas publicadas por Machado nem das *Obras completas* da Jackson: a maioria foi publicada originariamente no *Jornal das Famílias*, nas décadas de 1860 e 1870. Esses volumes são: *Contos esquecidos*, *Contos avulsos*, *Contos esparsos*, *Contos sem data*, *Contos recolhidos* e *Contos e crônicas*. Foram lançados pela Civilização Brasileira entre 1956 e 1958, e mais tarde pelas Edições de Ouro. Ao todo, são cinquenta contos, incluindo as primeiras versões de dois — "A chinela turca" e "Uma visita de Alcibíades" —, que haviam sido remanejados, e algumas partes de contos até então incompletos, como é o caso de dois outros, um dos quais, "Trina e una", publicado aqui em sua íntegra. O texto da edição de Magalhães é melhor do que o da Jackson. Magalhães também publicou nesses volumes alguns contos — doze ao todo — assinados com pseudônimo, que ele acha serem de Machado, mas cuja autoria foi questionada, principalmente por Jean-Michel Massa, em *A juventude de Machado de Assis*.

Essas três coleções (a Jackson, a Aguilar, os volumes editados por Magalhães Júnior) contêm o grosso da produção contística de Machado: a edição da *Obra completa* da Nova Aguilar, nem será preciso dizê-lo, também está longe de ser completa. Contém 137 contos: faltam, portanto, uns 51, a maior parte deles escritos antes de 1880.

Apresentei os contos na ordem de sua primeira publicação, ignorando, portanto, as várias coletâneas em que Machado reuniu boa parte deles. Na verdade, as coletâneas, fora o caso excepcional de *Papéis avulsos*, não têm unidade. Os contos eram escolhidos entre aqueles publicados em anos anteriores e que Machado julgava terem sido apreciados por seu público e que, desse modo, venderiam. As únicas exceções são "A chinela turca" e "Uma visita de Alcibíades", mencionados acima, e que incluí no lugar que ocupam em *Papéis avulsos*. Isto tem a vantagem de realçar a posição de "O machete" e "Na arca", um dos últimos contos "velhos", e o primeiro entre os "novos". As notas de rodapé, tal como o mapa do centro do Rio de Janeiro nos tempos de Machado, visam aumentar o prazer da leitura, e não sobrecarregá-la de informações inúteis.

A seguir vem a lista, por ordem cronológica, dos contos publicados nesta antologia. Vem disposta da seguinte maneira: o título; a revista ou jornal, e a data de sua primeira publicação; o nome, abreviatura ou pseudônimo com que apareceu, e, se for o caso, a coletânea em que Machado o publicou.

1878

1. "O machete"; *Jornal das Famílias*, fevereiro, março de 1878; Lara; não republicado.

2. "Na arca"; *O Cruzeiro*, 14 de maio de 1878; Eleazar; *Papéis avulsos* (1882).

1881

3. "O alienista"; *A Estação*, outubro de 1881-março de 1882; Machado de Assis; *Papéis avulsos* (1882).

4. "Teoria do medalhão"; *Gazeta de Notícias*, 18 de dezembro de 1881; Machado de Assis; *Papéis avulsos* (1882).

1882

5. "Uma visita de Alcibíades"; Victor de Paula; *Papéis avulsos* (1882). (Publicado numa versão anterior no *Jornal das Famílias*, outubro de 1876, assinado Vítor de Paula).

6. "D. Benedita"; *A Estação*, abril-junho de 1882; Machado de Assis; *Papéis avulsos* (1882).

7. "O segredo do Bonzo"; *Gazeta de Notícias*, 30 de abril de 1882; Machado de Assis; *Papéis avulsos* (1882).

8. "O anel de Polícrates"; *Gazeta de Notícias*, 2 de julho de 1882; Machado de Assis; *Papéis avulsos* (1882).

9. "O empréstimo"; *Gazeta de Notícias*, 30 de julho de 1882; Machado de Assis; *Papéis avulsos* (1882).

10. "A sereníssima república"; *Gazeta de Notícias*, 20 de agosto de 1882; Machado de Assis; *Papéis avulsos* (1882).

11. "O espelho"; *Gazeta de Notícias*, 8 de setembro de 1882; Machado de Assis; *Papéis avulsos* (1882).

12. "Verba testamentária"; *Gazeta de Notícias*, 8 de outubro de 1882; Machado de Assis; *Papéis avulsos* (1882).

13. "A chinela turca"; Manassés; *Papéis avulsos* (1882). (Publicado numa versão anterior n' *A Época*, 14 de novembro de 1875)

1883

14. "A igreja do Diabo"; *Gazeta de Notícias*, 12 de fevereiro de 1883; Machado de Assis; *Histórias sem data* (1884).

15. "Conto alexandrino"; *Gazeta de Notícias*, 13 de maio de 1883; Machado de Assis; *Histórias sem data* (1884).

16. "Cantiga de esponsais"; *A Estação*, 15 de maio de 1883; Machado de Assis; *Histórias sem data* (1884).

17. "Singular ocorrência"; *Gazeta de Notícias*, 30 de maio de 1883; Machado de Assis; *Histórias sem data* (1884).

18. "Último capítulo"; *Gazeta de Notícias*, 20 de junho de 1883; Machado de Assis; *Histórias sem data* (1884).

19. "Galeria póstuma"; *Gazeta de Notícias*, 2 de agosto de 1883; Machado de Assis; *Histórias sem data* (1884).

20. "Capítulo dos chapéus"; *A Estação*, agosto-setembro de 1883; Machado de Assis; *Histórias sem data* (1884).

21. "Anedota pecuniária"; *Gazeta de Notícias*, 6 de outubro de 1883; Machado de Assis; *Histórias sem data* (1884).

22. "Primas de Sapucaia!"; *Gazeta de Notícias*, 24 de outubro de 1883; Machado de Assis; *Histórias sem data* (1884).

23. "Uma senhora"; *Gazeta de Notícias*, 27 de novembro de 1883; Machado de Assis; *Histórias sem data* (1884).

1884

24. "Fulano"; *Gazeta de Notícias*, 4 de janeiro de 1884; Machado de Assis; *Histórias sem data* (1884).

25. "A segunda vida"; Gazeta Literária, 15 de janeiro de 1884; Machado de Assis; *Histórias sem data* (1884).

26. "Trina e una"; *A Estação*, janeiro-fevereiro de 1884; Machado de Assis; não republicado.

27. "Noite de almirante"; *Gazeta de Notícias*, 10 de fevereiro de 1884; Machado de Assis; *Histórias sem data* (1884).

28. "A senhora do Galvão"; *Gazeta de Notícias*, 14 de maio de 1884; Machado de Assis; *Histórias sem data* (1884).

29. "As academias de Sião"; *Gazeta de Notícias*, 6 de junho de 1884; Machado de Assis; *Histórias sem data* (1884).

30. "Evolução"; *Gazeta de Notícias*, 24 de junho de 1884; Machado de Assis; *Relíquias de casa velha* (1906).

31. "O enfermeiro"; *Gazeta de Notícias*, 13 de junho de 1884 (com o título "Coisas íntimas"); Machado de Assis; *Várias histórias* (1895).

32. "Conto de escola"; *Gazeta de Notícias*, 8 de setembro de 1884; Machado de Assis; *Várias histórias* (1895).

33. "D. Paula"; *Gazeta de Notícias*, 12 de outubro de 1884; Machado de Assis; *Várias histórias* (1895).

34. "O diplomático"; *Gazeta de Notícias*, 29 de outubro de 1884; Machado de Assis; *Várias histórias* (1895).

35. "A cartomante"; *Gazeta de Notícias*, 28 de novembro de 1884; Machado de Assis; *Várias histórias* (1895).

1885

36. "Adão e Eva"; *Gazeta de Notícias*, 1º de março de 1885; Machado de Assis; *Várias histórias* (1895).

37. "Um apólogo"; *Gazeta de Notícias*, 1º de março de 1885 (com o título "A agulha e a linha"); Machado de Assis; *Várias histórias* (1895).

38. "A causa secreta"; *Gazeta de Notícias*, 1º de agosto de 1885; *Várias histórias* (1895).

39. "Uns braços"; *Gazeta de Notícias*, 5 de novembro de 1885; *Várias histórias* (1895).

1886

40. "Entre santos"; *Gazeta de Notícias*, 1º de janeiro de 1886; Machado de Assis; *Várias histórias* (1895).

41. "Trio em lá menor"; *Gazeta de Notícias*, 20 de janeiro de 1886; Machado de Assis; *Várias histórias* (1895).

42. "Terpsícore"; *Gazeta de Notícias*, 25 de março de 1886; Machado de Assis; não republicado.

43. "A desejada das gentes"; *Gazeta de Notícias*, 15 de julho de 1886; Machado de Assis; *Várias histórias* (1895).

1888

44. "Um homem célebre"; *Gazeta de Notícias*, 29 de junho de 1888; Machado de Assis; *Várias histórias* (1895).

1891

45. "O caso da vara"; *Gazeta de Notícias*, 1º de fevereiro de 1891; Machado de Assis; *Páginas recolhidas* (1899).

1894

46. "Missa do galo"; *A Semana*, 12 de maio de 1894; Machado de Assis; *Páginas recolhidas* (1899).

1895

47. "Ideias de canário"; *Gazeta de Notícias*, 15 de novembro de 1895; Machado de Assis; *Páginas recolhidas* (1899).

48. "Uma noite"; *Revista Brasileira*, dezembro de 1895; Machado de Assis; não republicado.

1903

49. "Pílades e Orestes"; *Almanaque Brasileiro Garnier*, janeiro de 1903; Machado de Assis; *Relíquias de casa velha* (1906).

1906

50. "Pai contra mãe"; só publicado em *Relíquias de casa velha* (1906).

Sobre o autor

Joaquim Maria Machado de Assis nasceu a 21 de junho de 1839, no Morro do Livramento, nos arredores do centro do Rio de Janeiro. Seu pai, Francisco José de Assis, era "pardo" e neto de escravos, sua mãe, Maria Leopoldina Machado, era açoriana — ambos agregados de uma viúva de um senador do Império. Jovem, perdeu a mãe e uma irmã, e, em 1851, o pai. Foi criado pela madrasta Maria Inês, e cedo mostrou inclinação para as letras — diz-se que aprendeu francês com um padeiro do bairro.

Começou a publicar poesia com quinze anos, na *Marmota Fluminense*, e no ano seguinte entrou para a Imprensa Nacional, como aprendiz de tipógrafo. Aí conheceu Manuel Antônio de Almeida, autor das *Memórias de um sargento de milícias*, e mais tarde Francisco de Paula Brito, liberal e livreiro, para quem trabalhou como revisor e caixeiro. Em 1860, a convite de Quintino Bocaiúva, começou a colaborar no jornal liberal *Diário do Rio de Janeiro*, sendo repórter do jornal no Senado. Nos anos 60, também iniciou a publicação mais ou menos regular de contos para a revista feminina *Jornal das Famílias*. Publicou o seu primeiro livro de poesias, *Crisálidas*, em 1864. Em 1867, começou a sua escalada pela burocracia do Império — migrou do *Diário do Rio* para ser ajudante do diretor do *Diário Oficial*.

No fim da década dos 1860 dois eventos cruciais selam a sua ascensão social. Em 1868, sobreviveu à súbita mudança de governo, de liberal a conservador, tachada de "golpe de Estado", e em que esteve a pique de perder o emprego. A amizade literária com José de Alencar, ministro de Justiça no novo governo, serviu para que mantivesse o posto. E, no ano seguinte, casou-se com Carolina Xavier de Novais, portuguesa e irmã do poeta Faustino Xavier de Novais, amigo de Machado, e que morrera, louco, em 1869. Ao que parece, o casamento foi feliz, embora não tivessem filhos, e quando Carolina morreu, em 1904, Machado ficou abatidíssimo.

Em 1870, sai a segunda coletânea de poesias, *Falenas*, e a primeira de contos, *Contos fluminenses*. Em 1872, é a vez do primeiro romance, *Ressurreição*. Ao longo dos anos 70, publicaria mais três romances — *A mão e a luva*, *Helena*, e *Iaiá Garcia* — e mais um livro de contos, *Histórias da meia-noite*. Nesse tempo, publicava também crônicas na *Revista Ilustrada*, na *Ilustração Brasileira*, e n'*O Cruzeiro*. Desde 1873, foi funcionário da Secretaria de Agricultura, promovido em 1876. Foi considerado um dos líderes da literatura brasileira, em pé de igualdade com José de Alencar (que faleceu no fim de 1877). Nesses anos, como funcionário, sempre tentou, dentro dos limites da lei, promover os interesses dos escravos e escravas em busca da sua liberdade.

No fim da década, sofreu uma crise de causas em parte misteriosas — terá sido acometido pela epilepsia pela primeira vez? Certamente sofria dos olhos, e teve que se ausentar do trabalho por três meses, convalescendo em Nova Friburgo. Os primeiros produtos da crise (e de um longo processo de experimentação e amadurecimento) foram as *Memórias póstumas de Brás Cubas*, primeiro grande romance, e *Papéis avulsos*, a primeira coletânea de contos de grande qualidade.

Em dezembro de 1881, com "Teoria do medalhão", começou a colaboração na *Gazeta de Notícias*, jornal esclarecido e inovador, de cujo dono, Ferreira de Araújo, Machado se fez amigo. Ao longo de dezesseis anos, até 1897, escreveria mais de quatrocentas crônicas para a *Gazeta*, onde publicou muitos dos seus melhores contos. Na revista feminina *A Estação*, cujo suplemento literário ele dirigiu, também publicou muitos contos, e dois romances, *Casa velha* (romance curto), e *Quincas Borba*, na sua primeira versão, em folhetins. Publicou *Histórias sem data* em 1884.

Em abril de 1888, pressentindo a abolição da escravidão e o advento da república, começou uma nova série de crônicas ousadas e, portanto, verdadeiramente anônimas, "Bons Dias!", que concluiu em agosto de 1889. Só recomeçou a escrever crônicas para a *Gazeta* em 1892, já passado o vendaval do Quinze de Novembro e pouco depois do *boom* financeiro do Encilhamento, que acabou, desastrosamente, no fim de 1891. Machado sempre manteve uma discreta mas coerente posição monarquista, embora também fosse liberal e sobretudo cético — *Quincas Borba*, publicado em livro em 1891, pode ser lido em parte (e foi escrito em parte) como uma alegoria do progressivo enlouquecimento do regime monárquico. Nas crônicas de "A Semana", coluna que manteve de 1892 a 1897, conservou uma posição às vezes (nem sempre) mais distanciada e, como ele diria, talvez "ática". A série contém algumas das obras-primas do gênero, e parte delas até foi publicada em forma de livro, no fim de *Páginas recolhidas* (1899). Nesse mesmo ano, publicou *Dom Casmurro*, o seu romance mais controvertido e, talvez, mais popular. Em 1897, foi eleito presidente da Academia Brasileira de Letras, fundada no ano anterior.

No século XX, Machado publicou seus últimos romances, *Esaú e Jacó* (1904) e *Memorial de Aires* (1908) — ambos dramatizam os últimos anos do regime monárquico, e o segundo contém um retrato de D. Carolina, sob o disfarce de D. Carmo (disfarce que confessou numa carta a Mário de Alencar). Em 1906, publicou seu último volume de contos, *Relíquias de casa velha*, que contém algumas surpresas. O primeiro conto do livro é "Pai contra mãe", uma denúncia da escravidão, instituição que sempre odiara. Ficava cada vez mais doente, com uma úlcera cancerosa na língua, provavelmente causada pelos ataques epiléticos, e problemas intestinais. Morreu em 29 de setembro de 1908.

Sobre o organizador

John Gledson é professor aposentado de estudos brasileiros na Universidade de Liverpool. Publicou três livros sobre Machado de Assis no Brasil: *Machado de Assis: ficção e história* (Paz e Terra, 1986), *Machado de Assis: impostura e realismo* (Companhia das Letras, 2005) e *Por um novo Machado de Assis* (Companhia das Letras, 2006), editou dois volumes de crônicas do mesmo autor (*Bons Dias!* [1989] e *A Semana 1892-93* [1996], ambos pela Hucitec) e uma antologia dos contos: *Contos: uma antologia* (Companhia das Letras, 1999). Também publicou dois livros sobre Carlos Drummond de Andrade: *Poesia e poética de Carlos Drummond de Andrade* (Livraria Duas Cidades, 1981) e *Influências e impasses: Drummond e alguns contemporâneos* (Companhia das Letras, 2003), além de diversos artigos sobre Machado de Assis e outros autores brasileiros. Traduziu diversos livros do português para o inglês, entre eles *Dom Casmurro*, dois romances de Milton Hatoum (*Relato de um certo Oriente* e *Dois irmãos*), *Um mestre na periferia do capitalismo*, de Roberto Schwarz, e o roteiro do filme *Central do Brasil*.

1ª EDIÇÃO [2007] 33 reimpressões

ESTA OBRA FOI COMPOSTA POR 2 ESTÚDIO GRÁFICO EM DANTE
E IMPRESSA PELA GEOGRÁFICA SOBRE PAPEL PÓLEN DA SUZANO S.A.
PARA A EDITORA SCHWARCZ EM ABRIL DE 2025

A marca FSC® é a garantia de que a madeira utilizada na fabricação
do papel deste livro provém de florestas que foram gerenciadas de
maneira ambientalmente correta, socialmente justa e economica-
mente viável, além de outras fontes de origem controlada.